비상 독해路

수능 국어 1등급

예비 고등~고등3

수능 개념을 바탕으로 실전 감각을 길러요

국어, 독서, 문학, 고난도 독서, 고난도 문학 등
기출 개념을 익히고 학습하는 수능 예상 문제집

독서 기본, 독서, 문학 기본, 문학 등
기출로 실전 감각을 키우는 기출문제집

예비 중등~중등3

영역별 독해 전략을 바탕으로 독해력을 강화해요

비문학 1~3권
독해력을 단계별로 단련하는 중등 독해

어휘편 1~3권
중등 전 과목 교과서 필수 어휘 학습

문학편 1~3권
감상 스킬을 단련하는 필수 작품 독해

초등3~예비 중등

본격적으로 학습 독해 실력을 쌓아요

비문학 시작편 1~2권
초등에서 처음 만나는 수능 독해의 기본

비문학 1~2권
초등 독해의 넥스트레벨 고급 독해

문학 1~3권
시험에 꼭 나오는 작품 독해

중등

수능 독해

1 기본

비문학 독해

중등 수능 독해

단계별 전략

"중등 수능 독해"는 지문 길이와 어휘를 조절한 실전 문제 비율, 문제의 난이도, 지문의 영역, 기출 문제 등을 학생들의 수준에 맞게 단계별로 제시하였습니다.

수능 독해를 처음 접하는 학생은 1권을, 수능 독해 실력을 한 단계 올리고 싶은 학생은 2권을, 수능 독해 실력을 완성하고 싶은 학생은 3권을 선택하여 학습합니다.

1권 기본 | 예비 중1 ~ 중1

지문 길이의 단계별 구성

1,000자 내외의 짧은 지문 실전 (65%)

1,200자 내외의 긴 지문 실전 (35%)

지문 내용과 어휘의 단계별 제시

수능 독서에서 출제되는 5개 영역을 **기본** 수준에 맞는 내용과 어휘로 구성

수능형 독해 사고력을 위한 기출문제의 단계별 반영

예상 문제 **70%**

기출문제 **30%**

기본 수준에 맞는 중3 성취도 평가 반영

수능 독해 사고력 완성

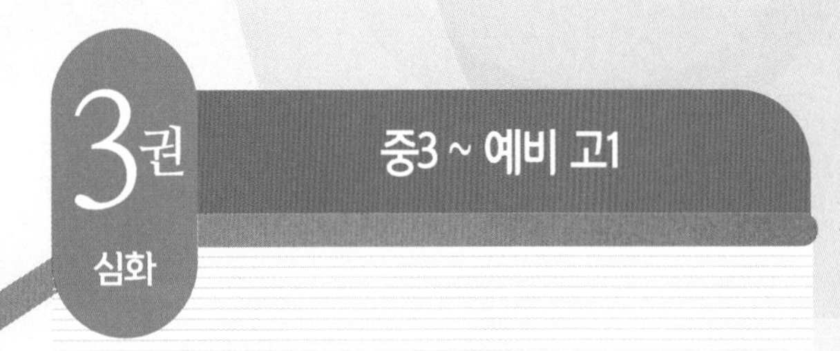

1,000자 내외의 짧은 지문 실전 (35%)	1,200자 내외의 긴 지문 실전 (65%)

수능 독서에서 출제되는 5개 영역과 최근 수능 경향인 융합 지문을 심화 수준에 맞는 내용과 어휘로 구성

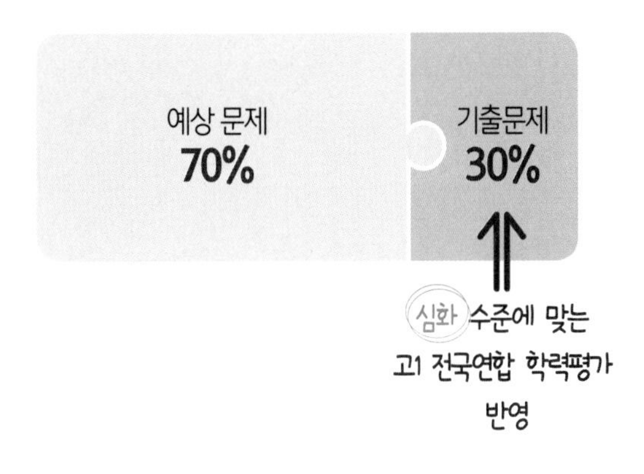

2권 발전 중1 ~ 중2

1,000자 내외의 짧은 지문 실전 (50%)	1,200자 내외의 긴 지문 실전 (50%)

수능 독서에서 출제되는 5개 영역을 발전 수준에 맞는 내용과 어휘로 구성

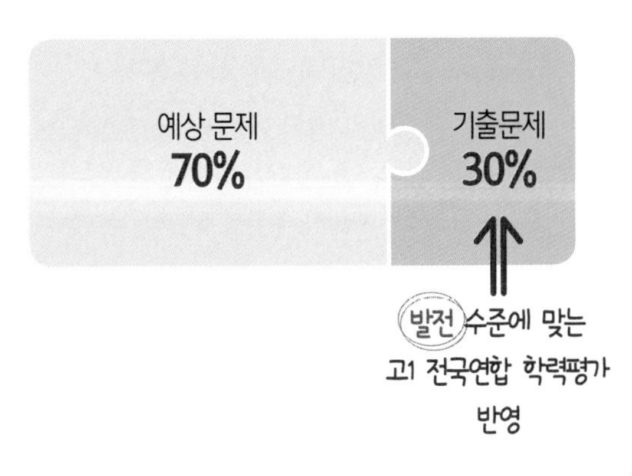

이 책의 구성과 사용법

1 독해 원리 이해

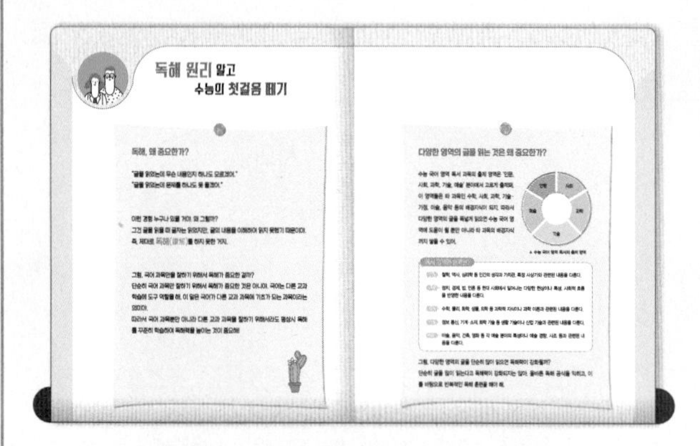

독해 원리를 아는 것이 수능 독해의 시작!

독해, 왜 중요한가? 다양한 영역의 글을 읽는 것이 왜 필요한가? 등 독해에 대한 궁금증을 알려 줄 거야. 그리고 '독해쌤'이 알려 주는 3단계 독해 원리를 꼼꼼하게 읽은 후, 실전 문제에 독해 공식을 적용하여 독해 학습을 해 보자.

2 단계별로 구성된 실전

핵심어와 각 문단의 중심 내용을 찾으며 읽으면 글의 내용을 쉽게 파악할 수 있어.

수능형 문제를 경험하고 수능의 자신감을 키워 봐!

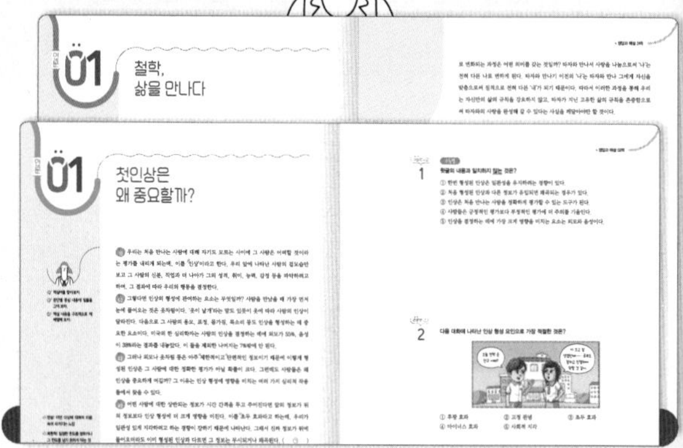

단계별 독해 연습이 가능한 실전 구성

- "중등 수능 독해"는 '짧은 지문 실전'과 '긴 지문 실전'으로 실전 문제를 단계적으로 구성했어. 앞에서 익힌 '독해쌤의 독해 원리' 기억하지? '짧은 지문 실전'과 '긴 지문 실전'을 독해쌤의 독해 원리에 따라 지문 읽기를 하면 글을 효율적으로 읽을 수 있어.
- 수능에서 독서 지문은 '인문, 사회, 과학, 기술, 예술'의 영역에서 출제가 돼. "중등 수능 독해"는 각 영역별 지문을 제재, 길이, 난이도를 고려하여 단계적으로 제시했어.

수능의 사고력에 맞춰 출제한 독해 문제

수능은 어떤 개념이나 내용을 외워서 푸는 문제가 아닌, 사고 능력을 평가할 수 있는 문제가 출제돼. "중등 수능 독해"에서는 지문을 읽고 '사실적, 추론적, 비판적' 사고 능력을 평가할 수 있는 문제를 제시했어. 그리고 실전 수능에 가까운 '수능형' 문제도 준비해 뒀으니 다소 어렵더라도 수능형 문제를 정복하면서 수능에 대한 자신감을 키워 보자.

“독해 원리를 단계별로 구성된 실전에 적용하여 독해력을 단련하는

“중등 수능 독해””

독해쌤의 독해 공식에 따라 지문을 정리해 보니 글의 구조가 보이는구나!

어휘력이 부족하면 글을 제대로 이해할 수 없어. 다양한 어휘 학습을 통해 어휘력을 쌓아 봐!

독해 체크 활용하기

지문을 다 읽고 나면 ‘독해 체크’에 지문의 핵심 내용을 정리해 봐. 이렇게 독해 연습을 하다 보면 글을 정확하게 이해하고 빠르게 읽을 수 있게 되어 독해력이 향상된단다.

어휘 체크 활용하기

집을 지을 때 기둥을 받쳐 주는 주춧돌처럼 어휘력은 독해의 기본이야. 기본이 탄탄하지 않으면 아무리 글을 읽어도 독해력이 향상되지 않아. “중등 수능 독해”에서는 실전 문제에 필수적으로 ‘어휘·어법’ 문제를 제시했어. 그리고 ‘어휘 체크’에서는 지문에 나온 어휘를 바탕으로 다양한 어휘 학습 장치를 마련해 뒀어. 재미있게 어휘를 학습하면서 어휘력을 길러 보자.

3 독해 성취도 평가 & 독해 체크리스트

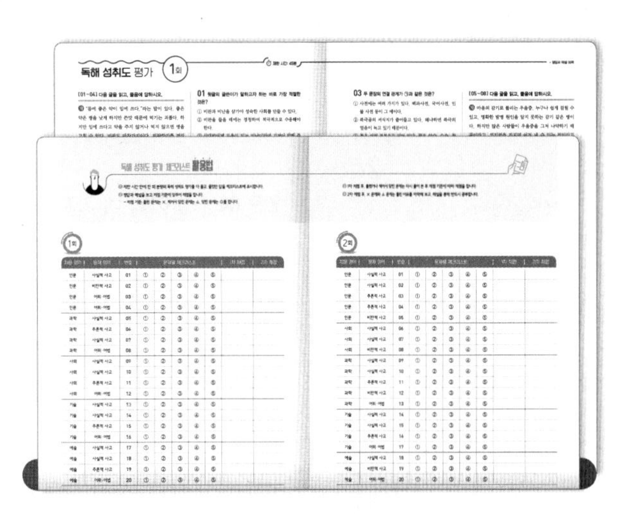

독해력을 스스로 점검하는 독해 성취도 평가

- 독해 성취도 평가는 수능에 출제되는 모든 영역을 지문으로 제시하고 수능형 문제로 구성한 고난도 평가 문제야. ‘짧은 지문 실전’과 ‘긴 지문 실전’을 학습하면서 쌓아온 독해력을 점검 및 평가해 볼 수 있어.

- 독해 평가 2회를 모두 풀었다면 평가 체크리스트를 작성해 보고 평가 결과를 스스로 분석해 봐. 자기의 독해 수준이 어느 정도 향상되었는지 점검해 보고 학습 계획을 세워 보자.

차례와 학습 계획

1단계
짧은 지문 실전

◎ 1일 실전 2회씩, 20일 학습을 계획하여 꾸준히 학습해 봅시다.

◎ 학습을 마친 후, 자기의 이해도에 따라 학습 점검 칸을 😟 😛 🙂 😁 색칠해 봅시다.

2단계 긴 지문 실전

3단계 독해 성취도 평가

독해 원리 알고 수능의 첫걸음 떼기

독해, 왜 중요한가?

"글을 읽었는데 무슨 내용인지 하나도 모르겠어."
"글을 읽었는데 문제를 하나도 못 풀겠어."

이런 경험 누구나 있을 거야. 왜 그럴까?
그건 글을 읽을 때 글자는 읽었지만, 글의 내용을 이해하며 읽지 못했기 때문이야.
즉, 제대로 **독해(讀解)**를 하지 못한 거지.

그럼, 국어 과목만을 잘하기 위해서 독해가 중요한 걸까?
단순히 국어 과목만 잘하기 위해서 독해가 중요한 것은 아니야. 국어는 다른 교과 학습에 도구 역할을 해. 이 말은 국어가 다른 교과 과목에 기초가 되는 과목이라는 의미야.
따라서 국어 과목뿐만 아니라 다른 교과 과목을 잘하기 위해서라도 평상시 독해를 꾸준히 학습하여 독해력을 높이는 것이 중요해!

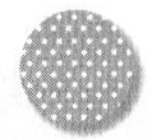

다양한 영역의 글을 읽는 것은 왜 중요한가?

수능 국어 영역 독서 과목의 출제 영역은 '인문, 사회, 과학, 기술, 예술' 분야에서 고르게 출제돼. 이 영역들은 타 과목인 수학, 사회, 과학, 기술·가정, 미술, 음악 등의 배경지식이 되지. 따라서 다양한 영역의 글을 폭넓게 읽으면 수능 국어 영역에 도움이 될 뿐만 아니라 타 과목의 배경지식까지 쌓을 수 있어.

▲ 수능 국어 영역 독서의 출제 영역

독서 영역의 성격은?

- **인문** … 철학, 역사, 심리학 등 인간의 생각과 가치관, 특정 사상가와 관련된 내용을 다룬다.
- **사회** … 정치, 경제, 법, 언론 등 현대 사회에서 일어나는 다양한 현상이나 특성, 사회적 흐름을 반영한 내용을 다룬다.
- **과학** … 수학, 물리, 화학, 생물, 의학 등 과학적 지식이나 과학 이론과 관련된 내용을 다룬다.
- **기술** … 정보 통신, 기계·소재, 화학 기술 등 생활 기술이나 산업 기술과 관련된 내용을 다룬다.
- **예술** … 미술, 음악, 건축, 영화 등 각 예술 분야의 특성이나 예술 경향, 사조 등과 관련된 내용을 다룬다.

그럼, 다양한 영역의 글을 단순히 많이 읽으면 독해력이 강화될까?

단순히 글을 많이 읽는다고 독해력이 강화되지는 않아. 올바른 독해 공식을 익히고, 이를 바탕으로 반복적인 독해 훈련을 해야 해.

독해쌤이 알려 주는 독해 원리

원리 1 핵심어를 찾아보자.

글을 읽고 무슨 내용인지 파악이 안 될 때가 있지? 이건 글을 읽고 난 후 중심 화제에 대해 글쓴이가 어떤 태도를 취하는지, 글쓴이가 글을 쓴 목적이나 숨겨진 의도가 무엇인지를 제대로 파악하지 못했기 때문이야. 그럼 이를 파악하기 위해서는 제일 먼저 무엇을 해야 할까?

바로 글의 **핵심어**를 찾아야 해. 글을 읽으면서 핵심어를 찾는 것은 글을 읽는 기본이면서 가장 중요한 일이지. 핵심어는 보통 글의 첫 문단이나 둘째 문단의 시작 부분에 제시되어 있는 경우가 많으니까 주의 깊게 살펴보도록 해.

원리 2 문단별 중심 내용을 파악하자.

한 편의 글은 여러 개의 문단들이 모여서 이루어져 있어. 따라서 글 전체의 내용을 이해하기 위해서는 각 문단을 읽으면서 **문단의 중심 내용을 파악**해야 해. 문단의 중심 내용을 파악하려면 어떻게 해야 할까?

바로 중심 문장과 이를 뒷받침하는 문장들의 관계를 살펴봐야 해. 문장들은 다양한 정보들로 구성되어 있어. 따라서 글의 중심 화제와 관련해 어떤 정보가 제시되어 있는지 살펴보면 중심 문장과 뒷받침 문장의 구분이 가능해지고, 중심 문장을 바탕으로 문단 간의 관계를 파악할 수 있어.

그럼, 정보들 간의 관계를 쉽게 파악하기 위한 팁을 알려 줄게. 바로 기호를 사용하는 거야. 기호를 사용하면 정보들 간의 관계를 한눈에 파악할 수 있어.

- 핵심어라고 생각되는 부분에 ⬭ 표시하고, 핵심어의 개념이나 특성이 설명된 부분에 밑줄(______) 긋기
- 핵심어 이외의 중요 정보들은 핵심어 표시 기호와 다른 기호(▭ , △ , ▽ 등)로 나타내기
- 대비되는 상황을 나타낼 때는 ⟷, 원인과 결과를 나타낼 때는 ⟹, 시간의 흐름이나 과정을 나타낼 때는 ⟶ 등과 같은 화살표를 사용하여 정보 간의 의미 관계를 표시하기
- 순접이나 역접, 전환, 예시 등의 의미를 나타내는 단어나 구의 경우 ⌵ 로 표시하기
- 중요한 정보가 여러 개일 때는 밑줄(______)을 긋고, ①, ②, ③ 등과 같은 번호를 붙이기
- 글쓴이의 견해나 주장, 태도, 글의 주제 등은 물결 (～～～)로 표시하기

원리 3 핵심 내용을 재구성하자.

기호를 사용하여 글을 읽었다면, 이제 글의 **핵심 내용을 재구성하여 정리**해야 해. 핵심 내용을 정리할 때는 정보 간의 관계를 한눈에 파악할 수 있도록 표나 도식을 활용하여 시각적으로 표현해야 해. 이때 글의 전개 방식을 알면 핵심 내용을 좀 더 쉽게 시각적으로 재구성할 수 있어.

글의 전개 방식에는 병렬, 비교·대조, 과정, 문제 해결 등이 있는데, 글쓴이는 자신의 견해나 주장, 핵심 정보를 효과적으로 전달하기 위해 이런 전개 방식을 활용하여 글을 써. 따라서 글의 전개 방식을 파악하고, 이를 바탕으로 핵심 내용을 재구성하면 정보 간의 관계를 한눈에 파악할 수 있어.

전개 방식	설명
병렬(나열)	정보나 주장을 나열하여 글을 전개함. 주로 '첫째, 둘째, ……' 등과 같은 말을 사용함
비교·대조	대상 간의 유사점(비교)이나 차이점(대조)을 바탕으로 글을 전개함
과정	시간의 흐름이나 과정이 드러나게 글을 전개함. 주로 '먼저, 다음은, 마지막으로' 등과 같은 말을 사용함
문제 해결	대상에 대한 문제점(한계)과 그에 대한 대안(방안)을 짝지어 글을 전개함

독해 원리에 따라 글 읽기

● 독해 원리에 따라 다음 글을 읽어 보세요.

오늘날 상업 거래에는 일반적으로 화폐가 사용된다. 화폐란 지폐나 동전, 수표, 신용 카드 등의 형태로 된 지불 수단이다. 과거에는 주로 상품과 상품을 직접 맞바꿔 거래했으나 오늘날에는 화폐를 이용해서 재화와 서비스 등의 생산물뿐만 아니라 노동력이나 토지 등과 같은 생산 요소까지 거래한다. 이처럼 경제 활동의 주요 수단이 되고 우리 삶에 없어서는 안 될 화폐의 기능을 알아보자.

화폐의 개념 / 오늘날 화폐의 역할

첫째, 화폐는 교환 매개의 기능을 한다. 예를 들어 옥수수를 가진 사람은 사과를 필요로 하고, 사과를 가진 사람은 옥수수를 필요로 한다고 해 보자. 이 두 사람이 운 좋게 서로 만날 수 있다면 각자가 원하는 것을 가질 수 있다. 그러나 서로 원하는 물건을 갖고 있는 사람을 찾으려면 많은 시간과 노력을 들여야 하는 것이 일반적이다. 거래 과정에서 화폐를 매개로 대가를 지불함으로써 거래에 드는 시간과 노력이 줄어들게 되었다.

화폐의 기능 ❶ / 교환 매개의 기능을 지닌 화폐 사용의 이점

둘째, 화폐는 가치 척도의 기능을 한다. 물물 교환으로 물건을 얻고자 할 때, 원하는 물건이 일치하는 사람을 찾았다고 해도 쉽게 교환이 되는 것은 아니다. 왜냐하면 서로 상대방의 물건에 부여하는 가치가 다르기 때문이다. 가령 한 사람은 생선 한 마리에 과일 한 개씩 교환하기를 원하지만, 다른 사람은 생선 한 마리에 과일 두 개씩 교환하기를 원할 수 있다. 이렇게 교환 대상에 대해 서로 다른 가치를 적용할 때, 각 상품의 가치를 화폐의 단위로 측정함으로써 거래에서 발생하는 분쟁이 줄게 되었다.

화폐의 기능 ❷ / 가치 척도의 기능을 지닌 화폐 사용의 이점

셋째, 화폐는 가치 저장의 기능을 한다. 어떤 농민이 가을에 거둔 과일을 보관한다고 가정해 보자. 만일 그 과일을 내년 봄까지 그대로 보관하려면 비용과 노력이 필요할 뿐만 아니라 경우에 따라 과일의 가치가 훼손될 수도 있다. 하지만 과일을 팔아 화폐로 바꾸면 내년 봄까지 그 가치를 손쉽게 저장할 수 있다. 이와 같이 화폐는 물건이 가진 가치를 저장할 수 있어, 물건의 가치를 쉽게 보관, 유지, 축적하게 해 주었다.

화폐의 기능 ❸ / 예시 / 가치 저장의 기능을 지닌 화폐 사용의 이점

인류 역사에서 화폐의 등장은 획기적인 일이었다. 교환을 매개함으로써 사람들 사이에 일어나는 거래를 편리하게 해 주었고, 가치를 평가하고 저장함으로써 분쟁을 줄이고, 물건 가치의 보관과 유지, 축적을 쉽게 해 주었다. 이처럼 화폐는 경제 활동의 중요한 수단이다. 그런 의미에서 화폐 없는 인간 사회는 상상하기 어려울지 모른다.

화폐에 대한 글쓴이의 태도

✓ 핵심 화제 찾기

이 글은 '화폐의 기능'에 대해 설명하고 있어.

✓ 문단별 중심 내용 파악하기

글쓴이는 화폐의 세 가지 기능에 대해 2, 3, 4문단에서 각각 설명하고 있어. 2문단에서는 화폐의 교환 매개의 기능을, 3문단에서는 화폐의 가치 척도의 기능을, 4문단에서는 화폐의 가치 저장의 기능에 대해 각각 예시를 통해 설명하고 있어.

✓ 핵심 내용 구조화하기

화폐의 기능
- 교환 매개의 기능
- 가치 척도의 기능
- 가치 저장의 기능

독해 원리를 바탕으로 핵심어를 찾고, 문단별 중심 내용을 이해하며, 내용을 구조화하여 이해하는 것을 독서의 방법 중 하나인 사실적 읽기라고 해. 사실적 읽기는 글을 이해하는 데 가장 기본이 되는 독서 방법이야. 그리고 사실적 읽기를 바탕으로 출제된 문제를 사실적 사고 유형이라고 해.

글쓴이는 5문단에서 화폐는 경제 활동의 중요한 수단으로, 화폐가 없는 인간 사회는 상상하기 어렵다고 했어. 즉, 현대 경제 사회에서 화폐가 중요한 역할을 한다고 보고 있지. 따라서 글쓴이는 화폐의 기능에 대해 긍정적인 태도를 지닌다고 추론할 수 있어.
이처럼 사실적 읽기를 바탕으로 글쓴이의 의도나 관점, 생략된 내용 등을 추론하며 읽는 것을 추론적 읽기라고 해. 그리고 추론적 읽기를 바탕으로 출제된 문제를 추론적 사고 유형이라고 해.

한편, 화폐의 세 가지 기능은 타당한지, 이에 대한 글쓴이의 태도는 적절한지 등을 비판적 시각에서 파악하는 것도 매우 중요해.
이처럼 내용의 타당성 및 공정성 등을 파악하며 읽는 것을 비판적 읽기라고 해. 그리고 비판적 읽기를 바탕으로 출제된 문제를 비판적 사고 유형이라고 해.

짧은 지문 실전

첫인상은 왜 중요할까?

- 핵심어를 찾아보자.
- 문단별 중심 내용에 밑줄을 그어 보자.
- 핵심 내용을 구조적으로 재배열해 보자.

가 우리는 처음 만나는 사람에 대해 자기도 모르는 사이에 그 사람은 어떠할 것이라는 평가를 내리게 되는데, 이를 '인상'이라고 한다. 우리 앞에 나타난 사람의 겉모습만 보고 그 사람의 신분, 직업과 더 나아가 그의 성격, 취미, 능력, 감정 등을 파악하려고 하며, 그 결과에 따라 우리의 행동을 결정한다.

나 그렇다면 인상의 형성에 관여하는 요소는 무엇일까? 사람을 만났을 때 가장 먼저 눈에 들어오는 것은 옷차림이다. '옷이 날개'라는 말도 있듯이 옷에 따라 사람의 인상이 달라진다. 다음으로 그 사람의 용모, 표정, 몸가짐, 목소리 등도 인상을 형성하는 데 중요한 요소이다. 미국의 한 심리학자는 사람의 인상을 결정하는 데에 외모가 55%, 음성이 38%라는 결과를 내놓았다. 이 둘을 제외한 나머지는 7%밖에 안 된다.

다 그러나 외모나 옷차림 등은 아주 제한적이고 단편적인 정보이기 때문에 이렇게 형성된 인상은 그 사람에 대한 정확한 평가가 아닐 확률이 크다. 그런데도 사람들은 왜 인상을 중요하게 여길까? 그 이유는 인상 형성에 영향을 미치는 여러 가지 심리적 작용들에서 찾을 수 있다.

라 어떤 사람에 대한 상반되는 정보가 시간 간격을 두고 주어진다면 앞의 정보가 뒤의 정보보다 인상 형성에 더 크게 영향을 미친다. 이를 초두 효과라고 하는데, 우리가 일관성 있게 지각하려고 하는 경향이 강하기 때문에 나타난다. 그래서 진짜 정보가 뒤에 들어오더라도 이미 형성된 인상과 다르면 그 정보는 무시되거나 왜곡된다. (㉠) 첫인상이 매우 중요한 것이다. 한편, '호감이 가는 사람'이라는 인상이 한번 형성되면 그 사람을 매력적이고, 지적이고, 관대한 사람으로 보게 된다. 즉, 하나의 특성이 좋으면 다른 특성도 좋을 것이라고 추측하게 된다. 반대의 경우도 마찬가지다. 하나가 나쁘면 모든 것이 나쁘게 보인다. 이를 후광 효과라고 한다. 그런데 어떤 사람이 좋은 특성과 나쁜 특성을 함께 가지고 있을 때 그 사람에 대한 인상이 중간이 되는 것이 아니라 나쁜 쪽으로 형성이 된다. 가령 착하고 성실하고 성격도 좋은 사람이 가끔 거짓말을 한다고 할 때, 이 사람은 좋은 특성이 더 많음에도 거짓말쟁이라는 인상을 준다. 이것을 마이너스 효과라고 한다. 이는 사람들이 긍정적인 평가보다 부정적인 평가에 더 주의를 기울이기 때문에 나타난다. 이런 요인들 때문에 우리는 인상을 제대로 형성하지 못하지만, 또 인상을 매우 중요하게 생각하는 것이다.

- **인상**: 어떤 대상에 대하여 마음속에 새겨지는 느낌
- **제한적**: 일정한 한도를 정하거나 그 한도를 넘지 못하게 막는 것
- **단편적**: 전반에 걸치지 않고 한 부분에 국한된 것
- **초두 효과**: 맨 처음에 제시된 정보가 나중에 제시된 정보보다 더 잘 기억되는 효과
- **후광 효과**: 어떤 대상을 평가할 때에, 그 대상의 어느 한 측면의 특질이 다른 특질들에까지도 영향을 미치는 일

1

수능형

윗글의 내용과 일치하지 않는 것은?

① 한번 형성된 인상은 일관성을 유지하려는 경향이 있다.
② 처음 형성된 인상과 다른 정보가 유입되면 왜곡되는 경우가 있다.
③ 인상은 처음 만나는 사람을 정확하게 평가할 수 있는 도구가 된다.
④ 사람들은 긍정적인 평가보다 부정적인 평가에 더 주의를 기울인다.
⑤ 인상을 결정하는 데에 가장 크게 영향을 미치는 요소는 외모와 음성이다.

추론적 사고

2

다음 대화에 나타난 인상 형성 요인으로 가장 적절한 것은?

① 후광 효과　② 고정 관념　③ 초두 효과
④ 마이너스 효과　⑤ 사회적 지각

3

㉠에 들어갈 말로 가장 적절한 것은?

① 그러나　② 따라서　③ 그래도
④ 그렇지만　⑤ 그러면

1 이 글의 핵심 화제를 살펴보자.

(　　　　　) 형성에 영향을 미치는 요소와 심리적 작용

2 각 문단별 중심 내용을 정리해 보자.

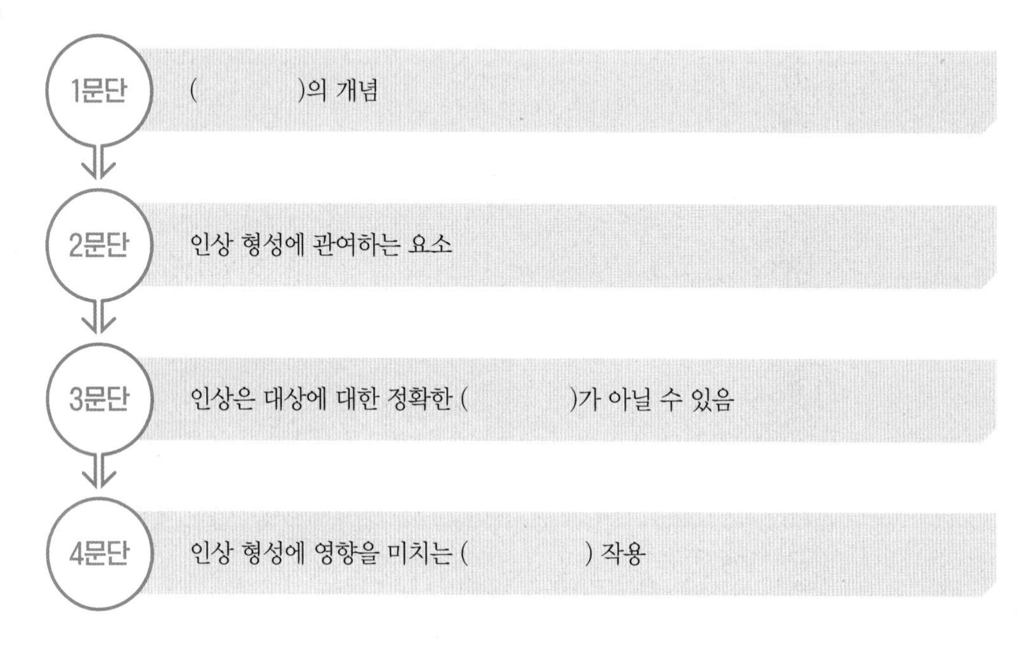

3 핵심 내용을 구조화해 보자.

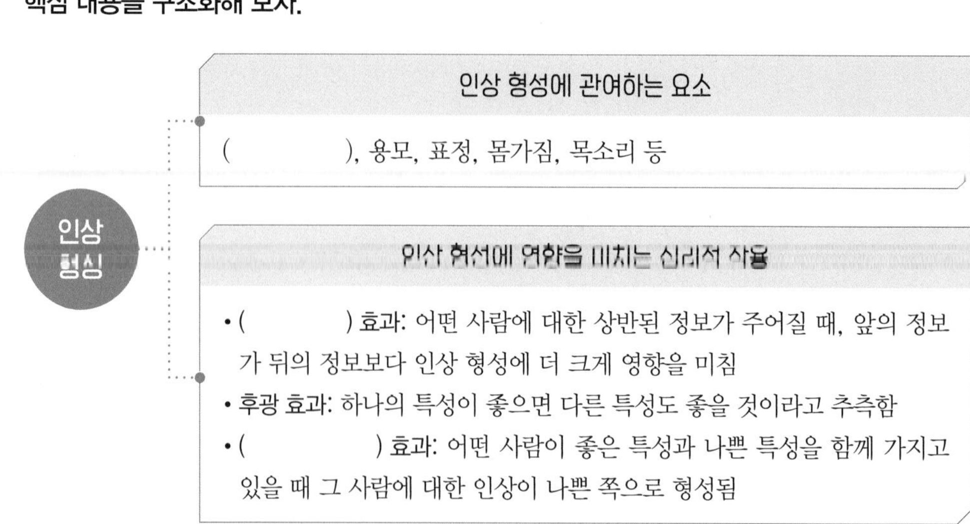

어휘력 테스트

1 다음 단어의 뜻을 참고하여 끝말잇기를 완성해 보자.

2 다음 〈보기〉의 뜻을 참고하여 십자말풀이를 완성해 보자.

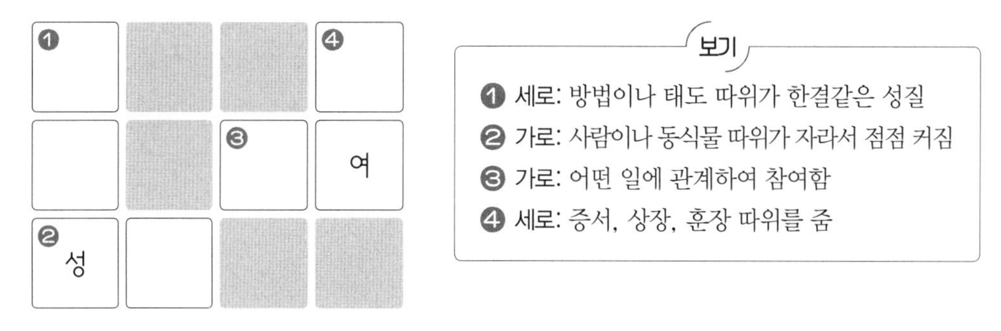

보기

❶ 세로: 방법이나 태도 따위가 한결같은 성질
❷ 가로: 사람이나 동식물 따위가 자라서 점점 커짐
❸ 가로: 어떤 일에 관계하여 참여함
❹ 세로: 증서, 상장, 훈장 따위를 줌

어휘·어법 확장

'옷이 날개라'의 의미

'옷이 날개'라는 말도 있듯이 옷에 따라 사람의 인상이 달라진다.

'옷이 날개라'는 '옷이 좋으면 사람이 돋보인다'는 의미의 속담이다. 이와 비슷한 의미의 속담으로 '입은 거지는 얻어먹어도 벗은 거지는 못 얻어먹는다', '외모는 마음의 거울' 등이 있다.
한편, '검은 고기가 맛 좋다 한다'는 '겉모양만 가지고 내용을 속단하지 말라'는 의미로 '옷이 날개라'와 반대의 의미를 지닌 속담이다.

논증을 생기 있게, 생략 삼단 논법

- 핵심어를 찾아보자.
- 문단별 중심 내용에 밑줄을 그어 보자.
- 핵심 내용을 구조적으로 재배열해 보자.

가 삼단 논법은 대개 두 개의 전제와 한 개의 결론으로 이루어지는데, 여기에서 전제의 일부를 생략한 것을 ㉠'생략 삼단 논법'이라고 한다. ⓐ가령 '숙제를 다 했으니 게임을 해도 돼.'는 '숙제를 다 해야 게임을 할 수 있다, 너는 숙제를 다 했다, 그러므로 게임을 해도 된다.'에서 '숙제를 다 해야 게임을 할 수 있다.'를 생략한 것이다.

나 이러한 전제의 생략은 논증을 약화하지 않는다. ⓑ오히려 상대가 아는 내용을 다시 언급하는 데에서 오는 싫증을 ⓒ덜어 냄으로써 논증을 더 강렬하고 생기 있게 만든다. 하지만 아무 전제나 생략이 가능한 것은 아니다. 전제를 생략할 수 있는 경우는 크게 두 가지이다.

다 첫째, '확실한 지표'는 생략할 수 있다. 확실한 지표란 누구나 인정할 수 있는 보편타당한 진실을 말한다. '열이 나는 걸 보니 감기에 걸렸나 보다.'는 '감기에 걸리면 열이 난다.'와 같이 누구나 아는 사실을 생략함으로써 논증의 자연스러움을 살린다.

라 둘째, '일반적 통념'도 생략할 수 있다. 예를 들어 '적당한 운동은 건강에 좋다.'와 같이 그 사회가 일반적으로 인정하는 상식이 일반적 통념이다. 이러한 전제들은 확실한 지표처럼 절대적이라고 말할 수는 없지만 아주 ⓓ빈번하게 일어나는 것이기에 생략할 수 있다.

마 이러한 생략 삼단 논법을 사용한 주장이 논증인지 아니면 오류인지를 알아내기 위해서는 우선 숨겨진 전제를 찾아 그것이 생략 가능한지, 즉 보편타당한지를 살펴보아야 한다. 이때 숨겨진 전제가 보편타당하면 논증으로, 그렇지 않으면 단순 주장 내지 오류로 ⓔ취급한다.

- **전제**: 어떠한 사물이나 현상을 이루기 위하여 먼저 내세우는 것. 또는 추리를 할 때, 결론의 기초가 되는 판단. 삼단 논법에서는 대전제, 소전제를 구별함
- **논증**: 옳고 그름을 이유를 들어 밝힘. 또는 그 근거나 이유
- **지표**: 방향이나 목적, 기준 따위를 나타내는 표지
- **절대적**: 아무런 조건이나 제약이 붙지 아니하는 것
- **오류**: 사유의 혼란, 감정적인 동기 때문에 논리적 규칙을 소홀히 함으로써 저지르게 되는 바르지 못한 추리

1

윗글의 내용과 일치하지 않는 것은?

① 삼단 논법은 보통 두 개의 전제와 한 개의 결론으로 구성된다.
② 삼단 논법에서 생략할 수 있는 전제에는 보편타당한 진실이 있다.
③ 삼단 논법에서 전제의 일부를 생략한 것을 생략 삼단 논법이라 한다.
④ 삼단 논법에서 그 사회가 일반적으로 인정하는 상식에 해당하는 전제는 생략할 수 있다.
⑤ 삼단 논법에서 사람들이 잘 알지 못하는 사실을 생략할 경우 논증의 자연스러움을 살릴 수 있다.

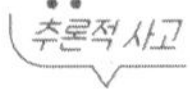

수능형

2

다음 중 ㉠에 해당하지 않는 것은?

① 사람은 동물이기 때문에 언젠가는 죽는다.
② 고래는 포유류이므로 새끼를 낳아 젖을 먹인다.
③ 이 그림은 명작이므로 그림의 가격이 높을 것이다.
④ 건강한 사람은 오래 사는데 넌 건강하니 오래 살 것이다.
⑤ 지금 1기압이고 물의 온도가 100℃이니 물이 끓을 것이다.

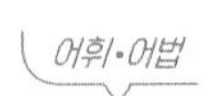

3

ⓐ~ⓔ와 바꾸어 쓸 수 있는 말로 적절하지 않은 것은?

① ⓐ: 예를 들어
② ⓑ: 반대로
③ ⓒ: 줄임으로써
④ ⓓ: 간헐적으로
⑤ ⓔ: 처리한다

1 이 글의 핵심 화제를 살펴보자.

(   )의 개념과 특징

2 각 문단별 중심 내용을 정리해 보자.

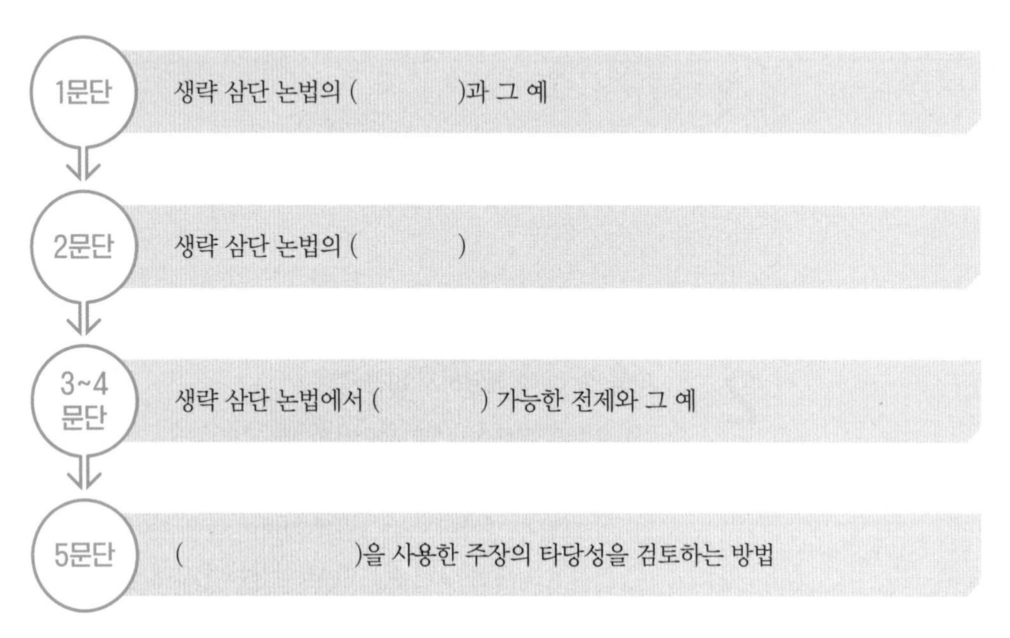

3 핵심 내용을 구조화해 보자.

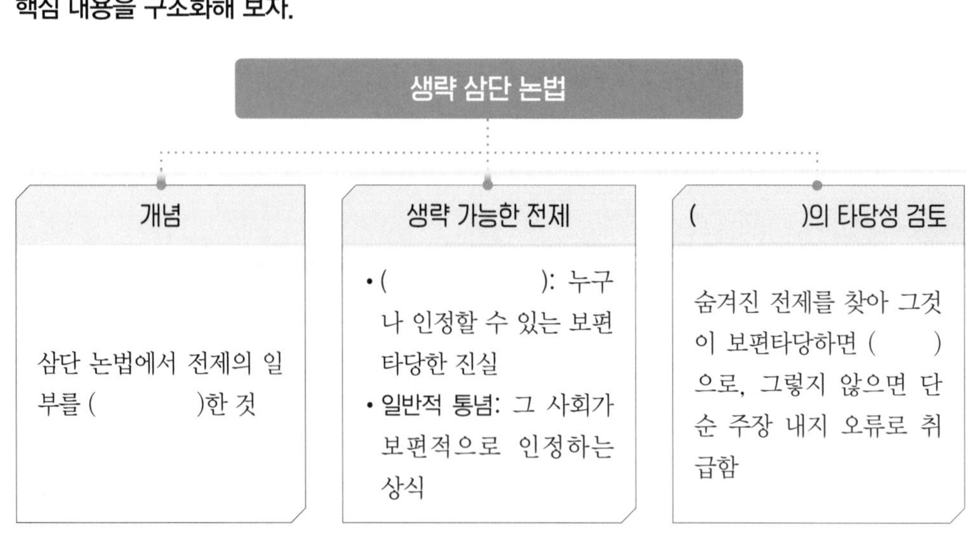

어휘력 테스트

● 다음 괄호 안에 들어갈 단어의 뜻을 〈보기〉에서 골라 기호를 써 보자.

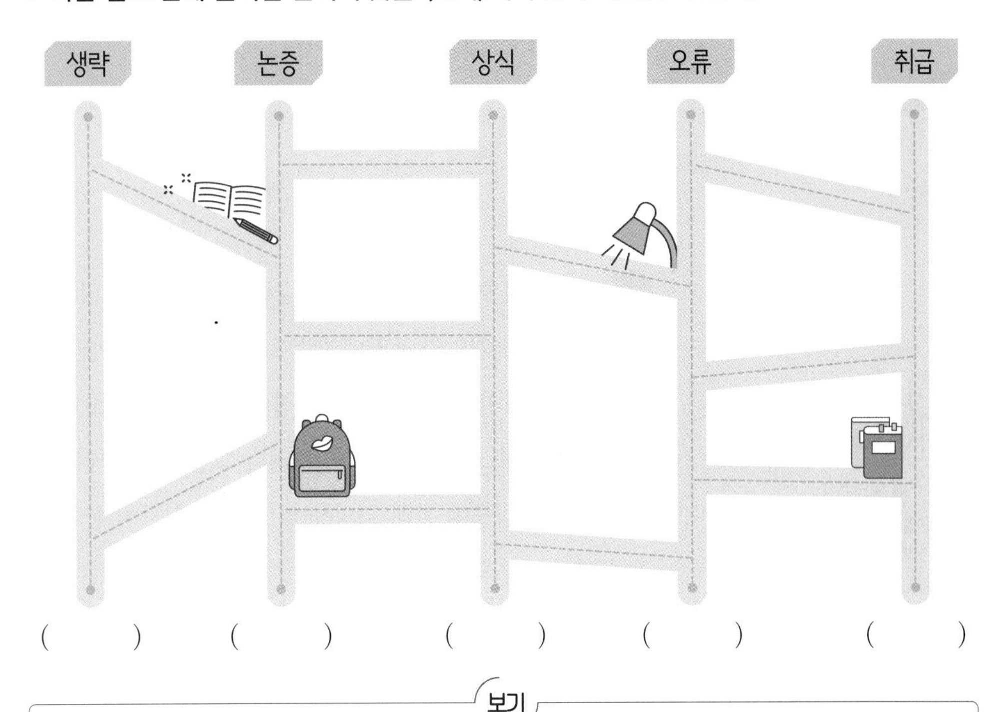

( ) ( ) ( ) ( ) ( )

보기

㉠ 전체에서 일부를 줄이거나 뺌
㉡ 사람들이 보통 알고 있거나 알아야 하는 지식
㉢ 사람이나 사건을 어떤 태도로 대하거나 처리함
㉣ 옳고 그름을 이유를 들어 밝힘. 또는 그 근거나 이유
㉤ 논리적 규칙을 소홀히 함으로써 저지르게 되는 바르지 못한 추리

어휘·어법 확장

'되-/돼-'의 쓰임

• 숙제를 다 했으니 게임을 해도 돼.
• 그러므로 게임을 해도 된다.

'되'와 '돼'는 발음이 비슷해서 구별하기가 쉽지 않다. 동사 '되다'의 어간 '되-'와 어미 '-어'가 결합하면 '되어'가 되고, '되어'가 줄면 '돼'가 된다. '되-'가 '-어'로 시작하는 어미와 결합하지 않을 경우에는 '돼'로 줄지 않는다. 따라서 '되'와 '돼'가 혼동될 때는 '되어'를 넣어서 말이 되면 '돼'로 쓰고, 그렇지 않으면 '되'로 쓰면 된다.

예 거짓말하면 나쁜 사람이 되요.(×) → 거짓말하면 나쁜 사람이 돼요.(○)
내년이면 고등학생이 되.(×) → 내년이면 고등학생이 돼.(○)
착한 사람이 돼라고 말했다.(×) → 착한 사람이 되라고 말했다.(○)

삼가 전하께 아뢰옵나니

- 핵심어를 찾아보자.
- 문단별 중심 내용에 밑줄을 그어 보자.
- 핵심 내용을 구조적으로 재배열해 보자.

가 임금님께 아뢰옵니다. 슬프고 슬픕니다. 나라를 망치는 도적이 어느 시대에도 있었다지만 이번에 왜와의 조약에 함부로 도장을 찍은 이근택, 이완용, 권중현 같은 도적이 어디 있겠습니까? 당초에 일본 사신이 ㉠을사조약을 만들기 위해 왔을 때 우리 정부에서 알지 못했을 리가 없습니다. 그러나 그들은 온 나라의 백성들에게 이런 사실을 알리지도 않고 한밤중에 몰래 회의를 열었으니, 그들이 한 짓을 본다면 이미 그들에게는 나라를 팔아먹을 의도가 분명히 있었다고 볼 수 있습니다. ㉡폐하까지 그 회의석에 친히 임하셨는데 그들이 비록 협박을 한다 해도 폐하께서는 책상을 치면서 하늘 같은 위엄을 보여야 했습니다. 원래 박제순을 비롯한 다른 역적들은 ㉢왜적의 앞잡이로서 나라 팔아먹기를 예사로 하면서 조금도 부끄러운 줄을 모르니 진실로 쳐 죽여도 모자랄 자들입니다.

나 그런데다가 왜놈들은 자기들이 조금 강한 것을 믿고 의기양양하여 이웃 나라를 협박하는 것을 능사로 삼으며 약속을 저버리는 것을 밥 먹듯이 하는 자들로, 나라 간에 지켜야 할 올바른 도리도 모르고 오직 남의 나라를 빼앗으려는 욕심만 부리는 자들입니다. 또한 그들이 우리나라의 이권을 빼앗으려 할 때에는 으레 좋은 말로 두 나라는 우의를 두텁게 해야 한다고 하는 자들이니, 그들의 속임수는 예측할 수가 없습니다. 그러니 일본이 ㉣조선 황실을 보호해 준다는 조약서의 말은 믿을 게 못 됩니다.

다 다행히 조약서는 폐하의 허락으로 된 것이 아니니, 저들이 가지고 있는 조약은 역적들이 강제로 만든 헛된 조약에 불과합니다. 그러니 빨리 박제순을 포함한 다섯 역적의 목을 베어 ㉤매국한 죄를 바로잡는 한편 외무부의 관리를 시켜 거짓 조약 문서를 없애도록 하고, 한편으로는 제 힘만 믿고 약한 나라를 위협하는 일본의 죄를 세계 다른 나라에 알려야 할 것입니다. 이렇게 해서 폐하의 뜻과 백성의 소원이 세계 여러 나라에 널리 알려져 그들이 우리를 돕는다면, 우리나라는 망하지 않고 죽음에서 살아날 수 있을 것입니다.

라 바라옵건대 폐하께서는 신(臣)의 말을 저버리지 마시고 매국한 이들의 죄를 물으시고, 거짓 조약을 회수해야 한다는 신의 간절한 건의를 빨리 받아들여 나라가 망하는 일이 없게 하소서. 신은 통곡하며 죽고 싶은 심정을 견디지 못하여 죽음을 무릅쓰고 아룁니다.

- **을사조약**: 대한 제국 광무 9년(1905)에 일본이 한국의 외교권을 빼앗기 위하여 강제적으로 맺은 조약. 고종 황제가 끝까지 재가하지 않았기 때문에 원인 무효의 조약임
- **능사**: 자기에게 알맞아 잘해 낼 수 있는 일
- **이권**: 이익을 얻을 수 있는 권리
- **우의**: 친구 사이의 정의

1

윗글을 통해 알 수 있는 내용이 아닌 것은?

① 을사조약은 한밤중에 열린 회의에서 체결되었다.
② 일본 사신들과의 회의에 고종 황제도 참석하였다.
③ 을사조약에 반대하는 대신들은 회의에서 쫓겨났다.
④ 다섯 명의 대신이 일본과의 조약에 찬성 의사를 밝혔다.
⑤ 일본 사신들은 조약서에 고종 황제의 재가를 받지 못하였다.

2

수능형

윗글을 이해한 내용으로 적절하지 않은 것은?

① 일본은 조선을 협박하고 속임수를 써서 국권을 빼앗으려고 하였군.
② 글쓴이는 자신의 죽음을 통해 사건의 엄중함을 황제에게 알리고자 하였군.
③ 일본이 작성한 조약서에는 조선 황실을 보호해 준다는 약속이 담겨 있겠군.
④ 글쓴이는 을사조약이 비합법적인 조약으로 실효성이 없다고 판단하고 있군.
⑤ 박제순을 포함한 다섯 대신은 일본 사신들이 을사조약을 만들려는 목적을 미리 알고 있었겠군.

어휘·어법

3

㉠~㉤ 중 시대적 배경을 알 수 있는 말로 볼 수 없는 것은?

① ㉠	② ㉡	③ ㉢
④ ㉣	⑤ ㉤	

1 이 글의 핵심 화제를 살펴보자.

(　　　　　　)과 관련한 세 가지 건의

2 각 문단별 중심 내용을 정리해 보자.

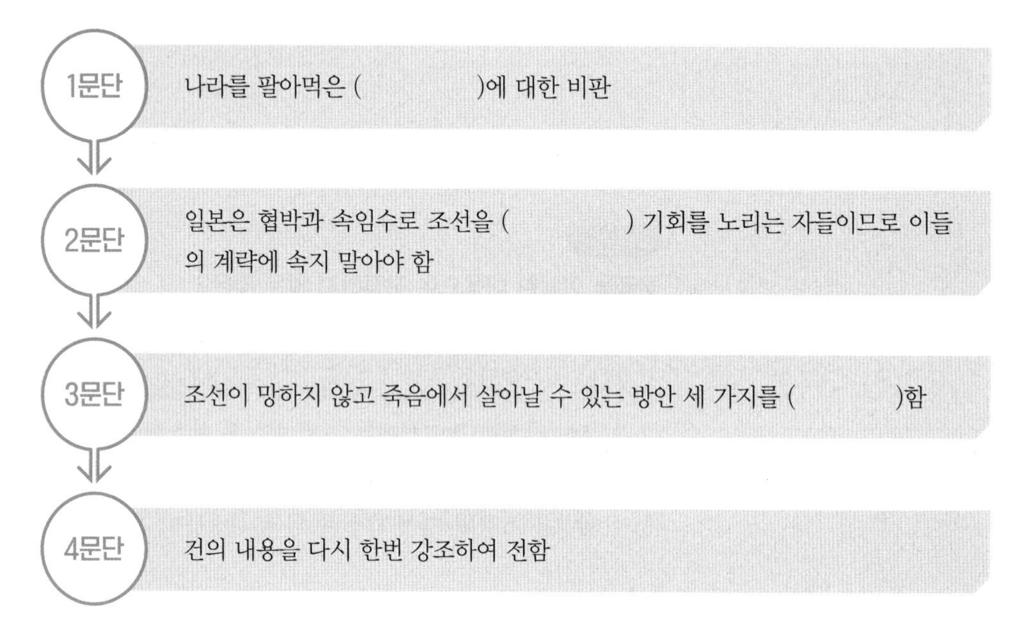

3 핵심 내용을 구조화해 보자.

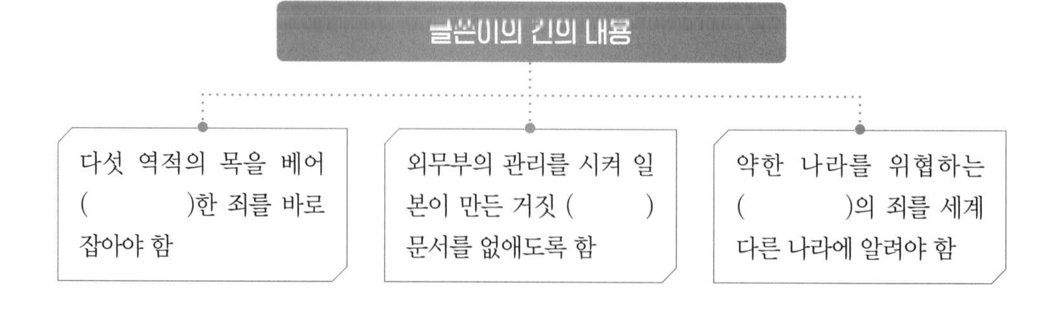

어휘력 테스트

1 **제시된 뜻과 예문을 참고하여 다음 초성에 해당하는 단어를 괄호 안에 써 보자.**

(1) ㅇㅇ : 존경할 만한 위세가 있어 점잖고 엄숙함. 또는 그런 태도나 기세

예 임금은 (   )을 갖추고 신하들을 내려다보며 꾸짖듯 입을 열었다.

(2) ㅇㅅㄹ : 보통 일처럼 아무렇지도 아니하게

예 승우는 나와 했던 약속을 (   ) 어긴다.

(3) ㅇㄹ : 틀림없이 언제나

예 은지는 학교 수업이 끝나면 (   ) 친구들과 한 시간씩 농구를 했다.

2 **다음 〈보기〉의 뜻을 참고하여 십자말풀이를 완성해 보자.**

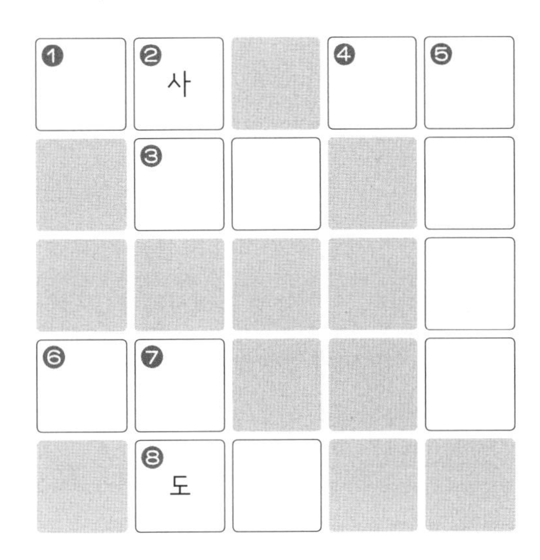

〈보기〉

❶ 가로: 자기에게 알맞아 잘해 낼 수 있는 일

❷ 세로: 같은 무리끼리 모여 이루는 집단

❸ 가로: 도로 거두어들임

❹ 가로: 개인이나 단체가 의견이나 희망을 내놓음

❺ 세로: 뜻한 바를 이루어 만족한 마음이 얼굴에 나타난 모양

❻ 가로: 친구 사이의 정의

❼ 세로: 무엇을 하고자 하는 생각이나 계획

❽ 가로: 남의 물건을 훔치거나 빼앗는 나쁜 짓. 또는 그런 짓을 하는 사람

어휘·어법 확장

'을씨년스럽다'의 의미

날씨나 분위기가 스산하고 쓸쓸한 것을 표현할 때 우리는 '을씨년스럽다'라고 한다. 이 말은 '을사년스럽다'라는 말이 변해서 된 말이다. 우리나라의 외교권이 을사년에 일본으로 넘어가 우리 민족은 무척이나 침통하고 참담하며 뒤숭숭한 상태였다. 그래서 날씨나 분위기가 좋지 않거나 어수선할 때 '을사년처럼 좋지 않다.'는 표현을 하게 되었고 그것이 변해서 '을씨년스럽다'가 된 것이다.

예 낙엽이 모두 떨어지고 앙상한 가지만 남은 나무들이 을씨년스럽기만 하다.

놀이의 네 가지 속성

- 핵심어를 찾아보자.
- 문단별 중심 내용에 밑줄을 그어 보자.
- 핵심 내용을 구조적으로 재배열해 보자.

| 성취도 평가 기출 |

가 로제 카이와라는 학자는 놀이가 인간의 사회적·제도적 측면에서 네 가지 속성을 가지고 있다고 주장했다. 첫째, '경쟁'의 속성이다. 아이들은 달리기로 경쟁하여 목표 지점에 먼저 도달하는 놀이를 하거나, 혹은 시간을 정해 놓고 더 많은 점수를 얻으려는 놀이를 한다. 이 경쟁의 속성은 스포츠나 각종 선발 시험 등에서 순위를 결정하는 원리로 변화되어 사회 제도의 기본 원칙으로 활용되고 있다.

나 둘째, '운'의 속성이다. 아이들은 놀이를 시작할 때, 종종 제비를 뽑아 술래를 결정하곤 한다. 어른들은 경쟁이 아닌 운을 실험하는 방식으로 내기를 하기도 한다. 예를 들어 복권은 운의 속성을 활용한 대표적인 사회 제도이다. 축구 경기가 경쟁을 통해 승패를 결정하는 행위라면 조 추첨을 통한 부전승은 실력을 고려하지 않고 운에 영향을 받는 행위여서, 경쟁과 운은 상호 보완적인 속성을 가지고 있다.

다 셋째, '흉내'의 속성이다. 아이들은 어려서부터 모방하는 행위를 즐긴다. 유년기의 아이들은 주로 아버지와 어머니의 행동을 흉내 내고, 소년기의 학생들은 친구와 교사의 행동을 모방한다. 아리스토텔레스 이후 많은 철학자들이 모방을 예술의 기본 원리로 파악했고, 배우는 이러한 모방을 전문화한 직업인이라고 할 수 있다.

라 넷째, 균형의 파괴 혹은 '일탈'의 속성이다. 아이들은 자신의 신체적 균형을 고의로 무너뜨리는 상황에 매혹을 느낀다. 가령 어린아이들은 어른들이 자신들의 몸을 공중에 던져 주면 환호성을 지르며 열광하고, 소년기의 학생들은 아찔한 롤러코스터를 일부러 타면서 신체적 경험이 무너지는 현기증을 체험한다. 일탈의 속성 역시 우리 사회 전반에 스며들어, 사회 제도의 압박감에서 벗어나 개인의 자유로움을 추구하는 행위로 나타나곤 한다.

마 (　　ⓐ　　), 경쟁, 운, 흉내, 일탈은 놀이의 속성이면서 동시에 인간이 형성한 문화의 근간이다. 사람들은 때로는 경쟁하고 운의 논리에 자신을 맡기는 사회 제도를 만들었고, 모방을 통해 예술의 기본 원리를 확립했으며, 신체적 균형과 사회 질서에서 벗어나는 유희와 일탈의 속성을 도입하기도 했다는 것이다. 놀이의 관점으로 인간의 문화를 이해할 때 특정 원리만을 신봉하거나 특정 원리를 배격하지 않아야 한다. 놀이의 네 가지 속성이 상호 작용하여 사회의 각 분야를 형성했고, 각 분야의 역할이 확장된 형태로 어울리면서 각종 예술과 제도가 함께 성숙할 수 있었음을 기억할 필요가 있다.

- **경쟁**: 같은 목적에 대하여 이기거나 앞서려고 서로 겨룸
- **제비**: 여럿 가운데 어느 하나를 골라잡게 하여 거기에 미리 적어 놓은 기호나 글에 따라 승부나 차례 따위를 결정하는 방법. 또는 그것에 쓰는 종이나 물건
- **부전승**: 추첨이나 상대편의 기권 따위로 경기를 치르지 아니하고 이기는 일
- **일탈**: 정하여진 영역 또는 본디의 목적이나 길, 사상, 규범, 조직 따위로부터 빠져 벗어남
- **근간**: 사물의 바탕이나 중심이 되는 중요한 것
- **유희**: 즐겁게 놀며 장난함. 또는 그런 행위
- **신봉하거나**: 사상이나 학설, 교리 따위를 옳다고 믿고 받들거나

• 정답과 해설 05쪽

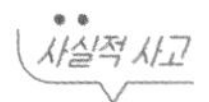

사실적 사고

1

윗글에서 글쓴이가 말하고자 하는 바로 가장 적절한 것은?

① 경쟁은 놀이의 가장 중요한 속성이다.
② 놀이의 네 가지 속성은 청소년 시기에 강조된다.
③ 흉내를 중심으로 다른 속성들을 결합시켜야 한다.
④ 일탈은 부정적 측면이 강해 문화의 원리에서 배격해야 한다.
⑤ 놀이의 네 가지 속성이 인간의 문화를 형성하는 데 토대가 되었다.

추론적 사고

2

수능형

〈보기〉의 ㉠~㉢에 들어갈 적절한 말을 (나)에서 찾아 바르게 묶은 것은?

보기

사회 제도 중 인재 선발에서도 놀이의 특성이 강하게 작용한다. 귀족 사회에서 특권 계층의 자제들은 실력에 대한 검증 없이 관직에 나갈 수 있었다. 이는 (㉠)의 속성을 반영한 것이다. 행정 제도가 발달하면서 능력을 갖춘 인재가 더욱 많이 요구되자, 시험을 통해 관리를 선발하는 제도를 도입하여 (㉡)의 속성이 강화되었다. 현재에는 도시 출신보다 농어촌 지역 출신을 따로 선발하는 대학 입학 제도가 기존의 제도를 보완하는 방안에 해당한다. 이처럼 (㉠)와/과 (㉡)은/는 서로 대립적이면서도 (㉢)이다.

	㉠	㉡	㉢
①	운	상호 보완적	경쟁
②	운	경쟁	상호 보완적
③	경쟁	실력	상호 보완적
④	실력	운	경쟁
⑤	운	실력	상호 보완적

어휘·어법

3

ⓐ에 들어갈 수 있는 말과 그 이유로 가장 적절한 것은?

① '또한'을 넣어 (마)가 (라)의 원인임을 설명한다.
② '반면'을 넣어 (라)와 (마)의 대립 관계를 보여 준다.
③ '예를 들어'를 넣어 (마)가 (가)의 결론임을 암시한다.
④ '요약하면'을 넣어 (마)가 앞의 내용을 정리함을 알려 준다.
⑤ '왜냐하면'을 넣어 (마)가 (가)~(라)와 다른 내용으로 이어짐을 보여 준다.

1 이 글의 핵심 화제를 살펴보자.

(   )의 네 가지 속성

2 각 문단별 중심 내용을 정리해 보자.

3 핵심 내용을 구조화해 보자.

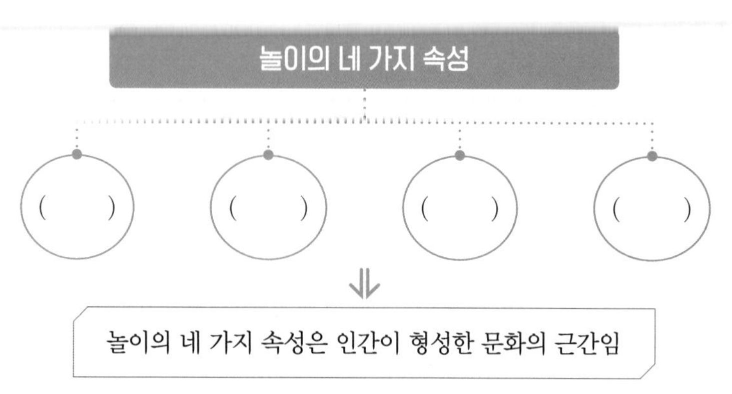

어휘력 테스트

1 다음 단어의 뜻을 참고하여 끝말잇기를 완성해 보자.

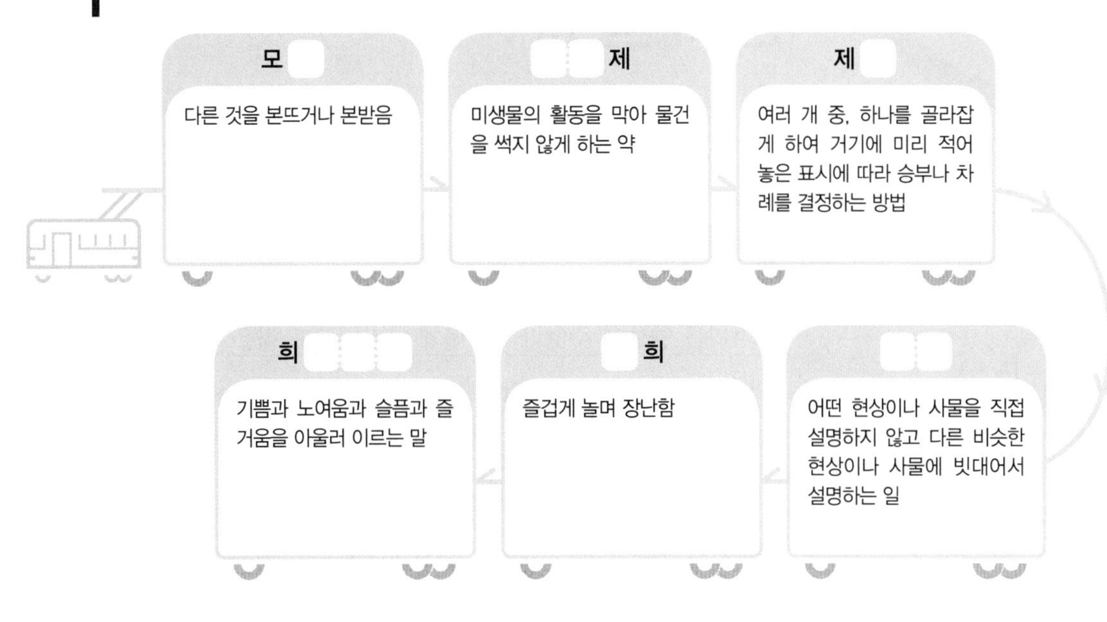

2 다음 단어를 활용하기에 적절한 문장을 찾아 바르게 연결해 보자.

❶ 부전승 •	• ㉠ 그의 그 이론에 대한 (　　　)은 신앙과도 같았다.
❷ 신봉 •	• ㉡ 우리 반은 (　　　)으로 결승전에 올랐다.
❸ 속성 •	• ㉢ 신비성은 종교의 (　　　) 가운데 하나이다.

어휘·어법 확장

'근간'의 비슷한말

근간
1. 뿌리와 줄기를 이울러 이르는 말
예 호두나무 아름드리 근간을 내 손으로 베었다.
2. 사물의 바탕이나 중심이 되는 중요한 것
예 국가의 근간 사업

근기
뿌리를 내린 터전
예 농사나 짓고 어울려 살았으면 어떻게 생활의 근기를 잡을 성도 싶다.

근본
사물의 본질이나 본바탕
예 우리 경제가 불황 상태에 있는 것이 주가 하락의 근본 원인이다.

근저
사물의 뿌리나 밑바탕이 되는 기초
예 그의 행동의 근저에는 심한 열등감이 자리 잡고 있었다.

기초
사물이나 일 따위의 기본이 되는 것
예 기초가 부족하다.

보편적인 도덕은 존재할까?

- 핵심어를 찾아보자.
- 문단별 중심 내용에 밑줄을 그어 보자.
- 핵심 내용을 구조적으로 재배열해 보자.

| 성취도 평가 기출 |

가 어떤 사람이 해외를 여행하고 있었다. ㉠첫 번째 나라에서 젊은 사람들이 노인에게 자리를 양보해 주었다. 두 번째 나라에서도 젊은 사람들이 자리를 양보했고, 세 번째 나라에서도 마찬가지였다. 그래서 그는 모든 나라에서 젊은 사람들이 노인에게 자리를 양보해 준다고 생각했다. 그런데 마지막으로 방문한 나라에서는 그런 경우를 찾아볼 수 없었다. 그렇다면 언제 어디서나 옳다고 여기는 도덕은 없는 것일까?

나 이에 대해 시대나 장소와 ⓐ무관하게 모든 사람들이 옳다고 여기는 보편적인 도덕이 존재한다는 관점이 있다. 예를 들어 '생명을 존중해야 한다.'나 '자기가 하기 싫은 일은 남에게 시키지 말라.'와 같은 것은 어느 시대, 어느 장소에서나 보편적으로 옳다고 여긴다. 다만 이러한 관점만이 옳다고 생각할 경우 문화에 따라 달라지는 다양한 가치를 ⓑ수용하는 데 소극적인 태도를 갖게 된다.

다 이와 달리 언제 어디서나 옳다고 여기는 도덕은 존재하지 않는다고 보는 관점이 있다. 즉, 도덕은 시대나 장소에 따라 달라지기 때문에 상대적이라는 것이다. 도덕을 이러한 관점에서 보는 사람들은 자신이 속한 사회의 도덕이 반드시 모든 사회에 적용되어야 한다고 생각하지 않는다. 그러나 이런 관점을 지나치게 확대 해석할 경우 서로 다른 사회에서 동일한 문제에 대해 각기 다른 도덕적 기준을 ⓒ주장할 때 무엇이 옳은지 ⓓ판단하기가 쉽지 않다.

라 이처럼 '언제 어디서나 옳다고 여기는 도덕이 존재하는가?'에 대해서 서로 다른 관점이 있다. 그리고 이러한 논의는 지금도 ⓔ계속되고 있다. 세계 각국의 다양한 사회 구성원을 만날 기회가 늘어 가고 있는 지금, 우리는 보편적인 도덕에 대한 인식과 함께 나와 다른 생각을 가진 사람들도 존중할 줄 아는 균형 있는 사고를 할 필요가 있다.

- **도덕**: 사회의 구성원들이 양심, 사회적 여론, 관습 따위에 비추어 스스로 마땅히 지켜야 할 행동 준칙이나 규범의 총체
- **보편적**: 모든 것에 두루 미치거나 통하는 것
- **관점**: 사물이나 현상을 관찰할 때, 그 사람이 보고 생각하는 태도나 방향 또는 처지
- **상대적**: 서로 맞서거나 비교되는 관계에 있는 것
- **논의**: 어떤 문제에 대하여 서로 의견을 내어 토의함. 또는 그런 토의

1

〈보기〉는 (나)와 (다)의 관점을 정리한 것이다. [A]와 [B]에 들어갈 말이 적절하게 짝지어진 것은?

보기

(나): 도덕적 판단의 기준은 시대나 장소에 따라 달라지지 않는 ([A]) 것입니다.
(다): 사람들이 옳다고 생각하는 바가 시대나 장소에 따라 달라지므로 도덕적 판단의 기준은 ([B]) 것입니다.

	[A]	[B]
①	보편적인	상대적인
②	이성적인	감성적인
③	인위적인	자연적인
④	정신적인	물질적인
⑤	추상적인	구체적인

2

수능형

㉠과 유사한 논증 방식이 사용된 것은?

① 모든 철학자는 사람이다. 플라톤은 철학자이다. 그러므로 플라톤은 사람이다.
② 참새는 날개가 있다. 방울새도 날개가 있다. 소쩍새도 날개가 있다. 그러므로 모든 새는 날개가 있다.
③ 오전 9시에 일어나면 학교에 늦는다. 나는 오늘 오전 9시에 일어났다. 그러므로 나는 오늘 학교에 늦을 것이다.
④ 우리 반 학생들은 모두 휴대 전화를 가지고 있다. 민호는 우리 반 학생이다. 그러므로 민호는 휴대 전화를 가지고 있다.
⑤ 책을 읽으면 지식이 늘어난다. 지식이 늘어나면 세상에 대한 안목이 넓어진다. 그러므로 책을 읽으면 세상에 대한 안목이 넓어진다.

어휘·어법

3

ⓐ~ⓔ와 바꾸어 쓸 수 있는 말로 적절하지 않은 것은?

① ⓐ: 관계없이
② ⓑ: 받아들이는
③ ⓒ: 내세울
④ ⓓ: 심사하기가
⑤ ⓔ: 이어지고

1 이 글의 핵심 화제를 살펴보자.

(   )인 도덕에 대한 서로 다른 관점

2 각 문단별 중심 내용을 정리해 보자.

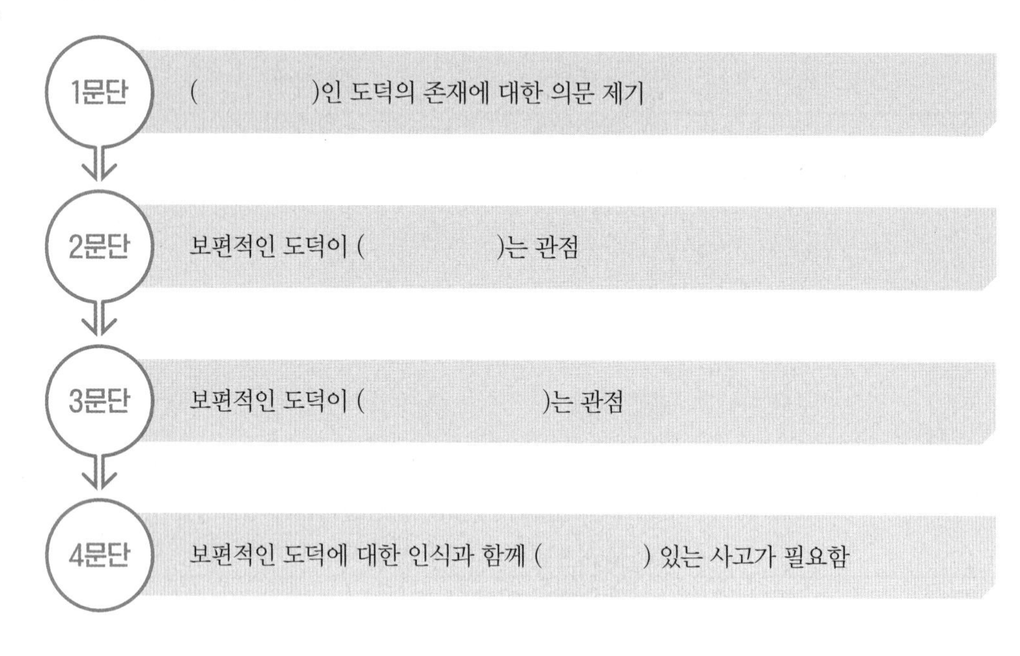

3 핵심 내용을 구조화해 보자.

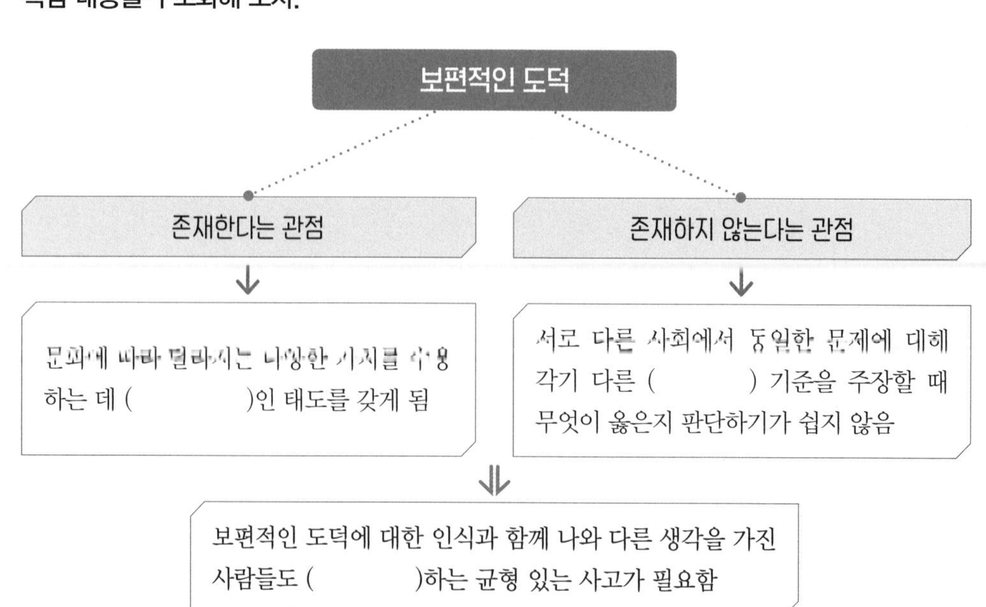

어휘력 테스트

1 **제시된 뜻과 예문을 참고하여 다음 초성에 해당하는 단어를 괄호 안에 써 보자.**

(1) ㄱ ㅈ : 사물이나 현상을 관찰할 때, 그 사람이 보고 생각하는 태도나 방향 또는 처지

예 친구는 우리와 (　　　　　)이 다르다.

(2) ㅂ ㅍ ㅈ : 모든 것에 두루 미치거나 통하는 것

예 이 세 가지는 (　　　　　)으로 적용되는 기준이다.

(3) ㄴ ㅇ : 어떤 문제에 대하여 서로 의견을 내어 토의함. 또는 그런 토의

예 학급 회의에서 두 시간째 (　　　　　)가 활발하게 이어지고 있다.

2 **다음 〈보기〉의 뜻을 참고하여 십자말풀이를 완성해 보자.**

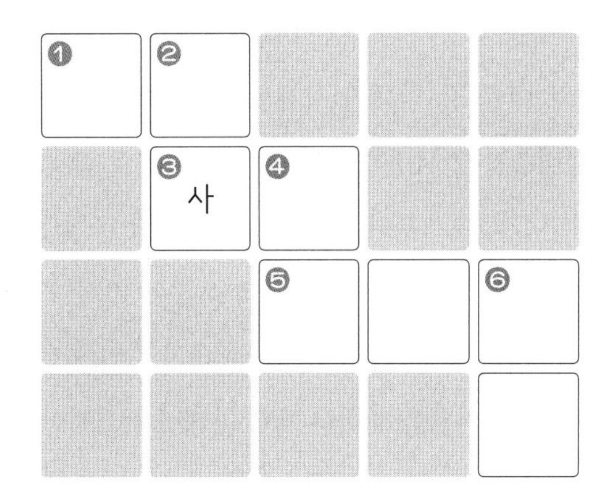

보기

❶ 가로: 어느 한쪽으로 기울거나 치우치지 아니하고 고른 상태
❷ 세로: 범죄의 수사 및 범인의 체포를 직무로 하는 사복 경찰관
❸ 가로: 강가나 바닷가에 있는 넓고 큰 모래벌판
❹ 세로: 어떤 일이 이루어지거나 일어나는 곳
❺ 가로: 스스로 앞으로 나아가거나 상황을 개선하려는 기백이 부족하고 비활동적인 것
❻ 세로: 알맞게 이용하거나 맞추어 씀

어휘·어법 확장

혼동하기 쉬운 '데'의 쓰임 구별하기

문화에 따라 달라지는 다양한 가치를 수용하는 데 소극적인 태도를 갖게 된다.

지문에 제시된 위의 문장에 쓰인 '데'는 '일'이나 '것'의 뜻을 나타내는 말로 의존 명사이다. 그러나 의존 명사 외에 어미로도 많이 쓰이므로 이를 구별할 수 있어야 한다.

• 어미 '-데': 과거 어느 때에 직접 경험하여 알게 된 사실을 현재의 말하는 장면에 그대로 옮겨 와서 말함을 나타내는 종결 어미이다. 예 고향은 하나도 변하지 않았데. / 그 친구는 말을 아주 잘하데.

※ '-데'는 과거 어느 때에 직접 경험하여 알게 된 사실을 현재의 말하는 장면에 그대로 옮겨 와서 말할 때 쓰이는 말로 '-더라'와 같은 의미를 전달하는 데 비해, '-대'는 '-다고 해'가 줄어든 말로 직접 경험한 사실이 아니라 남이 말한 내용을 간접적으로 전달할 때 쓰인다. 예 철수도 오겠대? / 사람이 아주 똑똑하대.

행동 경제학을 활용한 마케팅 전략

- 핵심어를 찾아보자.
- 문단별 중심 내용에 밑줄을 그어 보자.
- 핵심 내용을 구조적으로 재배열해 보자.

가 전통 경제학에서는 사람은 여러 선택지가 있을 때 언제나 가장 이성적인 판단을 한다고 가정하였다. 이와 달리 ㉠행동 경제학은 사람들을 '제한적으로 합리적인 존재' 또는 '때로는 감정적인 존재'로 ⓐ보아, 사람들이 종종 이성적이지 않은 결정을 내리는 경제적·심리적 이유를 밝혀내고자 한다.

나 기업들은 행동 경제학이 밝혀낸 사람들의 비이성적 선택 기제에 관심이 매우 많다. 이를 역으로 활용하면 합리적이지 않아도 자사 상품을 선택하도록 유도할 수 있기 때문이다. 실제로 이를 잘 이용한 사례로 꼽히는 곳은 오버더톱 서비스(OTT) 시장이다. 오버더톱 서비스란 인터넷을 기반으로 방송 프로그램, 영화 등의 콘텐츠를 제공하는 서비스로, 화면 구성에서부터 마케팅에 이르기까지 행동 경제학의 논리를 적극 활용하고 있는 분야로 거론된다.

다 대표적인 사례로, 한 오버더톱 서비스(OTT) 기업에서는 소비자에게 한 달간 무료 이용을 제공한 뒤 유료 가입을 권하는 체험 마케팅을 실시한다. 무료 서비스만 이용한 뒤 가입을 하지 않는 소비자도 있을 텐데 기업은 무얼 믿고 이러한 마케팅을 하는 것일까?

라 이는 어떤 대상을 소유하고 나면 소유하기 전보다 그것에 더 큰 가치를 두는 '소유 효과'를 활용한 마케팅이다. 일단 한 달 동안 오버더톱 서비스 기업의 무료 서비스를 누린 사용자들은 해당 서비스를 내 것으로 여기는 성향이 강해진다. 때문에 이를 해지하면 내 것을 잃는 손실감을 느끼게 돼 유료 가입으로의 유도가 쉬워지는 것이다.

마 이러한 소유 효과는 사람들이 자신의 현재 상태에서 변화하는 것을 회피하고 현재의 상태에 그대로 머물고자 하는 '현상 유지 편향'을 가지고 있기 때문에 발생한다. 소비자가 한동안 무료 서비스를 맛보면 그게 원래의 상태인 것으로 여겨 해지를 변화로 여기게 되고, 굳이 그런 변화를 일으켜서 내가 즐기던 서비스를 잃고 싶지 않게 되는 것이다.

- **행동 경제학**: 인간의 행동을 관찰하고 그것이 어떠한 결과를 발생시키는지 경제학적으로 분석하는 학문
- **기제**: 인간의 행동에 영향을 미치는 심리의 작용이나 원리
- **마케팅(marketing)**: 제품을 생산자로부터 소비자에게 원활하게 이전하기 위한 기획 활동. 시장 조사, 상품화 계획, 선전, 판매 촉진 따위가 있음
- **편향**: 한쪽으로 치우침

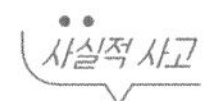

1

윗글에 대한 이해로 적절하지 않은 것은?

① 전통 경제학은 사람을 이성적이고 합리적인 존재로 바라보았군.
② 행동 경제학은 사람이 종종 감정적인 결정을 내리는 이유를 알아내고자 하였군.
③ 사람들이 비합리적인 판단을 하는 데에는 경제적인 요인이 가장 크게 작용하는군.
④ 오버더톱 서비스 시장에서는 행동 경제학의 논리를 마케팅에 적극적으로 활용하고 있군.
⑤ 기업들은 사람들이 간혹 이성적이지 않은 선택을 한다는 사실을 활용하여 자사 상품의 판매율을 높이고자 하는군.

2

수능형

㉠의 관점에서 〈보기〉의 결과를 추론한 내용으로 가장 적절한 것은?

> 보기
>
> 한 청소기 판매 업체는 '100% 환불 보장' 마케팅을 하기로 결정하였다. 소비자가 구입을 한 후에 마음에 들지 않으면 아무 조건 없이 반품을 받아 환불해 주겠다는 것이다.

① 대부분의 소비자들은 청소기를 사용하였을 때의 만족 정도에 따라 환불 여부를 결정하겠군.
② 대부분의 소비자들은 청소기를 일정 기간 동안 사용한 후 반품하여 환불을 받는 행위를 반복하겠군.
③ 대부분의 소비자들은 막상 청소기를 소유하게 되자 제품에 금세 싫증을 느껴 반품을 신청하겠군.
④ 대부분의 소비자들은 구매한 청소기를 사용하며 이를 자신의 것으로 여기는 성향이 강해져 반품을 하지 않고 계속해서 사용하겠군.
⑤ 대부분의 소비자들은 새로운 청소기를 사용함으로써 자신의 현재 상태가 변화하는 것에 즐거움을 느껴 반품을 하지 않고 계속해서 사용하겠군.

어휘·어법

3

밑줄 친 단어의 문맥적 의미가 ⓐ와 가장 유사한 것은?

① 그의 사정을 <u>보니</u> 딱하게 되었다.
② 손해를 <u>보면서</u> 물건을 팔 사람은 없다.
③ 기회를 <u>봐서</u> 부모님께 말씀드리는 게 좋겠다.
④ 날씨가 좋을 것으로 <u>보고</u> 우산을 놓고 나왔다.
⑤ 교차로를 건널 때에는 신호등을 잘 <u>보고</u> 건너야 한다.

1 이 글의 핵심 화제를 살펴보자.

(   )을 활용한 오버더톱 서비스의 마케팅

2 각 문단별 중심 내용을 정리해 보자.

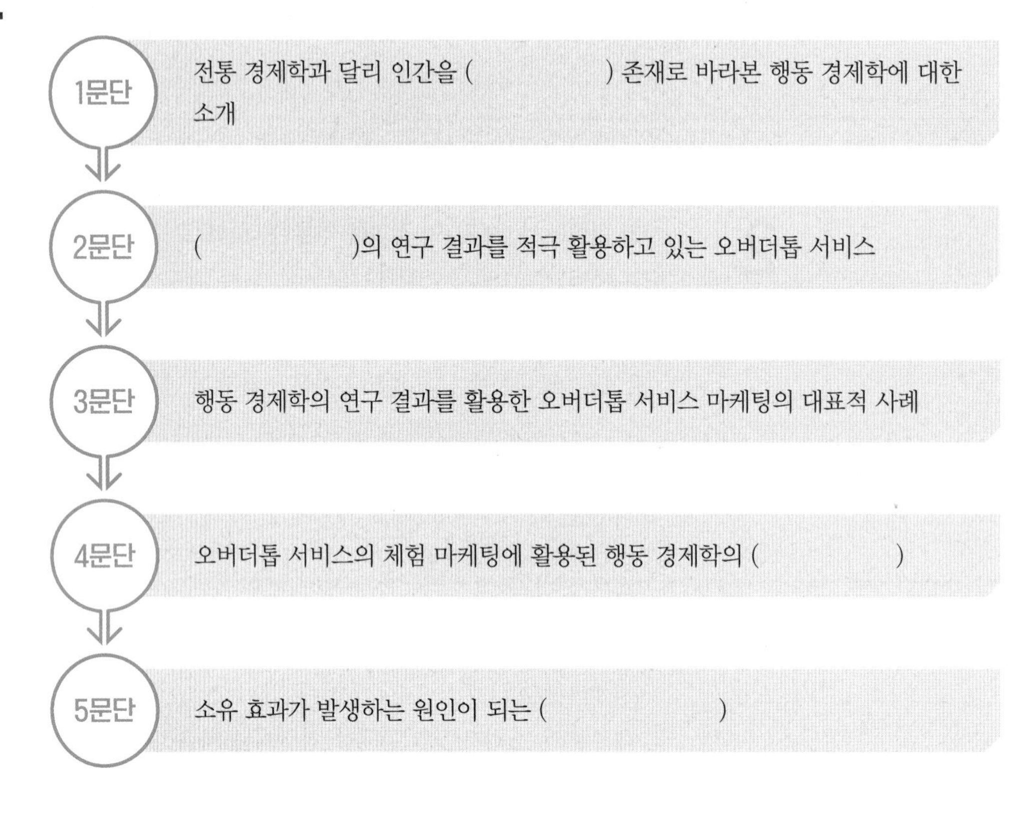

3 핵심 내용을 구조화해 보자.

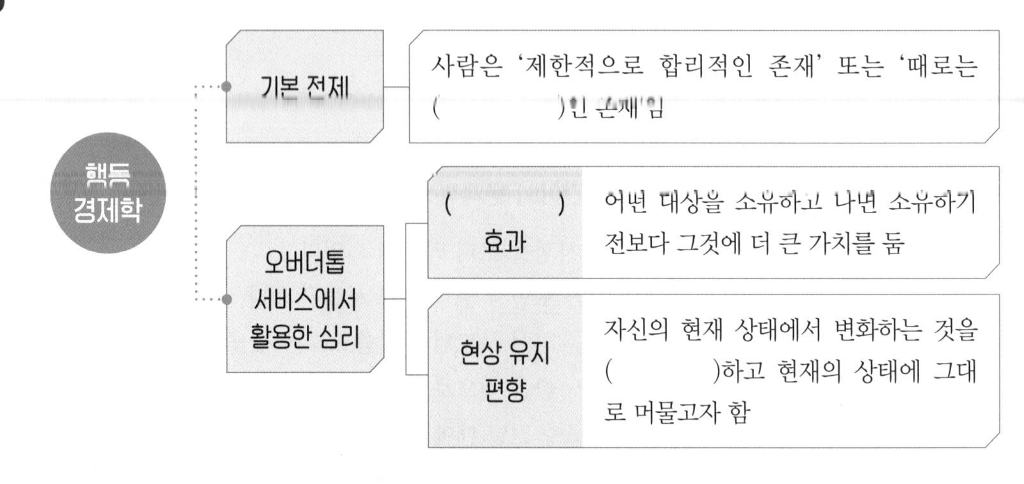

어휘력 테스트

1 다음 〈보기〉의 뜻을 참고하여 십자말풀이를 완성해 보자.

❶			
❷	❸		
	❹ 마		
❺	❻		
	❼		

보기

❶ 세로: 가지고 있음. 또는 그 물건
❷ 가로: 사람이나 물건을 목적한 장소나 방향으로 이끎
❸ 세로: 칼로 음식의 재료를 썰거나 다질 때에 밑에 받치는 것
❹ 가로: 제품을 생산자로부터 소비자에게 원활하게 이전하기 위한 기획 활동
❺ 가로: 한쪽으로 치우침
❻ 세로: 향찰로 기록한 신라 때의 노래
❼ 가로: 인쇄물이 얼마나 쉽게 읽히는가 하는 능률의 정도

2 다음 단어를 활용하기에 적절한 문장을 찾아 바르게 연결해 보자.

❶ 가정하다 •   • ㉠ 회의에서 (　　　　) 문제를 해결하였다.

❷ 거론되다 •   • ㉡ 최악의 상황을 (　　　　) 대책을 세웠다.

❸ 회피하다 •   • ㉢ 그는 어려운 일은 늘 (　　　　).

어휘·어법 확장

의존 명사 '것'의 다양한 의미

해당 서비스를 내 것으로 여기는 성향이 강해진다.

(사람을 나타내는 명사나 대명사 뒤에 쓰여) 그 사람의 소유물임을 나타내는 말

예 • 이 우산은 언니 것이다.
• 내 것은 만지지 마.

유료 가입으로의 유도가 쉬워지는 것이다.

('-는/은 것이나' 구성으로 쓰여) 말하는 이의 확신, 결정, 결심 따위를 나타내는 말

예 • 담배는 건강에 해로운 것이다.
• 좋은 책은 좋은 독자가 만드는 것이다.

※ 이 외에도 의존 명사 '것'은 '사물, 일, 현상 따위를 추상적으로 이르는 말', '사람을 낮추어 이르거나 동물을 이르는 말', '('-ㄹ/을 것이다' 구성으로 쓰여) 말하는 이의 전망이나 추측, 또는 주관적 소신 따위를 나타내는 말', '('-ㄹ/을 것' 구성으로 쓰여) 명령이나 시킴의 뜻을 나타내면서 문장을 끝맺는 말'의 의미로도 사용된다.

자발적 결사체의 역할

- 핵심어를 찾아보자.
- 문단별 중심 내용에 밑줄을 그어 보자.
- 핵심 내용을 구조적으로 재배열해 보자.

(가) 민주주의 사회에서 누가 정치에 더 참여하는가의 문제는 매우 중요하다. 이는 정치에 참여하는 사람들의 요구가 그렇지 않은 사람들의 요구보다 정책에 ㉠반영될 가능성이 높기 때문이다. 그런데 정치인이나 정책 결정자들에게 도달하는 시민의 목소리가 소득 수준이 높거나 사회적 지위가 높은 사람들의 것이라면, 모든 사람이 동등하게 대표되어야 한다는 민주주의의 원리는 훼손될 수밖에 없다. 특히 계층 간 ㉡격차가 지속적으로 커지고 있는 사회에서는 사회 경제적 불평등과 정치적 불평등 간 연결 고리를 제거하는 것이 민주주의의 ㉢성패를 좌우하게 된다.

(나) 이미 많은 연구들에서 교육 수준이 높고 부유한 사람일수록 정치적 과정을 이해할 수 있는 지식, 복잡한 정치적 정보를 처리할 수 있는 능력, 그리고 타인과 원활하게 교류할 수 있는 사회적 기술을 지닐 가능성이 크기 때문에 정치 참여도가 높다는 사실을 밝히고 있다. 나아가 사회 경제적 자원이 풍부한 사람의 연결망은 보다 광범위하여 정치적 정보 및 기회에 대한 접근이 쉽기 때문에 이들의 정치적 영향력이 상대적으로 크다는 것도 여러 사회에서 발견되는 공통적 현상이다. 이와 대조적으로 소득 및 교육 수준이 낮은 사람의 연결망은 제한적이고 그만큼 자신의 연결망을 통해 정치적 정보와 기회를 얻을 수 있는 가능성은 낮아진다. 그리고 이는 사회 경제적 자원의 불평등으로 인한 정치적 불평등을 낳게 된다.

(다) 사회 과학에서는 교육 수준과 소득에 따른 불평등이 자발적 결사체를 통해 완화될 수 있을 것이라는 신념이 견고하게 유지되어 왔다. 자발적 결사체가 참여하지 않는 한 보상도 없다는 믿음을 구성원에게 심어줄 뿐만 아니라, 다양한 시민의 요구를 정치권에 전달하는 통로 역할을 할 수 있기 때문이다. 즉, 자발적 결사체는 교육 수준과 가구 소득이 정치 참여 수준을 결정짓는 정도를 약화시킬 수 있다. 그리고 이는 궁극적으로 사회 경제적 불평등에 따른 정치적 불평등의 심화를 방지하는 역할을 한다. 자발적 결사체는 사회 경제적으로 소외된 사람들의 정치적 요구가 정치권으로 전달되는 통로가 되기도 하고 그러한 요구를 ㉣표출할 수 있는 능동적 시민을 길러내는 민주주의의 학교가 되기도 한다. 이러한 이유 때문에 자발적 결사체가 민주주의의 기본 ㉤골격이라는 신념이 19세기 중반부터 미국과 유럽, 그리고 아시아에서 지속적으로 제기되고 강화되어 온 것이다.

- **계층**: 사회적 지위가 비슷한 사람들의 층
- **사회 경제**: 동일한 화폐·금융 제도, 경제 정책, 사회 제도를 채택하고 있는 한 나라를 단위로 하여 종합적으로 파악한 경제 활동
- **연결망**: 둘 이상의 대상을 서로 이어 정보나 물류 따위를 주고받을 수 있도록 짜놓은 조직 체계
- **사회 과학**: 사회 현상을 지배하는 객관적 법칙을 해명하려는 경험 과학을 통틀어 이르는 말
- **자발적 결사체**: 같은 목적이 있는 사람들이 모여 형성한 집단. 목적에 따라 친목, 이익, 사회봉사 집단 등으로 나눌 수 있음

1

이 글의 내용과 일치하지 않는 것은?

① 자발적 결사체를 통해 시민의 요구를 정치권에 전달할 수 있다.
② 교육 수준과 소득에 따른 불평등은 민주주의 사회에도 존재한다.
③ 계층 간 격차가 큰 사회일수록 자발적 결사체의 역할이 줄어든다.
④ 사회 경제적 자원이 풍부한 사람이 상대적으로 더 큰 정치적 영향력을 지닌다.
⑤ 자발적 결사체는 소득 수준과 사회적 지위에 따른 정치적 불평등이 심화되는 것을 방지한다.

2

수능형

이 글의 내용 전개 방식으로 가장 적절한 것은?

① 정치적 불평등과 사회적 불평등의 개념을 제시하고 이를 대조하고 있다.
② 정치적 불평등이 발생하는 원인과 이를 완화시키는 방안에 대해 설명하고 있다.
③ 민주주의 제도에 대한 통념을 비판하며 민주주의의 개념을 새롭게 규정하고 있다.
④ 정치적 불평등과 사회적 불평등 해소에 속수무책인 민주주의 제도를 비판하고 있다.
⑤ 특정 학자의 견해를 제시하며 민주주의의 발달 과정에서 정치적 불평등이 지니는 의의를 강조하고 있다.

어휘·어법

3

㉠~㉤의 사전적 의미로 적절하지 않은 것은?

① ㉠: 다른 것에 영향을 받아 어떤 현상이 나타남. 또는 어떤 현상을 나타냄
② ㉡: 빈부, 임금, 기술 수준 따위가 서로 벌어져 다른 정도
③ ㉢: 성공과 실패를 아울러 이르는 말
④ ㉣: 세차게 쏟아져 나옴
⑤ ㉤: 어떤 사물이나 일에서 계획의 기본이 되는 틀이나 줄거리

1 이 글의 핵심 화제를 살펴보자.

정치적 불평등의 심화를 막기 위한 (   )의 기능과 역할

2 각 문단별 중심 내용을 정리해 보자.

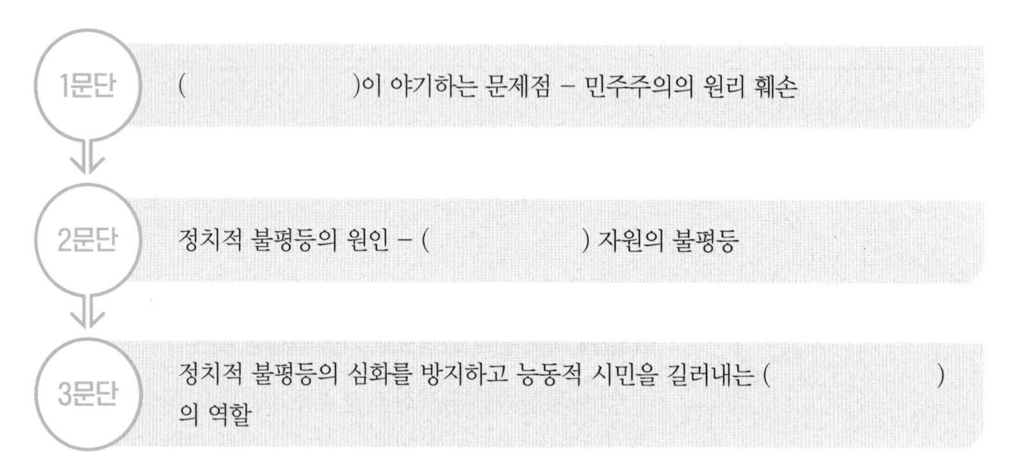

3 핵심 내용을 구조화해 보자.

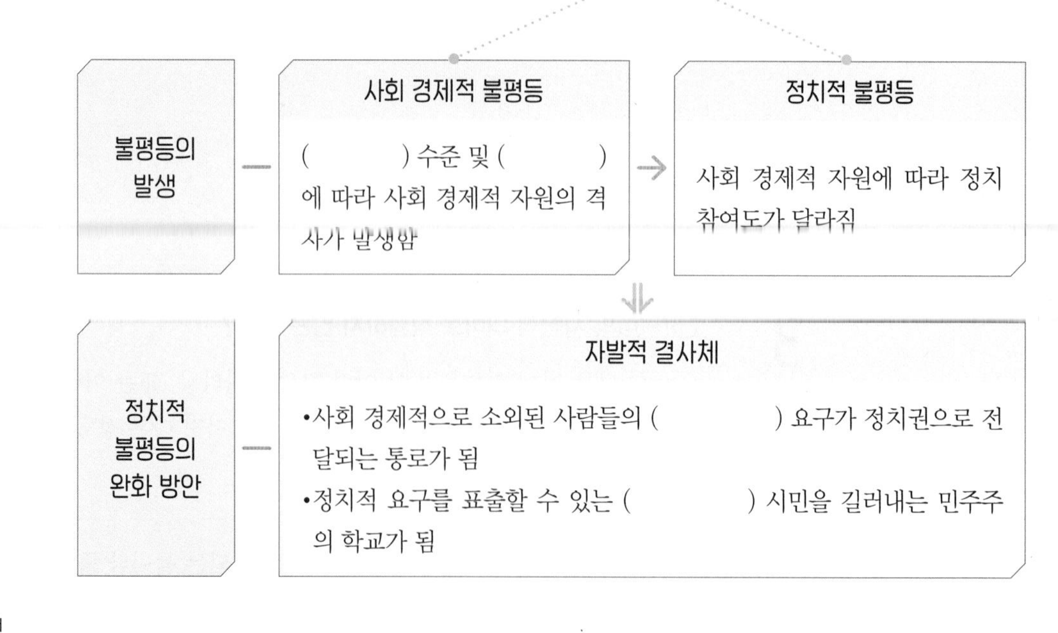

어휘력 테스트

● 다음 괄호 안에 들어갈 단어의 뜻을 〈보기〉에서 골라 기호를 써 보자.

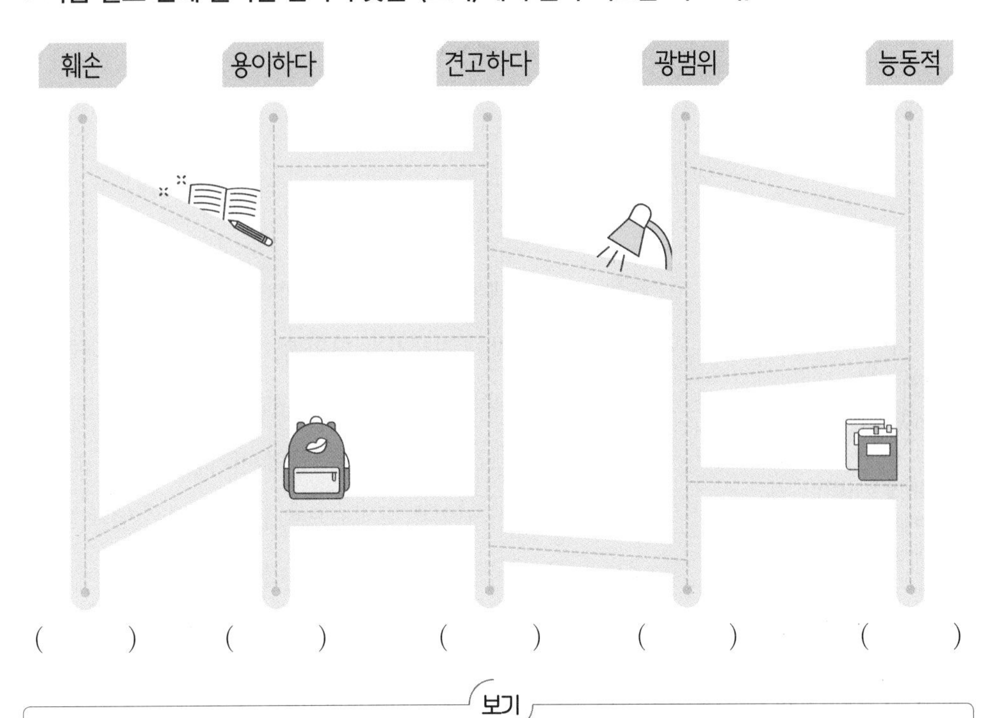

( ) ( ) ( ) ( ) ( )

보기

㉠ 체면이나 명예를 손상함
㉡ 어렵지 아니하고 매우 쉽다.
㉢ 범위가 넓음. 또는 넓은 범위
㉣ 사상이나 의지 따위가 동요됨이 없이 확고하다.
㉤ 다른 것에 이끌리지 아니하고 스스로 일으키거나 움직이는

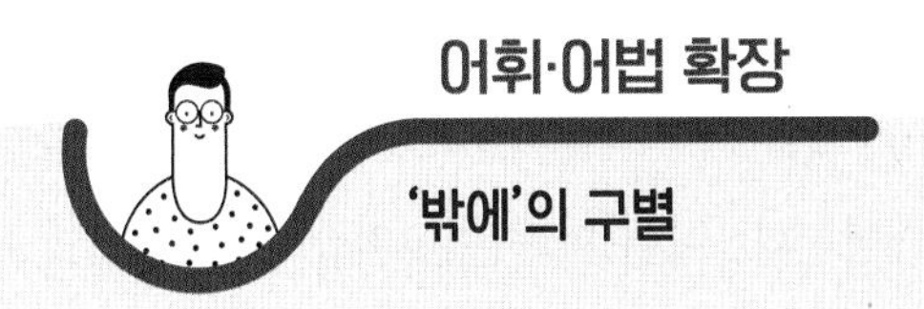

어휘·어법 확장

'밖에'의 구별

조사 '밖에'	VS	명사 '밖[外]'에 조사 '에'가 결합한 '밖에'
'그것 말고는', '그것 이외에는', '기꺼이 받아들이는', '피할 수 없는'의 뜻을 나타내는 보조사로, 주로 뒤에 부정을 나타내는 말이 따른다. 예 • 돈이 천 원밖에 없다. • 이 일을 완벽하게 처리할 사람은 오직 그 사람밖에 없어.		이때의 '밖'은 명사이며, '무엇에 의하여 둘러싸이지 않은 공간. 또는 그쪽', '일정한 한도나 범위에 들지 않는 나머지 다른 부분이나 일' 등을 의미한다. 예 • 밖에 나가서 놀아라. • 합격자는 너 밖에도 여러 명이 있다.

※ 조사 '밖에'는 '없다', '모르다', '못하다'와 같은 부정을 뜻하는 말과 어울리는 특징이 있다. 명사 '밖'과 조사 '에'가 결합한 '밖에'는 이러한 제약이 없다. 이러한 사실을 기준으로 위의 예문과 같이 '밖에'의 띄어쓰기를 구별할 수 있다.

변화무쌍한 경쟁 시장

- 핵심어를 찾아보자.
- 문단별 중심 내용에 밑줄을 그어 보자.
- 핵심 내용을 구조적으로 재배열해 보자.

가 시장이 새롭게 형성되는 초반에는 생산자나 소비자가 많지 않고 그 존재 여부도 잘 알려지지 않아 경쟁자가 거의 없기 마련이다. 이러한 시장을 경제학에서는 평화로운 푸른 바다를 의미하는 '블루 오션(blue ocean)'이라고 한다. 예를 들어 어느 한 기업이 즉석밥을 최초로 판매하면 즉석밥의 편리함에 반한 소비자들이 몰리면서 큰 시장을 형성하게 되고 이 기업은 독점적으로 많은 이익을 얻게 된다. 이렇게 다른 경쟁자가 거의 없는 시장이 바로 블루 오션이다. 블루 오션에서는 시장의 수요가 경쟁이 아니라 창조에 의해 형성된다. 그리고 시장의 규모가 정해져 있지 않아 높은 수익을 얻을 수 있고 빠르게 성장할 수 있는 기회도 있다.

나 그러나 블루 오션은 시간이 흐르면서 더 이상 블루 오션이 아닐 수 있다. 이익을 얻고자 하는 새로운 기업들이 해당 시장에 뛰어들면 경쟁이 발생하기 때문이다. 앞서 언급한 즉석밥의 경우, 다른 기업들도 새로운 즉석밥을 시장에 내놓으면서 경쟁업체들은 소비자의 선택을 받기 위해 치열한 경쟁을 하게 된다. 이러한 시장 상황을 바다의 포식자들이 먹이를 낚아채기 위해 서로 경쟁하는 상황에 비유하여 '레드 오션(red ocean)'이라고 한다. 즉 레드 오션은 (　　　　　　　　㉠　　　　　　　　)

다 레드 오션의 치열한 경쟁 속에서 기업들은 새로운 전략을 고민하기도 한다. 레드 오션이 된 시장에서 눈이 높은 소비자들의 요구를 파악하고 여기에 새로운 아이디어나 기술 등을 적용해 새로운 시장을 형성한다. 이를 '퍼플 오션(purple ocean)'이라고 한다. 퍼플 오션을 찾기 위한 대표적인 전략은 이미 인기를 얻은 소재를 다른 장르에 적용하여 그 파급 효과를 노리는 것이다. 가령 특정 만화가 인기를 끌면 이것을 드라마나 영화로 만들고 캐릭터 상품을 개발한다. 이런 전략은 실패할 위험이 적고 제작 비용과 시간을 줄일 수 있다는 장점이 있다.

라 지금까지 언급한 블루 오션, 레드 오션, 퍼플 오션은 상황에 따라 언제든지 바뀔 수 있다. 블루 오션이나 퍼플 오션이 경쟁이 심한 레드 오션으로 변화하기도 한다. 그리고 레드 오션에서 새로운 퍼플 오션이 형성되기도 하며 새로운 블루 오션이 갑자기 나타날 수도 있다. 소비자의 관심이 집중된 곳에는 언제나 새로운 생산자들이 유입되지만, 소비자의 욕구는 ㉡<u>항상</u> 변화하기 때문이다.

- **독점적**: 물건이나 자리 따위를 독차지하는 것
- **수요**: 어떤 재화나 용역을 일정한 가격으로 사려고 하는 욕구
- **포식자**: 다른 동물을 먹이로 하는 동물
- **파급**: 어떤 일의 여파나 영향이 차차 다른 데로 미침

1

윗글에 대한 이해로 적절하지 않은 것은?

① 블루 오션은 언제든지 레드 오션으로 바뀔 수 있다.
② 레드 오션에서는 한 기업이 독점적 이익을 창출할 수 있다.
③ 블루 오션은 미개척 영역이기 때문에 성장의 기회가 존재한다.
④ 블루 오션에서는 시장 수요가 경쟁이 아닌 창조에 의해 얻어진다.
⑤ 퍼플 오션은 파생 상품을 만들거나 새로운 판매 기술을 적용하는 방식으로 형성할 수 있다.

2

수능형

윗글의 흐름을 고려할 때 ㉠에 들어갈 내용으로 가장 적절한 것은?

① 포화 상태의 시장에서 새로운 시장을 개척한 상태를 말한다.
② 경쟁에 밀린 업체들이 시장에서 빠져나가 경쟁이 사라진 상태를 말한다.
③ 경쟁업체들이 고객을 확보하기 위해 치열한 경쟁을 벌이는 상태를 말한다.
④ 시장의 규모가 알려지지 않았거나 본격적인 시장 형태가 갖추어지지 않은 상태를 말한다.
⑤ 기존에 인기 있던 제품에 새로운 아이디어를 적용하여 새로운 시장을 형성한 상태를 말한다.

어휘·어법

3

〈보기〉는 ㉡이 품사로서 갖는 특징이다. 다음 밑줄 친 단어 중, ㉡과 품사가 같은 것은?

> 보기
>
> • 형태가 변하지 않는다.
> • 주로 용언을 꾸며 주는 역할을 한다.

① 새 가방이 예쁘다.
② 따뜻한 바람이 분다.
③ 아이들이 놀고 있다.
④ 형이 모자를 쓰고 달린다.
⑤ 그는 오자마자 바로 떠났다.

1 이 글의 핵심 화제를 살펴보자.

시장의 형성 – (   ) 오션, (   ) 오션, (   ) 오션

2 각 문단별 중심 내용을 정리해 보자.

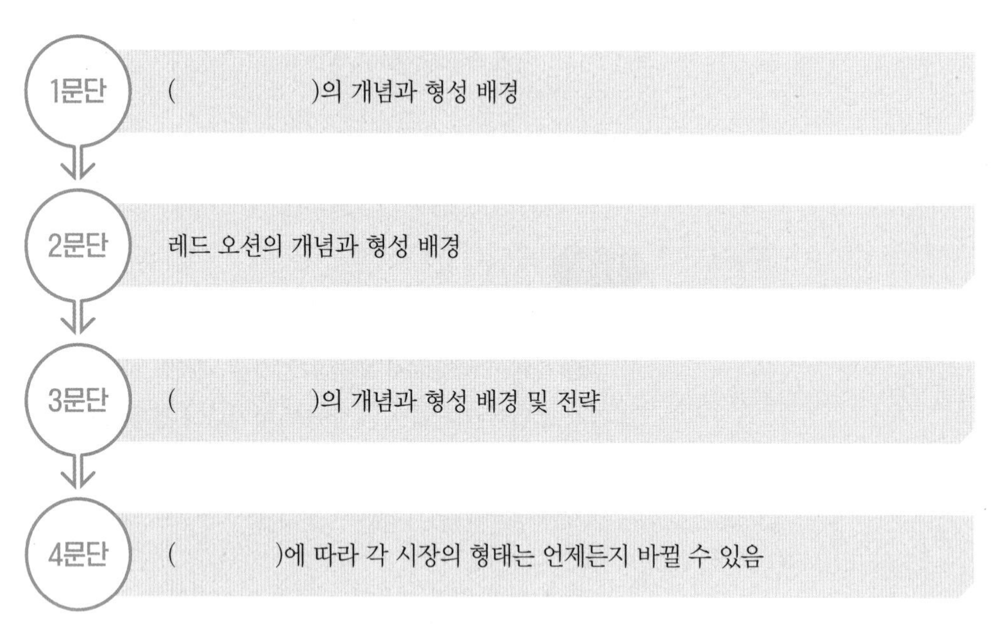

3 핵심 내용을 구조화해 보자.

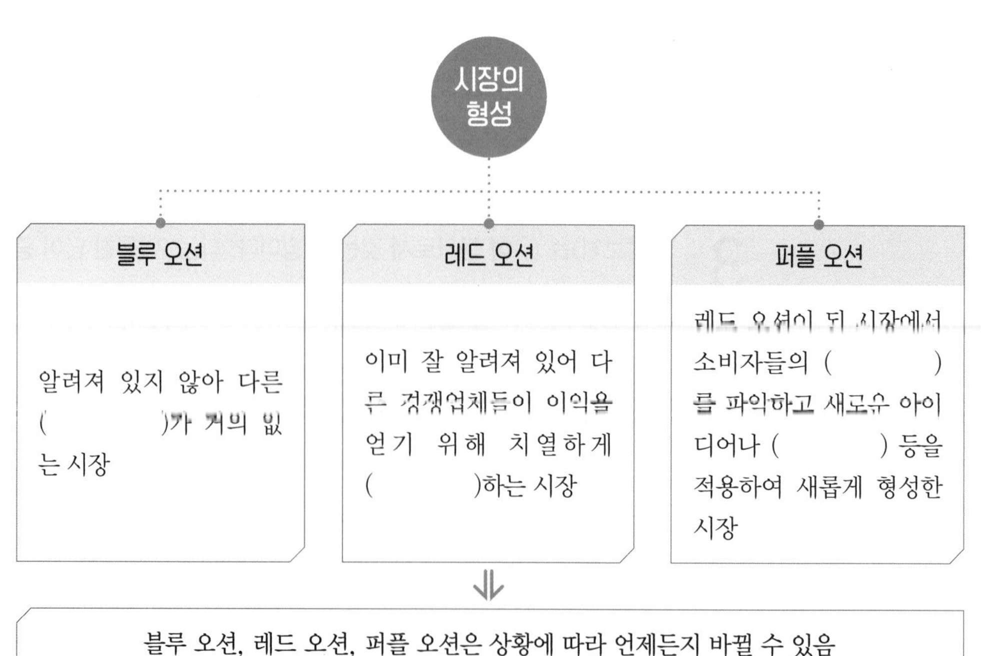

어휘력 테스트

1 다음 단어의 뜻을 참고하여 끝말잇기를 완성해 보자.

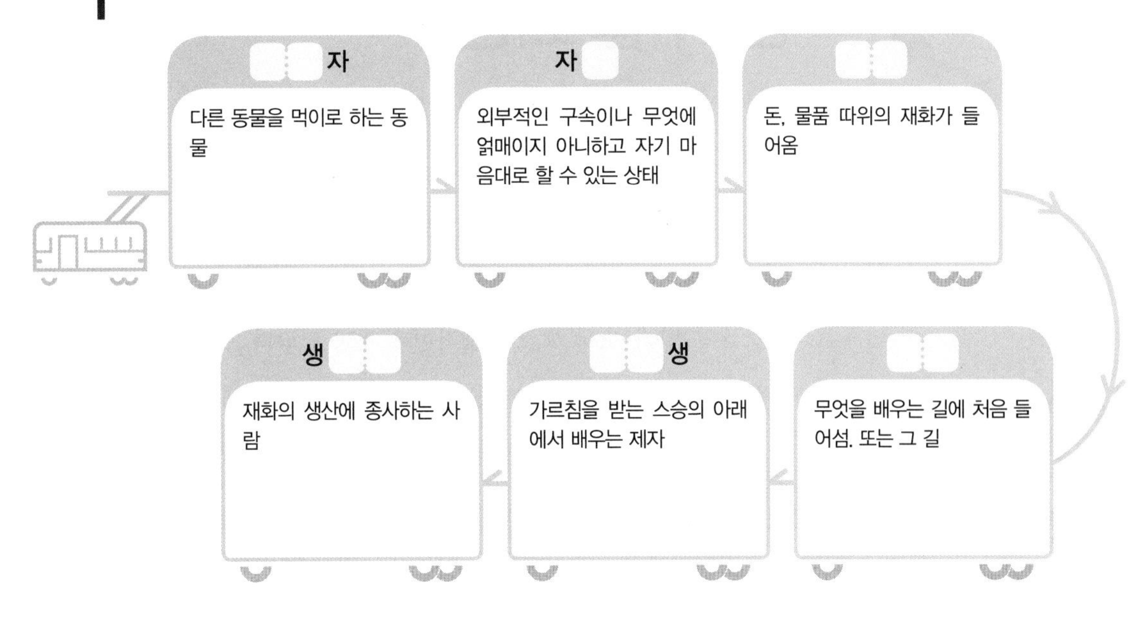

2 다음 단어를 활용하기에 적절한 문장을 찾아 바르게 연결해 보자.

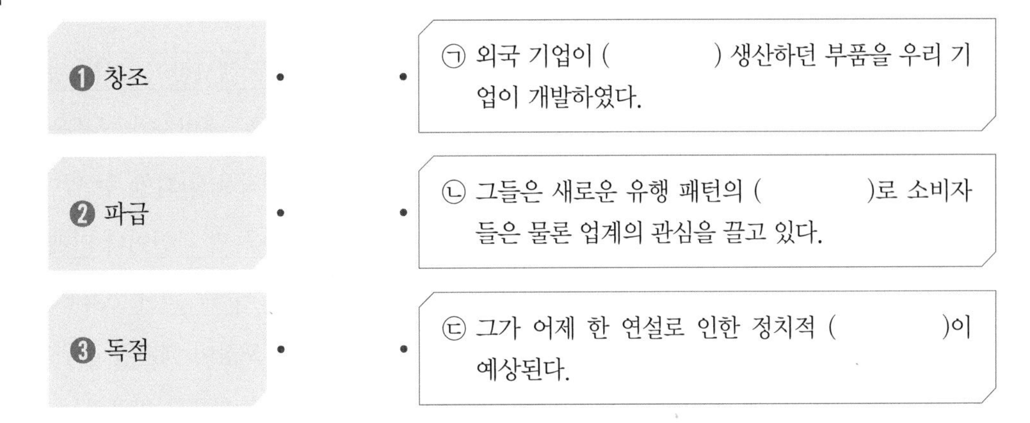

어휘·어법 확장

관용구 '눈이 높다'의 의미

눈이 높은 소비자들의 요구를 파악하고 여기에 새로운 아이디어나 기술 등을 적용해 새로운 시장을 형성한다.

관용구란 두 개 이상의 단어로 이루어져 있으면서 그 단어들의 의미만으로는 전체의 의미를 알 수 없는, 특수한 의미를 나타내는 어구를 말한다. 위의 예문에 쓰인 '눈이 높다'는 '정도 이상의 좋은 것만 찾는 버릇이 있다.', '안목이 높다.'라는 특수한 의미를 나타내는 관용구이다.

예 • 그 여자는 눈이 높아 웬만한 남자는 거들떠보지도 않는다.
• 부인은 눈이 높으시군요. 그럼 한번 괜찮은 것을 보여 드리지요.

소비자의 권리, 청약 철회권

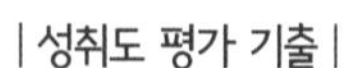

- 핵심어를 찾아보자.
- 문단별 중심 내용에 밑줄을 그어 보자.
- 핵심 내용을 구조적으로 재배열해 보자.

가 A씨가 인터넷 쇼핑몰에서 옷을 한 벌 샀다. 화면으로 봤을 때는 마음에 들었는데 막상 옷을 받아 보니 색깔이 생각했던 것과 달랐다. 그래서 반품을 하려고 판매자에게 연락을 했으나, 판매자는 반품이 불가능하다고 사전에 공지를 하였으므로 반품이 안 된다고 답변을 하였다. A씨는 정말 그 옷을 반품할 수 없을까?

나 인터넷 쇼핑으로 구입한 상품을 반품하는 경우, 소비자는 그 상품을 받은 날로부터 7일 이내에 반품할 수 있다. 이는 소비자에게 법이 보장하는 '청약 철회권'이 있기 때문이다. 여기서 ㉠'청약'이란 소비자가 상품이나 서비스를 구입하겠다는 의사 표시를 말하고, '철회'는 다시 거두어들인다는 뜻이다. 즉, 청약 철회권이란 소비자가 법이 정한 기간 안에 청약을 자유로이 철회하고 계약을 없던 것으로 되돌릴 수 있는 권리를 말한다.

다 그런데 ㉮소비자가 청약 철회권을 행사할 수 없는 경우가 있다. 상품을 잃어버리거나 훼손하는 등 소비자가 잘못한 경우, 소비자가 상품을 쓰거나 소비하여서 그 상품의 가치가 현저히 감소한 경우에는 청약을 철회할 수 없다. 또한 시간이 지나 상품의 재판매가 곤란한 경우도 있다. ㉡예를 들면 과일이나 야채와 같은 신선 식품류는 시간이 지나면 신선도가 떨어져 재판매를 할 수 없다. 영화 디브이디(DVD)나 게임 시디(CD) 등과 같이 복제가 가능한 상품도 포장이 훼손된 경우에는 청약을 철회할 수 없다.

라 이와 달리 판매자가 소비자의 청약 철회를 방해하는 행위가 있다. 먼저 판매자가 거짓된 사실을 알려 소비자를 속이는 경우이다. ㉢예를 들면 '흰색 옷은 반품이 불가합니다', '세일 상품은 반품이 불가합니다', '고객의 단순 변심으로 인한 반품은 불가합니다'와 같은 문구를 판매자가 인터넷 쇼핑몰에 게시하는 행위이다. 다음으로 판매자가 소비자에게 청약 철회를 이유로 반품 배송비 외에 위약금, 취소 수수료 등 추가적인 비용을 요구하는 경우이다. 이렇게 ㉣판매자가 소비자의 청약 철회를 방해하는 행위 때문에 소비자는 반품할 수 있는 상품임에도 반품을 포기할 우려가 있다.

마 지금까지의 설명을 종합해 보면 ㉤소비자는 청약 철회권을 행사할 수 없는 경우에 유의하여 자신의 권리를 누려야 하며, 판매자는 소비자의 청약 철회권 행사를 방해해서는 안 된다. 이를 통해 소비자가 보호받는 건전한 거래 질서가 확립되기를 기대한다.

- **위약금**: 채무를 이행하지 않을 경우, 채무자가 채권자에게 손해 배상 또는 제재(制裁)로서 지급할 것을 미리 약속한 돈
- **수수료**: 어떤 일을 맡아 처리해 준 데 대한 내가로서 주는 요금

1

수능형

윗글의 ㉠~㉤에 사용된 설명 방식에 대한 이해로 적절하지 않은 것은?

① ㉠: 청약 철회권을 쉽게 설명하기 위해 청약과 철회의 뜻을 각각 밝히고 있다.
② ㉡: 시간이 지나 상품의 재판매가 곤란한 경우에 대해 예를 들어 설명하고 있다.
③ ㉢: 판매자가 거짓된 사실을 알려 소비자를 속이는 행위에 대한 예를 구체적으로 나열하고 있다.
④ ㉣: 판매자가 소비자의 청약 철회를 방해하는 행위를 함으로써 소비자에게 일어날 수 있는 결과를 설명하고 있다.
⑤ ㉤: 소비자의 청약 철회권이 인정되는 근거를 부분별로 밝혀 설명하고 있다.

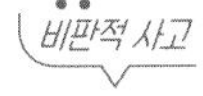

2

다음 사례 중 ㉮에 해당하지 않는 것은?

① 포장을 뜯지도 않은 게임 시디(CD)를 한 달이 지난 후 반품하고자 하는 경우
② 화장품을 구매하여 반쯤 사용하였으나 피부에 맞지 않아 반품하고자 하는 경우
③ 김장을 하려고 배추를 대량 구매하였으나 김장할 시간이 나지 않아 반품하고자 하는 경우
④ 영어 공부를 하기 위해 1년치 수강권을 구매하였는데 어학원이 부도가 나서 수강권을 반품하고자 하는 경우
⑤ 바지를 구매한 후 집에 와서 입어 보다가 실수로 찢어지는 바람에 착용하지 못한 바지를 다음날 바로 반품하고자 하는 경우

어휘·어법

3

〈보기〉를 바탕으로 위약금을 이해한다고 할 때, ⓐ에 들어갈 말로 가장 적절한 것은?

보기

학생: 선생님, '위약금'이 무슨 말인지 몰라서 사전을 찾아봤는데 뜻풀이를 읽어도 잘 모르겠어요.
선생님: 그건 '위약금'이 법률 용어라서 그래. '충수염' 같은 의학 용어들도 우리가 쉽게 이해하기 어려운 것처럼 말이야. 왜냐하면 이런 말들은 (　　　　ⓐ　　　　) 이기 때문이지.

① 특정한 전문 분야에서 전문 개념으로 쓰이는 어휘
② 두렵거나 불쾌한 느낌을 주어 입 밖에 내기를 꺼리는 어휘
③ 외국어에 뿌리를 두고 있지만 우리말의 일부로 수용된 어휘
④ 비교적 짧은 시기에 걸쳐 여러 사람의 입에 오르내리는 어휘
⑤ 다른 나라에서 들여온 것이 아니라 원래부터 있던 우리말 어휘

1

이 글의 핵심 화제를 살펴보자.

(   )의 올바른 행사를 통한 건전한 거래 질서의 확립

2

각 문단별 중심 내용을 정리해 보자.

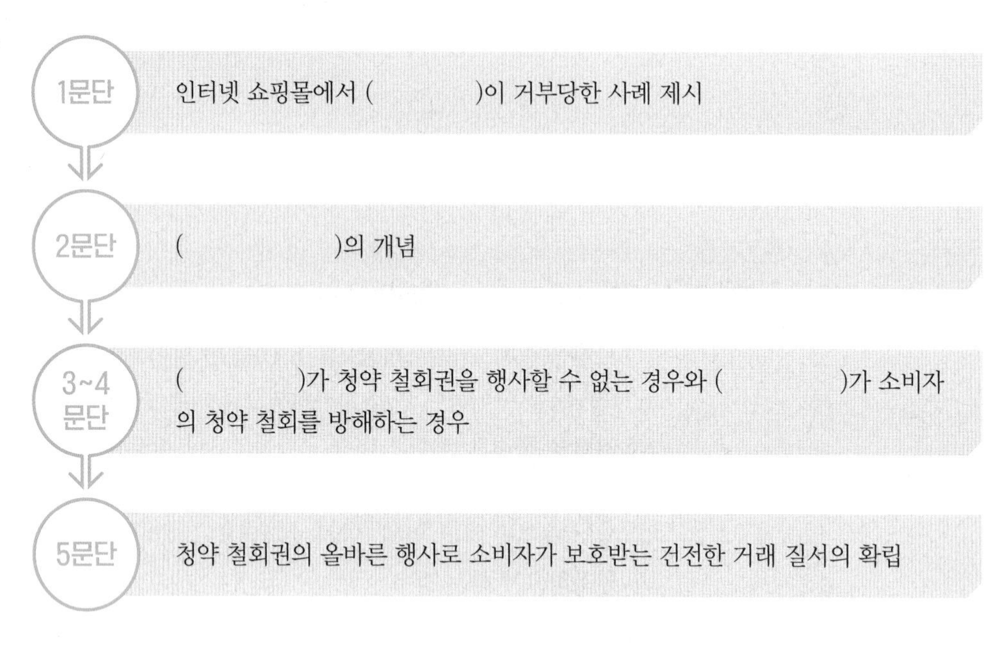

3

핵심 내용을 구조화해 보자.

청약 철회권

소비자가 법이 정한 기간 안에 (   )을 자유로이 철회하고 계약을 없던 것으로 되돌릴 수 있는 권리

소비자가 청약 철회권을 행사할 수 없는 경우

- 상품을 잃어버리거나 훼손하는 등 소비자가 잘못한 경우
- 소비자가 상품을 쓰거나 소비하여 그 상품의 (   )가 현저히 감소한 경우
- 시간이 지나 상품의 (   )가 곤란한 경우

판매자가 소비자의 청약 철회를 방해하는 경우

- 판매자가 (   )된 사실을 알려 소비자를 속이는 경우
- 판매자가 소비자에게 청약 철회를 이유로 반품 배송비 이외에 위약금, 취소 수수료 등 추가적인 (   )을 요구하는 경우

⇓

소비자는 청약 철회권을 행사할 수 없는 경우에 유의하여 자신의 (   )를 누려야 하며, 판매자는 소비자의 청약 철회권 행사를 (   )해서는 안 됨

어휘력 테스트

● 다음 괄호 안에 들어갈 단어의 뜻을 〈보기〉에서 골라 기호를 써 보자.

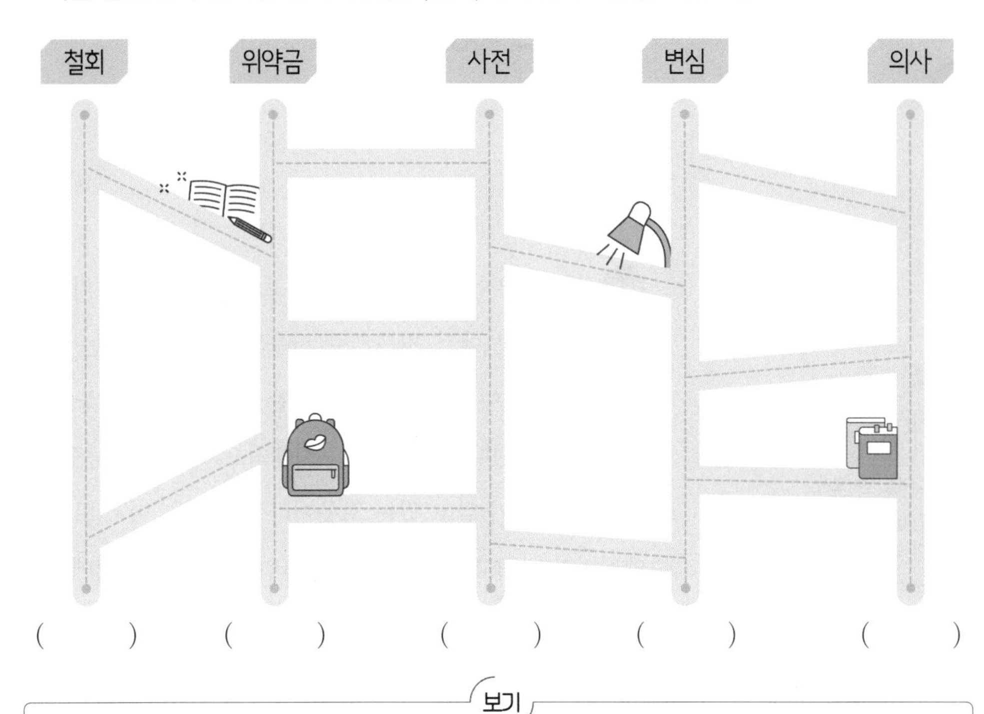

( ) ( ) ( ) ( ) ( )

보기

㉠ 마음이 변함
㉡ 무엇을 하고자 하는 생각
㉢ 일이 일어나기 전. 또는 일을 시작하기 전
㉣ 이미 제출하였던 것이나 주장하였던 것을 다시 회수하거나 번복함
㉤ 채무를 이행하지 않을 경우, 채무자가 채권자에게 손해 배상 또는 제재(制裁)로서 지급할 것을 미리 약속한 돈

어휘·어법 확장

'다르다'와 '틀리다'의 구별

'비교가 되는 두 대상이 서로 같지 아니하다.'라는 뜻을 나타내는 경우에는 형용사 '다르다'를 쓰고, '셈이나 사실 따위가 그르게 되거나 어긋나다.'라는 뜻을 나타내는 경우에는 동사 '틀리다'를 써야 한다. 이 대화에서 남학생과 여학생 두 사람의 성격이 서로 같지 않은 것이므로 '우리는 성격이 너무 틀려.'가 아니라, '우리는 성격이 너무 달라.'라고 써야 한다.

다르다	틀리다
비교가 되는 두 대상이 서로 같지 아니하다. 예 • 아들의 얼굴이 아버지와 다르다. • 너와 나는 다르다.	셈이나 사실 따위가 그르게 되거나 어긋나다. 예 • 답이 틀리다. • 계산이 틀리다.

로봇 시대가 오고 있다

- 핵심어를 찾아보자.
- 문단별 중심 내용에 밑줄을 그어 보자.
- 핵심 내용을 구조적으로 재배열해 보자.

가 '로봇'이라는 말은 1920년 체코의 극작가 카렐 차페크가 쓴 희곡 『R. U. R.－로줌 유니버설 로봇』에서 처음으로 사용되었다. 차페크는 극 중에 등장하는 인조인간에게 'robot'이라는 이름을 붙였는데, 이는 체코어로 '강제 노동'을 뜻하는 'robota'에서 'a'를 빼고 만든 말이었다. (　　㉠　　) 이때의 로봇은 극에 등장하는 인물의 이름이자 가상의 존재였다. 우리가 알고 있는 로봇이라는 개념은 '미국 로봇 산업의 선구자'로 불리는 조셉 엥겔버거가 1961년 세계 최초의 산업용 로봇인 '유니메이트'를 만든 것에서 시작되었다.

나 이후 인간을 대신하여 작업 현장에서 사용되는 산업용 로봇, 청소와 같이 실생활에 도움을 주는 서비스 로봇 등이 만들어졌다. 여기에서 더 발전하여 기초적인 지능을 갖추고 있는 지능형 로봇, 인간의 모습을 닮은 휴머노이드 로봇, 사람의 신체 기관 일부를 기계 전자 부품으로 교체한 사이보그 등이 개발되고 있다. (　　㉡　　) 닭의 뼈를 발라내는 로봇, 새끼 돼지에게 어미 대신 젖을 먹이는 로봇 등 다양한 분야에서 로봇이 쓰이고 있다. 인간의 삶에 로봇이 더 가까워지고 있는 것이다.

다 (　　㉢　　) 로봇 시대에 대한 전망은 상반되는 의견이 맞서고 있다. 먼저 로봇 공학과 산업이 발전하면 인간이 여러 가지 노동으로부터 벗어날 수 있다는 점에 주목한 입장이다. 로봇은 정밀한 작업을 할 수 있을 뿐만 아니라 위험한 환경에서 인간을 대신할 수도 있다. 게다가 단순하게 반복되는 업무들도 로봇이 대신할 수 있어서 인간은 의미 없는 노동에 시달릴 필요가 없다.

라 (　　㉣　　) 로봇으로 인해 인간이 일자리를 잃고 사회에서 점차 밀려나 결국에는 로봇에게 주도권을 빼앗길 것을 우려하는 입장이다. 세계 경제 포럼이 2016년에 발표한 「일자리의 미래」 보고서에서는 인공 지능과 로봇 등의 발달로 인해 앞으로 5년간 약 500만 개의 일자리가 사라질 것이라고 내다보았다. 또한 SF 영화에서처럼 로봇이 인간에게 위협이 될 수 있는 가능성도 배제할 수 없다. 공격 가능한 로봇을 개발하여 누군가 나쁜 의도로 사용한다면 우리는 지금까지 겪어 보지 못한 위기에 처할 것이다.

마 로봇이 열어 줄 미래에 대한 전망의 입장 차이가 좁혀지지 않았지만, 로봇은 이미 우리 생활에 가까이 와 있으며 앞으로 더 많은 부분에 영향을 미칠 것은 확실하다. (　　㉤　　) 우리는 로봇 시대에 지혜롭게 살아갈 수 있는 삶의 방법과 철학에 대해 고민해야 할 것이다.

- **가상**: 사실이 아니거나 사실 여부가 분명하지 않은 것을 사실이라고 가정하여 생각함
- **선구자**: 어떤 일이나 사상에서 다른 사람보다 앞선 사람
- **전망**: 앞날을 헤아려 내다봄. 또는 내다보이는 장래의 상황
- **공학**: 공업의 이론, 기술, 생산 따위를 체계적으로 연구하는 학문. 전자, 전기, 기계, 항공, 토목, 컴퓨터 따위의 여러 분야가 있음
- **정밀한**: 아주 정교하고 치밀하여 빈틈이 없고 자세한
- **주도권**: 주동적인 위치에서 이끌어 나갈 수 있는 권리나 권력

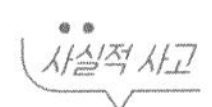

1

수능형

윗글의 내용 전개 방식으로 적절하지 <u>않은</u> 것은?

① 다양한 분야에서 개발된 로봇의 사례들을 나열하고 있다.
② 로봇을 바라보는 서로 다른 입장을 대조하여 설명하고 있다.
③ 처음으로 만들어진 로봇의 이름과 만든 사람을 소개하고 있다.
④ 로봇이라는 말이 처음으로 쓰인 때와 원래의 뜻을 알려 주고 있다.
⑤ 로봇으로 인해 발생한 문제를 해결할 수 있는 방법을 제시하고 있다.

2

윗글을 읽고 보인 반응으로 적절하지 <u>않은</u> 것은?

① 생각했던 것보다 훨씬 더 많은 분야에서 이미 로봇이 쓰이고 있었어.
② 인간과 로봇이 조화롭게 살아가기 위해서는 먼저 로봇의 구조를 잘 알아야겠어.
③ 단순노동뿐만 아니라 위험하거나 까다로운 일에도 로봇을 활용하면 좋을 것 같아.
④ 악한 마음을 가진 사람에 의해 로봇이 잘못 쓰이면 많은 사람이 위험에 처할 수 있을 것 같아.
⑤ 지금보다 로봇을 많이 활용하게 되면 우리의 생활은 편리해지겠지만 인간의 직업군은 많이 줄어들 수도 있겠어.

어휘·어법

3

㉠~㉤에 들어갈 말로 적절하지 <u>않은</u> 것은?

① ㉠: 그런데　② ㉡: 심지어　③ ㉢: 그러나
④ ㉣: 반면　⑤ ㉤: 따라서

1

이 글의 핵심 화제를 살펴보자.

(　　　　)의 발전에 대한 전망 및 (　　　　　)를 맞이하는 바람직한 자세

2

각 문단별 중심 내용을 정리해 보자.

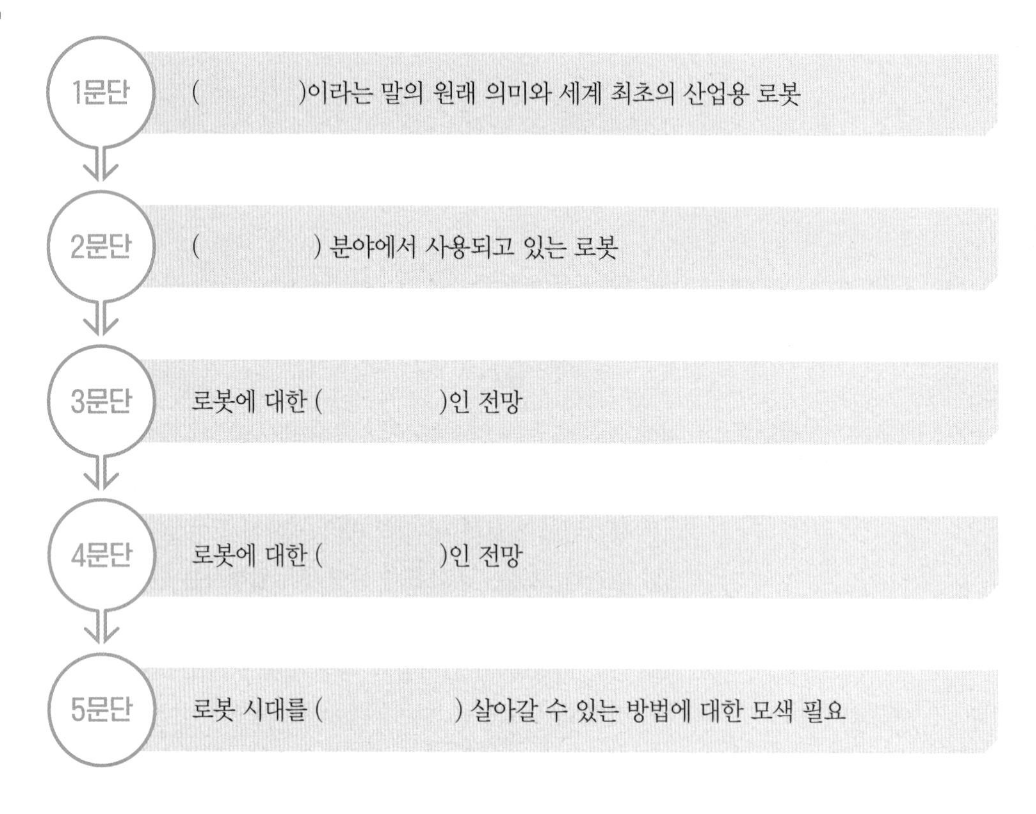

3

핵심 내용을 구조화해 보자.

로봇의 발전에 대한 전망

로봇에 대한 긍정적 입장

- (　　　　) 작업이나 위험하고 힘든 일을 로봇이 대신할 수 있음
- 단순하게 (　　　　)되는 업무들을 로봇이 대신하여 인간은 의미 없는 노동에서 벗어날 수 있음

↔

로봇에 대한 부정적 입장

- 로봇으로 인해 인간이 (　　　　)를 잃게 되고, 사회에서 점차 밀려나 로봇에게 (　　　　)을 빼앗기게 됨
- (　　　　) 가능한 로봇을 나쁜 의도로 사용하면 인간이 위협당할 수도 있음

⇓

(　　　　　)를 지혜롭게 살아갈 수 있는 삶의 방법과 철학을 생각해 보아야 함

어휘력 테스트

1 다음 단어의 뜻을 참고하여 끝말잇기를 완성해 보자.

2 제시된 뜻과 예문을 참고하여 다음 초성에 해당하는 단어를 괄호 안에 써 보자.

(1) ㄱ ㅎ : 공업의 이론, 기술, 생산 따위를 체계적으로 연구하는 학문

예 그는 (　　　　) 박사라 그런지 기계를 잘 만진다.

(2) ㅈ ㅁ : 앞날을 헤아려 내다봄. 또는 내다보이는 장래의 상황

예 과일이 막 나올 시기에 태풍이 닥쳐서 과일의 값이 오를 (　　　　)이다.

(3) ㅈ ㅁ 하다: 아주 정교하고 치밀하여 빈틈이 없고 자세하다.

예 우리는 콩나물이 자라는 과정을 (　　　　)하게 관찰하였다.

어휘·어법 확장

다양한 접속어의 쓰임

상황	접속어
앞 내용과 뒤의 내용이 서로 원인과 결과일 때	그러므로, 그러니까, 그래서, 따라서, 왜냐하면 등
앞 내용과 뒤의 내용이 자연스럽게 이어질 때	그리고, 그리하여, 그러니, 그러기에, 그러면, 이리하여 등
앞 내용과 반대되는 내용이 이어질 때	그러나, 그렇지만, 그래도, 하지만, 그렇더라도 등
앞 내용과 뒤의 내용이 대등하게 나열될 때	또는, 혹은, 및, 이와 함께 등
화제를 바꾸어 새로운 내용이 시작될 때	그런데, 다음으로, 한편, 한데 등
앞 내용에 대한 예를 들 때	예컨대, 예를 들어, 가령, 이를테면 등
앞 내용을 다시 자세하게 설명할 때	요컨대, 결국, 곧, 즉, 다시 말하면, 바꾸어 말하면 등
내용을 덧붙일 때	더구나, 또한, 또, 더욱, 게다가, 그뿐 아니라, 아울러 등

곰팡이는 자연의 분해자

- 핵심어를 찾아보자.
- 문단별 중심 내용에 밑줄을 그어 보자.
- 핵심 내용을 구조적으로 재배열해 보자.

가 일반적으로 곰팡이에 대한 사람들의 인식은 음식을 상하게 하고, 지저분한 곳에 숨어 있으며, 때로는 사람의 생명까지 위협하는 꺼림칙한 존재로 여긴다. 하지만 곰팡이의 일종인 버섯은 음식의 재료로 ㉠쓰이거나, 병을 낫게 하는 명약의 재료가 되기도 하는 고마운 존재이다.

나 곰팡이 연구가 시작되던 시기에 학자들은 곰팡이를 식물에 포함시켰다. 곰팡이는 식물 세포를 동물 세포와 구분 짓는 커다란 특징인 세포벽을 가지고 있으며, 스스로 움직이지 않는다는 점이 식물과 유사했기 때문이다. 하지만 식물로 보기에는 석연치 않은 증거들이 ㉡드러나기 시작했다. 우선 곰팡이는 엽록체를 가지고 있지 않다. 이는 곰팡이가 식물처럼 광합성을 통해 유기물을 만들어 내지 못한다는 것을 의미한다. 또한 곰팡이는 세포벽의 성분이 식물과 다르다. 식물의 세포벽은 셀룰로오스로 되어 있지만 곰팡이 세포벽의 주성분은 키틴질이다. 키틴질은 곤충이나 갑각류와 같은 절지동물의 바깥 골격을 이루는 성분이다. 한 연구에 따르면 곰팡이의 유전자는 식물보다 동물과 더 ㉢비슷하다고 한다.

다 한편, 곰팡이와 박테리아를 혼동하는 경우가 많은데 이는 곰팡이의 학술 용어가 균류라서 사람들이 병원성 미생물을 떠올리기 때문이다. 그러나 모든 균이 병원성 미생물은 아니다. 된장을 만드는 것은 자낭균에 속하는 누룩곰팡이인데, 배탈을 일으키는 대장균이나 폐렴을 유발하는 폐렴 쌍구균은 박테리아이다. 곰팡이는 동물이나 식물의 세포처럼 핵막이 유전자를 감싸고 있는 핵을 지닌 진핵생물로, 핵막이 없고 몇 가지 소기관이 ㉣빠진 원핵생물인 박테리아보다 고등 생명체이다.

라 곰팡이는 섭취하는 먹이에 따라서 기생성과 부생성으로 구분된다. 극히 소수인 기생성은 살아 있는 생물에서 영양분을 얻는 종류로 무좀은 비롯한 여러 가지 피부병을 일으키는 곰팡이가 여기에 속한다. 곰팡이의 대부분을 차지하는 부생성은 죽은 생물에서 영양분을 얻는 종류로 공기 중이나 토양에 분포해 있는 검은곰팡이가 여기에 속한다. 곰팡이는 습기가 적당하다면 낙엽은 물론이고, 동물의 사체나 분비물처럼 생명력을 잃은 유기 물질이 있는 곳 어디에서나 자랄 수 있다. 이 과정에서 곰팡이는 생물체를 화학 물질들로 분해시키는데, 식물은 그 물질들을 영양분으로 흡수하여 자라고, 동물은 그러한 식물을 ㉤먹음으로써 생태계가 유지된다.

- 셀룰로오스(cellulose): 포도당으로 된 단순 다당류의 하나. 고등 식물이나 조류의 세포막의 주성분임
- 키틴질(chitin質): 곤충류나 갑각류의 외골격을 이루는 물질

1

(가)~(라)에 대한 설명으로 적절하지 않은 것은?

① (가): 곰팡이에 대한 통념을 제시한 후 이를 반박하고 있다.
② (나): 다른 생물과의 비교를 통해 곰팡이의 특징을 설명하고 있다.
③ (다): 유추의 방식을 통해 곰팡이의 속성을 구체적으로 밝히고 있다.
④ (라): 일정한 기준에 따라 곰팡이의 종류를 나누어 설명하고 있다.
⑤ (라): 구체적인 예를 들어 곰팡이에 대한 이해를 돕고 있다.

2

수능형

윗글을 읽고 〈보기〉와 같이 말했을 때, 그 근거로 가장 적절한 것은?

보기

생태계는 물질의 순환을 바탕으로 유지된다. 그렇기 때문에 곰팡이는 생태계의 유지를 위해서 없어서는 안 되는 존재이다.

① 곰팡이는 병을 낫게 하는 명약의 재료가 되기도 한다.
② 곰팡이는 습도 조건이 맞으면 어떤 환경에서도 성장한다.
③ 곰팡이는 유기 물질을 분해해 식물의 영양분 섭취를 가능하게 해 준다.
④ 곰팡이 중에는 혼자서 새로운 개체를 만드는 것이 가능한 종류도 있다.
⑤ 곰팡이 중에는 살아 있는 생물에 기생해 영양분을 섭취하는 종류도 있다.

어휘·어법

3

㉠~㉤을 바꿔 쓴 말로 적절하지 않은 것은?

① ㉠: 사용(使用)되거나
② ㉡: 제시(提示)되기
③ ㉢: 유사(類似)하다고
④ ㉣: 빈약(貧弱)한
⑤ ㉤: 섭취(攝取)함으로써

1 이 글의 핵심 화제를 살펴보자.

(　　　　　)의 특징 및 종류

2 각 문단별 중심 내용을 정리해 보자.

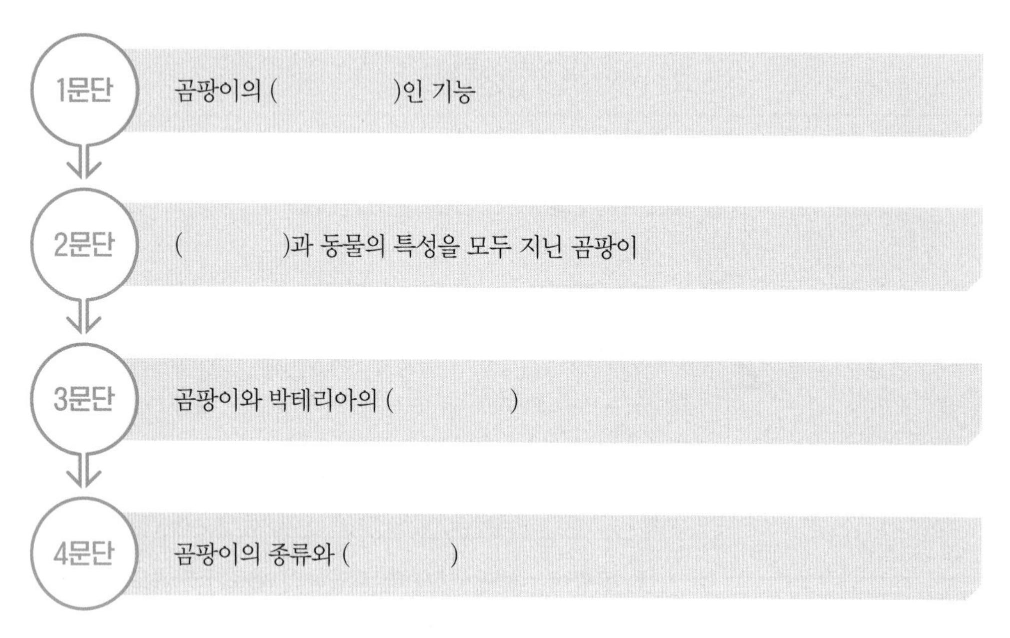

3 핵심 내용을 구조화해 보자.

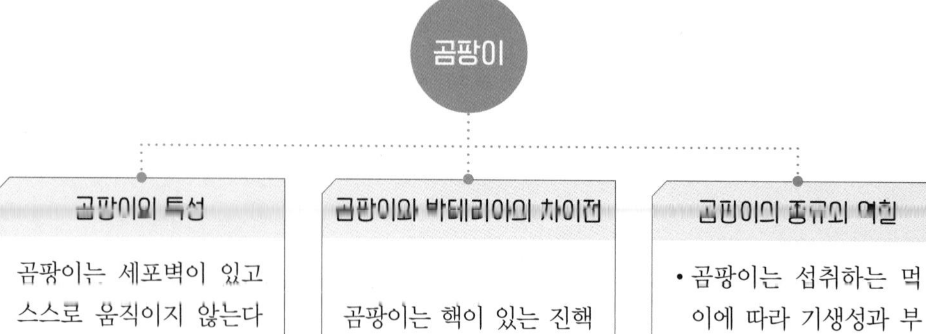

어휘력 테스트

1 제시된 뜻과 예문을 참고하여 다음 초성에 해당하는 단어를 괄호 안에 써 보자.

(1) ㅁ ㅇ: 효험이 좋아 이름난 약

예 녹용은 예로부터 원기를 돋우는 (　　　　　)으로 널리 알려져 왔다.

(2) ㅎ ㄷ: 구별하지 못하고 뒤섞어서 생각함

예 잠이 다 깨지 않았는지 그는 현실과 꿈 사이에서 (　　　　　)을 일으켰다.

(3) ㅅ ㅇ하다: 의혹이나 꺼림칙한 마음이 없이 환하다.

예 그의 대답은 어딘가 (　　　　　)하지 않은 점이 있다.

2 다음 〈보기〉의 뜻을 참고하여 십자말풀이를 완성해 보자.

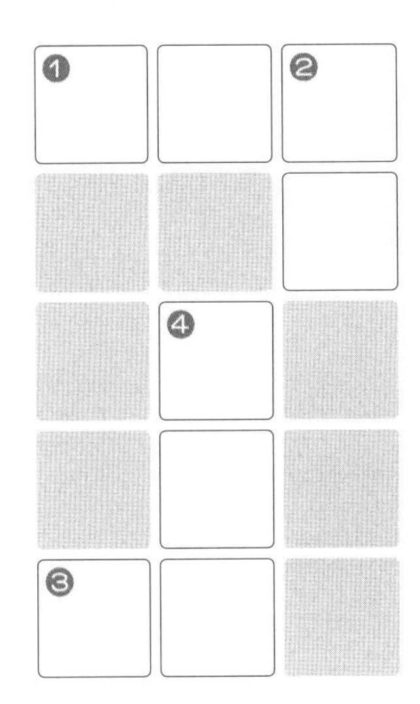

보기

❶ 가로: 녹색식물이 빛 에너지를 이용하여 이산화 탄소와 수분으로 유기물을 합성하는 과정
❷ 세로: 유기적인 통일체를 이루고 있는 것의 한 부분
❸ 가로: 사람 또는 동물 따위의 죽은 몸뚱이
❹ 세로: 식물 잎의 세포 안에 함유된 둥근 모양 또는 타원형의 작은 구조물. 엽록소를 함유하여 녹색을 띠며 탄소 동화 작용을 하여 녹말을 만드는 중요 부분임

어휘·어법 확장

'(으)로서'와 '(으)로써'의 구별

(으)로서	(으)로써
지위나 신분 또는 자격을 나타내는 격 조사 예 • 그것은 교사로서 할 일이 아니다. • 그는 친구로서는 좋으나, 남편감으로서는 부족한 점이 많다.	(1) 어떤 물건의 재료나 원료를 나타내는 격 조사, (2) 어떤 일의 수단이나 도구를 나타내는 격 조사 예 • (1) 쌀로써 떡을 만든다. • (2) 말로써 천 냥 빚을 갚는다고 한다.

※ '(으)로서'는 지위나 신분 또는 자격을 나타낼 때 쓰고, '(으)로써'는 어떤 물건의 재료나 원료, 수단이나 도구를 나타낼 때 쓴다. 즉, 위의 예에서 보듯이, '(으)로서'는 '교사의 신분으로', '친구의 자격으로', '남편감의 자격으로'라는 의미를 나타내고, '로써'는 '쌀을 재료로 하여', '말을 수단으로 하여'라는 의미를 나타낸다. 이때 '(으)로써'는 '~을 이용하여(써서, 통해)'라는 의미임을 기억하면 '(으)로서'와의 구별이 쉬워진다. 예를 들어, '쌀을 이용하여(써서) 떡을 만든다.'의 경우, '쌀로써 떡을 만든다.'라고 바꾸어 쓸 수 있는 것이다.

과학 03

땅콩버터로 다이아몬드를?

- 핵심어를 찾아보자.
- 문단별 중심 내용에 밑줄을 그어 보자.
- 핵심 내용을 구조적으로 재배열해 보자.

가 우리 주변에서 흔히 볼 수 있는 땅콩버터로 다이아몬드를 만들어 낼 수 있다는 말을 믿을 사람은 얼마나 될까? 하지만 놀랍게도 이는 사실이다. 어떻게 이러한 일이 가능한지를 이해하려면, 먼저 다이아몬드가 자연적으로 만들어지는 과정을 ⓐ이해해야 한다.

나 다이아몬드가 만들어지기 위한 조건은 '열'과 '압력'의 두 가지 요소로 압축할 수 있다. 맨틀에 저장된 탄소 덩어리가 수백만 년 혹은 수십억 년 동안 뜨거운 열과 압력을 받으면 다이아몬드로 변해 때때로 화산이 ⓑ폭발할 때 지표면 밖으로 튀어나오게 되는 것이다. 사실상 다이아몬드는 연필심을 이루는 흑연이나 석탄과 같은 탄소 덩어리일 뿐이며, 탄소 원자들이 서로 ⓒ결합하는 방식이나 배열 상태에서만 차이를 지닐 뿐이다.

다 흑연을 구성하는 탄소는 탄소 원자 한 개당 세 개의 탄소 원자와 결합하며, 네 원자가 모두 같은 2차원 평면 위에 있다. 따라서 층과 층을 연결하는 힘이 매우 약해 조금만 힘을 줘도 층과 층이 미끄러지면서 분리된다. 이러한 탄소 결합은 에너지가 적게 드는 결합이므로 쉽게 만들어진다. 반면 다이아몬드는 한 개의 탄소 원자가 자신이 결합할 수 있는 최대 수인 네 개의 탄소 원자와 결합함으로써 3차원 구조를 만든다. 다이아몬드처럼 탄소들이 흠잡을 데 없는 4면체 구조를 형성해 완벽하게 정렬된 상태로 ⓓ배열되려면 탄소 원자들을 막강한 힘으로 압착하면서 고온을 가해 주어야 한다.

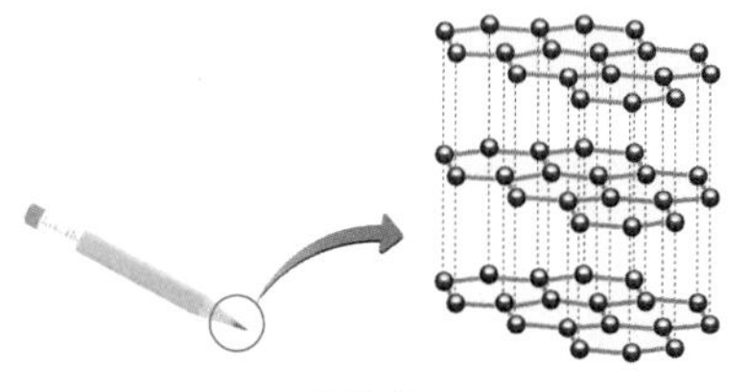

▲ 흑연의 구조

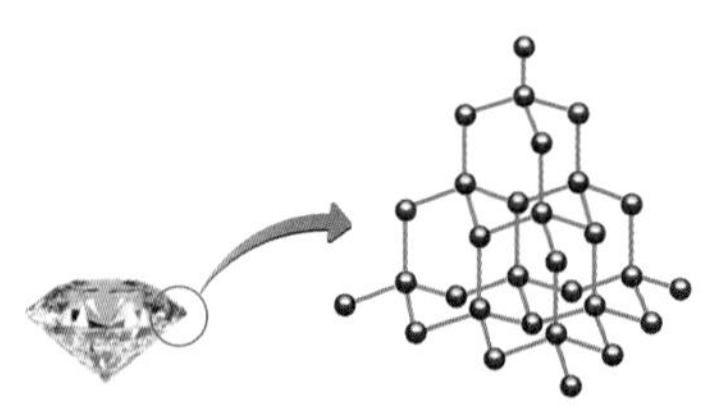

▲ 다이아몬드의 구조

라 ㉠이러한 원리를 이용하여 1954년 과학자 트레이시 홀은 탄소 시료를 10만 기압, 1600℃에서 38분간 처리함으로써 최초의 다이아몬드를 만들어 냈다. 이후 플라스틱이나 설탕, 나무, 심지어는 땅콩버터 등 탄소가 많이 ⓔ포함된 물질이라면 어떤 물질로도 다이아몬드를 만들 수 있게 되었다. 하지만 인조 다이아몬드는 오로지 산업용으로만 사용될 뿐, 장식용 보석으로는 사용되지 않는다. 그것을 만들기 위해서는 엄청난 비용이 들기 때문이다.

- **맨틀**: 지구 내부의 핵과 지각 사이에 있는 부분. 지구 부피의 83%, 질량으로는 68%를 차지함
- **압착하면서**: 압력을 가하여 물질의 밀도를 높이면서
- **시료**: 시험, 검사, 분석 따위에 쓰는 물질이나 생물

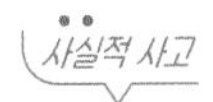

1

윗글에 대한 설명으로 적절하지 않은 것은?

① 유사한 성질을 지닌 대상들을 열거하고 있다.
② 두 대상이 지닌 특징을 대조하여 설명하고 있다.
③ 자문자답의 형식으로 글의 화제를 제시하고 있다.
④ 구체적인 수치를 제시하여 내용의 신뢰도를 높이고 있다.
⑤ 화제로 제시한 내용이 사실임을 입증할 수 있는 기술을 사례로 들고, 그 기술이 지닌 한계와 향후 전망을 밝히고 있다.

2

수능형

㉠의 의미로 가장 적절한 것은?

① 흑연을 구성하는 탄소 원자의 개수를 증가시켜 다이아몬드로 변하게 하는 원리
② 맨틀에 저장되어 있던 다이아몬드가 화산 폭발에 의해 지표면 밖으로 튀어나오게 되는 원리
③ 탄소 원자들을 막강한 힘으로 압착하여 탄소들이 4차원 구조를 형성할 수 있도록 하는 원리
④ 탄소 원자들에 큰 압력과 고온을 가해 탄소들이 4면체 구조의 완벽하게 정렬된 상태로 배열되게 하는 원리
⑤ 탄소 원자들에 열만 가해 한 개의 탄소 원자가 자신이 결합할 수 있는 최대 수의 탄소 원자와 결합하게 하는 원리

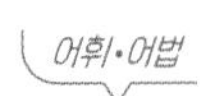

3

ⓐ~ⓔ를 사용하여 만든 문장으로 적절하지 않은 것은?

① ⓐ: 독자들은 글의 내용을 이해하고 필자의 주장을 정확하게 파악해야 한다.
② ⓑ: 그동안 쌓여 온 감정이 일시에 폭발하였다.
③ ⓒ: 산소를 수소에 적당한 비율로 결합하면 물이 만들어진다.
④ ⓓ: 여러 건물이 잘 배열된 도시는 아름답게 보였다.
⑤ ⓔ: 문화라는 말에는 여러 가지 의미가 포함되어 있다.

1 이 글의 핵심 화제를 살펴보자.

고탄소 함유 물질을 이용하여 인조 (   )를 만드는 원리

2 각 문단별 중심 내용을 정리해 보자.

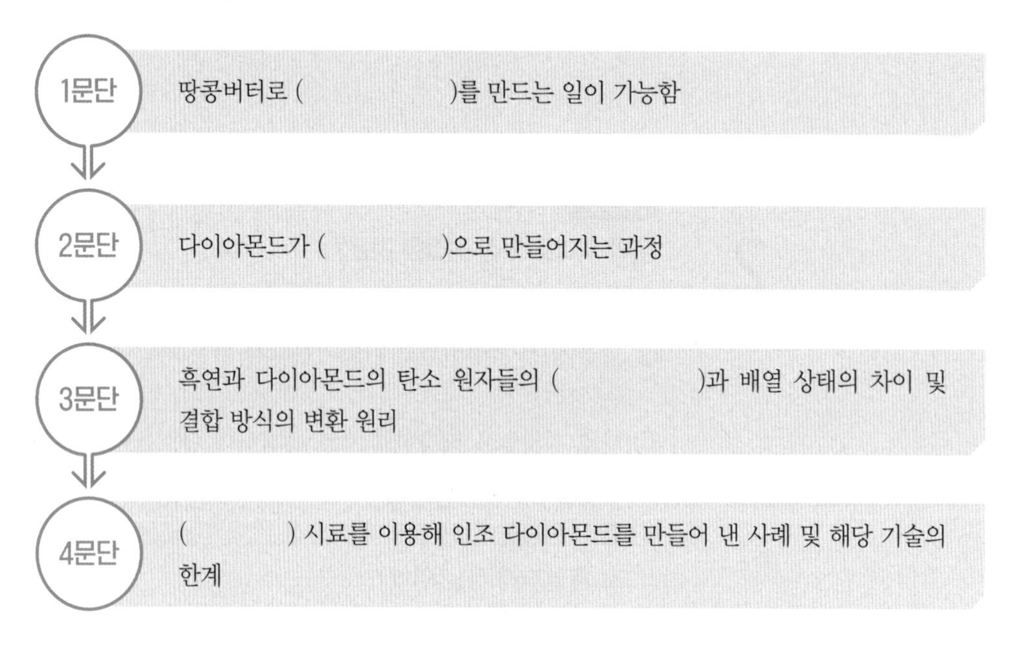

3 핵심 내용을 구조화해 보자.

다이아몬드가 만들어지는 과정

자연적인 과정	인위적인 과정
맨틀에 저장된 탄소 덩어리가 오랜 시간 동안 뜨거운 ( )과 ( )을 받으면 다이아몬드로 변함	흑연과 같은 고탄소 함유 물질을 막강한 힘으로 압착하면서 고온을 가해 주면 탄소들이 4면체 구조를 형성해 완벽하게 정렬된 상태로 배열되어 ( )가 만들어짐

어휘력 테스트

1 다음 〈보기〉의 뜻을 참고하여 십자말풀이를 완성해 보자.

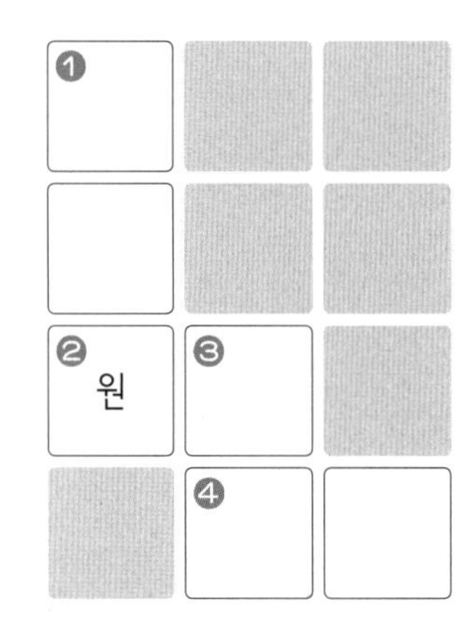

보기

❶ 세로: 공간을 세 개의 실수로 나타낼 수 있음을 이르는 말. 공간은 상하, 좌우, 전후의 세 방향으로 이루어져 있다.

❷ 가로: 물질의 기본적 구성 단위. 하나의 핵과 이를 둘러싼 여러 개의 전자로 구성되어 있고, 한 개 또는 여러 개가 모여 분자를 이룬다.

❸ 세로: 자성을 가진 천연의 광석

❹ 가로: 태고 때의 식물질이 땅속 깊이 묻히어 오랫동안 지압과 지열을 받아 분해하여 생긴, 타기 쉬운 퇴적암

2 다음 단어를 활용하기에 적절한 문장을 찾아 바르게 연결해 보자.

❶ 가능하다 •　　• ㉠ 중등부와 고등부로 (　　　　) 수업이 진행된다.

❷ 결합하다 •　　• ㉡ 산소를 수소에 적당한 비율로 (　　　　) 물이 만들어진다.

❸ 분리되다 •　　• ㉢ 컴퓨터 통신의 발달로 전 세계 사람들과 정보 교환이 (　　　　) 되었다.

어휘·어법 확장

'이해하다'의 비슷한말 & 반대말

비 비슷한말　반 반대말

이해하다
1. 깨달아 알다. 또는 잘 알아서 받아들이다.
예 글의 내용을 이해하다.
2. 남의 사정을 잘 헤아려 너그러이 받아들이다.
예 서로의 처지를 이해하다.

비 파악하다
어떤 대상의 내용이나 본질을 확실하게 이해하여 알다.
예 실태를 파악하다.

비 알아주다
남의 사정을 이해하다.
예 마음을 알아주다.

반 곡해하다
사실을 옳지 아니하게 해석하다.
예 진술된 내용을 똑바로 이해해야지, 곡해해서는 안 된다.

반 오해하다
그릇되게 해석하거나 뜻을 잘못 알다.
예 결국 그녀는 내 말을 오해하여 떠나 버렸다.

태양계의 비밀을 풀 열쇠, 운석

- 핵심어를 찾아보자.
- 문단별 중심 내용에 밑줄을 그어 보자.
- 핵심 내용을 구조적으로 재배열해 보자.

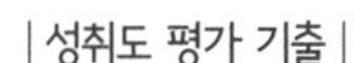

| 성취도 평가 기출 |

가 도시에서는 관찰하기 힘들지만 시골의 ㉠밤하늘에서는 가끔 유성(별똥별)이 나타난다. 우주 공간을 떠도는 암석이 유성체라면, 이 암석이 지구 중력에 이끌려서 대기권에 진입하면 유성이 된다. 유성은 대기와의 마찰로 빛을 내며 녹게 되고, 그 남은 덩어리가 땅에 떨어져 운석이 된다.

나 운석은 초당 10~20km의 엄청난 속도로 지구에 진입한다. 큰 운석은 지구 표면에 커다란 충돌구를 만들고, 사람을 다치게 하거나 건물을 부수기도 하는데, 이는 운석이 떨어지는 속도 때문이다. 운석이 지구 대기에 진입할 때는 저항을 받는데 이때 운석의 크기에 따라 감속되는 정도가 달라진다. 크기가 매우 큰 운석은 거의 초기 속도를 유지한 채 지표에 충돌해 거대한 충돌구를 만든다. 크기가 작은 경우에는 속도가 빨리 줄어 지구 표면에 충돌구를 만들지 못한다.

다 한편, 운석은 대기에 진입할 때 대기와 마찰을 일으킨다. 이때 발생하는 높은 열 때문에 운석 표면이 녹는다. 지표면에 가까워져 속도가 대폭 감속되면 충분한 열이 형성되지 않아 운석이 더 이상 녹지 않는다. 마지막으로 녹았던 표면이 식어서 검은 색 껍질인 용융각이 된다. 사람들은 보통 운석이 녹았다가 식은 것이라고 생각하지만 실제로 용융각을 제외하면 전혀 녹지 않은 물질이다.

라 지구 밖에서 온 운석은 태양계와 지구의 비밀을 풀 수 있는 중요한 자료가 된다. 태양계가 탄생할 때 생겨난 운석에는 태양계가 탄생할 당시에 어떤 일이 있었는지를 알 수 있는 정보가 담겨 있고, 태양계가 생성된 이후의 운석에는 소행성이나 화성과 같은 행성의 초기 진화에 대한 기록이 보전되어 있다. 그리고 소행성의 핵에서 떨어져 나온 철질 운석은 지구의 내부 중심인 핵이 어떤 물질로 구성되어 있는지 연구할 수 있는 소중한 자료가 된다.

마 이런 가치를 지닌 운석을 연구하기 위해서는 많은 운석이 필요하다. 그런데 지구에 떨어지는 운석의 상당수는 남극에서 발견된다. 왜냐하면 특정 장소에 운석이 모이게 되는 남극의 특수한 지형 조건 때문이다. 빙하는 꾸준히 낮은 곳으로 이동하는데, 이동 중에 산맥에 의해 가로막히면 앞부분의 빙하가 밀려서 위로 상승하게 된다. 매년 여름마다 상승한 빙하가 점차 녹으면서 그 속에 있던 운석들이 모이게 되는 것이다. 그래서 세계 각국은 앞다투어 남극을 탐사하며 운석을 찾고 있다.

- **유성체**: 행성들 사이에 떠 있는 암석 조각. 이것들이 지구의 인력에 끌려 지구 대기권으로 들어오면 유성이 됨
- **대기권**: 지구를 둘러싸고 있는 대기의 범위. 지상 약 1,000km까지를 이르며, 온도의 분포에 따라 밑에서부터 대류권, 성층권, 중간권, 열권으로 나뉨
- **운석**: 지구상에 떨어진 별똥. 대기 중에 돌입한 유성이 다 타버리지 않고 땅에 떨어진 것으로, 철·니켈 합금과 규산염 광물이 주성분임
- **철질 운석**: 거의 철과 니켈로 이루어진 운석. 보통 바위보다 몇 배 무거움

사실적 사고

1

윗글을 통해 알 수 있는 내용으로 적절하지 <u>않은</u> 것은?

① 유성이 녹는 것은 대기와의 마찰 때문이다.
② 작은 유성은 큰 유성보다 운석이 될 확률이 높다.
③ 남극에서 운석은 빙하와 산맥이 만나는 곳에 모인다.
④ 지구에 대기가 없다면 더 많은 운석이 발견될 것이다.
⑤ 운석을 많이 모으면 운석 연구에 도움이 될 수 있을 것이다.

추론적 사고

2

수능형

윗글을 이해하기 위해 〈자료〉를 참고한 내용으로 가장 적절한 것은?

자료

〈A〉 발견 위치에 따른 운석의 개수		〈B〉 유래에 따른 운석의 비율	
남극	16,000여 개	소행성	98%
그 외 지역	7,000여 개	화성	1%
전체	23,000여 개	달	1%

〈2000년 영국운석연감〉

① (나)에서 충돌구가 생긴다는 설명의 자료로 〈A〉를 들 수 있어.
② (라)에서 화성 연구용 운석을 구하기 쉽다는 설명의 자료로 〈B〉를 들 수 있어.
③ (라)에서 지구 핵 연구에 필요한 운석의 비율이 낮다는 설명의 자료로 〈A〉와 〈B〉를 동시에 들 수 있어.
④ (마)에서 남극이 운석 연구에 중요하다는 설명의 자료로 〈A〉를 들 수 있어.
⑤ (마)에서 남극 운석 중 상당수가 달에서 온 것이라는 설명의 자료로 〈B〉를 들 수 있어.

어휘·어법

3

〈보기〉를 참고할 때, 단어의 짜임이 ㉠과 <u>다른</u> 것은?

보기

두 개 이상의 형태소가 결합하여 형성된 단어를 복합어라고 한다. 복합어는 *어근과 어근이 결합하여 이루어진 합성어와 어근과 *접사가 결합하여 이루어진 파생어로 나뉜다. '밤하늘'은 어근 '밤'과 어근 '하늘'이 결합하여 이루어진 합성어로 '밤의 하늘'을 의미한다. '군소리'는 어근 '소리'에 '쓸데없는'이라는 뜻을 더하는 접두사 '군-'이 결합하여 이루어진 파생어로 '하지 않아도 좋을 쓸데없는 말'을 의미한다.

* **어근**: 뜻을 나타내는 중심 부분
* **접사**: 어근에 붙어서 뜻을 제한하거나 덧붙이는 부분

① 밤안개 ② 햇과일 ③ 감나무 ④ 돌다리 ⑤ 집안

1 이 글의 핵심 화제를 살펴보자.

(　　　　　)에 대한 이해 및 (　　　　　)의 가치

2 각 문단별 중심 내용을 정리해 보자.

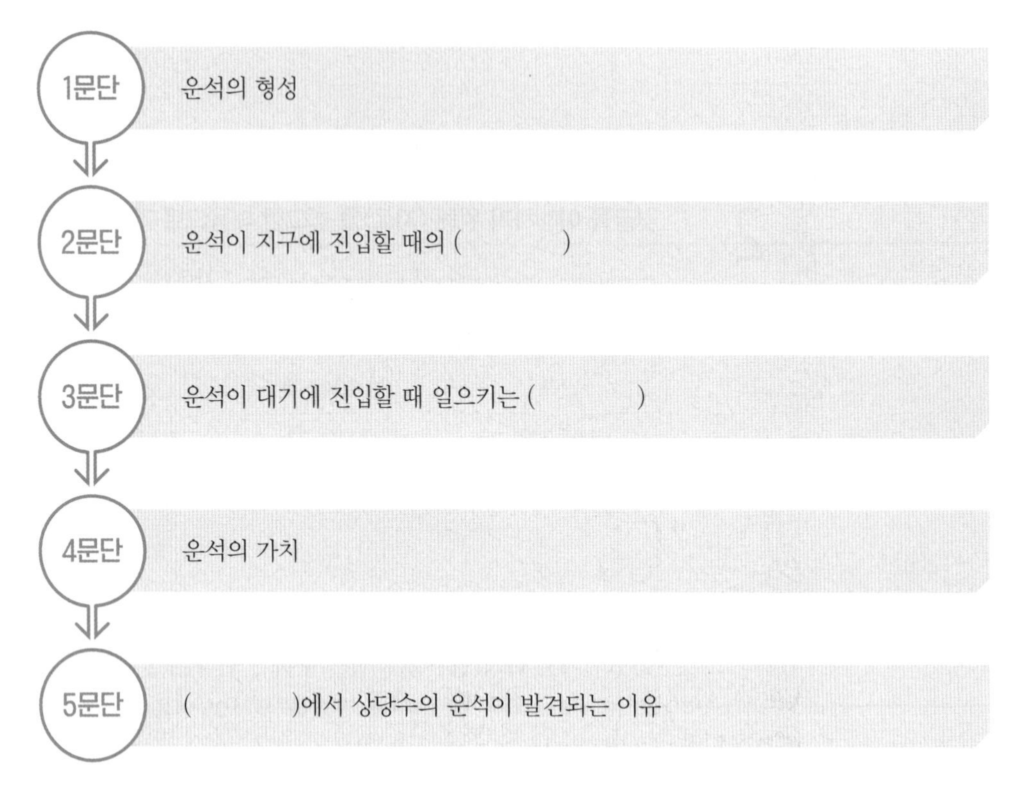

3 핵심 내용을 구조화해 보자.

운석에 대한 이해

운석의 형성	유성은 대기와의 마찰로 (　　　　　)을 내며 녹게 되고, 그 남은 덩어리가 땅에 떨어져 운석이 됨
운석의 지구 대기의 진입	• 운석은 엄청난 (　　　　　)로 지구에 진입하고, 큰 운석은 진입 속도가 빨라 지구 표면에 거대한 충돌구를 만듦 • 운석이 대기에 진입할 때 대기의 (　　　　　)을 일으키고, 이때 발생하는 높은 열 때문에 운석 표면이 녹음
운석의 가치	• 태양계의 탄생 당시에 있었던 일을 알 수 있는 정보가 담겨 있음 • 소행성과 화성과 같은 행성의 초기 (　　　　　)에 대한 기록이 보전되어 있음 • (　　　　　)은 지구의 내부 중심인 핵의 구성 물질을 연구하는 자료가 됨

⇓

운석 연구를 위해 운석이 많이 발견되는 남극을 탐사하며 운석을 찾고 있음

어휘력 테스트

● 다음 괄호 안에 들어갈 단어의 뜻을 〈보기〉에서 골라 기호를 써 보자.

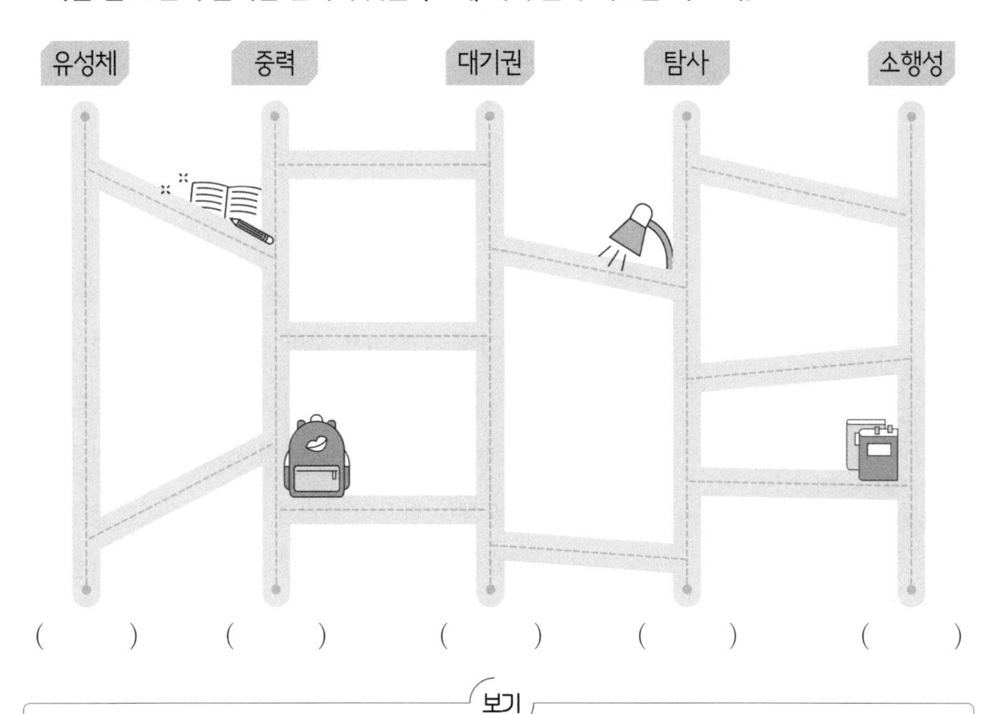

( ) ( ) ( ) ( ) ( )

보기

㉠ 지구 위의 물체가 지구로부터 받는 힘

㉡ 알려지지 않은 사물이나 사실 따위를 샅샅이 더듬어 조사함

㉢ 행성들 사이에 떠 있는 암석 조각. 이것들이 지구의 인력에 끌려 지구 대기권으로 들어오면 유성(流星)이 된다.

㉣ 화성과 목성 사이의 궤도에서 태양의 둘레를 공전하는 작은 행성. 무수히 많은 수가 존재하며, 대부분 반지름이 50km 이하이다.

㉤ 지구를 둘러싸고 있는 대기의 범위. 지상 약 1,000km까지를 이르며, 온도의 분포에 따라 밑에서부터 대류권, 성층권, 중간권, 열권으로 나눈다.

어휘·어법 확장

'보전'과 '보존'의 구별

태양계가 생성된 이후의 운석에는 소행성이나 화성과 같은 행성의 초기 진화에 대한 기록이 보전되어 있다.

'보전하다'는 '온전하게 보호하여 유지하다.'라는 의미이고, '보존하다'는 '잘 보호하고 간수하여 남기다.'라는 의미로, 서로 의미 차이를 거의 느낄 수 없는 유의 관계에 있는 어휘들이다. 그래서 '환경을 보전하다.'와 '환경을 보존하다.'와 같이 자유롭게 교체하여 쓸 수 있다. 하지만 다음 문맥을 살펴보면 각 어휘의 의미를 정확하게 이해할 수 있을 것이다.

예 우리의 영토를 보전하여 후대에 물려주다. / 우리의 문화재를 고스란히 보존하다.

※ '영토를 보전하다.'는 영토를 앞으로도 현재와 같은 상태에 있게 한다는 의미가 담겨 있고, '문화재를 보존하다.'는 그냥 두면 훼손될 우려가 있는 대상을 지켜야 한다는 의미가 담겨 있다.

기술 01

우리 몸의 열쇠, 홍채 인식

- 핵심어를 찾아보자.
- 문단별 중심 내용에 밑줄을 그어 보자.
- 핵심 내용을 구조적으로 재배열해 보자.

가 생체 인식이란 사람의 생체 정보나 행동 특성을 이용해 개인을 식별하는 기술을 말한다. 현재 가장 널리 사용 중인 지문 인식은 간편하고 효율적이지만 ⓐ지문이 손상되거나 성장 과정에서 변형될 수 있으며, 3D 프린터로 복제가 가능하다는 문제가 있다.

나 ㉠현재 개발되었거나 연구 중인 생체 인식 방법 중 오류 확률이 가장 낮은 것은 홍채 인식이다. 홍채는 안구의 각막과 수정체 사이에 있는 납작한 도넛 모양의 막이다. 빛은 각막을 거쳐 홍채 중앙에 있는 동공을 통해 들어오는데, 홍채가 늘어나거나 줄어들면서 동공의 크기를 조절하여 안구로 들어오는 빛의 양을 결정한다. 이 홍채의 모양과 색, 망막 모세 혈관의 형태소 등을 분석해 사람을 식별하는 기술이 바로 홍채 인식이다.

다 우리가 흔히 사용하는 스마트폰의 홍채 인식 작동 원리를 살펴보자. 먼저 일정한 ⓑ거리에서 홍채 인식기 중앙에 있는 거울에 사용자의 눈이 맞춰지면, 적외선을 이용한 카메라가 줌 렌즈를 통해 초점을 조절한다. 이어 홍채 카메라가 사용자의 눈에 적외선이 ⓒ반사되는 영상을 촬영한 후 촬영된 눈 영상에서 동공과 눈꺼풀, 홍채를 구분해 내고 그 중 홍채 영역만을 남기면 도넛 형태의 이미지가 남는다. 도넛 형태의 홍채 이미지를 잘라 일자로 편 이미지로 변환한 뒤에 홍채 인식 알고리즘이 홍채의 명암 패턴을 영역별로 분석해 개인 고유의 디지털 홍채 코드를 생성한다. 마지막으로 홍채 코드가 데이터베이스에 등록되는 것과 동시에 이미 등록된 홍채 정보와의 일치 여부를 확인한 후 인증 또는 거절한다.

라 홍채의 무늬는 생후 18개월에 완성된 후 평생 변하지 않으며 망막과 눈꺼풀에 의해 보호되기 때문에 손상 가능성이 낮다. 또한 홍채의 무늬가 다른 사람과 같을 확률은 10억 분의 1에 불과하며, 왼쪽과 오른쪽이 다르기 때문에 양쪽 눈 사용 시 오류가 생길 확률은 1조분의 1 정도밖에 되지 않는다. 홍채 인식은 근적외선을 사용하기 때문에 사진, ⓓ의안 등은 인식이 되지 않으며 죽은 사람의 눈은 홍채 ⓔ신경이 끊어져 인식할 수 없다.

마 하지만 눈꺼풀이나 눈썹이 홍채를 가려서 홍채 영역 안에 포함되거나, 조명에 따른 홍채 패턴의 변화가 발생하면 인식하는 사람이 동일인임에도 타인으로 잘못 인식하는 오류를 범할 수 있다는 문제점을 지니고 있다.

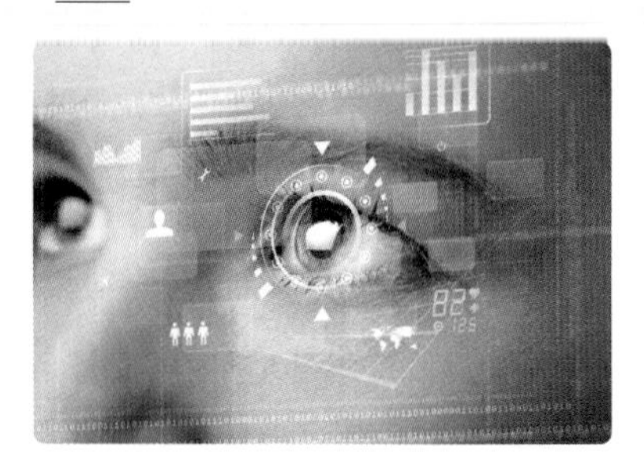

- **각막**: 눈알의 앞쪽 바깥쪽을 이루는 투명한 막. 이 막을 통하여 빛이 눈으로 들어감
- **동공**: 눈알의 한가운데에 있는, 빛이 들어가는 부분. 검게 보이며, 빛의 세기에 따라 그 주위를 둘러싸고 있는 홍채로 크기가 조절됨
- **줌 렌즈**: 초점 거리나 화상의 크기를 연속적으로 변화시킬 수 있는 렌즈
- **알고리즘(algorism)**: 어떤 문제의 해결을 위하여, 입력된 자료를 토대로 하여 원하는 출력을 유도하여 내는 규칙의 집합
- **디지털(digital)**: 여러 자료를 유한한 자릿수의 숫자로 나타내는 방식
- **데이터베이스(database)**: 여러 가지 업무에 공동으로 필요한 데이터를 유기적으로 결합하여 저장한 집합체

사실적 사고

1

수능형

윗글에 나타난 홍채 인식의 작동 원리를 다음과 같이 구조화했을 때, 적절하지 않은 것은?

일정한 거리에서 홍채 인식기 중앙에 있는 거울에 사용자의 눈을 맞춤 ………… ①

↓

사용자의 눈에 반사되는 적외선 영상을 촬영한 후, 촬영 영상에서 홍채를 구분해 내는 작업이 이루어짐 ………… ②

↓

도넛 형태의 홍채 이미지를 잘라 일자로 편 이미지로 변환한 뒤, 홍채 인식 알고리즘이 홍채의 명암 패턴을 영역별로 분석함 ………… ③

↓

생성된 개인 고유의 디지털 홍채 코드가 데이터베이스에 등록됨과 동시에 기존에 등록된 홍채 정보와의 일치 여부를 확인함 ………… ④

↓

디지털 홍채 코드가 데이터베이스에 등록되어 있던 기존 홍채 정보와 일치하면 거절하고, 불일치하면 인증함 ………… ⑤

추론적 사고

2

㉠의 이유로 가장 적절한 것은?

① 홍채의 무늬가 다른 사람과 같을 확률이 매우 낮기 때문에
② 눈꺼풀이 홍채를 가려 홍채 영역 안에 포함될 수 있기 때문에
③ 어떤 환경에서도 동일인의 홍채 패턴은 변화하지 않기 때문에
④ 홍채는 망막과 눈꺼풀에 의해 보호되어 손상이 되지 않기 때문에
⑤ 한 사람의 왼쪽과 오른쪽 눈의 홍채 무늬는 거의 동일하기 때문에

어휘·어법

3

문맥상 ⓐ~ⓔ와 가장 가까운 의미로 쓰인 것은?

① ⓐ: 다음 지문을 읽고 물음에 답하시오.
② ⓑ: 휘황찬란한 거리의 풍경이 마음을 더욱 스산하게 하였다.
③ ⓒ: 무지개는 햇빛이 빗방울을 통과할 때의 반사 또는 굴절로 만들어진다.
④ ⓓ: 제출한 의안이 드디어 통과되었다.
⑤ ⓔ: 형은 시험 기간이 되면 신경이 예민해지는 편이다.

1 이 글의 핵심 화제를 살펴보자.

(　　　　　　)의 원리와 장단점

2 각 문단별 중심 내용을 정리해 보자.

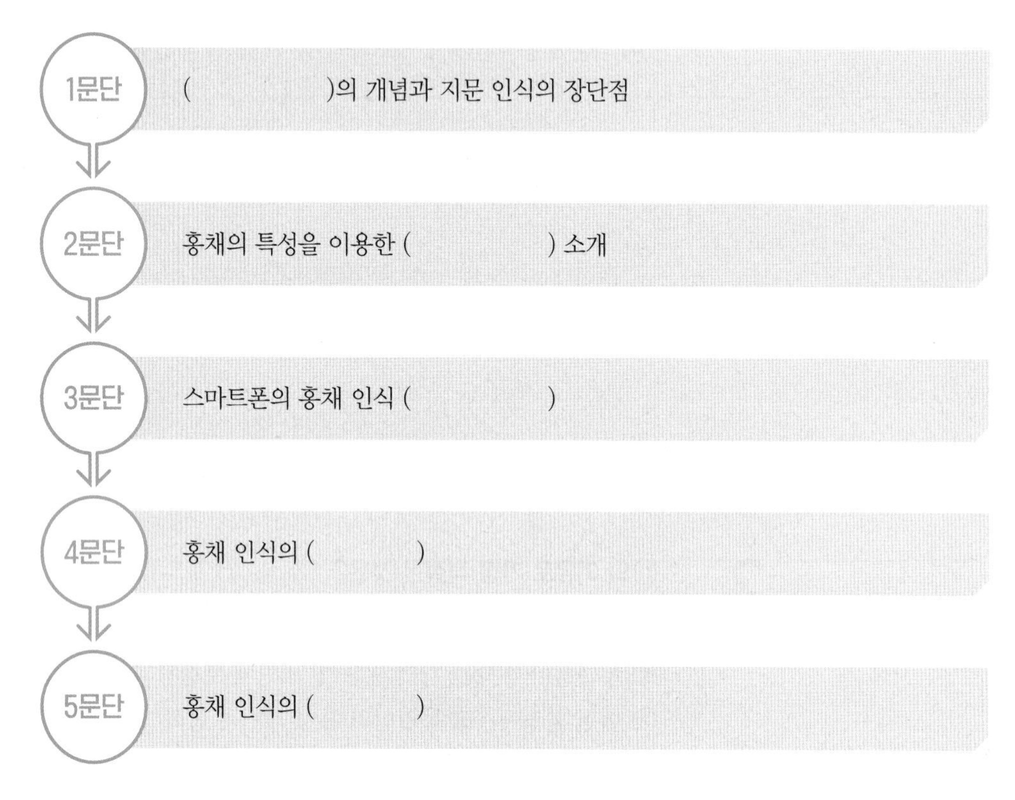

3 핵심 내용을 구조화해 보자.

홍채 인식의 원리 및 장단점

원리	장점	단점
홍채의 모양과 색, 망막 모세 혈관의 형태소 등을 분석하여 사람을 식별함	오류가 생길 확률이 낮으며 사진, (　　　　　　), 죽은 사람의 눈 등으로는 인식할 수 없음	눈꺼풀이나 눈썹의 방해, 조명에 따른 홍채 패턴의 변화 시 (　　　　　　)가 발생함

어휘력 테스트

1 다음 단어의 뜻을 참고하여 끝말잇기를 완성해 보자.

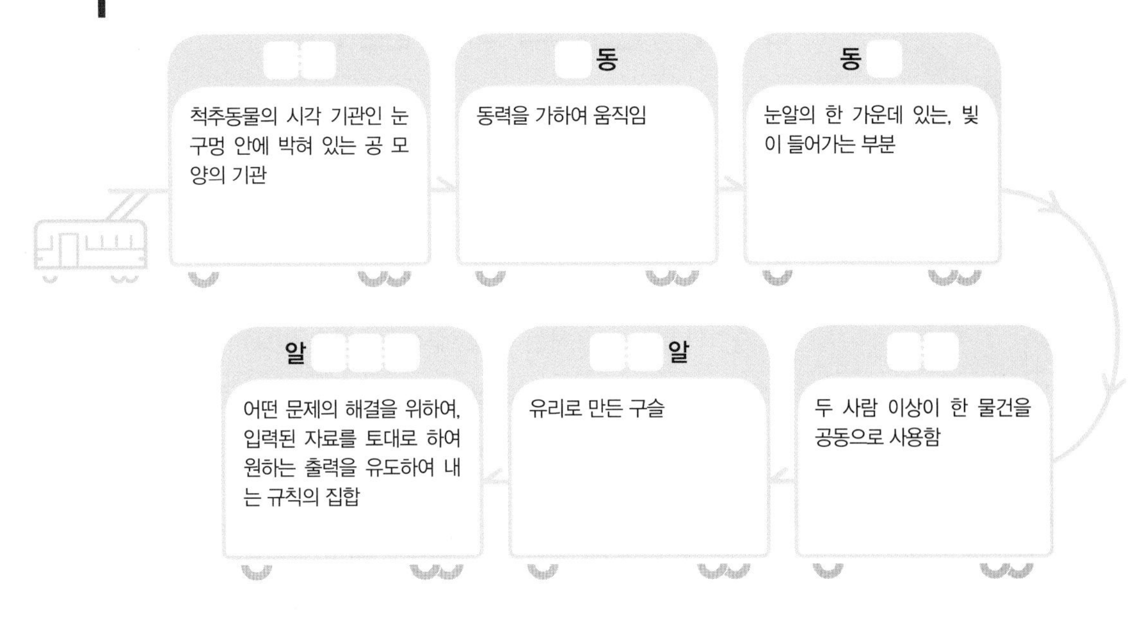

2 다음 단어를 활용하기에 적절한 문장을 찾아 바르게 연결해 보자.

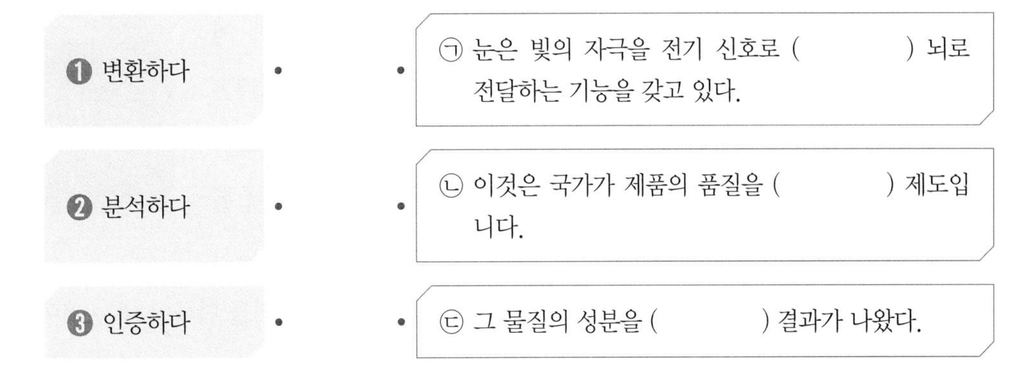

어휘·어법 확장

‘doughnut’을 ‘도넡’이 아닌 ‘도넛’으로 적는 이유

홍채는 안구의 각막과 수정체 사이에 있는 납작한 도넛 모양의 막이다.

외래어 표기법 제3항에서 ‘받침에는 ‘ㄱ, ㄴ, ㄹ, ㅁ, ㅂ, ㅅ, ㅇ’만을 쓴다.’라고 규정하고 있다. 국어의 음절 끝소리에는 ‘ㄱ, ㄴ, ㄷ, ㄹ, ㅁ, ㅂ, ㅇ’ 일곱 소리만 실현되는데 외래어 표기법은 그중 ‘ㄷ’만 ‘ㅅ’으로 바꾸어 표기하도록 하였다.

따라서 [도넏]으로 발음될지라도 ‘도넛’이라 표기하는 것이다. 유사한 경우로 ‘robot’의 끝음절은 [t]로 소리 나므로 국어의 음절의 끝소리 규칙을 고려하면 ‘ㄷ’으로 써야 할 것 같지만, 모음으로 된 형식 형태소가 결합할 경우 ‘로봇이, 로봇을’을 ‘[로보시], [로보슬]’과 같이 읽게 된다는 점을 고려하여 ‘로봇’으로 표기하도록 하였다. ‘커피숖, 케잌’도 ‘커피숍, 케이크’로 쓰는 것이 바른 표기이다.

바다에서 에너지를? 해수 온도 차 발전

- 핵심어를 찾아보자.
- 문단별 중심 내용에 밑줄을 그어 보자.
- 핵심 내용을 구조적으로 재배열해 보자.

가 화석 연료의 고갈이 눈앞에 온 시점에서 미래의 대체 에너지원은 재생 에너지이다. 자연의 힘을 활용하는 재생 에너지는 따로 연료비를 들이지 않고도 전기를 얻을 수 있어 주목받고 있다. 특히 태양광이나 풍력만큼 연료가 풍부하고 효율적이지만 아직 개발이 덜 이루어진 분야로 해수 온도 차 발전이 있다.

나 해수 온도 차 발전은 바다 속에 있는 열을 에너지로 바꾸는 기술로, 태양광을 받아 온도가 높은 바다의 표층수와 태양광을 받지 못해 온도가 낮은 심해수 간의 온도 차를 이용해 전기를 생산하는 방식이다. 보통 바다의 표면은 온도가 20~30℃이지만 수심 500m 정도의 깊은 바다인 심해에 이르게 되면 온도가 7~8℃로 내려간다. 펌프를 이용해 표면의 해수를 끌어들여 액체 프레온을 데워 가스로 만들고, 이 프레온 가스 압력으로 터빈을 돌려 발전을 한다. 터빈을 돌리고 나온 가스를 심해의 차가운 물로 다시 액화시킨다. 이런 과정을 반복하여 전기를 만들어 내는 것이다.

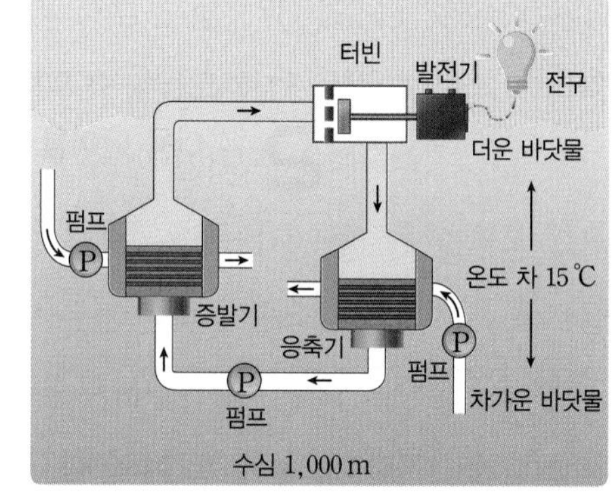

▲ 해수 온도 차 발전의 원리

다 태양광 발전은 낮에만 발전할 수 있고 풍력은 바람의 세기에 따라 발전량이 안정적이지 않은 문제가 있는 반면, 해수 온도 차 발전은 낮과 밤 모두 발전할 수 있어 많은 양의 전기를 확보해 둘 수 있으며 특별한 저장 시설도 필요 없다. 다만, 바다 깊은 곳까지 순환 계통을 건설해야 하고, 발전 설비가 바닷물에 부식되지 않는 재료로 만들어야 하는 만큼 최초 건설에 비용이 많이 드는 것이 단점이다.

라 현재 해수 온도 차 발전의 기술 개발 및 실용화 연구는 미국과 일본을 ㉠중심으로 세계 각국에서 활발하게 이루어지고 있다. 우리나라는 2013년 20KW 해수 온도 차 발전의 파일럿 플랜트를 설계·제작하여 실증을 마침으로써 세계에서 10KW급 이상의 발전기 개발에 성공한 네 번째 나라로 이름을 올렸다. 해수 온도 차 발전소에서 더 많은 무공해 에너지를 공급해 준다면 우리는 기후 위기 극복과 지속 가능한 신재생 에너지를 얻을 수 있게 될 것이다.

- **화석 연료**: 지질 시대에 생물이 땅속에 묻히어 화석같이 굳어져 오늘날 연료로 이용하는 물질. 석탄 따위가 이에 속함
- **프레온**: 탄화수소의 플루오린화 유도체. 화학적으로 안정한 액체 또는 기체로서 냉장고의 냉매, 에어로졸 분무제, 소화제(消火劑) 따위에 쓰이며, 오존층을 파괴하는 원인이 되는 물질
- **터빈**: 높은 압력의 유체를 날개바퀴의 날개에 부딪치게 함으로써 회전하는 힘을 얻는 원동기
- **파일럿 플랜트**: 대규모 공장 생산 플랜트 건설에 착수하기 전에 공정, 설계, 조작 따위의 자료를 얻기 위하여 먼저 만드는 소규모의 시험 설비

1

이 글의 내용과 일치하지 않는 것은?

① 해수 온도 차 발전은 온종일 전기를 생산할 수 있다.
② 석탄, 석유, 천연가스 등의 연료는 그 양이 한정되어 있다.
③ 우리나라는 미국과 일본에 이어 해수 온도 차 시험용 발전기의 제작에 성공했다.
④ 해수 온도 차 발전은 특별한 저장 시설이 필요 없어 초기 비용을 절감할 수 있다.
⑤ 태양광이나 풍력은 연료가 풍부한 재생 에너지이지만 일조량과 풍속에 따라 발전량이 불안정하다.

2

수능형

윗글을 읽은 독자가 〈보기〉를 접한 후 보인 반응으로 가장 적절한 것은?

보기

IEA(국제 에너지 기구)가 산정한 바에 따르면 현재 인류가 의존하고 있는 에너지원인 화석 연료의 가채(可採: 캐낼 수 있음) 연수는 석유 34년, 천연가스 57년, 석탄 174년, 우라늄 58년 등이다. 과거 10년간의 에너지 소비 증가율 1.6%와 똑같은 비율로 증가한다고 하더라도 앞으로 70년이면 화석 연료가 고갈될 것으로 전망하고 있다. 여기에 인구의 증가를 감안하면 앞으로 50년 이내에 화석 연료는 고갈될 것이다.

① 고갈되어 가는 화석 연료를 대체할 에너지원을 시급히 찾아야겠군.
② 해수 온도 차 발전소에서 발생하는 공해 문제를 해결하는 일이 시급하겠군.
③ 고갈되어 가는 석유보다는 가채 연수가 가장 긴 석탄을 많이 활용해야겠군.
④ 에너지 소비 및 인구 증가율을 낮추지 않으면 에너지 파동이 다시 닥치겠군.
⑤ 해수 온도 차 발전의 기술을 보다 발전시켜 에너지를 안정적으로 확보해야겠군.

어휘·어법

3

다음은 ㉠과 관련해 조사 '으로'의 쓰임을 정리한 것이다. ㉠과 쓰임이 가장 유사한 것은?

	뜻	예문
①	움직임의 방향을 나타냄	철수는 집으로 갔다.
②	어떤 물건의 재료나 원료를 나타냄	콩으로 메주를 만든다.
③	어떤 일의 수단이나 도구를 나타냄	눈과 표정으로 소통해라.
④	어떤 일의 원인이나 이유를 나타냄	할머니는 암으로 돌아가셨다.
⑤	어떤 일의 방법이나 방식을 나타냄	그는 물건을 소량으로 판매했다.

1 이 글의 핵심 화제를 살펴보자.

(　　　　　　) 발전의 원리와 앞으로의 전망

2 각 문단별 중심 내용을 정리해 보자.

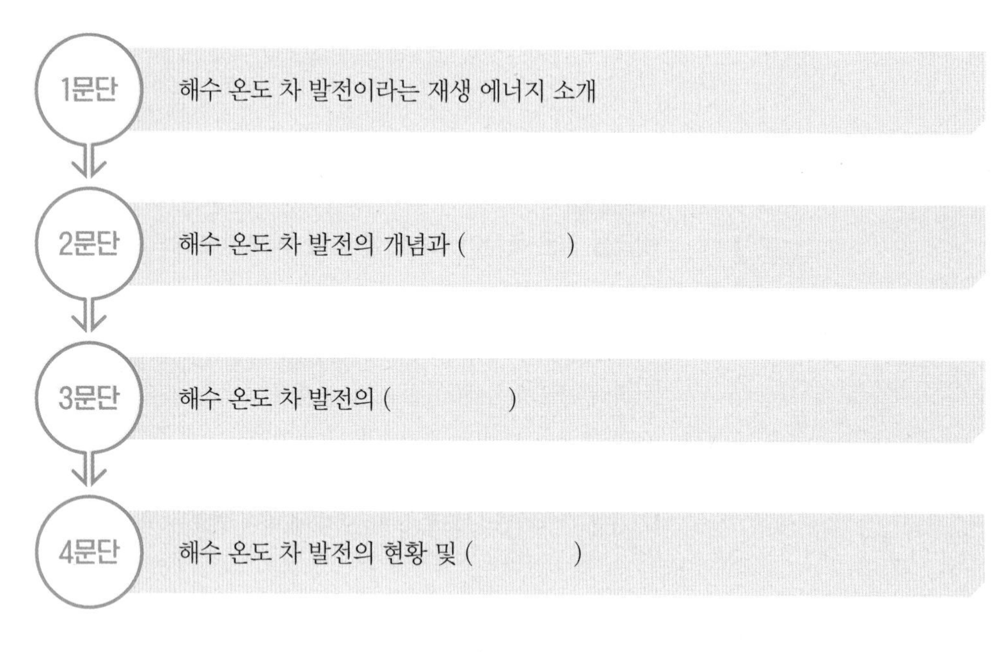

3 핵심 내용을 구조화해 보자.

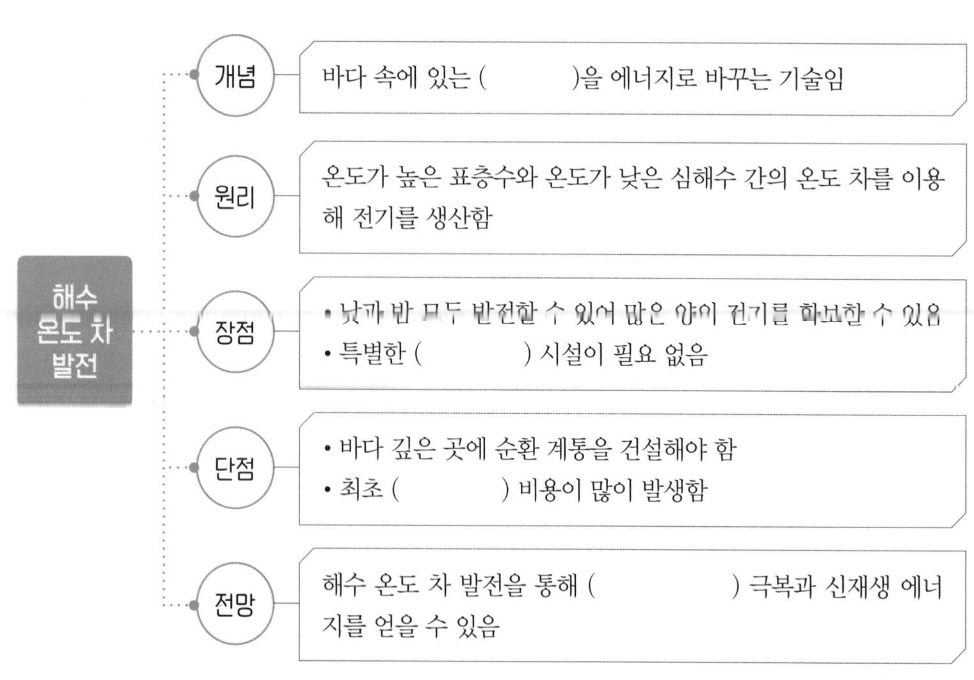

어휘력 테스트

● 다음 괄호 안에 들어갈 단어의 뜻을 〈보기〉에서 골라 기호를 써 보자.

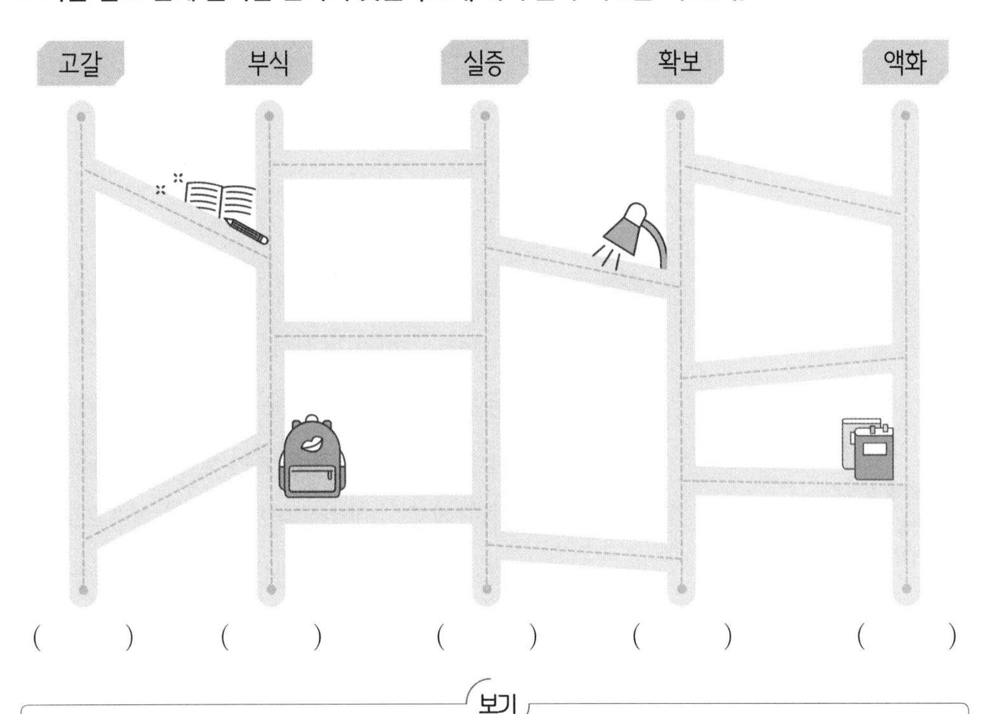

( ) ( ) ( ) ( ) ( )

보기

㉠ 실제로 증명함. 또는 그런 사실
㉡ 확실히 보증하거나 가지고 있음
㉢ 금속이 산화 따위의 화학 작용에 의하여 금속 화합물로 변화되는 일
㉣ 어떤 일의 바탕이 되는 돈이나 물자, 소재, 인력 따위가 다하여 없어짐
㉤ 기체가 냉각·압축되어 액체로 변하는 현상. 또는 그렇게 만드는 일

어휘·어법 확장

'주목(을) 받다 = 각광(을) 받다'

자연의 힘을 활용하는 재생 에너지는 따로 연료비를 들이지 않고도 전기를 얻을 수 있어 주목받고 있다.

'주목을 받다'는 '관심을 가지고 주의 깊게 살피는 시선을 받다.'라는 뜻을 지닌 말이다. 이와 비슷한 뜻을 지닌 말로 '각광을 받다'가 있다. '각광'은 '무대의 앞쪽 아래에 장치하여 배우를 비추는 광선'을 의미하는데, 이것은 보통 연극 공연에서 관객들의 주의를 특정 배우에게 집중시킬 필요가 있는 상황에서 사용한다. 그래서 사람들의 관심을 끌게 되었을 때 '주목을 받다', '각광을 받다'라는 말을 쓸 수 있는 것이다. '연기 대상 수상자가 신문과 방송의 스포트라이트를 받았다.'와 같이 외래어를 사용하기보다는 '주목을 받다', '각광을 받다'와 같은 순화어를 사용하는 것이 바람직하다.

유망한 미래 식량, 식용 곤충

| 성취도 평가 기출 |

- 핵심어를 찾아보자.
- 문단별 중심 내용에 밑줄을 그어 보자.
- 핵심 내용을 구조적으로 재배열해 보자.

가 전문가들에 따르면 2050년에 전 세계 인구는 90억 명을 넘을 것이며 그에 따라 식량 생산량도 늘려야 한다고 한다. 하지만 공산물의 생산량을 늘리듯 식량 생산량을 대폭 늘릴 수는 없다. 곡물이나 가축을 더 키우기 위한 땅과 물이 충분치 않고, 가축 생산량을 마구 늘렸을 때 온실 가스 등이 발생하기 때문이다. 이런 상황을 고려할 때 유엔 식량 농업 기구에서 ⓐ곤충을 유망한 미래 식량으로 꼽은 것은 주목할 만하다. 사람들이 보통 '작고 징그럽게 생긴 동물'로 인식하는 곤충이 식량으로서는 여러 가지 장점을 갖고 있기 때문이다.

나 우선 식용 곤충은 매우 경제적인 식재료이다. ㉠누에는 태어난 지 20일 만에 몸무게가 1,000배나 늘어나고, 큰메뚜기는 하루 만에 몸집이 2배 이상 커질 수 있다. 이처럼 곤충은 성장 속도가 놀랍도록 빠르다. 또한 식용 곤충을 키우는 데 필요한 토지는 가축 사육에 비해 상대적으로 훨씬 적으며 필요한 노동력과 사료도 크게 절감된다.

다 식용 곤충의 또 다른 장점은 영양이 매우 풍부하다는 것이다. 식용 곤충의 단백질 비율은 쇠고기, 생선과 유사하고 오메가-3의 비율은 쇠고기, 돼지고기보다 높다. 게다가 식용 곤충은 리놀레산, 키토산을 비롯하여 각종 미네랄과 비타민까지 함유하고 있다.

라 또한 식용 곤충 사육은 가축 사육보다 친환경적이다. 소, 돼지 등을 기를 때 비료나 분뇨 등에서 발생하는 온실 가스는 지구 전체 온실 가스 발생량의 18% 이상을 차지한다. 반면 ⓑ갈색거저리 애벌레, 귀뚜라미 등의 곤충을 기를 때 발생하는 온실 가스는 소나 돼지의 경우보다 약 100배 정도 적다.

- **온실 가스**: 지구 대기를 오염시켜 온실 효과를 일으키는 가스를 통틀어 이르는 말. 이산화 탄소, 메탄 따위의 가스를 말함
- **리놀레산**: 두 개의 이중 결합을 가지는 불포화 지방산. 기름 모양의 액체로, 결핍되면 피부염 따위를 일으키고, 콜레스테롤이 혈관에 침착하는 것을 방지하기 때문에 동맥 경화증 예방에 효과가 있음
- **키토산(chitosan)**: 갑각류에 함유된 키틴을 알칼리 용액으로 고열 처리하여 얻은 물질. 항암 효과와 고혈압 억제 효과가 있어 의료 분야에 널리 쓰이며, 식품이나 화장품의 원료로도 사용됨
- **갈색거저리**: 절지동물 곤충류 딱정벌레목 거저릿과에 속하는 곤충

▲ 누에

▲ 메뚜기

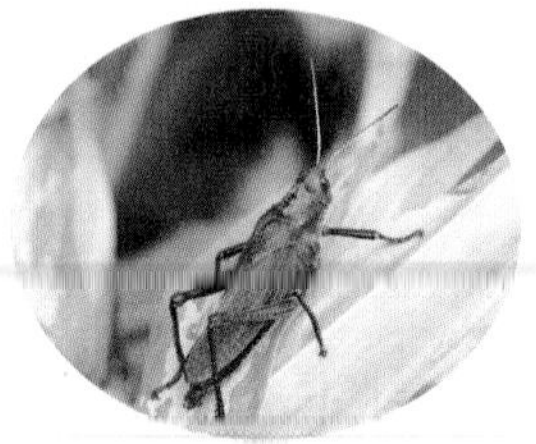
▲ 귀뚜라미

마 이처럼 식용 곤충은 경제적이면서도, 영양이 풍부하고, 친환경적이기 때문에 자원의 고갈과 환경 파괴의 위기 속에서 살아가야 하는 인류에게 더할 나위 없이 좋은 미래 식량이다. 따라서 식용 곤충과 관련한 산업을 활성화하고, 요리 방법을 다양하게 개발하며, 곤충에 대한 사람들의 부정적인 인식을 변화시키려는 노력을 적극적으로 해야 한다.

● 정답과 해설 22쪽

수능형

1

㉠에 사용된 논증 방식으로 가장 적절한 것은?

① 이론을 바탕으로 가설을 검증하여 결론을 이끌어 내고 있다.
② 개별적인 사실들을 바탕으로 일반적인 결론을 도출하고 있다.
③ 일반적인 원리를 구체적인 사례에 적용하여 결론을 도출하고 있다.
④ 문제 상황을 제시하고 그것을 해결할 수 있는 방안을 도출하고 있다.
⑤ 두 대상의 유사성을 바탕으로 다른 속성의 유사성을 이끌어 내고 있다.

2

〈자료〉에서 윗글의 주장을 뒷받침할 수 있는 근거로 적절하지 않은 것은?

자료

ㄱ. 육식보다는 채식 중심의 식습관을 가진 사람이 더 건강하며 장수할 확률이 높다. 〈◎◎ 논문〉

ㄴ. 같은 양의 식량을 생산한다고 가정할 때 필요한 물의 양이 곤충은 소의 약 5분의 1, 돼지의 약 2분의 1밖에 되지 않는다. 『◇◇ 보고서』

ㄷ. 가축 사육 확대는 환경 파괴를 유발하므로 인구 증가에 따른 단백질 공급을 소, 돼지 등의 육류에만 의지할 수는 없다. 『△△ 과학』

ㄹ. 곤충은 먹이를 단백질로 전환하는 비율이 소나 돼지와 같은 가축에 비해 훨씬 높아 적은 양의 사료로 많은 양의 단백질을 만들어 낸다. 〈○○ 논문〉

ㅁ. 인구 증가를 고려하면 우리나라 크기의 약 100배에 해당하는 경작지가 더 필요한데 지구에는 그만한 넓이의 경작지가 더 이상 남아 있지 않다. 『□□ 보고서』

① ㄱ　② ㄴ　③ ㄷ　④ ㄹ　⑤ ㅁ

어휘·어법

3

다음 단어들 중 ⓐ와 ⓑ의 의미 관계와 같은 것은?

① 생각 – 사고　② 즐거움 – 슬픔　③ 동물 – 고양이
④ 예쁘다 – 아름답다　⑤ 합격 – 불합격

1 이 글의 핵심 화제를 살펴보자.

미래 식량으로서 유망한 (   )

2 각 문단별 중심 내용을 정리해 보자.

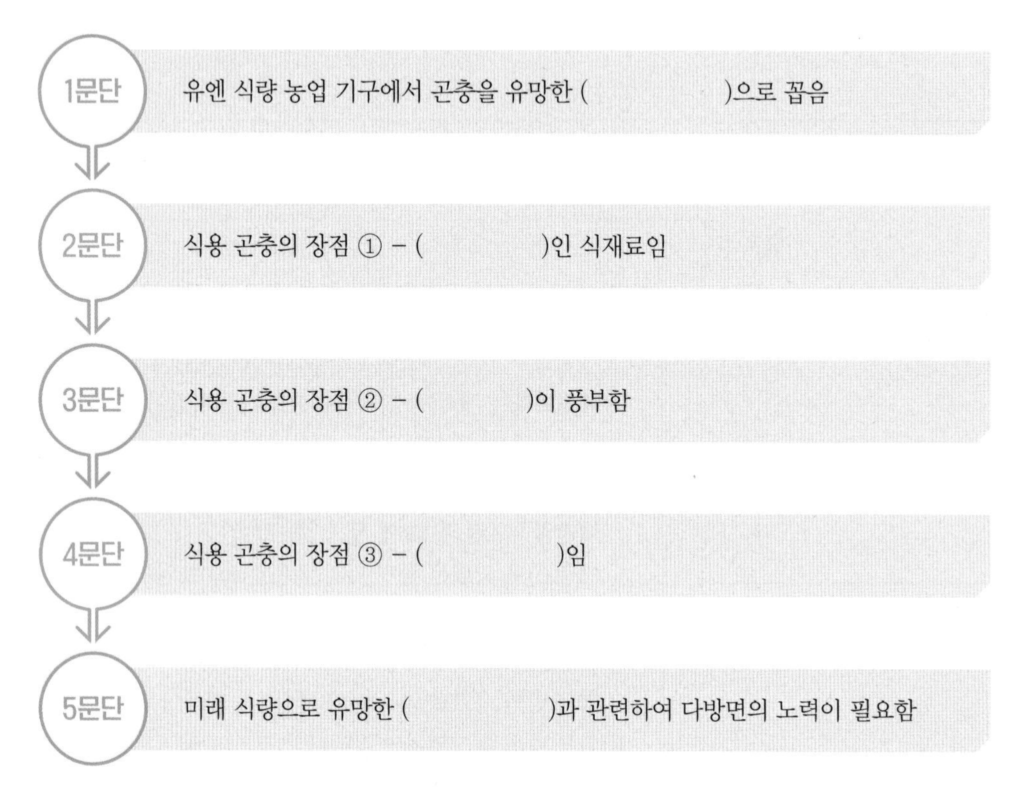

3 핵심 내용을 구조화해 보자.

식용 곤충의 장점

- 곤충은 성장 속도는 빠른데, 사육하는 데에 필요한 토지와 노동력, 사료가 다른 가축 사육에 비해 적게 들어 (   )임
- 식용 곤충의 단백질 비율은 쇠고기·생선과 유사하고, 오메가-3의 비율은 쇠고기·돼지고기보다 높으며, 각종 미네랄과 비타민 등을 함유하고 있어 (   )이 매우 풍부함
- 곤충을 사육할 때 발생하는 온실 가스가 소나 돼지를 사육할 때보다 적어 (   )임

• 정답과 해설 22쪽

어휘력 테스트

1 다음 단어의 뜻을 참고하여 끝말잇기를 완성해 보자.

단어	뜻
□□	어떤 일의 바탕이 되는 돈이나 물자, 소재, 인력 따위가 다하여 없어짐
□□거저리	절지동물 곤충류 딱정벌레목 거저릿과에 속하는 곤충
리□□	축구에서, 스위퍼와 같은 최종 수비수 역할을 맡으면서 공격에도 적극 가담하는 선수
□□자	라틴어를 적는 데 쓰이는 음소 문자
자□	외부적인 구속이나 무엇에 얽매이지 않고 자기 마음대로 할 수 있는 상태
□□하다	앞으로 잘될 듯한 희망이나 전망이 있다.

2 다음 단어를 활용하기에 적절한 문장을 찾아 바르게 연결해 보자.

❶ 나위 •　　　• ㉠ 그 지역은 철분을 (　　　　)한 물이 솟아난다.

❷ 절감 •　　　• ㉡ 새로 이사한 집이 더할 (　　　　) 없이 좋다.

❸ 함유 •　　　• ㉢ 정부는 에너지 (　　　　) 대책을 발표하였다.

공산물의 생산량을 늘리듯 식량 생산량을 대폭 늘릴 수는 없다.

'양(量)'은 분량이나 수량의 뜻을 나타내는 말로, 단독으로 쓰이면 '양'으로 표기하지만 다른 단어 뒤에 쓰이면 '양'으로 쓰기도 하고 '량'으로 쓰기도 한다. 앞에 오는 말이 한자어 명사일 때는 '량'을, 고유어나 외래어 명사일 때는 '양'을 쓴다. 한자어 다음에는 두음 법칙이 적용되지 않고, 고유어나 외래어 다음에는 두음 법칙이 적용되기 때문이다.

생산량 노동량 작업량	VS	구름양 칼슘양 알칼리양

기술 04

초콜릿도 인쇄가 된다고?

- 핵심어를 찾아보자.
- 문단별 중심 내용에 밑줄을 그어 보자.
- 핵심 내용을 구조적으로 재배열해 보자.

| 성취도 평가 기출 |

가 요즘 3차원 프린터가 주목받고 있다. 약 30년 전에 이 프린터가 처음 등장했을 때에는 가격이 비싸 전문가들이 산업용으로만 사용해 왔다. 그러나 3차원 프린터의 가격이 떨어지고 생산량이 증가하면서 일반 가정에서도 접할 수 있게 되었다.

나 3차원 프린터는 일반 프린터와 작동 방식과 결과물에 차이가 있다. 일반 프린터는 잉크를 종이 표면에 분사하여 인쇄하는 방식이기 때문에 2차원의 이미지 제작만 가능하다. 그러나 3차원 프린터는 특수 물질이나 금속 가루 등 다양한 재료를 쏘아 층층이 쌓아 올리는 방식이기 때문에 자동차 모형, 스마트폰 케이스뿐만 아니라, 초콜릿, 케이크 등과 같은 실물도 만들 수 있다.

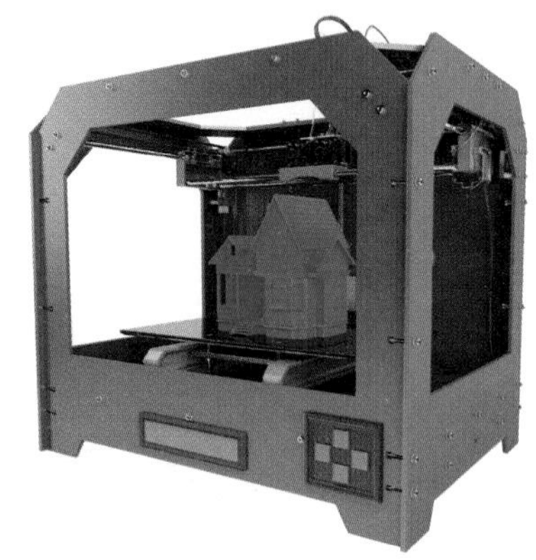

▲ 3차원 프린터

다 3차원 프린터의 장점은 시제품 제작과 같이 소규모로 제품을 생산해야 하는 상황에서 ㉠ <u>빛을 발한다.</u> 3차원 프린터와 입체 도면만 있으면 빠른 시간 안에 적은 비용으로 시제품을 만들 수 있기 때문이다. 또한 3차원 프린터를 사용하면 제품을 쉽게 수정할 수 있다. 제품 디자인을 변경하거나 생산한 제품에서 오류를 발견하였을 경우, 컴퓨터로 도면만 수정하면 바로 제품을 다시 만들 수 있다. 이렇게 제작 과정이 간단할 뿐 아니라 비용과 시간을 대폭 절약할 수 있기 때문에 여러 회사들이 3차원 프린터를 이용하여 다양한 시제품과 모형을 생산하고 있다.

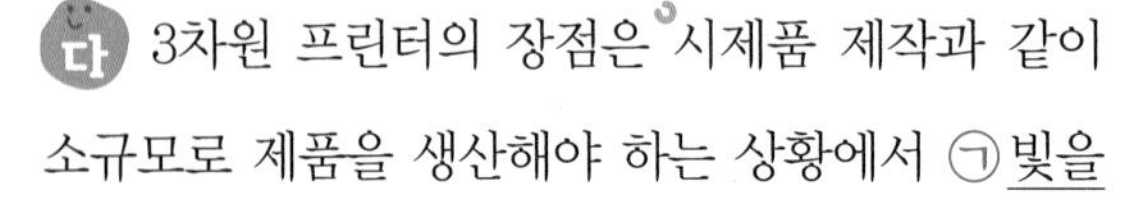

라 이러한 3차원 프린터는 여러 분야에 다양하게 활용될 수 있다. 의료 분야에서는 3차원 프린터를 활용하여 인공 턱, 인공 귀, 의족 등과 같이 인간의 신체에 이식할 수 있는 복잡하고 정교한 인공물을 생산한다. 우주 항공 분야에서도 국제 우주 정거장에서 필요한 실험 장비나 건축물 등을 3차원 프린터를 활용하여 제작할 계획이다. 지구에서 힘들게 물건을 운반할 필요 없이 3차원 데이터를 전송하면 바로 우주에서 제작이 가능하기 때문이다.

마 3차원 프린터의 적용 분야는 앞으로의 기술 발전에 따라 무한히 확대될 수 있을 것이다. 지금도 3차원 프린터는 자동차, 패션, 영화, 건축, 로봇 등 그 적용 분야를 넓혀 가고 있다.

- **분사하여**: 액체나 기체 따위에 압력을 가하여 세차게 뿜어 내보내어
- **시제품**: 시험 삼아 만들어 본 제품
- **도면**: 토목, 건축, 기계 따위의 구조나 설계 또는 토지, 임야 따위를 제도기를 써서 기하학적으로 나타낸 그림
- **이식**: 살아 있는 조직이나 장기를 생체로부터 떼어 내어, 같은 개체의 다른 부분 또는 다른 개체에 옮겨 붙이는 일

1

윗글을 통해 알 수 있는 내용이 아닌 것은?

① 3차원 프린터의 등장과 현황
② 3차원 프린터가 활용되는 분야
③ 3차원 프린터가 발달해 온 과정
④ 일반 프린터와 3차원 프린터의 작동 방식
⑤ 여러 회사들이 3차원 프린터를 이용하는 이유

2

수능형

'3차원 프린터'에 대한 글쓴이의 관점으로 가장 적절한 것은?

① 일반 가정에서의 사용이 늘어남에 따라 산업 관련 전문가들의 사용은 줄어들 것이다.
② 일반 프린터와 작동 방식에 차이가 있어서 시장 규모가 커지는 데 제약이 있을 것이다.
③ 재료를 층층이 쌓아 올려 제품을 생산하므로 정교한 제품 생산에는 적합하지 않을 것이다.
④ 빠른 시간 내에 적은 비용으로 시제품을 생산할 수 있으므로 다양한 분야에서 활용될 것이다.
⑤ 제품에서 오류를 발견하였을 때 도면을 수정하지 않고도 제품을 쉽게 재생산할 수 있을 것이다.

어휘·어법

3

㉠의 문맥적 의미로 가장 적절한 것은?

① 다양해진다
② 두드러진다
③ 복잡해진다
④ 새로워진다
⑤ 정확해진다

1 이 글의 핵심 화제를 살펴보자.

(   )의 장점 및 활용

2 각 문단별 중심 내용을 정리해 보자.

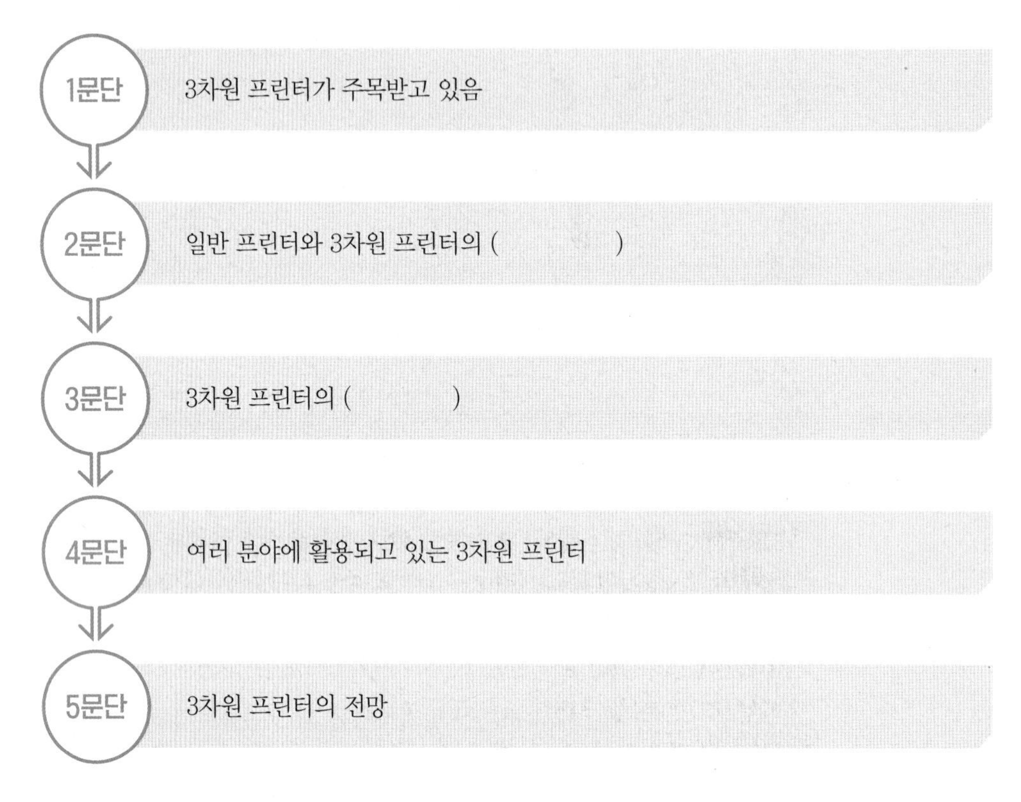

3 핵심 내용을 구조화해 보자.

3차원 프린터

3차원 프린터의 작동 방식	특수 물질이나 금속 가루 등 다양한 ( )를 쏘아 층층이 쌓아 올리는 방식
3차원 프린터의 장점	• 빠른 시간 안에 적은 비용으로 제품을 만들 수 있음 • 제품을 쉽게 ( )할 수 있음
3차원 프린터의 활용 분야	• 의료 분야: 인공 턱, 인공 귀, 의족 등 인체에 ( )할 인공물을 생산함 • ( ) 분야: 필요한 물건을 지구에서 힘들게 운반하지 않고 3차원 데이터만 전송하여 우주 정거장에서 제작할 계획임

어휘력 테스트

1 **제시된 뜻과 예문을 참고하여 다음 초성에 해당하는 단어를 괄호 안에 써 보자.**

(1) ㅂ ㅅ : 액체나 기체 따위에 압력을 가하여 세차게 뿜어 내보냄

예 휴대용 가스 ( ) 장치가 여성들의 호신용으로 각광을 받고 있다.

(2) ㅇ ㄱ ㅁ : 인공적으로 만든 물체

예 과도한 ( )의 설치는 환경을 파괴할 수도 있다.

(3) ㄷ ㅁ : 토목, 건축, 기계 따위의 구조나 설계 또는 토지, 임야 따위를 제도기를 써서 기하학적으로 나타낸 그림

예 설계 ( )을 따라 건물을 지었다.

2 **다음 〈보기〉의 뜻을 참고하여 십자말풀이를 완성해 보자.**

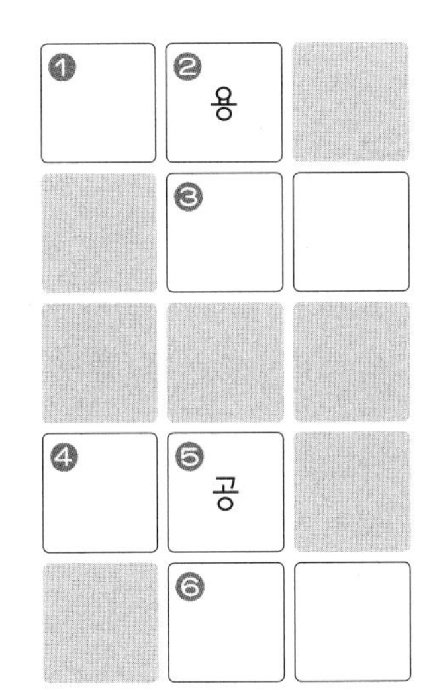

❶ 가로: 알맞게 이용하거나 맞추어 씀
❷ 세로: 해야 할 일
❸ 가로: 수, 양, 공간, 시간 따위에 제한이나 한계가 없음
❹ 가로: 비행기로 공중을 날아다님
❺ 세로: 원료나 재료를 가공하여 물건을 만들어 내는 설비를 갖춘 곳
❻ 가로: 갖추어 차림. 또는 그 장치와 설비

어휘·어법 확장

'발전' VS '발달'

3차원 프린터의 적용 분야는 앞으로의 기술 발전에 따라 무한히 확대될 수 있을 것이다.

발전	발달
더 낫고 좋은 상태나 더 높은 단계로 나아감	1. 신체, 정서, 지능 따위가 성장하거나 성숙함 2. 학문, 기술, 문명, 사회 따위의 현상이 보다 높은 수준에 이름

'발전'은 보다 못한 상태에서 더 낫고 좋은 상태로 넘어가는 '과정'에 주된 의미가 있는 반면에, '발달'은 주로 일정한 수준에 이른 '상태'를 가리킨다. 즉, '발달'은 '과정'이 아닌 '상태'라는 점에서 '발전'과 구별된다. 예를 들면 '준희의 태권도 실력이 많이 발전했다.'에서는 '발전'을 '발달'로 바꾸어 쓸 수 없고, '신체의 발달은 청소년기에 거의 완성된다.'에서는 '발달'을 '발전'으로 바꾸어 쓸 수가 없다.

고요하고 장엄한 신전, 종묘

- 핵심어를 찾아보자.
- 문단별 중심 내용에 밑줄을 그어 보자.
- 핵심 내용을 구조적으로 재배열해 보자.

가 서울시 종로구 훈정동에 위치한 종묘는 조선 시대에 역대 임금과 왕비의 신위를 모시던 왕실의 사당으로, 조선 왕조를 대표하는 문화유산이다. 조선은 유교를 통치 이념으로 삼아 건국된 왕조였기에, 한양 천도를 결정한 태조 이성계가 궁궐을 짓는 일보다도 먼저 한 일이 바로 좌묘우사(左廟右社)의 원칙에 따라 종묘와 ㉠사직(社稷)을 짓는 일이었다. 태조 3년(1394)에 착공하여 정전(正殿)을 짓고, 세종 3년(1421)에 영녕전(永寧殿)을 세웠으나, 임진왜란 때 모두 소실되어 광해군 때에 중건되었다. 이후에는 필요에 따라 ㉡증축을 반복하며 현재의 모습을 갖추었다.

나 지금의 종묘는 정전과 영녕전을 일컫지만, 태조 당시의 종묘는 정전만을 일컬었으며, 세종 때 건립된 영녕전은 정전에 모실 수 없는 왕과 왕비의 신위를 모신 별묘이다. 부속 건물로 어숙실, 공민왕 신당, 향대청, 망묘루, 전사청, 악공청, 칠사당 등이 있다.

다 역대 임금과 왕비의 신위를 모시던 공간인 종묘는 조선 왕조의 ㉢신전(神殿)이라고 할 수 있다. 세계적 건축물로서의 신전을 떠올리면 그리스의 파르테논이나 로마의 판테온을 생각하겠지만, 종묘는 이들과 견주어도 ㉣손색이 없는 우리 문화유산이다.

라 종묘의 중심 건물은 정전이다. 종묘 정전은 동시대 단일 목조 건축물 중 연건평 규모가 가장 크지만, 장식적이지 않고 유교의 검소함과 엄숙함이 깃든 건축물이다. 본래 7칸이었지만 왕조의 역사가 쌓이면서 19칸으로 증축된 정전은 매우 긴 정면과 수평성이 강조된 건물로, 가로 109미터 세로 69미터의 월대 위로 폭 101미터의 전각이 일체를 이루며 길게 서 있어, 세계에서도 유래를 찾기 힘든 예외적인 건축물로 꼽힌다. 또한 유교 문화의 오랜 정신적 전통인 조상 숭배 사상과 제사 의례를 바탕으로 왕실의 주도하에 엄격한 형식에 따라 지어졌으며, 현재에도 조선 시대의 원형을 유지하고 있다.

마 종묘 정문인 신문(神門)에 들어서면 길고 장엄한 맞배지붕이 보는 이를 압도한다. 또한 거친 ㉤박석이 불규칙하면서도 단정하게 깔린 월대는 보는 이의 가슴 높이에서 펼쳐지며, 종묘 성전의 영역을 고요한 침묵의 공간이자 영혼의 공간으로 만들어 준다.

바 종묘는 사적 제125호, 정전은 국보 227호이며, 1995년에는 유네스코 세계 문화유산으로 지정되었다. 또한 2001년에는 종묘 제례 및 종묘 제례악이 국내 최초로 유네스코 「인류 구전 및 무형 유산 걸작」에 등재되어, 건축물로서의 종묘뿐만 아니라 문화로서의 종묘 제례까지 모두 세계로부터 인정받게 된 것이다.

- **신위(神位)**: 죽은 사람의 영혼이 의지할 자리. 죽은 사람의 사진이나 지방(紙榜) 따위를 이름
- **천도(遷都)**: 도읍을 옮김
- **좌묘우사(左廟右社)**: 사직단을 궁궐의 우측에, 종묘를 좌측에 두는 고대의 도성 조영 원칙
- **별묘(別廟)**: 가묘에서 받들 수 없는 신주를 모시기 위하여 따로 둔 사당
- **월대(月臺)**: 궁궐의 정전, 묘단, 향교 등 주요 건물 앞에 설치하는 넓은 기단 형식의 대(臺)
- **전각(殿閣)**: '전(殿)'이나 '각(閣)' 자가 붙은 커다란 집을 이르는 말
- **맞배지붕**: 건물의 모서리에 추녀가 없이 용마루까지 측면 벽이 삼각형으로 된 지붕
- **종묘 제례**: 종묘에서 거행하는 제향 의식

• 정답과 해설 25쪽

1

윗글에 나타난 '종묘'에 대한 내용과 일치하지 않는 것은?

① 조선 시대에 역대 임금과 왕비의 신위를 모신 사당이다.
② 임진왜란 때 모두 소실되었다가 광해군 때에 중건되었다.
③ 태조가 건립할 당시의 종묘는 정전과 영녕전만을 일컫는 것이었다.
④ 건축물로서의 종묘와 문화로서의 종묘 제례가 모두 유네스코에 등재되었다.
⑤ 유교가 근본이념인 조선 왕조에서는 사직과 더불어 가장 중요한 건축물이었다.

2

수능형

윗글을 읽은 후 종묘에 대해 나눈 대화 내용으로 적절하지 않은 것은?

① 유미: 조선 왕조의 긴 역사 속에서 종묘와 종묘 제례는 조선 왕조의 문화를 대표하는 가장 중요한 공간이자, 의식이었을 거야.
② 운호: 한양 천도를 결정한 태조가 경복궁보다도 먼저 종묘를 짓기 시작했다는 데서, 종묘와 종묘 제례가 갖는 의미를 짐작할 수 있지.
③ 소정: 맞아. 유형·무형의 측면에서 모두 유네스코 세계 문화유산으로 등재된 이유도 거기 있다고 생각해.
④ 영웅: 조선 왕조에서, 궁궐이 국가와 왕실의 존엄을 상징하는 삶의 공간이었다면, 종묘는 죽음과 영혼을 위한 엄숙한 공간이었던 거야.
⑤ 현진: 그래서 궁궐의 조영에는 당대 최고의 역량과 수준을 동원하였지만, 종묘의 건립에는 실용성과 검소함을 고려했기 때문에 훗날 작은 증축을 하게 됐지.

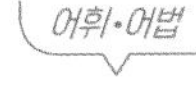

3

㉠~㉤의 사전적 의미로 적절하지 않은 것은?

① ㉠: 조선 시대에 임금이 백성을 위하여 토신과 곡신을 제사하던 제단
② ㉡: 절이나 왕궁 따위를 보수하거나 고쳐 지음
③ ㉢: 신령을 모신 전각(殿閣)
④ ㉣: 다른 것과 견주어 보아 못한 점
⑤ ㉤: 얇고 넓적한 돌

1 이 글의 핵심 화제를 살펴보자.

(　　　　)의 건축적 특징과 가치

2 각 문단별 중심 내용을 정리해 보자.

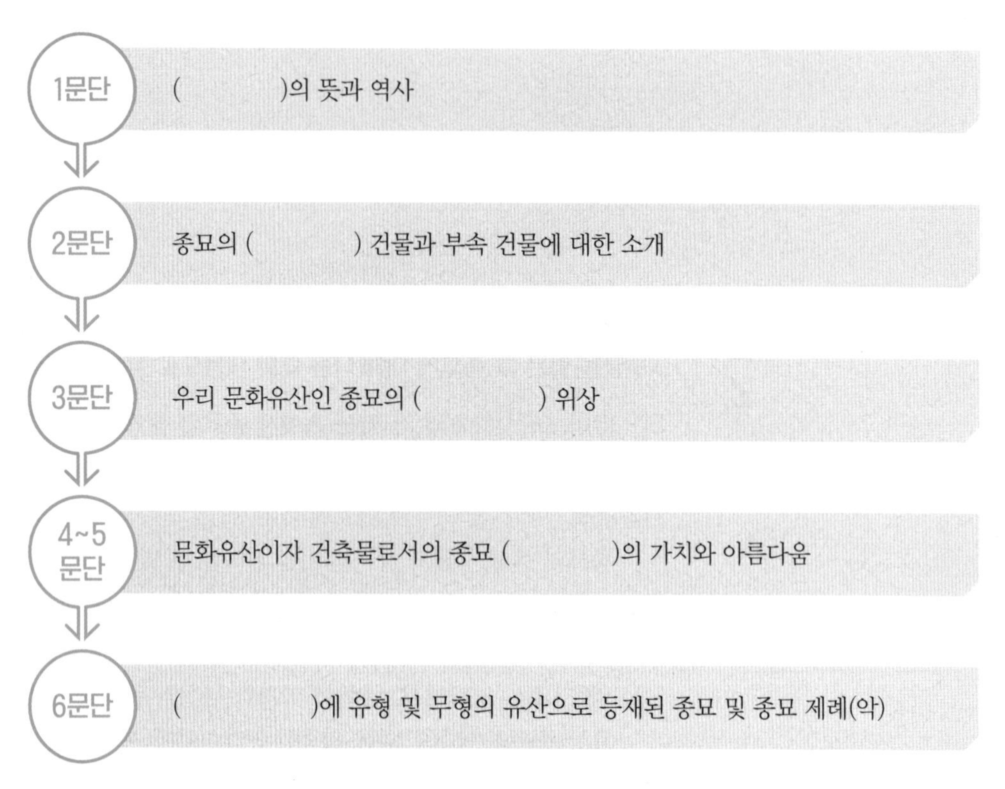

3 핵심 내용을 구조화해 보자.

종묘(종묘 정전)

종묘 및 정전 - 유형	종묘 제례 및 종묘 제례악 - 무형
종묘는 사적 제125호, 정전은 국보 227호로 시, 1995년에 유네스코 (　　　　　　) 으로 지정됨	국내 최초로 유네스코 「인류 구전 및 무형 유산 걸작」에 등재됨

⇓

종묘의 가치

종묘는 조선 시대에 역대 임금과 왕비의 (　　　　)를 모시던 왕실의 사당으로, 유교 문화의 오랜 정신적 전통인 조상 숭배 사상과 제사 의례를 바탕으로 왕실의 주도하에 엄격한 형식에 따라 지어진 검소함과 (　　　　)이 깃든 건축물임

어휘력 테스트

● 다음 괄호 안에 들어갈 단어의 뜻을 〈보기〉에서 골라 기호를 써 보자.

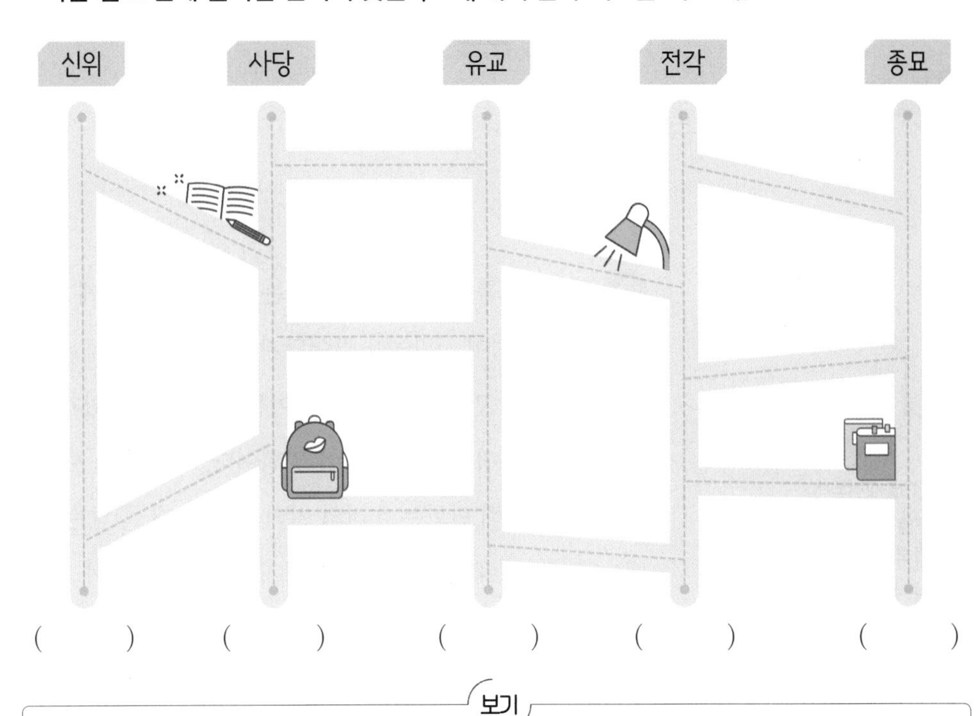

( ) ( ) ( ) ( ) ( )

보기

㉠ 조상의 신주(神主)를 모셔 놓은 집
㉡ '전(殿)'이나 '각(閣)' 자가 붙은 커다란 집을 이르는 말
㉢ 조선 시대에, 역대 임금과 왕비의 위패를 모시던 왕실의 사당
㉣ 죽은 사람의 영혼이 의지할 자리. 죽은 사람의 사진, 지방 따위를 이른다.
㉤ 유학(儒學)을 종교적인 관점에서 이르는 말. 삼강오륜을 덕목으로 하며 사서삼경을 경전으로 한다.

어휘·어법 확장

'만들다'의 비슷한말 & 반대말

비 비슷한말 반 반대말

비 제조하다
공장에서 큰 규모로 물건을 만들다.
예 자동차를 제조하다.

비 짜다
계획이나 일정 따위를 세우다.
예 생활 계획표를 짜다.

만들다
1. 노력이나 기술 따위를 들여 목적하는 사물을 이루다.
예 음식을 만들다.
2. 틈, 시간 따위를 짜내다.
예 기회를 만들다.

반 부수다
만들어진 물건을 두드리거나 깨뜨려 못 쓰게 만들다.
예 자물쇠를 부수다.

반 허물다
쌓이거나 짜이거나 지어져 있는 것을 헐어서 무너지게 하다.
예 낡은 집을 허물었다.

만화의 매력은 무엇일까?

- 핵심어를 찾아보자.
- 문단별 중심 내용에 밑줄을 그어 보자.
- 핵심 내용을 구조적으로 재배열해 보자.

가 남녀노소를 ㉠불문하고 만화는 많은 사람들에게 사랑받는 매체이다. 그렇다면 만화의 어떤 특성이 사람들을 끌어당기는 것일까?

나 사람들이 만화를 즐겨 보는 이유는 우선 재미있기 때문이다. '한 번 손에 쥐면 먹고 자는 일도 귀찮아지는 책'이 만화이다. 만화에는 사람을 푹 빠지게 하는 그 무엇이 있다. 그를 통해 만화는 우리의 기억 속에 오래 ㉡남는다. 「칸, 페이지, 이야기」의 저자 베노와 페터즈에 따르면 누구나 자기 기억 속에 한 개 이상 '잊을 수 없는 만화의 칸' 혹은 '잊을 수 없는 장면'을 갖고 있다고 한다. 그 그림은 실제와 똑같은 것이 아니라, 자신의 기억이 만들어 내거나 변형한 그림인 경우가 많다고 한다. 이는 만화의 이미지가 어떻게 우리의 기억 속에 갈무리되는지를 말해 주는 흥미로운 사례이다.

다 또한, 사람들이 만화를 ㉢좋아하는 이유는 가볍기 때문이다. 무거운 만화도 있으나 대체로 만화는 낙서같이 자유롭다. 이러한 자유는 만화의 중요한 요소이다. 독자들은 만화를 읽으면서 주류 문화의 권위나 엄숙성을 뛰어넘어 즐거움과 해방감을 느낀다. 유머와 상상은 저항과 전복의 주요한 수단이다. 환상적이고 현실 도피적인 것, 기상천외하고 극단적인 것에 대한 추구는 극화 만화의 일반적인 경향이다. 이것도 본질적으로는 이성의 해방이자, 일탈과 저항의 기능을 갖는다.

라 위에서 말한 만화의 특성은 사실 만화를 보고 즐기는 방식의 특징이지, 만화 그 자체의 매력으로 보기는 어렵다. 그러면 만화의 근원적인 매력은 무엇일까? 그것은 만화가 갖고 있는 '칸과 칸 사이의 관계'와 '만화 작가의 독특한 회화적 표현'이다. 만화 독자는 대개 각 칸을 따라 시선을 이동하지만, 사실 만화에 의해 촉발된 독자의 상상력이 작용하는 공간은 칸과 칸 사이의 여백이다. 독자는 하나의 칸과 다음 칸 사이의 틈에서 등장인물의 행동이나 장면의 상호 관련성을 통해 생략된 내용을 ㉣잡아내고 음미하면서 사건이나 이미지를 형성한다. 또한 만화는 한 쪽이나 양쪽 전체를 한눈에 볼 수 있는 팬옵티콘(panopticon)과 같은 시각 장치를 가진 형식이다. 만화 작가마다 혹은 작품마다 다르게 나타나는 개성은 작품에 담긴 그래픽이나 회화적 표현과 ㉤떼어 놓고 생각할 수 없는 것이다.

- **매체**: 어떤 작용을 한쪽에서 다른 쪽으로 전달하는 물체. 또는 그런 수단
- **주류(主流)**: 사상이나 학술 따위의 주된 경향이나 갈래
- **전복(顚覆)**: 사회 체제가 무너지거나 정권 따위를 뒤집어엎음
- **기상천외하고**: 착상이나 생각 따위가 쉽게 짐작할 수 없을 정도로 기발하고 엉뚱하고
- **개성(個性)**: 다른 사람이나 개체와 구별되는 고유의 특성
- **그래픽(graphic)**: 그림이나 도형, 사진 등 다양한 시각적 형상이나 작품을 통틀어 이르는 말

1

수능형

윗글을 쓴 글쓴이의 의도로 가장 적절한 것은?

① 자신이 그린 만화를 홍보하기 위해서
② 만화의 특성에 대해 설명하기 위해서
③ 만화가와 독자의 올바른 관계 형성을 위해서
④ 사람들이 가진 만화에 대한 편견을 없애기 위해서
⑤ 사장되어 가는 만화에 대한 관심을 촉구하기 위해서

2

윗글을 읽은 독자가 〈보기〉를 보고 난 후의 반응으로 적절하지 않은 것은?

보기

① 짧은 내용 속에 재치 있는 유머가 담겨 있어.
② 한눈에 볼 수 있는 시각적 효과를 느낄 수 있어.
③ 만화의 특성인 가벼움을 잘 살려 즐거움을 주고 있어.
④ 두 칸만으로 이루어져 있어 독자의 상상력이 배제되고 있어.
⑤ 문자에 나타난 그래픽도 의미를 전달하는 데 중요한 역할을 하고 있어.

어휘·어법

3

㉠~㉤과 바꾸어 쓸 수 없는 것은?

① ㉠: 가리지 않고　② ㉡: 각성된다　③ ㉢: 선호하는
④ ㉣: 발견하고　⑤ ㉤: 분리하여

1 이 글의 핵심 화제를 살펴보자.

만화의 매력과 (   )

2 각 문단별 중심 내용을 정리해 보자.

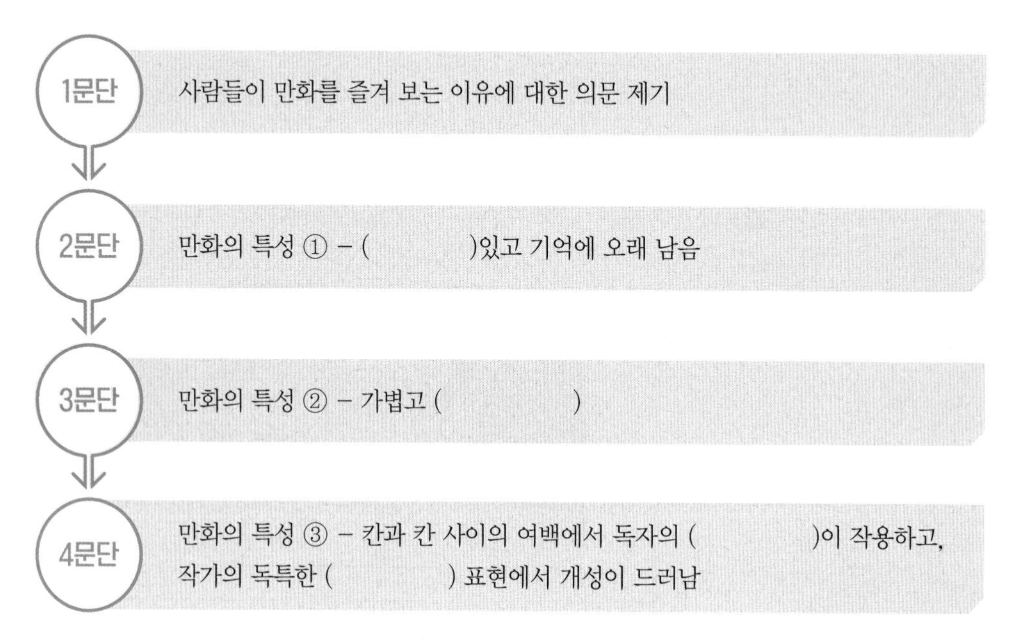

3 핵심 내용을 구조화해 보자.

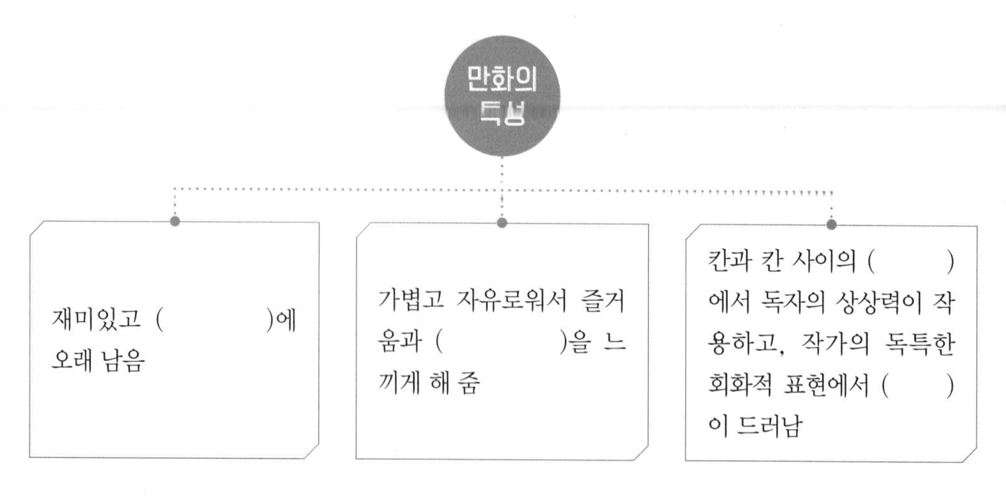

어휘력 테스트

1 다음 단어의 뜻을 참고하여 끝말잇기를 완성해 보자.

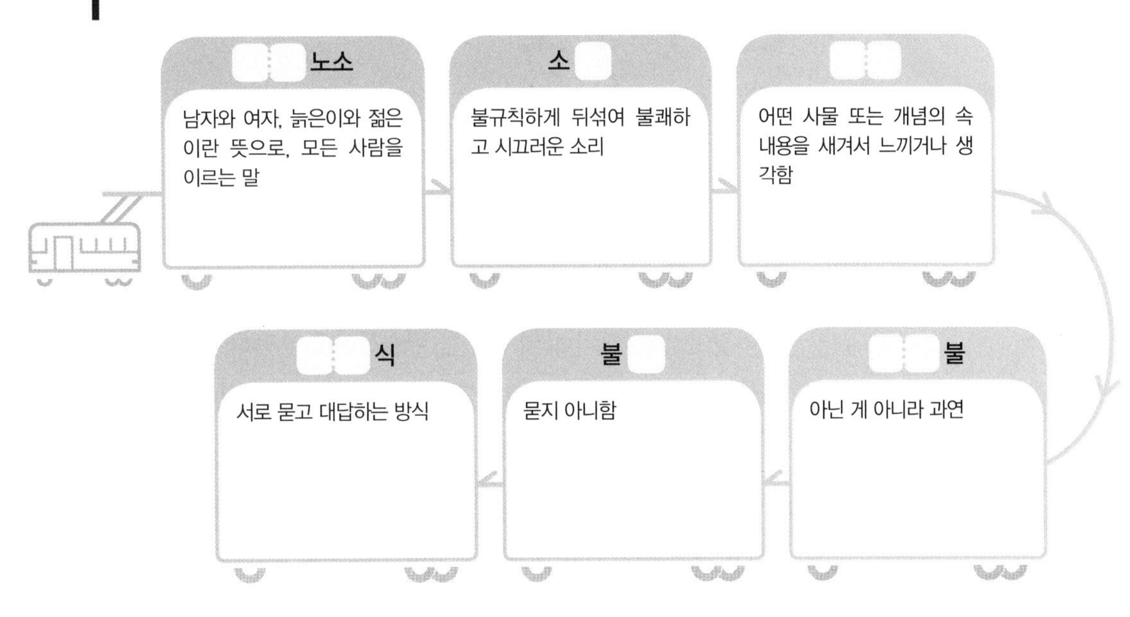

2 제시된 뜻과 예문을 참고하여 다음 초성에 해당하는 단어를 괄호 안에 써 보자.

(1) ㅈ ㅂ : 사회 체제가 무너지거나 정권 따위를 뒤집어엎음

예 그들의 주장은 체제 비판의 차원을 넘어 체제 (　　　　)을 지향하였다.

(2) ㅈ ㄹ : 사상이나 학술 따위의 주된 경향이나 갈래

예 그것이 우리 문학의 (　　　　)는 될 수 없었던 것이다.

(3) ㄱ ㅅ ㅊ ㅇ : 착상이나 생각 따위가 쉽게 짐작할 수 없을 정도로 기발하고 엉뚱함

예 그는 항상 (　　　　)한 제안을 잘 한다.

어휘·어법 확장

'주류 문화'와 '하위 문화'

독자들은 만화를 읽으면서 주류 문화의 권위나 엄숙성을 뛰어넘어 즐거움과 해방감을 느낀다.

한 사회의 구성원들이 공통적으로 가지고 있는 생활 방식을 '문화'라고 한다. 그러나 한 사회는 다양한 집단으로 구성되어 있기 때문에 집단에 따라 자기 집단끼리만 공유하는 문화가 따로 존재할 수 있다. 따라서 한 사회의 성원 대부분이 공유하는 문화를 '전체 문화' 또는 '주류 문화'라고 하고, 특정한 집단의 성원들만이 공유하고 있는 문화를 '부분 문화' 또는 '하위 문화'라고 한다. 하위 문화 중에서 기존 사회의 질서를 인정하지 않고 사회의 지배적인 문화에 정면으로 반대하고 적극적으로 도전하는 집단의 문화를 '반문화' 또는 '저항 문화'라고 한다.

브람스가 만든 음악적 옷

- 핵심어를 찾아보자.
- 문단별 중심 내용에 밑줄을 그어 보자.
- 핵심 내용을 구조적으로 재배열해 보자.

가 악기를 사용하여 연주하는 음악 중에서 문학, 극, 미술 등 다른 예술과는 어떤 관련도 갖지 않고 오직 음의 순수한 예술성만을 추구하는 음악을 '절대 음악'이라고 한다. 절대 음악은 음악의 제목에도 음악 자체에 대한 정보만을 나타낼 뿐, ⓐ무엇인가를 그려 내거나 자세하게 보여 주는 내용은 담지 않는다. 반면에 '표제 음악'은 어떤 이야기나 내용을 표현한 음악으로, 음악을 통해 ⓑ현실 세계의 모습을 나타낸 것이다. 표제 음악은 제목에도 어떤 대상을 묘사하는 내용을 담고 있다.

나 요하네스 브람스(Johanes Brahms)는 절대 음악을 대표하는 독일 작곡가이다. 브람스는 음악의 진정한 의미란 ⓒ음악 이외의 것들에서 오는 것이 아니라 음악 자체에서 생긴다고 생각하였다. 이런 면에서 브람스는 오늘날 위대한 작곡가로 존경받고 있지만, 브람스가 살아 있을 때에는 좋은 평가만을 받았던 것은 아니다. 차이콥스키 같은 위대한 음악가들도 브람스의 음악을 '메마른 음악, 무기력한 음악, 창의성이 없는 음악'이라고 혹평하였다.

다 브람스 음악에 대한 부정적 평가 중 가장 대표적인 내용은 독창성이 없다는 것이다. 그래서 오스트리아의 작곡가인 볼프(Hugo Wolf)는 브람스의 음악에 대해 '브람스는 없는 것에서 있는 것을 만들어 내는 하느님 같은 재주를 가졌다.'라고 비꼬기도 하였다. 물론 브람스의 음악은 ⓓ특별한 이야기나 내용을 담고 있지 않다는 점에서 의미가 없는 음악처럼 보일 수도 있다. ㉠다만 '없는 것'이라는 말은 볼프의 눈에 보이는 어떤 것이 없었다는 그만의 생각일 뿐이다.

라 브람스의 입장에서 볼 때 자신의 눈으로만 볼 수 있는 음들이 있었다. 그는 그 음들을 옷감으로 삼아 하나하나 엮어 가며 자신만의 음악적 옷을 만들고 있었다. 옷이 다 만들어지기 전에 각각의 옷감에서 옷 전체의 모습을 찾을 수는 없다. 그러나 그 옷감들이 모여 하나의 옷이 만들어지면 그 결과는 달라진다. 즉, 음 하나하나 자체로서는 별 의미가 없는 것 같지만, 음악을 전체적으로 보면 서로 대조되는 악장이 ⓔ하나의 전체로 '발전'해 나가는 것이다. 결국 옷감이 디자이너의 생각대로 배열되고 엮어져 하나의 옷이 만들어지는 것과 같이, 브람스는 의미 없어 보이는 하나하나의 음을 통해 음악적 주제를 발전시키고 이를 하나의 새로운 음악으로 탄생시킨 것이라 할 수 있다.

- **절대 음악(絕對音樂)**: 순수한 예술성만을 위하여 작곡한 음악. 시나 회화 따위의 다른 예술과 직접적인 관계를 갖지 않음
- **표제 음악(標題音樂)**: 제목과 줄거리에서 곡의 내용을 알 수 있고, 문학적·회화적·극적 내용을 지니는 음악
- **악장**: 소나타·교향곡·협주곡 따위에서, 여러 개의 독립된 소곡들이 모여서 큰 악곡이 되는 경우 그 하나하나의 소곡

1

윗글에 대한 설명으로 적절하지 않은 것은?

① 서로 대립되는 이론의 차이점을 설명하고 있다.
② 한 작곡가에 대한 서로 다른 평가를 소개하고 있다.
③ 특정 작곡가의 말을 인용하여 그의 생각을 드러내고 있다.
④ 구체적인 예를 통해 특정 이론이 지닌 특징을 보여 주고 있다.
⑤ 중심 내용을 다른 대상에 빗대어 이해하기 쉽게 설명하고 있다.

수능형

2

윗글의 내용을 바탕으로 할 때, ㉠의 근거로 가장 적절한 것은?

① 브람스의 음악은 다른 사람의 음악을 따라한 것이 아니므로 독창적이라고 할 수 있다.
② 브람스의 음악은 현실 세계의 모습을 그려 낸 것이므로 의미 있는 음악이라고 할 수 있다.
③ 브람스의 음악은 의미 없어 보이는 음들을 엮어 새로운 음악을 만들어 낸 것이므로 독창적이라고 할 수 있다.
④ 브람스의 음악은 음악 자체에 대한 정보만을 담고 있으므로 그 자체만으로도 의미 있는 음악이라고 할 수 있다.
⑤ 브람스의 음악은 그가 살아 있을 때와는 달리 오늘날에는 긍정적 평가를 받고 있으므로 독창적이라고 할 수 있다.

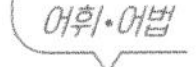

ⓐ~ⓔ 중, 의미상 성질이 다른 하나는?

① ⓐ　② ⓑ　③ ⓒ　④ ⓓ　⑤ ⓔ

1 이 글의 핵심 화제를 살펴보자.

(　　　　　)의 음악이 지닌 특징과 그 의미

2 각 문단별 중심 내용을 정리해 보자.

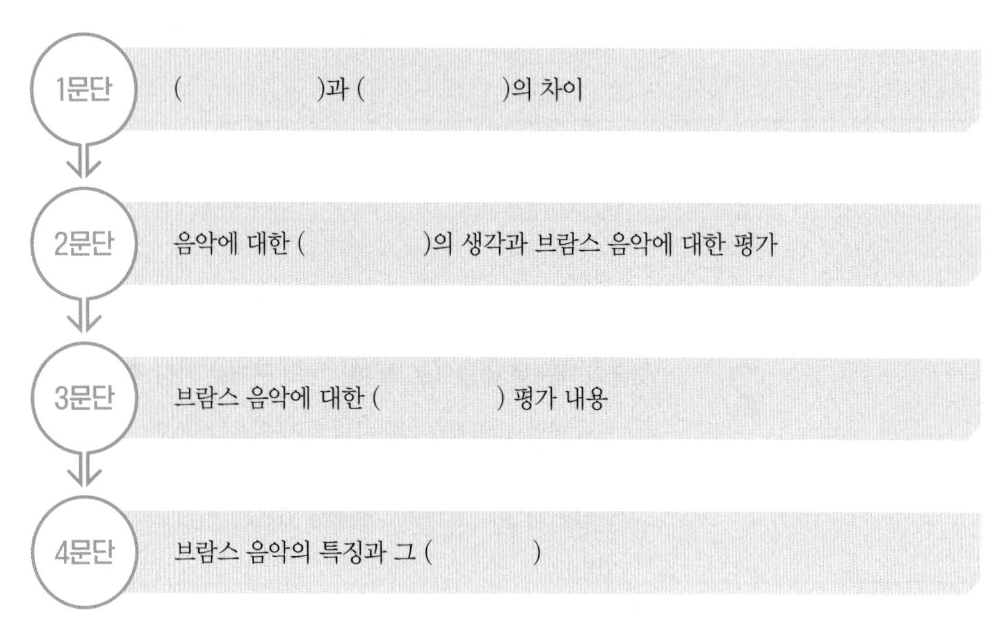

3 핵심 내용을 구조화해 보자.

표제 음악과 절대 음악의 차이

표제 음악	↔	절대 음악, (　　　　　)의 음악
• 어떤 (　　　　　)나 내용을 표현함 • 음악을 통해 (　　　　　)의 모습을 나타낸 것임 • 제목에 어떤 대상을 (　　　　　)하는 내용을 담고 있음	↔	• 오직 음의 순수한 (　　　　　)만을 추구함 • 음악의 (　　　　　)에 음악 자체에 대한 정보만을 나타냄 • 음악의 진정한 (　　　　　)란 음악 자체에서 생긴다고 생각함 • 의미 없어 보이는 하나하나의 음을 통해 음악적 주제를 (　　　　　)시키고 하나의 새로운 음악으로 탄생시킴

어휘력 테스트

● 다음 괄호 안에 들어갈 단어의 뜻을 〈보기〉에서 골라 기호를 써 보자.

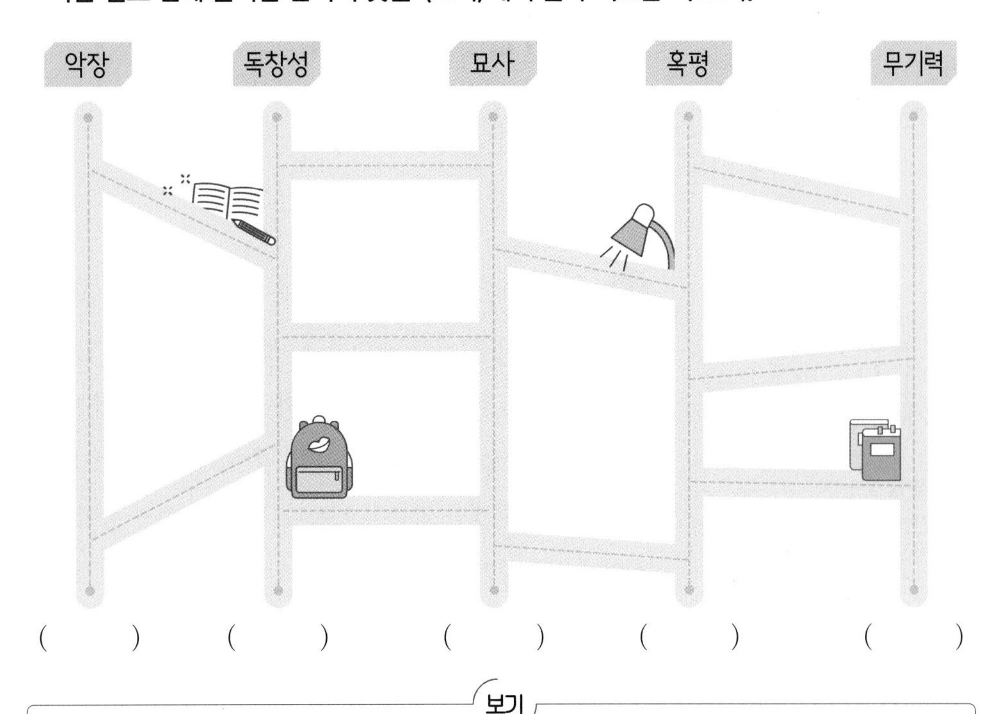

( ) ( ) ( ) ( ) ( )

보기

㉠ 가혹하게 비평함
㉡ 어떠한 일을 감당할 수 있는 기운과 힘이 없음
㉢ 어떤 대상이나 사물, 현상 따위를 언어로 서술하거나 그림을 그려서 표현함
㉣ 다른 것을 모방함이 없이 새로운 것을 처음으로 만들어 내거나 생각해 내는 성향이나 성질
㉤ 소나타·교향곡·협주곡 따위에서, 여러 개의 독립된 소곡들이 모여서 큰 악곡이 되는 경우 그 하나하나의 소곡

어휘·어법 확장

'이외에'와 '이 외에'

브람스는 음악의 진정한 의미란 음악 이외의 것들에서 오는 것이 아니라 음악 자체에서 생긴다고 생각하였다.

'이외에'와 '이 외에'를 구별하는 방법이 있을까? 이들 단어의 특성을 알아보자.
'이외에'는 앞에 명사와 함께 쓰이는 경우가 많고, 앞의 '이'를 생략하고 써도 의미상 차이가 없다. 위의 문장에서도 '이외의' 앞에 명사가 함께 쓰였고 '이'를 생략해도 문제가 되지 않는다. 하지만 '이 외에'의 '이'는 앞에 가리키는 대상이 있기 때문에 생략할 수 없다.

예 • 몇 끼를 굶었더니 먹을 것 이외에는 눈에 보이는 것이 없었다.
• 사과와 딸기를 좀 가져왔어. 이 외에 더 필요한 것 없니?

초상화를 그리는 방법

| 성취도 평가 기출 |

가 미술에서 '프로파일(profile)'은 사람의 측면을 묘사함으로써 인물의 핵심적인 특징을 ⓐ뽑아낸 그림을 가리킨다. 서양에서는 중세 말에서 르네상스 무렵에 이런 프로파일 초상화가 많이 그려졌다. 그에 비해 우리나라를 비롯한 동양에서는 프로파일 초상화가 거의 발달하지 않았다. 동양, 특히 중국에서는 오히려 정면 상이 발달하였다. 대상의 인품과 특징을 압축적으로 나타내기에 정면 상이 더 적합하다고 여겼기 때문이다. 서양에서도 정면 상을 그렸지만 그 빈도가 동양보다 낮다.

나 측면과 정면 중 인물의 특징을 더 잘 나타내는 것은 어느 쪽일까? 우선 동물들의 이미지를 떠올려 보자. 동물들을 그릴 때 정면, 측면, 윗면 가운데 어느 면이 제일 먼저 떠오르는가? 먼저 말을 그려 보자. 말은 일반적으로 옆에서 본 이미지가 가장 먼저 떠오른다. 물고기는 어떤가? 그것도 옆에서 본 이미지이다. 도마뱀을 그려 본다면? 위에서 본 이미지가 제일 먼저 떠오를 것이다. 이런 것들이 우리의 머릿속에 각인된 전형적인 이미지 면이다.

다 그렇다면 사람은 어떤가? 사람은 다른 동물과 달리 두 개의 경쟁적인 이미지 면을 동시에 갖고 있다. 고대 이집트의 벽화가 이를 잘 보여 준다. 이집트 벽화 중에 귀족 '네바문'을 그린 그림이 있다. 얼굴과 다리는 측면에서 본 모습이고, 가슴과 눈은 정면에서 본 모습을 그린 것이다. 해부학적으로 불가능한 구성 혹은 자세이지만, 이 그림뿐 아니라 ㉠고대 이집트 벽화 대부분이 이런 식으로 그려졌다. 이 혼합 형식으로부터 우리가 확인할 수 있는 것은, 인간이 신체 부위에 따라 정면이 먼저 떠오르기도 하고 측면이 먼저 떠오르기도 하는 존재라는 사실이다.

▲ 늪지로 사냥을 나간 네바문

라 이렇듯 인간이 두 개의 이미지 면을 동시에 갖고 있기 때문에 동서양 모두 두 이미지 면을 한꺼번에 나타내는 '부분 측면 상'을 발달시켰다. 부분 측면 상은 사람을 완전히 옆에서 보는 것이 아니라 비스듬히 옆에서 보는 것이다. 그러면 정면과 측면의 특징을 동시에 드러낼 수 있다. 그에 비해 고대 이집트 벽화는 인간의 두 이미지 면을 동시에 나타내기 위해 정면과 측면을 신체 부위에 따라 편의적으로 봉합하는 혼합 형식을 이용했다는 점이 흥미롭다.

- 핵심어를 찾아보자.
- 문단별 중심 내용에 밑줄을 그어 보자.
- 핵심 내용을 구조적으로 재배열해 보자.

- **측면**: 앞뒤에 대하여 왼쪽이나 오른쪽의 면
- **르네상스(Renaissance)**: 14세기~16세기에, 이탈리아를 중심으로 하여 유럽 여러 나라에서 일어난 인간성 해방을 위한 문화 혁신 운동
- **압축적**: 어떤 생각, 과정 따위를 요약하여 한정된 시간이나 지면 안에서 짧게 보이는 것
- **이미지(image)**: 어떤 사람이나 사물로부터 받는 느낌
- **각인된**: 머릿속에 새겨 넣듯 깊이 기억된
- **전형적**: 어떤 부류의 특징을 가장 잘 나타내는 것
- **편의적**: 그때의 사정에 의하여 편의상 임시로 제백된 것

1

윗글의 표현상 특징으로 가장 적절한 것은?

① 도입부에 경험담을 제시함으로써 내용의 사실성을 높이고 있다.
② 권위 있는 자료나 전문가의 말을 인용하여 주제를 뒷받침하고 있다.
③ 질문을 제시하여 독자의 참여를 유도하고 그에 대한 답을 하고 있다.
④ 널리 퍼져 있는 잘못된 인식을 논리적으로 반박하며 자신의 견해를 밝히고 있다.
⑤ 비교·대조의 방법을 사용하여 전반부에서는 공통점을, 후반부에서는 차이점을 드러내고 있다.

추론적 사고

2

수능형

㉠에 해당하는 그림으로 가장 적절한 것은?

①

②

③

④

⑤

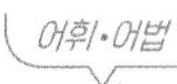

3

ⓐ와 문맥적 의미가 가장 유사한 것은?

① 자동차 타이어에 박힌 못을 뽑아냈다.
② 수영이는 책장에서 읽은 책을 모두 뽑아냈다.
③ 그는 노래 한 곡조를 구성지게 뽑아내고는 잠이 들었다.
④ 이 사업에 쓴 비용을 뽑아내려면 아직 더 고생해야 한다.
⑤ 이번 감독은 선수들의 능력을 최대치로 뽑아낼 줄 아는 사람이었다.

1 이 글의 핵심 화제를 살펴보자.

동양과 서양에서 (   )를 그리는 방법

2 각 문단별 중심 내용을 정리해 보자.

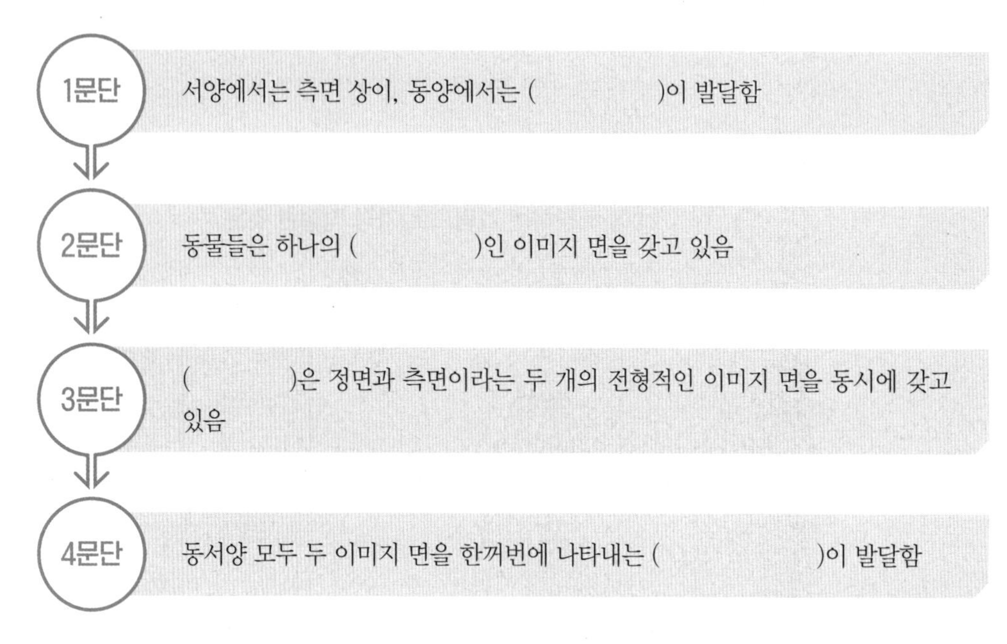

3 핵심 내용을 구조화해 보자.

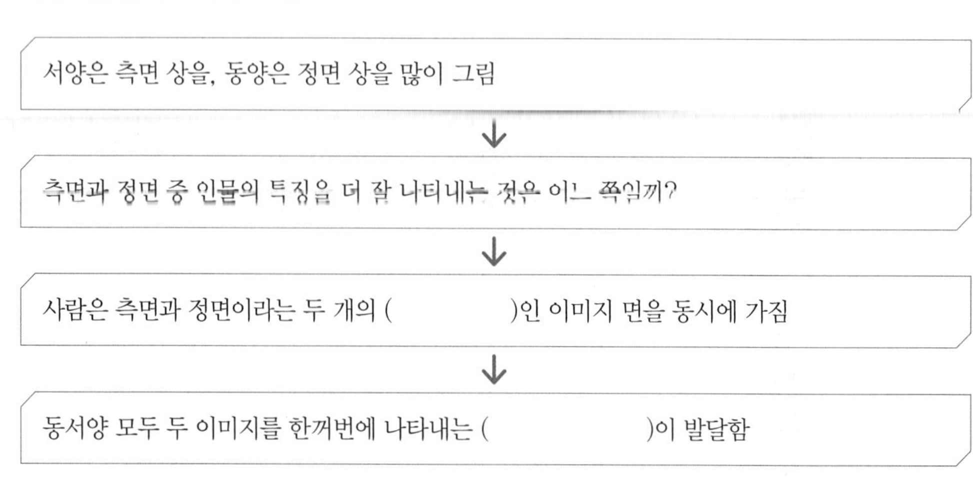

어휘력 테스트

1 **제시된 뜻과 예문을 참고하여 다음 초성에 해당하는 단어를 괄호 안에 써 보자.**

(1) ㅂ ㄷ : 같은 현상이나 일이 반복되는 도수

예 민희가 게임을 하는 (　　　　　)가 지난달보다 낮아졌다.

(2) ㅇ ㅊ ㅈ : 어떤 생각, 과정 따위를 요약하여 한정된 시간이나 지면 안에서 짧게 보이는 것

예 그는 그 연극에서 이별을 맞은 남자의 슬픔과 복잡한 마음을 (　　　　　)으로 표현하였다.

(3) ㅈ ㅎ ㅈ : 어떤 부류의 특징을 가장 잘 나타내는 것

예 여인은 흑발에 연갈색 피부의 몸집이 자그마한 (　　　　　)인 동양인이었다.

2 **다음 〈보기〉의 뜻을 참고하여 십자말풀이를 완성해 보자.**

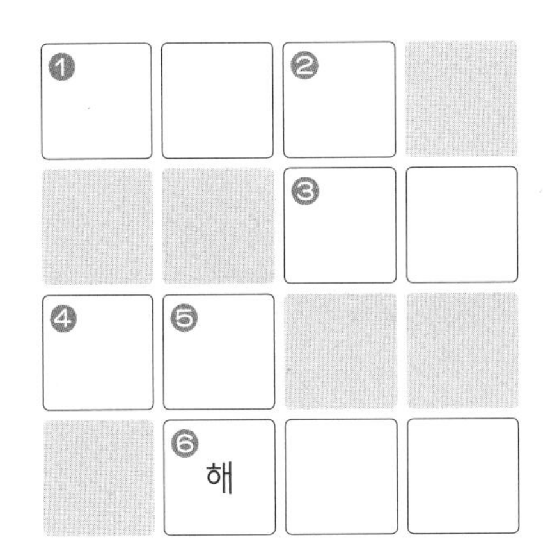

보기

❶ 가로: 어떤 사람이나 사물로부터 받는 느낌
❷ 세로: 알아서 깨달음. 또는 그런 능력
❸ 가로: 머릿속에 새겨 넣듯 깊이 기억됨
❹ 가로: 건물이나 동굴, 무덤 따위의 벽에 그린 그림
❺ 세로: 싸움하던 것을 멈추고 서로 가지고 있던 안 좋은 감정을 풀어 없앰
❻ 가로: 생물체 내부의 구조와 기구를 연구하는 학문

어휘·어법 확장

'가르치다'와 '가리키다'의 구별

가르치다  가리키다

가르치다

1. 지식이나 기능, 이치 따위를 깨닫게 하거나 익히게 하다.
   예 그는 동생에게 운전을 가르쳤다.
2. (주로 '버릇', '버르장머리'와 함께 쓰여) 그릇된 버릇 따위를 고치어 바로잡다.
   예 이번 기회에 아이의 버릇을 제대로 가르칠 작정이다.
3. 교육 기관에 보내 교육을 받다.
   예 그는 자식을 가르치느라고 재산을 모으지 못했다.

가리키다

1. 손가락 따위로 어떤 방향이나 대상을 집어서 보이거나 말하거나 알리다.
   예 그는 손가락으로 북쪽을 가리켰다.
2. (주로 '가리켜' 꼴로 쓰여) 어떤 대상을 특별히 집어서 두드러지게 나타내다.
   예 모두들 그 아이를 가리켜 신동이 났다고 했다.

긴 지문 실전

인문 01

철학, 삶을 만나다

- 핵심어를 찾아보자.
- 문단별 중심 내용에 밑줄을 그어 보자.
- 핵심 내용을 구조적으로 재배열해 보자.

가 우리는 늘 누군가를 사랑하기에 앞서 그 누군가가 누구인지를 알아야만 한다. 철학적으로 말한다면, 타자(他者)란 '나'와 다른 삶의 규칙을 가진 존재를 의미한다. 이런 이유 때문에 우리는 타자를 사랑하게 될 수도, 혹은 미워하게 될 수도 있다. 그러나 만약 어떤 사람의 삶의 규칙이 '나'와 완전히 동일하다면 우리는 그를 사랑하거나 미워할 수 없을지도 모른다. 사랑의 힘이란 바로 '차이'의 힘에서 나오기 때문이다. 따라서 '나'와 타자와의 바람직한 관계 형성을 위해 '나'와 다른 타자의 삶에 대해 어떤 인식과 태도를 지녀야 하는지 살펴볼 필요가 있다.

나 프랑스의 철학자 레비나스는 서양 철학이 타자의 문제를 제대로 다루지 못했다고 지적한다. 즉, 타자를 '나'와 동일한 삶의 규칙을 가진 존재로 보는 잘못을 범했다는 것이다. 이는 결국 '자신이 가지고 있는 삶의 규칙이 보편적인 동시에 유일한 삶의 규칙'이라는 믿음으로 확산되었고, 이로 말미암아 자신만의 삶의 규칙을 타자에게 일방적으로 강요하게 되어 결과적으로 폭력과 억압을 낳음으로써 타자와의 관계를 왜곡해 왔다고 비판한다. 레비나스의 이러한 지적은 곧 '나'와 타자와의 차이를 인식하는 일이 타자와의 관계 형성을 위한 출발점임을 분명히 밝혀 주고 있다.

다 우리는 어느 순간 타자와 만나 사랑에 빠진다. 이 순간 우리는 그가 무엇을 생각하고 무엇을 원하는지 전혀 알 ㉠길이 없다. 그러나 놀랍게도 얼마 후에 우리는 그 사람이 무엇을 생각하고 무엇을 원하는지 어느 정도 알 수 있게 된다. 도대체 어떻게 이런 일이 가능해지는 것일까? 이 질문에 대답하기 위해서 하나의 비유를 들어 보겠다. '내'가 수영을 배우기 시작해서 엄청난 노력 끝에 수영을 능숙하게 할 수 있게 되었다고 가정해 보자. 그러면 이제 '나'는 물에 대해 어느 정도 알 수 있게 되었을 것이다. 물에 대해 조금이나마 알게 된 이유는 '내'가 물의 흐름에 '나' 자신을 맞출 수 있었기 때문이다. 타자와 사랑에 빠진다는 것은 물에 들어가 허우적거리는 것과 마찬가지다. 어느 순간 물에 자신을 맞출 수만 있다면 우리는 물에 뜰 수 있게 될 것이다. 마찬가지로 우리는 타자를 알 수 있게 될 때까지 타자의 삶에 자신을 맞추려는 노력을 게을리해서는 안 된다.

라 처음엔 누구나 "당신이 지금 무슨 생각을 하는지 나는 전혀 모르겠다."라고 말할 수밖에 없다. 그러나 시간이 흐른 뒤 우리는 얼굴만 보아도 어느 정도 상대방의 기분을 알 수 있게 된다. 그렇다면 불편함과 낯섦의 경험이 이처럼 편안함과 친숙함의 경험으

- **인식**: 사물을 분별하고 판단하여 앎
- **억압**: 자기의 뜻대로 자유로이 행동하지 못하도록 억지로 억누름
- **왜곡**: 사실과 다르게 해석하거나 그릇되게 함
- **비유**: 어떤 현상이나 사물을 직접 설명하지 아니하고 다른 비슷한 현상이나 사물에 빗대어서 설명하는 일

로 변화되는 과정은 어떤 의미를 갖는 것일까? 타자와 만나서 사랑을 나눔으로써 '나'는 전혀 다른 나로 변하게 된다. 타자와 만나기 이전의 '나'는 타자와 만나 그에게 자신을 맞춤으로써 질적으로 전혀 다른 '내'가 되기 때문이다. 따라서 이러한 과정을 통해 우리는 자신만의 삶의 규칙을 강요하지 않고, 타자가 지닌 고유한 삶의 규칙을 존중함으로써 타자와의 사랑을 완성해 갈 수 있다는 사실을 깨달아야만 할 것이다.

사실적 사고

1 윗글에 사용된 서술상의 특징을 〈보기〉에서 골라 바르게 짝지은 것은?

보기

ㄱ. 대상의 특징을 분류하여 논의를 전개하고 있다.
ㄴ. 용어에 대한 설명을 바탕으로 화제를 이끌어 내고 있다.
ㄷ. 유추를 이용한 상세한 설명으로 독자의 이해를 돕고 있다.
ㄹ. 서로 상반되는 주장을 절충하여 해결 방안을 제시하고 있다.

① ㄱ, ㄴ　② ㄱ, ㄷ　③ ㄴ, ㄷ
④ ㄴ, ㄹ　⑤ ㄷ, ㄹ

비판적 사고

수능형

2 윗글의 관점에서 〈보기〉에 대해 보인 반응으로 가장 적절한 것은?

보기

옛날 바닷새가 노나라 서울 밖에 날아와 앉았다. 노나라 임금은 이 새를 친히 종묘 안으로 데리고 와 유명한 음악가들을 불러 아름다운 음악을 연주하게 하고, 질 좋은 술과, 소와 돼지를 잡아 후하게 대접하였다. 그러나 새는 소란스러운 잔치에 놀라고 슬퍼하기만 할 뿐 고기 한 점, 술 한 잔 먹지 않은 채 사흘 만에 결국 죽고 말았다.

① '나'보다 타자의 삶을 더 우선시하는 마음을 가져야겠군.
② '나'와 타자 사이의 문화적 차이를 분명히 인식해야겠군.
③ '나' 이외의 타자의 삶에 대한 지나친 관심을 버려야겠군.
④ '나'와 타자의 보편적인 삶의 규칙을 확고하게 내면화해야겠군.
⑤ '나'를 향한 타자의 사랑을 유도할 수 있는 방법을 고민해 봐야겠군.

어휘·어법

3 다음 밑줄 친 단어 중, ㉠의 문맥적 의미와 가장 유사한 것은?

① 갈 길이 머니 빨리 서두릅시다.
② 그렇게 난리를 친 후 그 길로 도망쳤어요.
③ 학교에서 돌아오는 길에 서점에 들렀다 오렴.
④ 극심한 경제난으로 이제 먹고살 길이 막막하겠군요.
⑤ 오늘날 스승의 길은 무한한 인고(忍苦)를 요구합니다.

1 이 글의 핵심 화제를 살펴보자.

(   )와의 바람직한 관계 형성을 위한 태도

2 각 문단별 중심 내용을 정리해 보자.

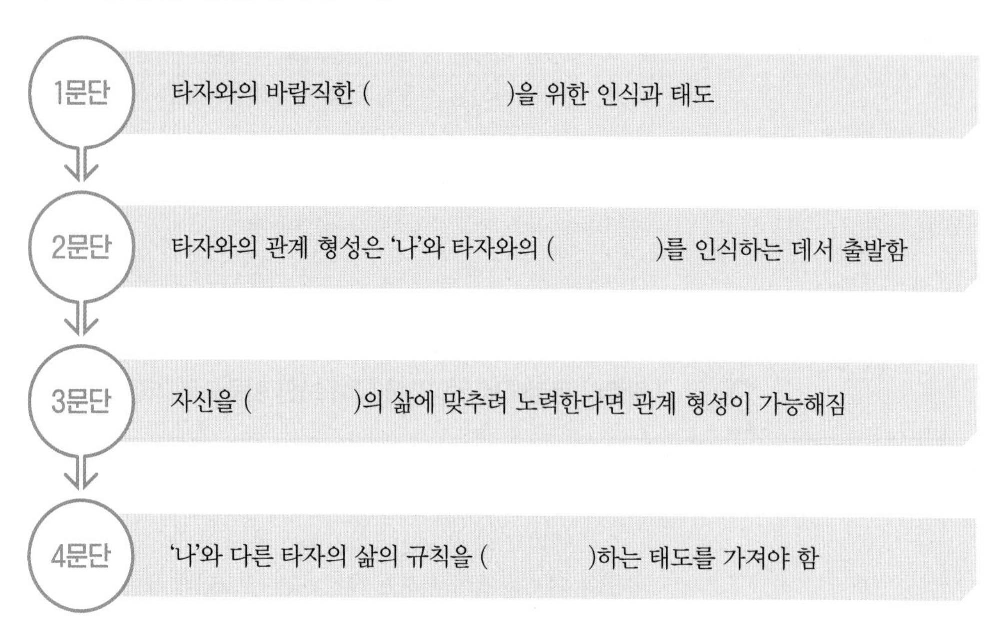

3 핵심 내용을 구조화해 보자.

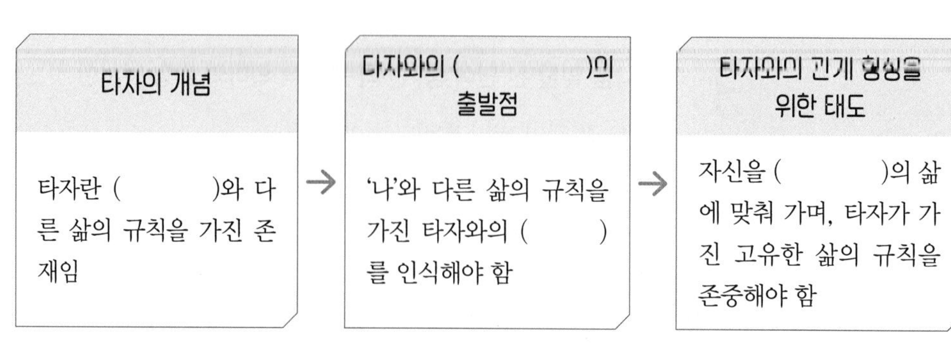

• 정답과 해설 31쪽

어휘력 테스트

● 다음 괄호 안에 들어갈 단어의 뜻을 〈보기〉에서 골라 기호를 써 보자.

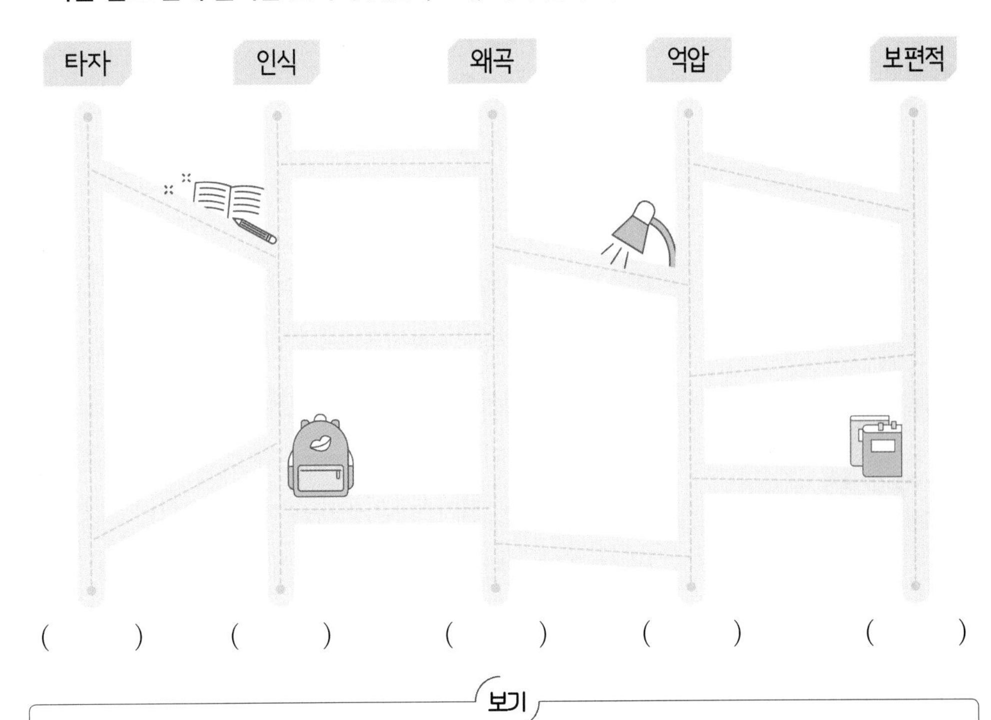

( ) ( ) ( ) ( ) ( )

보기

㉠ 사물을 분별하고 판단하여 앎
㉡ 자기 외의 사람. 또는 다른 것
㉢ 모든 것에 두루 미치거나 통하는 것
㉣ 사실과 다르게 해석하거나 그릇되게 함
㉤ 자기의 뜻대로 자유로이 행동하지 못하도록 억지로 억누름

어휘·어법 확장

'어떻게'와 '어떡해'의 구별

도대체 어떻게 이런 일이 가능해지는 것일까?

어떻게(어떻- + -게)  어떡해(어떻- + -게 + 해)

어떻게(어떻- + -게)	어떡해(어떻- + -게 + 해)
어떠하게	어떠하게 해
예 이 일을 어떻게 처리하지?	예 이 일을 처리하지 못하면 어떡해.

※ '어떻게'와 '어떡해'는 소리가 거의 비슷하여 헷갈리는 경우가 많지만, 문장에서 아주 다르게 사용되므로 구별할 줄 알아야 한다. 위의 예문을 참고하면, '어떻게'는 '어떻다'의 부사형으로 문장에서 서술어를 꾸미는 부사어의 역할을 하고, '어떡해'는 '어떻게 해'가 줄어든 말로 이 말 자체가 서술어이다.

향신료를 차지하라

- 핵심어를 찾아보자.
- 문단별 중심 내용에 밑줄을 그어 보자.
- 핵심 내용을 구조적으로 재배열해 보자.

가 향신료(香辛料)는 향료의 일종으로 음식에 맵거나 향기로운 맛을 더하는 조미료를 말하며, 영어로는 '스파이스(spice)'라고 한다. 향신료는 식물의 열매나 씨앗, 꽃, 뿌리, 나무껍질 등에서 얻는데, 후추, 겨자, 바닐라, 사프란, 생강, 계피, 정향, 육두구 등 그 종류가 다양하다. 우리 식탁에서 흔히 볼 수 있는 고추, 마늘, 대파도 향신료이며, 넓은 의미에서 간장, 된장, 고추장 등의 장류와 설탕, 소금도 향신료에 포함된다. 향신료는 음식의 맛과 향을 돋우고, 색을 입혀 식욕을 증진시킨다. 또한 고기의 누린내나 생선의 비린내를 ㉠잡아 주고, 소화를 돕기도 한다.

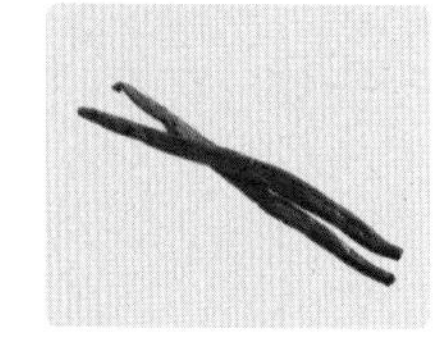
▲ 바닐라

▲ 사프란

▲ 정향

▲ 육두구

나 국제 무역과 교통이 발달한 오늘날 세계 곳곳의 가정에서는 다채로운 향신료를 쉽고 저렴하게 구입하여 사용하지만, 옛날에는 향신료를 얻는 일이 쉽지 않았다. 특히 중세 유럽의 귀족 사회에서 인기가 높던 동방의 향신료들은 무역을 통한 수입에 전적으로 의존했으며, 중간상이던 아랍 상인들이 생산지를 비밀로 하거나 갖가지 이유를 들어 가격을 올렸다. 이 때문에 가난한 사람들은 향신료를 맛볼 수조차 없었으며, 한 줌의 향신료와 노예들을 바꾸거나, 여성들의 결혼 지참금으로 쓰일 정도로 향신료는 매우 귀한 식재료였다. 따라서 후추나 정향, 육두구처럼 귀한 향신료들이 무사히 배에 실려 오면 금이나 보석처럼 비싸게 팔려 나갔다.

다 그런데 유럽의 귀족들은 이렇게 귀하고 비싼 향신료를 왜 무리해서 구입했을까? 몇 가지 이유가 존재했지만 가장 큰 이유는 당시 유럽의 음식들이 맛이 없었기 때문이다. 교통이 불편하고 냉장 시설이 없던 시대였기 때문에 소금에 절인 저장육이 ㉡주식이었고, 그 외에는 북해에서 잡은 생선을 절여 건조시킨 것 정도였기 때문에 향신료를 사용해서라도 음식의 풍미를 돋우지 않으면 먹기 어려운 ㉢지경이었다.

라 그리하여 유럽 열강들이 마침내 스스로 향신료를 찾아 나서기에 이르렀으니, 유럽의 나라들이 앞다투어 신항로를 개척하고 신대륙을 발견하던 이른바 '대항해 시대'가 ㉣열린 것이다. 포르투갈은 16세기 초 신항로 개척과 더불어 유럽 국가들 중 가장 먼저

사프란: 붓꽃과의 여러해살이풀. 세계에서 가장 비싼 향신료로, 한 개의 구근에서 2~3송이의 꽃이 피는데 꽃 속에 있는 1개의 암술을 따서 말린 것

정향: 말린 정향나무의 꽃봉오리. 유일하게 꽃봉오리를 쓰는 향신료로, 상쾌하고 달콤한 향이 나며, 향신료 중 방부 효과와 살균력이 가장 강해 약재로도 쓰임

육두구: 육두구과의 열대 상록수 열매의 배아를 말린 향신료로, 단맛과 약간의 쓴맛이 남. 16~17세기에 이 육두구를 차지하기 위해 향신료 무역 전쟁이 벌어짐

풍미: 음식의 고상한 맛

열강: 여러 강한 나라

대항해 시대: 15~16세기에 유럽인들의 신항로 개척과 신대륙 발견이 활발하던 시대로, 바스쿠 다가마, 콜럼버스, 마젤란 등이 활약함

동남아시아로 진출하여 향신료 무역을 독점하였고, 17세기 초부터는 네덜란드가 동인도 회사를 앞세워 자카르타를 거점으로 향신료 무역을 장악하였다. 그러나 거래를 독점한 탓에 유럽의 향신료 가격은 ⓜ내려가지 않았고, 향신료 무역의 전성기를 누리던 네덜란드는 육두구를 차지하기 위해 몰루카 제도에서 영국과 분쟁을 벌이기도 했다. 영국, 프랑스 등도 17세기 초반부터 동인도 회사를 설립하여 아시아 지역의 무역을 독점하고자 대립하였고, 이는 마침내 유럽 열강의 세계 식민지화에까지 연결된다.

마 그러나 향신료 무역 전쟁은 17세기 중반부터 완화되었는데, 아메리카 대륙에서 고추, 바닐라, 올스파이스 같은 새로운 향신료가 발견되었기 때문이다. 이후 유럽의 기존 향신료 가격이 점차 떨어졌고 그 사용도 더욱 확산되었다. 이처럼 향신료를 차지하기 위한 유럽 국가들의 욕망은 세계사와 세계의 음식 문화를 크게 바꾸었다.

몰루카 제도: 인도네시아 동쪽 끝에 있는 제도로, '향료의 제도'로 알려져 있음

사실적 사고

1 윗글의 내용과 일치하지 않는 것은?

① 향신료는 음식에 단맛이나 짠맛을 더해 주는 백색의 조미료이다.
② 중세 유럽의 귀족 사회에서는 동방 지역 향신료의 인기가 높았다.
③ 향신료는 식물의 열매나 씨앗, 꽃, 뿌리, 나무껍질 등에서 얻는다.
④ 과거 유럽에서는 향신료가 금이나 보석과 같이 비싸게 팔리기도 했다.
⑤ 향신료에 대한 탐닉은 유럽 열강들이 경쟁적으로 신항로를 개척하게 된 이유와 관련이 있다.

비판적 사고

수능형

2 윗글을 읽고 보인 반응으로 적절하지 않은 것은?

① 중세 유럽에서 향신료는 화폐와 같은 기능을 하기도 하였겠군.
② 향신료로 인해 유럽인들의 세계 식민지화가 시작되었다고 볼 수 있겠군.
③ 유럽의 귀족들은 향신료를 음식의 풍미와 식욕 촉진을 위해 사용하였겠군.
④ 중세 유럽 국가들은 향신료 무역권을 독점하기 위해 치열하게 경쟁하였겠군.
⑤ 네덜란드가 향신료의 무역권을 가져오면서부터 향신료의 대중화가 시작되었겠군.

어휘·어법

3 다음 밑줄 친 단어 중, ㉠~ⓜ의 문맥적 의미와 유사하게 쓰인 것은?

① ㉠: 할아버지는 돼지를 잡아 잔치를 베푸셨다.
② ㉡: 아버지는 주식에 투자하여 이윤을 보았다.
③ ㉢: 병세가 악화되어 더 이상 손을 쓸 수 없는 지경에 이르렀다.
④ ㉣: 둔탁한 소리를 내면서 울 밖 문 자물통이 열리고 나졸이 들어섰다.
⑤ ⓜ: 그는 집안이 기울자 가족들을 데리고 서울을 떠나 부모님 집에 내려가 살았다.

1 이 글의 핵심 화제를 살펴보자.

(   )의 역사

2 각 문단별 중심 내용을 정리해 보자.

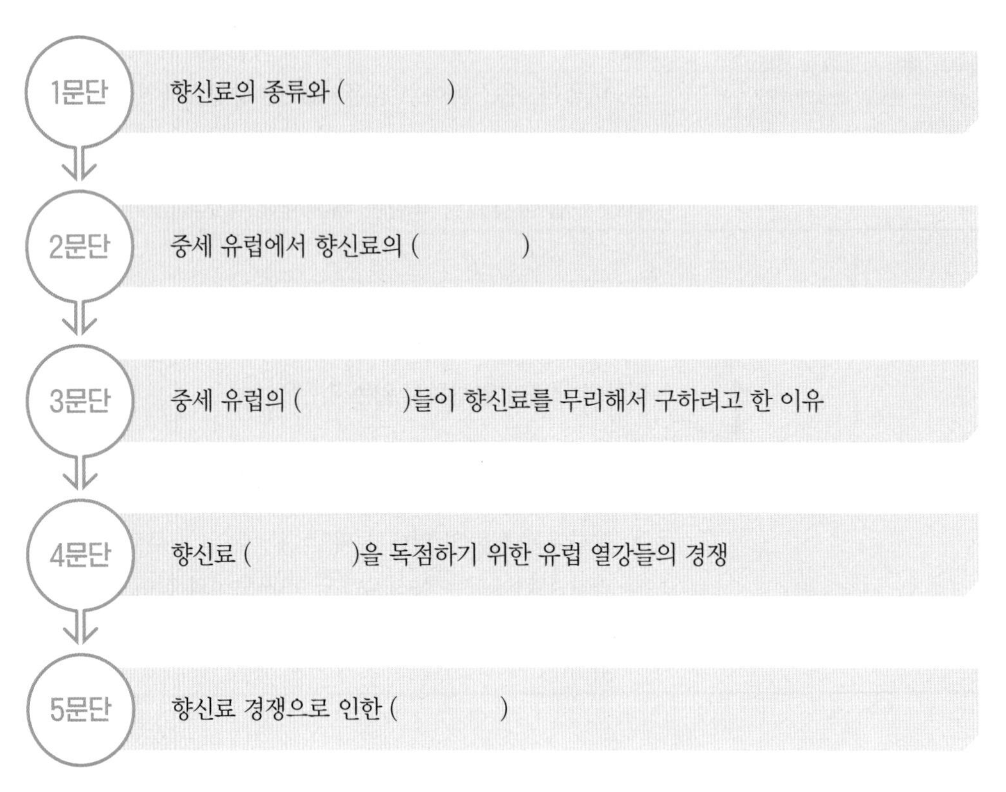

3 핵심 내용을 구조화해 보자.

향신료

향신료의 기능	• 음식의 맛과 향을 돋움 • 색을 입혀 ( )을 증진시킴 • 고기의 누린내나 생선의 비린내를 잡아 줌 • 소화를 도움
중세 유럽에서 향신료의 가치	• 가난한 사람들은 맛볼 수 없었음 • 향신료와 ( )을 바꾸거나, 여성들의 결혼 지참금으로 쓰임 • 금이나 보석처럼 비싸게 팔림
유럽 국가들의 경쟁	• 16세기 초, 포르투갈이 동남아시아로 진출하여 향신료 무역을 독점함 • 17세기 초, ( )가 동인도 회사를 앞세워 향신료 무역을 독점함
향신료 경쟁의 결과	( )와 세계의 음식 문화를 크게 바꿈

어휘력 테스트

1 제시된 뜻과 예문을 참고하여 다음 초성에 해당하는 단어를 괄호 안에 써 보자.

(1) ㅍ ㅁ : 음식의 고상한 맛

예 소금에 절인 고기를 연기에 익혀 말리면 독특한 (　　　　　)가 나고, 방부성이 생겨 오래 보관할 수 있다.

(2) ㅇ ㄱ : 여러 강한 나라

예 인도네시아의 몰루카 제도, 일명 '향신료 제도'를 차지하기 위해 포르투갈, 네덜란드, 영국, 프랑스 등 유럽 (　　　　　)은 15세기부터 17세기까지 치열한 경쟁을 벌였다.

(3) ㅇ ㄹ ㅂ : 세상에서 말하는 바. 소왈, 소위, 소칭

예 콜럼버스의 아메리카 대륙 발견, 바스쿠 다가마가 아프리카 남단 희망봉을 돌아 인도 항로를 개척한 일, 마젤란의 세계 일주 등의 주된 목적은 (　　　　　) 향신료 무역에 있었다.

2 다음 〈보기〉의 뜻을 참고하여 십자말풀이를 완성해 보자.

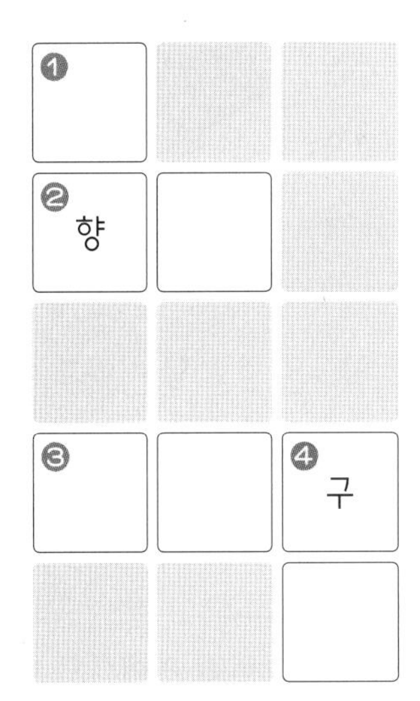

보기

❶ 세로: 말린 정향나무의 꽃봉오리. 유일하게 꽃봉오리를 쓰는 향신료로, 자극적이지만 상쾌하고 달콤한 향이 특징이다.
❷ 가로: 향기를 내는 데 쓰는 물질. 흔히 식품이나 화장품에 넣어 향기를 내게 한다.
❸ 가로: 영어 이름은 '너트맥(nutmeg)'이며, 몰루카 제도가 원산지로 아시아 열대 지방에 분포한다.
❹ 세로: 있어야 할 것을 빠짐없이 다 갖춤

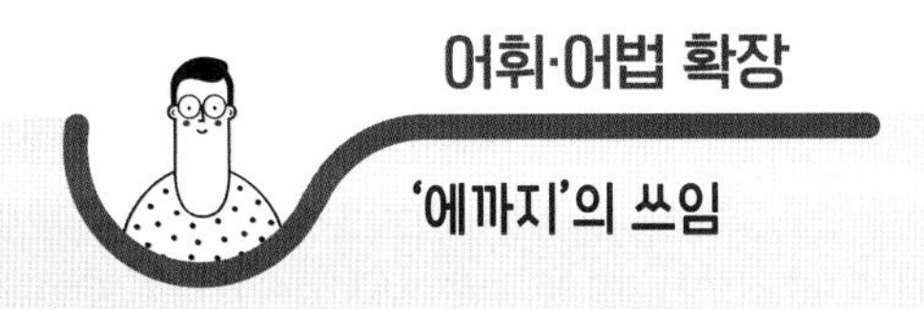

어휘·어법 확장

'에까지'의 쓰임

영국, 프랑스 등도 17세기 초반부터 동인도 회사를 설립하여 아시아 지역의 무역을 독점하고자 대립하였고, 이는 마침내 유럽 열강의 세계 식민지화에까지 연결된다.

'식민지화에까지'와 같이, 격 조사인 '에' 뒤에 보조사 '까지'를 쓰면, 대상의 부사어임을 나타내는 '에'의 뜻에, '어떤 일이나 상태 따위에 관련되는 범위의 끝임을 나타내는 보조사'인 '까지'의 뜻이 더해진다.

예 • 전염병의 확산세는 치안의 최일선에 있는 경찰에까지 영향을 미치고 있다.
• 제조업 부진이 서비스업에까지 영향을 미쳤다.

인문 03

인간의 얼굴을 관찰하다

- 핵심어를 찾아보자.
- 문단별 중심 내용에 밑줄을 그어 보자.
- 핵심 내용을 구조적으로 재배열해 보자.

| 성취도 평가 기출 |

가 머리와 얼굴 구조 연구 분야에서 권위 있는 학자로 알려진 도널드 엔로는 인간의 얼굴을 두고 ㉠"일반적인 포유류의 기준에서 인간의 이목구비는 이례적이고, 전문화되었으며, 어떻게 보면 기이하기까지 하다."라고 설명하였다. 일반적으로 ㉡'얼굴'이란 '입, 코, 눈이 있는, 동물의 머리 앞쪽 면'을 의미한다. 폐나 팔다리, 꼬리 등은 척추동물에 따라 사라지기도 하였으나 얼굴만큼은 모든 척추동물이 가지고 있다. 그렇다면 인간의 얼굴은 과연 어떤 특징을 가지고 있을까?

나 인간의 얼굴 생김새가 갖는 특징은 다음 그림을 통해 찾아볼 수 있다. 먼저 여우의 얼굴과 인간의 얼굴을 비교해 보자. 여우는 긴 주둥이와 머리덮개뼈 쪽으로 부드러운 경사를 이루는 안면 윤곽을 가지고 있다. 이는 대부분의 포유류에서 보이는 얼굴의 특징이다. 반면에 인간의 얼굴은 주둥이가 줄어들어 돌출된 흔적만 남아 있고 두개골 앞면에 둥글납작하며 수직으로 솟은 이마가 있다. 또한 ㉢여우의 얼굴은 털로 덮여 있고 대다수의 포유류처럼 촉촉한 코를 가지고 있지만, 인간의 얼굴은 피부가 그대로 노출되어 있고 마른 코를 가지고 있다. 한편 침팬지의 얼굴은 여우와 인간, 두 종의 특징이 혼합되어 있으면서도 여우보다는 인간의 얼굴에 더 가깝다.

다 인간의 얼굴은 생김새뿐만 아니라 표현력 면에서도 다른 포유류와 구별된다. 인간, 침팬지, 여우가 동료들과 소통하는 모습을 관찰해 보면 세 동물 모두에서 얼굴의 표정 변화가 나타나지만 인간의 얼굴 표정이 훨씬 다양하고 섬세함을 알 수 있다. 여우나 침팬지와는 달리, 대화를 나눌 때 인간은 표정을 순식간에 만들어 말의 의미를 보강한다. ㉣예를 들면 실눈을 뜨면서 이마를 살짝 찌푸리는 표정은 이해하지 못해 혼란한 상태임을 의미하기도 하고, 여기에 더해 입꼬리를 살짝 내린다면 회의적임을 나타내기도 한다. 입술이 벌어진 상태에서 입꼬리가 살짝 위로 올라간 모습은 행복함이나 즐거움의 신호인 반면, 꽉 다문 입술은 불신을 의미하기도 한다. 이렇게 ㉤다양한 얼굴 표정은 말을 주고받는 행위의 뒤에서 그림자처럼 따라다니며 대화 내용의 이면에 담긴 중요한 감정 상태를 전달한다. 인간의 얼굴 표정은 매우 정교하고 민감한 의사소통 도구인 것이다.

- **윤곽**: 사물의 테두리나 대강의 모습
- **회의적**: 어떤 일에 의심을 품는 것
- **정교하고**: 내용이나 구성 따위가 정확하고 치밀하고

(라) 지금까지 살펴본 것처럼 인간의 얼굴은 생김새 면에서 여타의 포유류가 갖고 있는 얼굴과 뚜렷이 구별되는 특징들을 갖고 있다. 또한 다양하고 섬세한 표정을 지을 수 있어 의사소통 과정에서 중요한 역할을 하기도 한다. 이러한 점들을 생각하면서 우리 주변의 다양한 '얼굴'을 관찰하는 것은 꽤나 흥미로운 일이 될 것이다.

● 여타: 그 밖의 다른 것

1

수능형

〈자료〉는 윗글의 내용을 정리한 것이다. Ⓐ~Ⓔ의 내용으로 적절하지 않은 것은?

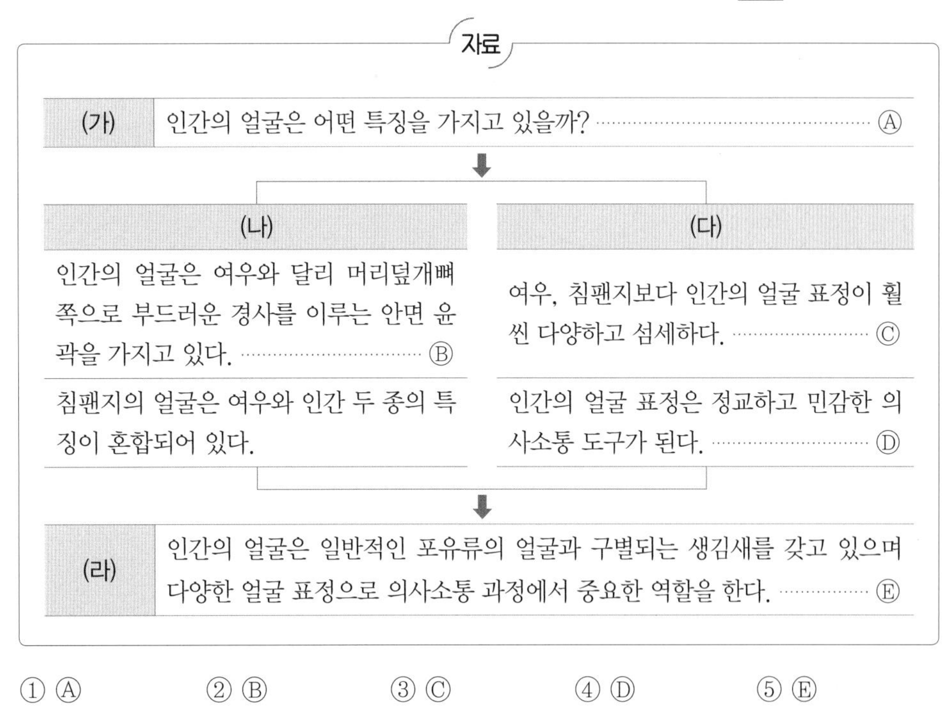

① Ⓐ ② Ⓑ ③ Ⓒ ④ Ⓓ ⑤ Ⓔ

사실적 사고

2

㉠~㉤에 활용된 설명 방식의 특징으로 적절하지 않은 것은?

① ㉠: 전문가의 말을 인용하여 인간의 얼굴에 대해 설명하고 있다.
② ㉡: 얼굴의 뜻을 설명하여 얼굴이 어느 부위를 가리키는 것인지 알려 주고 있다.
③ ㉢: 인간의 얼굴과 여우의 얼굴과의 차이점을 제시하여 인간의 얼굴이 갖는 특징을 이해시키고 있다.
④ ㉣: 구체적인 예를 들어 인간의 표정이 어떻게 말의 의미를 보강하는지 설명하고 있다.
⑤ ㉤: 사례를 나열하여 인간의 얼굴 표정이 의사소통 도구인 이유를 설명하고 있다.

어휘·어법

3

다음 밑줄 친 단어 중, 윗글의 그림자와 같은 의미로 사용된 것은?

① 그 배우는 경호원이 늘 그림자처럼 따라다녔다.
② 어머니의 얼굴에 수심의 그림자가 짙게 드리워져 있었다.
③ 호수에 비친 달의 그림자가 고즈넉한 분위기를 자아낸다.
④ 어둠이 내리자 그 마을에는 사람의 그림자도 볼 수 없었다.
⑤ 가로의 건물이 길 가운데까지 긴 그림자를 던지고 있었다.

1 이 글의 핵심 화제를 살펴보자.

인간 (   )의 특징

2 각 문단별 중심 내용을 정리해 보자.

3 핵심 내용을 구조화해 보자.

인간의 얼굴 특징

인간의 얼굴 생김새

- 긴 주둥이를 가진 여우와 달리 주둥이가 줄어들어 돌출된 흔적만 남아 있음
- 두개골 앞면에 둥글납작하며 수직으로 솟은 (   )가 있음
- (   )가 그대로 노출되어 있고 마른 코를 가지고 있음

인간의 얼굴 (   )

- 여우나 침팬지보다 인간의 얼굴 표정이 훨씬 다양하고 섬세함
- 말의 의미를 보강하는 인간의 다양한 얼굴 표정은 매우 정교하고 민감한 (   ) 도구임

어휘력 테스트

1 다음 단어의 뜻을 참고하여 끝말잇기를 완성해 보자.

2 다음 단어를 활용하기에 적절한 문장을 찾아 바르게 연결해 보자.

❶ 회의적 •

❷ 순식간 •

❸ 여타 •

• ㉠ 그들이 가꾼 곡식을 제대로 거두게 될지에 대해서는 모두들 (　　　　)이었다.

• ㉡ 그는 오로지 자기 일에만 파고들 뿐 (　　　　)의 일은 관심 밖이다.

• ㉢ 그가 사고를 당한 것은 (　　　　)이었다.

어휘·어법 확장

'얼굴'과 관련된 속담

날콩 씹은 상판	잔뜩 찡그린 얼굴 모양을 비유적으로 이르는 말
내 얼굴에 침 뱉기	남을 해치려고 하다가 도리어 자기가 해를 입게 된다는 것을 비유적으로 이르는 말
제 얼굴은 제가 못 본다	자기의 허물은 자기가 잘 모름을 비유적으로 이르는 말
세 끼 굶은 시어머니 상판 같다	보기 흉할 정도로 몹시 찌푸린 얼굴을 비유적으로 이르는 말
웃는 낯에 침 뱉으랴	웃는 낯으로 대하는 사람에게 침을 뱉을 수 없다는 뜻으로, 좋게 대하는 사람에게 나쁘게 대할 수 없다는 말

'트리즈적 사고'란 무엇일까?

- 핵심어를 찾아보자.
- 문단별 중심 내용에 밑줄을 그어 보자.
- 핵심 내용을 구조적으로 재배열해 보자.

가 루이스 캐럴의 「거울 나라의 앨리스」라는 소설을 보면, 앨리스가 레드 퀸에게 열심히 뛰는데 왜 앞으로 나아가지 못하느냐고 묻는 장면이 있다. 이 질문에 레드 퀸은 "같은 곳에 머물지 않으려면 온 힘을 다해 뛰어야 해."라고 대답한다. 그런데 레드 퀸이 아무리 열심히 달려도 바깥 환경 또한 그만큼 빨리 달라지기 때문에 레드 퀸은 늘 같은 자리에 머물 수밖에 없는 것이다.

나 이 같은 현상은 경영의 세계에서도 똑같이 나타난다. 뒤늦게 사업에 뛰어든 기업들은 먼저 사업을 시작한 기업을 따라잡기 위해 끊임없이 노력하지만 그 차이는 좀처럼 좁혀지지 않는다. 앞선 기업들 또한 뒤늦게 시작한 기업을 기다려 주지 않고 여러 가지 노력을 하기 때문이다. 이때 기업들의 순위를 뒤집을 수 있는 방법은 앞선 기업과 다른 ⓐ새로운 상품으로 승부를 거는 것이다. 그런데 앞선 기업들 역시 불황을 출발점으로 하여 경쟁 구도가 바뀔 가능성이 높다고 생각하여 똑같은 고민을 하게 된다.

다 이로 인해 요즘 기업들은 '트리즈(TRIZ)'라는 경영 이론에 관심을 두고 있다. '트리즈'는 러시아의 과학자인 겐리히 알츠슐러가 17년 동안 전 세계의 창의적인 특허 20여 만 건을 조사한 후에 만들어 낸 40가지의 ⓑ문제 해결 공식이다. '트리즈'는 '창의적 문제 해결을 위한 체계적 방법론'이라는 뜻으로, 러시아어의 이론(Teoriya), 해결(Resheniya), 발명(Izobretatelskikh), 문제(Zadatch)의 머리글자를 따 온 것이다. 이 이론은 제품을 개발하는 과정에서 발생하는 문제점 중에서 가장 바탕이 되는 것을 찾아낸 다음, 시스템을 통해 이를 통째로 해결한다는 경영 이론이다. 이 '트리즈'라는 이론은 제품 개발뿐 아니라 기업을 경영하는 상황에서도 널리 쓰이고 있다.

라 대표적인 사례로 일본의 한 기업은 '트리즈' 이론을 적용하여 경영에 대한 보통 사람들의 생각을 바꾸기도 했다. 이 기업은 1980년대 초반, 중국의 오토바이 시장에 나아가 1년 만에 현지 시장의 20%를 차지했는데, 중국의 한 현지 회사가 ⓒ'짝퉁 제품'을 만들어 시장에 3분의 1의 가격으로 내놓았고, 이로 인해 일본 기업은 위기에 부딪혔다. 중국 시장에서 선호하는 싼 가격의 오토바이를 만들어야 했지만, 생산 가격을 낮추는 데 어려움이 있었던 것이다. 일본 기업은 오랜 고민 끝에 중국 짝퉁 업체를 반대로 이용하기로 했는데, 복제한 오토바이 부품을 만드는 중국 현지 회사와 5대 5 합작 회사를 만든 것이다. 결국 합작 회사가 개발한 ⓓ싼 가격의 소형 오토바이는 1년 동안 117만

- **경영(經營)**: 기업이나 사업 따위를 관리하고 운영함
- **불황(不況)**: 경제 활동이 일반적으로 침체되는 상태
- **짝퉁**: 가짜나 모조품을 속되게 이르는 말
- **복제(複製)한**: 본디의 것과 똑같은 것을 만든
- **합작**: 둘 이상의 기업이 공동으로 출자하여 기업을 경영함. 또는 그런 기업 형태

대가 팔려 나가는 기록을 달성했다. 이때 일본 기업이 사용한 '트리즈' 공식은 '포개기(중국 현지 짝퉁 회사의 생산 시설 이용하기)', '역방향(짝퉁을 공격하거나 막기보다 협력을 선택하기)', '분리(대형과 소형 오토바이 사업을 나누어 진행하기)' 등이었다.

마 '트리즈'를 연구하는 사이먼 리트빈 박사가 강연에서 '트리즈적 사고'를 면도기 산업에 빗대어 설명하였는데, 이 강연이야말로 '트리즈적 사고'가 무엇인지 잘 말해 준다. "잘 깎이고 안전하다는 것을 강조해 봐야 시장은 꿈쩍도 하지 않는다. 슈퍼마켓에 나와 있는 모든 제품이 이 두 기준을 만족한다. 시장을 휘어잡으려면 매일 면도를 해야 한다는 고정 관념에 도전해야 한다. 피부 속 수염을 잡아당겨 깎는 방법으로 면도를 이틀이나 일주일에 한 번 할 수 있는 제품이 나온다면 소비자들은 지갑을 열 것이다." 결국 '트리즈적 사고'란 (㉠) 상황에 따라 ⓔ창의적으로 생각하는 방법을 말하는 것이다.

- **협력**: 힘을 합하여 서로 도움
- **고정 관념**: 잘 변하지 아니하는, 행동을 주로 결정하는 확고한 의식이나 관념

사실적 사고

1 수능형

윗글을 통해 알 수 있는 내용이 아닌 것은?

① '트리즈'는 수많은 특허의 사례를 조사한 후에 만들어 낸 문제 해결 공식이다.
② 열심히 달려도 같은 자리에 머물게 되는 것은 바깥 환경 또한 빨리 달라지기 때문이다.
③ '트리즈' 이론을 경영에 실제로 적용한 일본 기업은 오랜 기간 중국의 현지 회사와 갈등을 겪었다.
④ '트리즈' 이론은 원래 제품을 개발하는 과정에서 쓰였는데 이제는 기업을 경영하는 상황에서도 쓰인다.
⑤ 어떤 사업에 뒤늦게 뛰어든 기업들이 앞선 기업들을 따라잡기 위해서는 새로운 상품으로 승부를 걸어야 한다.

2

윗글의 흐름을 생각할 때 ㉠에 들어갈 내용으로 가장 적절한 것은?

① 시간과 돈을 절약할 수 있도록
② 다른 사람들과 어울려 살 수 있도록
③ 이미 존재하던 생각의 틀을 깰 수 있도록
④ 많은 사람들에게 편리함을 제공할 수 있도록
⑤ 물건을 사려는 사람들이 원하는 것을 모두 만족할 수 있도록

어휘·어법

3

ⓐ~ⓔ 중 '트리즈' 이론과 관련이 없는 것은?

① ⓐ ② ⓑ ③ ⓒ ④ ⓓ ⑤ ⓔ

1 이 글의 핵심 화제를 살펴보자.

(　　　　　　　　)의 의미와 이를 기업 경영에 적용한 구체적인 사례

2 각 문단별 중심 내용을 정리해 보자.

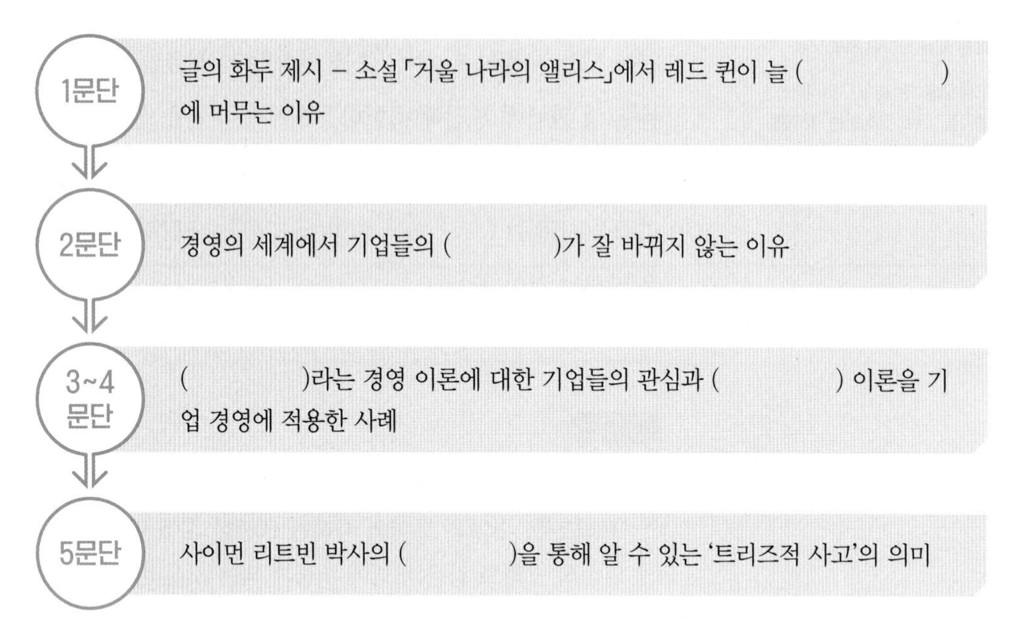

3 핵심 내용을 구조화해 보자.

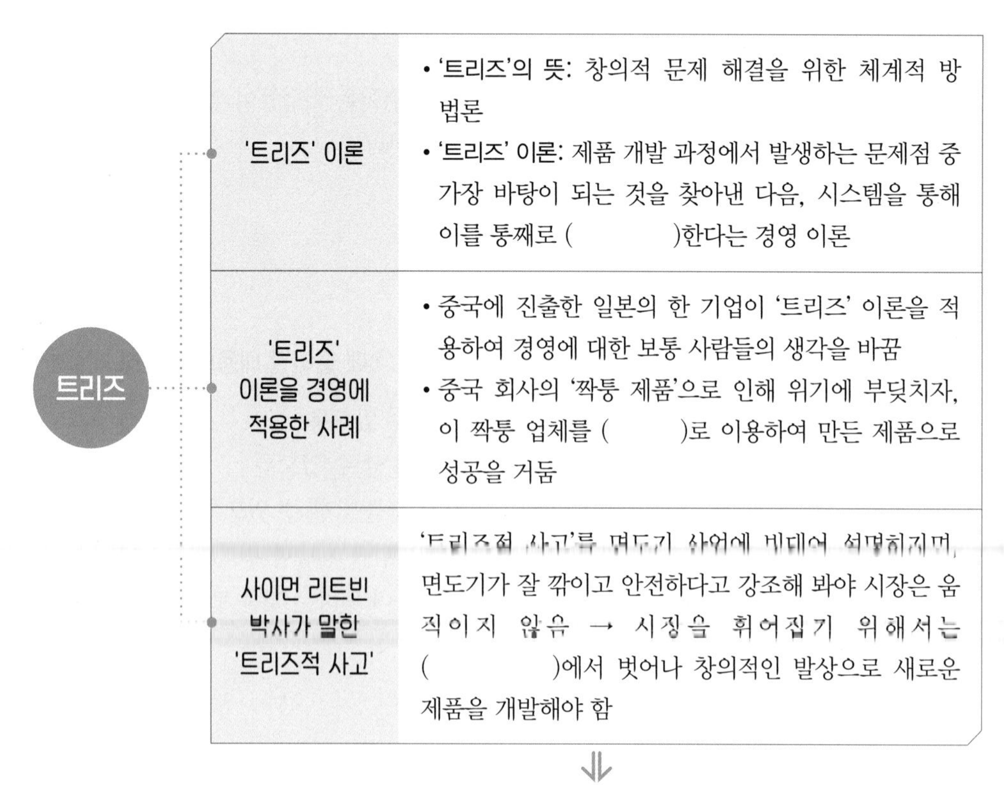

'트리즈적 사고'란 이미 존재하던 생각의 틀을 깰 수 있도록 상황에 따라 (　　　　　　)으로 생각하는 방법을 말함

어휘력 테스트

1 **제시된 뜻과 예문을 참고하여 다음 초성에 해당하는 단어를 괄호 안에 써 보자.**

(1) ㄱ ㅇ : 일정한 주제에 대하여 청중 앞에서 강의 형식으로 말함

예 (   )이 시작되자 북적북적하던 장내가 금방 조용해졌다.

(2) ㅂ ㅈ : 본디의 것과 똑같은 것을 만듦. 또는 그렇게 만든 것

예 벽면에 걸린 렘브란트의 풍경화는 물론 (   )일 것이지만 화폭이 꽤 크고 장중하다.

(3) ㅎ ㅈ : 둘 이상의 기업이 공동으로 투자하여 기업을 경영함. 또는 그런 기업 형태

예 우리 회사는 필리핀에 (   ) 공장을 건설하기로 하였다.

(4) ㅂ ㅎ : 경제 활동이 일반적으로 침체되는 상태

예 (   )으로 직장인의 지갑이 얇아졌다.

2 **다음 단어를 활용하기에 적절한 문장을 찾아 바르게 연결해 보자.**

❶ 창의적	• •	㉠ 그들은 ( )인 방법을 고안하였다.
❷ 체계적	• •	㉡ 그날 이후 운동에 대한 ( )을 완전히 깼다.
❸ 고정 관념	• •	㉢ 그 책은 ( ) 연구를 통하여 집필하였다.

어휘·어법 확장

'부딪히다'와 '부딪치다'의 구별

부딪히다	VS	부딪치다
1. 무엇과 무엇이 힘 있게 마주 닿게 되거나 마주 대게 되다. 또는 닿게 되거나 대게 되다. 예 운동장에서 뛰다가 달려오는 친구와 부딪혔다. 2. 예상치 못한 일이나 상황 따위에 직면하게 되다. 예 그녀는 냉혹한 현실에 부딪혔다.		1. '부딪다(무엇과 무엇이 힘 있게 마주 닿거나 마주 대다. 또는 닿거나 대게 하다.)'를 강조하여 이르는 말 예 자전거가 빗길에 자동차와 부딪쳤다. 2. '부딪다(예상치 못한 일이나 상황 따위에 직면하다.)'를 강조하여 이르는 말 예 그는 좋지 않은 예감에 부딪쳤다.

※ '부딪히다'는 '부딪다'의 피동사로 '피동, 의도가 없는 상황(=당하다/결과적으로 그렇게 되다), 다른 힘에 의해, 다른 힘에 의하여 움직이게 된 현상' 등으로 풀이할 수 있다. '부딪치다'는 '부딪다'를 강조하여 이르는 말로 '능동, 의도가 있는 상황(=그렇게 하다), 주체 스스로(다른 것에 의한 것이 아닌), 주체 스스로 움직이거나 작용한 현상' 등으로 풀이할 수 있다.

우리 모두의 신문 언어

- 핵심어를 찾아보자.
- 문단별 중심 내용에 밑줄을 그어 보자.
- 핵심 내용을 구조적으로 재배열해 보자.

가 정보 전달을 목적으로 하는 신문은 독자와의 원활한 소통과 객관성을 중시한다. 이 두 가지는 신문 기사가 갖춰야 할 기본적인 덕목이고, 신문이 신뢰를 얻는 바탕이기도 하다. 그러나 신문이 바람직하지 않은 언어를 사용함으로써 독자와의 소통을 가로막고 기사의 객관성을 위협하는 경우가 종종 있다.

나 '최첨단, 사상 최대, 최정상급, 초대형, 초박빙' 등과 같은 최상급 표현은 요즘 신문에서 쉽게 찾을 수 있는 표현이다. '첨단'이 모자라 '최첨단'이 되고, '박빙'이 성에 안 차 '초박빙'을 내세운다. 사실 신문에 날 정도의 사항이면 평범한 일은 아니지만 그렇다고 '최'나 '초' 자가 들어갈 만큼의 사건이나 상황은 아니다.

다 '살인적인 무더위'라든가 '살인적인 물가 상승', '살인적인 업무 시간' 등의 극단적인 표현도 ⓐ서슴없이 사용한다. 그리고 신문 기사에서 운동선수들은 대부분 한번쯤 '전사'가 되고 '비밀 병기'란 용어를 통해 '무기'가 된다. 이러한 표현들은 비유적으로 사용한 것이지만 경기의 과정보다는 승패에 집착하는 신문의 ⓑ편협성과 과격성을 반영한 것으로 볼 수 있다.

라 '가장'은 '여럿 가운데 어느 것보다 더', '여럿 가운데 으뜸으로'라는 뜻이다. 또한 '으뜸'은 '많은 것 가운데 가장 뛰어난 것' 또는 '첫째가는 것'을 뜻하므로 당연히 으뜸은 하나다. 따라서 ㉠'가장 존경받는 지도자 중 한 명으로'라는 식의 표현은 말이 되지 않을뿐더러 기사의 사실성에 대한 독자의 회의를 초래해 신뢰감을 떨어뜨린다. '가장 높은 산', '가장 빠르다'가 일상적이고 올바른 표현이듯 '가장 존경받는 지도자로 평가받는다'라고 하거나 '가장'을 빼는 게 적절하다. 그럼에도 이런 표현이 자주 보이는 것은 사실을 과장해서 더 드러나 보이게 하려는 심리가 한몫하기 때문이다.

마 신문에서 이러한 과장적인 표현과 극단적인 표현을 자주 사용하다 보면 자칫 최하와 최상의 말들만이 경쟁력 있는 것처럼 느끼게 해 독자의 사고를 ⓒ왜곡시킬 수 있다. 그리고 중간 지대에 있는 다양한 말들이 사라져 우리말의 풍부한 표현력이 ⓓ사장될 수 있다. 나아가 현상에 대한 ⓔ이분법적 사고가 굳어져 세상을 바라보는 독자의 눈을 흐리게 할 수도 있다.

바 신문 언어는 기사에 대한 독자의 관심을 유도하는 방법을 사용할 수 있다. 그러나 그것이 객관성을 왜곡하거나 독자와의 소통을 방해하는 언어 표현으로까지 이어지면

- **초박빙**: 구별할 수 없을 만큼 차이가 거의 나지 않음
- **비밀 병기**: 상대가 예측하지 못하도록 감추어 둔 중요한 수단이나 도구를 비유적으로 이르는 말
- **편협성**: 한쪽에 치우쳐 도량이 좁고 너그럽지 못한 성질이나 특성
- **회의(懷疑)**: 의심을 품음. 또는 마음속에 품고 있는 의심

안 된다. 언어가 발전한다는 것은 더 섬세한 표현을 하게 된다는 의미이기도 하다. 따라서 신문 언어는 언어 표현에 신중해야 하고, 국민들의 일상 언어생활에 끼치는 부정적 영향을 수시로 짚어 보아야 한다. 이를 위해 신문사 내부에 자체적인 감시 장치를 마련하거나 독자들의 불만이나 의견 등을 접수하여 처리하는 옴부즈맨 제도와 같은 체계적인 시스템을 강화할 필요가 있다.

사실적 사고

1 **윗글의 전개 과정을 정리한 내용으로 가장 적절한 것은?**

① 문제 제기 → 현황 소개 → 원인 분석 → 초래할 결과 설명
② 문제 제기 → 원인 분석 → 문제의 심각성 언급 → 해결책 제시
③ 문제 제기 → 현황 소개 → 초래할 결과 설명 → 해결 방안 제시
④ 현황 소개 → 초래할 결과 설명 → 원인 분석 → 해결 방안 제시
⑤ 현황 소개 → 문제의 심각성 언급 → 초래할 결과 설명 → 대안 제시

수능형

2 **신문에서 ㉠과 같은 표현을 사용하는 이유로 가장 적절한 것은?**

① 독자의 기호를 충족시켜 기사에 대한 호감도를 높이기 위해
② 독자의 흥미를 유도하여 기사에 대한 관심도를 높이기 위해
③ 독자의 회의적 반응을 방지해 기사에 대한 신뢰도를 높이기 위해
④ 독자의 호기심을 유발하여 기사의 객관성을 인정하도록 하기 위해
⑤ 독자의 욕구를 반영하여 기사에 대한 우호적 태도를 유도하기 위해

어휘·어법

3 **ⓐ~ⓔ의 사전적 의미로 적절하지 않은 것은?**

① ⓐ: 말이나 행동에 망설임이나 거침이 없이
② ⓑ: 한쪽에 치우쳐 도량이 좁고 너그럽지 못한 성질이나 특성
③ ⓒ: 굳어져 변하지 아니하게 될
④ ⓓ: 사물 따위가 필요한 곳에 활용되지 않고 썩음
⑤ ⓔ: 여러 가지 가능성이 있음에도 불구하고 두 가지의 가능성에 한정하여 사고하는 오류

1 이 글의 핵심 화제를 살펴보자.

바람직하지 않은 (　　　　　　) 사용의 문제점과 해결 방안

2 각 문단별 중심 내용을 정리해 보자.

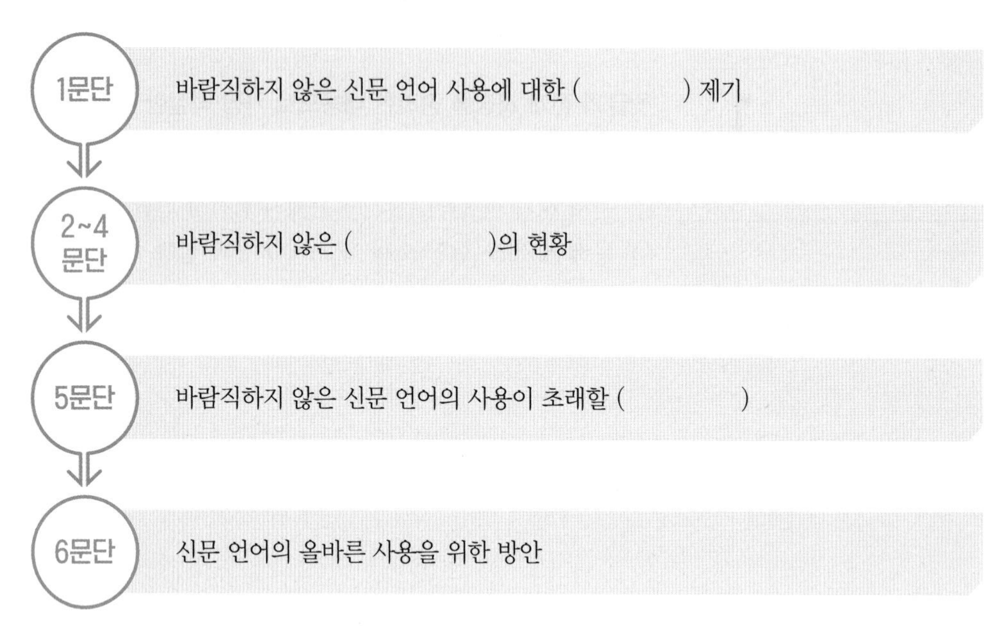

3 핵심 내용을 구조화해 보자.

신문 언어 사용에 대한 문제 제기	신문 기사에 바람직하지 않은 언어를 사용하여 독자와의 소통을 가로막고 기사의 (　　　　　　)을 위협함
바람직하지 않은 신문 언어의 현황	• 최상급 표현을 남용함 • (　　　　　　)이고 편협성과 과격성을 반영한 표현을 사용함 • 의미가 올바르지 않고 과장된 표현을 사용함
바람직하지 않은 신문 언어 사용의 문제점	• 독자의 사고를 (　　　　　　)시킬 수 있음 • 우리말의 풍부한 표현력이 사장될 수 있음 • 현상에 대한 이분법적 사고가 굳어져 세상을 바라보는 독자의 눈을 흐리게 할 수 있음
신문 언어의 올바른 사용을 위한 방안	• 신문 언어는 언어 표현에 (　　　　　　)해야 함 • 신문 언어는 국민들의 일상 언어생활에 끼치는 부정적 영향을 수시로 짚어 보아야 함 → 신문사에 자체적인 감시 장치 마련, 옴부즈맨 제도와 같은 체계적인 시스템 강화 등

어휘력 테스트

● 다음 괄호 안에 들어갈 단어의 뜻을 〈보기〉에서 골라 기호를 써 보자.

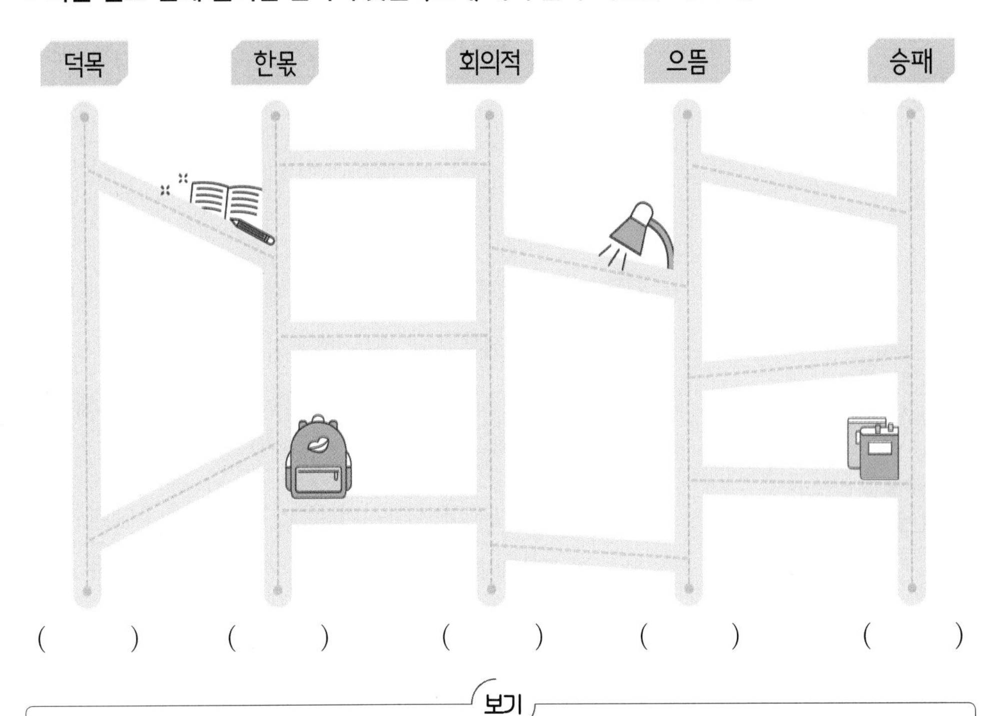

(　　) (　　) (　　) (　　) (　　)

보기

㉠ 한 사람이 맡은 역할
㉡ 어떤 일에 의심을 품는 것
㉢ 많은 것 가운데 가장 뛰어난 것
㉣ 승리와 패배를 아울러 이르는 말
㉤ 충(忠), 효(孝), 인(仁), 의(義) 따위의 덕을 분류하는 명목

어휘·어법 확장

'-을뿐더러? -을 뿐더러?

따라서 '가장 존경받는 지도자 중 한 명으로'라는 식의 표현은 말이 되지 않을뿐더러 기사의 사실성에 대한 독자의 회의를 초래해 신뢰감을 떨어뜨린다.

'-을뿐더러'와 '-을 뿐더러' 중 띄어쓰기가 올바른 것은 어느 것일까? 정답은 '-을뿐더러'이다.
'-을뿐더러'는 '어떤 일이 그것만으로 그치지 아니하고 나아가 다른 일이 더 있음을 나타내는 연결 어미'이므로 붙여 써야 한다.

예 그는 재산이 많을뿐더러 재능도 남에게 뒤질 것 없는 사람이다.

만 나이와 세는나이

- 핵심어를 찾아보자.
- 문단별 중심 내용에 밑줄을 그어 보자.
- 핵심 내용을 구조적으로 재배열해 보자.

가 우리나라에서는 새해가 되면 전 국민이 한 살씩 나이를 더 먹는다. 이렇게 나이를 세는 방식을 '세는나이' 또는 '한국식 나이'라고 한다. 그런데 우리나라에서는 '세는나이' 외에 '만 나이'도 쓰인다. '만 나이'는 0세부터 시작해서 출생일에 나이를 더하는 나이 셈법이다.

나 나이를 계산하는 방식이 두 가지이다 보니 생활에서 혼란을 겪는 경우가 많다. 가령 극장에서 영화를 볼 수 있는지, 선거 날 투표를 할 수 있는지와 같은 고민부터 '만 나이'를 기재해야 하는 공문서에 '세는나이'로 잘못 기재하는 일까지 혼란스러운 일이 비일비재하다. 이러한 혼란을 줄일 수 있는 방법은 '만 나이'로 나이 셈법을 통일하는 것이다. 그 이유는 다음과 같다.

다 첫째, '만 나이'를 사용하는 것이 법의 규정에 부합한다. 우리 민법은 1962년부터 '만 나이'를 사용할 것을 명시하고 있다. 그래서 공문서나 법조문, 보험 문서에서는 공식적으로 '만 나이'를 사용한다. 2013년 개정된 민법을 보면, '만 20세'로 표기했던 성년의 나이를 '만' 자를 뺀 '19세'로 바꾸었다. 이 개정안은 법률적으로 나이를 셀 때에는 '만 나이'로 계산해야 한다는 것을 상징적으로 보여 주는 것이다.

라 둘째, '만 나이'는 '세는나이'에 비해 계산 방식이 더 합리적이다. 아래 그림에서 2014년 12월 26일에 태어난 아이를 통해 '만 나이'와 '세는나이'의 차이를 살펴보자. '세는나이' 셈법으로 이 아이는 태어난 순간 1살이 되고, 며칠 뒤 2015년 1월 1일이 되면 바로 2살이 된다. 출생 후 1살을 더하기까지의 기간이 출생일에 따라 모두 다르다. 반면 '만 나이' 셈법으로 이 아이는 2015년 12월 26일이 되었을 때 1살을 더하게 된다. 누구나 출생일에서 1살을 더하기까지의 기간이 동일한 것이다.

[A]
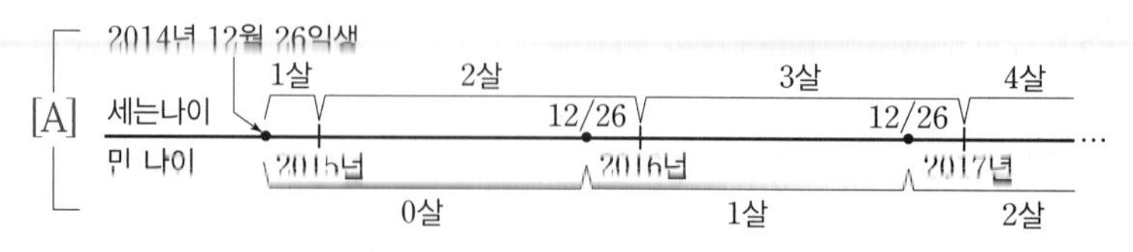

마 셋째, '만 나이'의 사용은 국제 사회의 흐름에도 부합한다. 사실 '세는나이'는 우리나라에서만 쓰이는 나이 셈법이다. ㉠<u>근대 이전에는 동아시아의 여러 국가가 '세는나이'를 사용하였다.</u> 그러나 중국, 일본, 베트남 등의 국가는 근대화를 거치면서 '세는나이'의 방법을 버리고 '만 나이'만을 사용하고 있다. 대부분의 국가에서 종교와 관계없이

- **세는나이**: 태어난 해를 1년으로 쳐서 함께 세는 나이
- **만(滿)**: 날, 주, 달, 해 따위의 일정하게 정해진 기간이 꽉 참을 이르는 말
- **비일비재(非一非再)**: 같은 현상이나 일이 한두 번이나 한둘이 아니고 많음
- **명시하고**: 분명하게 드러내 보이고

서력기원을 쓰고 있듯, 우리도 '만 나이'를 사용하는 문화를 정착시켜야 한다.

바 우리나라의 나이 셈법을 '만 나이'로 통일하면 일상생활에서 겪는 여러 가지 혼란을 피할 수 있다. 또한 '만 나이'로 통일하면 공공 기관, 기업, 병원 등에서 '세는나이'를 '만 나이'로 환산해서 적용하는 데 따르는 사회적 비용도 줄일 수 있다. 사회 관습과 사회 인식을 개선해야 하므로 시간이 다소 걸릴 수 있겠지만 '만 나이'로 통일해야 하는 이유는 충분해 보인다.

서력기원: 기원 원년 이후. 주로 예수가 태어난 해를 원년으로 하여 이름

사실적 사고

1

[A]의 기능에 대한 설명으로 가장 적절한 것은?

① 글에 나타나지 않은 사례를 추가한다.
② 글의 모든 근거를 종합하여 보여 준다.
③ 앞으로 제기할 문제를 압축적으로 제시한다.
④ 두 대상이 지닌 차이를 시각적으로 드러낸다.
⑤ 제기한 문제 상황에 대한 해결 방안을 제시한다.

2

수능형

〈보기〉는 윗글의 내용을 요약한 것이다. 빈칸에 들어갈 말로 가장 적절한 것은?

보기

우리나라는 '만 나이'와 '세는나이'를 혼용하고 있으므로 실생활에서 혼란을 겪는 경우가 많다. '만 나이'는 민법에 명시되어 있는 공식적인 나이 셈법이고, '세는나이'에 비해 합리적이다. 또한 (   ). 따라서 우리나라에서 사용되는 나이 셈법을 '만 나이'로 통일해야 한다.

① 현재의 나이 셈법에 개선이 필요한 시점이다
② '만 나이'의 사용은 국제 사회의 흐름에 부합한다
③ 공문서나 법조문, 보험 문서에서 '만 나이'를 사용한다
④ 사회 관습과 사회 인식을 개선하는 데 시간이 걸릴 수 있다
⑤ 개정된 민법에서 '만 20세'로 표기했던 성년의 나이를 '만' 자를 뺀 '19세'로 바꾸었다

어휘·어법

3

〈보기〉를 근거로 할 때, 문장의 구성 방식이 ㉠과 같지 않은 것은?

보기

㉠에서 주어는 '국가가'이고 서술어는 '사용하였다'이다. 이처럼 주어와 서술어의 관계가 한 번만 나타나는 문장을 홑문장이라고 한다.

① 선미는 영화를 보았다.
② 낙엽이 우수수 떨어진다.
③ 벼락이 치고 비가 내린다.
④ 비밀이 만천하에 드러났다.
⑤ 형이 방에서 음악을 듣는다.

1 이 글의 핵심 화제를 살펴보자.

우리나라의 나이 셈법을 (   )로 통일해야 하는 이유

2 각 문단별 중심 내용을 정리해 보자.

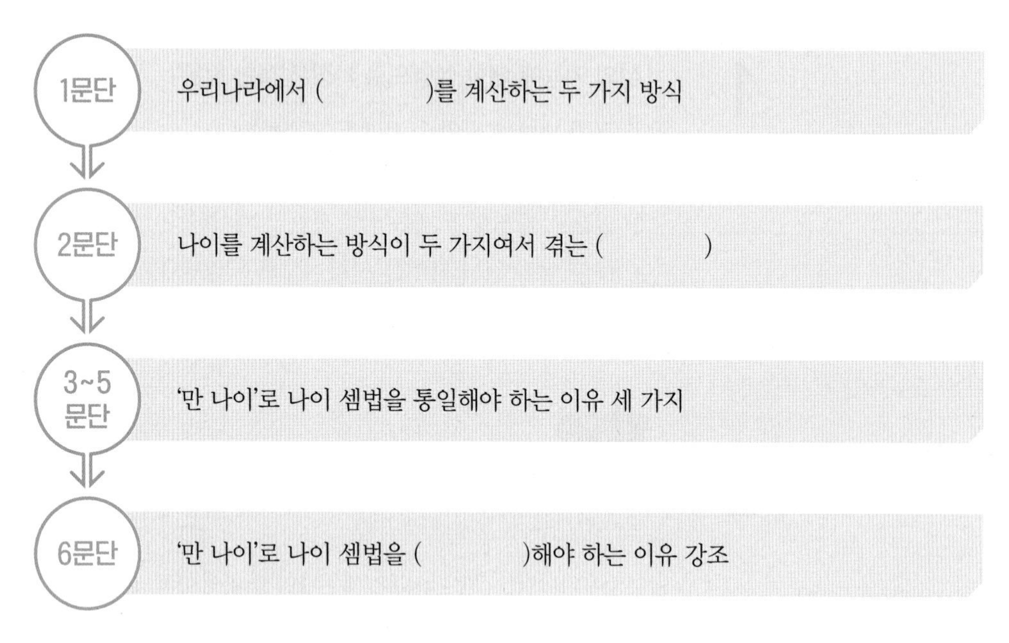

3 핵심 내용을 구조화해 보자.

우리나라의 나이 셈법 - '만 나이'와 '세는나이'

나이 셈법의 혼용으로 인한 혼란을 줄이는 방법	'만 나이'로 나이 셈법을 통일해야 하는 이유
• 우리나라에서 나이를 세는 방식은 '세는나이'와 '만 나이'가 혼용됨 • 나이를 계산하는 방식이 두 가지여서 생활에서 혼란을 겪음 → 혼란을 줄이기 위한 방법은 ( )로 나이 셈법을 통일하는 것임	• '만 나이'를 사용하는 것이 ( )에 부합함 • '만 나이'는 '세는나이'에 비해 계산 방식이 더 ( )임 • '만 나이'의 사용은 ( )의 흐름에 부합함

⇓

우리나라의 나이 셈법을 '만 나이'로 통일하면 일상생활의 혼란을 피할 수 있고, 사회적 비용을 줄일 수 있음

어휘력 테스트

1

제시된 뜻과 예문을 참고하여 다음 초성에 해당하는 단어를 괄호 안에 써 보자.

(1) ㄱ ㅅ : 어떤 사회에서 오랫동안 지켜 내려와 그 사회 성원들이 널리 인정하는 질서나 풍습

예 다른 사람을 기다리게 하는 것은 우리의 (　　　　　)으로 보아 예의에 어긋나는 일이다.

(2) ㅇ ㅅ : 사물을 분별하고 판단하여 앎

예 그는 역사에 대한 (　　　　　)이 없다.

(3) ㄱ ㅅ : 잘못된 것이나 부족한 것, 나쁜 것 따위를 고쳐 더 좋게 만듦

예 우리는 관계 (　　　　　)을 위해 서로 노력하기로 하였다.

2

다음 〈보기〉의 뜻을 참고하여 십자말풀이를 완성해 보자.

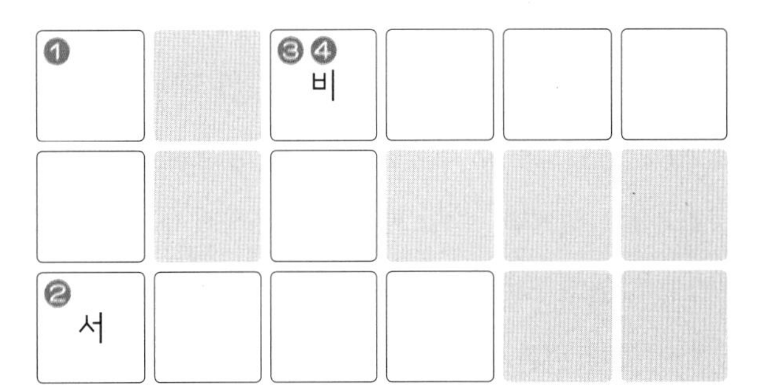

보기

❶ 세로: 공공 기관이나 단체에서 공식으로 작성한 서류
❷ 가로: 기원 원년 이후. 주로 예수가 태어난 해를 원년으로 하여 이른다.
❸ 가로: 같은 현상이나 일이 한두 번이나 한둘이 아니고 많음
❹ 세로: 상품이나 서비스의 수요가 많지 아니한 시기

어휘·어법 확장

관계없다? 관계 없다?

대부분의 국가에서 종교와 관계없이 서력기원을 쓰고 있듯, 우리도 '만 나이'를 사용하는 문화를 정착시켜야 한다.

'관계없다'에서 '없다'를 띄어 쓸 수 있을까? '관계없다'는 '서로 아무런 관련이 없다.'는 뜻의 합성어이므로 붙여 써야 한다. 다만, 조사가 붙을 때에는 '관계가 없다'와 같이 띄어 쓰고, 조사가 붙지 않을 때에는 합성어인 '관계없다'로 붙여 쓰는 것이 적절하다. 또한 '아무 관계 없어.'의 경우, 관형사 '아무'는 명사를 꾸며 주어야 하기 때문에 '관계'가 명사가 아니면 어법에 바르지 않으므로 '아무 관계(가/도) 없어.'로 띄어 써야 한다. [관계(명사), 관계없다(형용사)]

아스피린의 역사

- 핵심어를 찾아보자.
- 문단별 중심 내용에 밑줄을 그어 보자.
- 핵심 내용을 구조적으로 재배열해 보자.

가 아스피린은 두통약의 대명사로 통용될 만큼 전 세계에 알려진 의약품이다. 아스피린에 함유된 아세틸살리실산의 기원은 고대 그리스 시대까지 올라간다. 기원전 4세기 히포크라테스는 조팝나무 껍질에서 추출한 물질이 통증을 완화시킨다는 사실을 발견하였다. 그래서 중세에는 조팝나무 껍질을 삶아서 얻은 즙을 진통제와 해열제로 이용하였다.

나 1828년 뮌헨의 약학 교수 부흐너는 조팝나무 껍질에서 쓴맛이 나는 노란 결정을 얻었다. 그는 이 물질에 조팝나무의 라틴어 표현인 '살릭스(salix)'를 따서 '살리신(salicin)'이라는 이름을 붙였다. 10년 뒤 프랑스 화학자들은 살리신에서 살리실산을 만들어 내는 데 성공했고, 그 후 1870년 독일의 화학자 헤르만 콜베는 살리실산의 구조를 밝혀내, 합성 살리실산을 제조할 수 있는 공정을 개발했다. 살리실산은 통증을 줄이는 데에는 효과적이었지만, 쓴맛 때문에 복용하기가 힘들었으며 환자들의 위장 점막을 손상시키기도 하였다. 이런 문제를 해결하기 위해 아이헨그륀과 호프만 등은 살리실산의 분자를 다양하게 변환시키는 연구를 하였고, 마침내 살리실산을 아세트산으로 변환시키는 과정에서 아세틸살리실산, 즉 아스피린을 만들어 냈다. 그것은 살리실산과 동일한 효능을 지녔으면서도 복용하기에는 훨씬 편했다.

다 아스피린은 1899년에 베를린 제국 의회의 상표 심사를 통과하여 처음 의약품으로 판매되기 시작했으며, 1900년에는 미국 특허청에 그 제조와 이용에 관한 특허가 등록되었다. 그러나 이후 70여 년 동안 아스피린이 몸속에서 어떻게 작용하는지 제대로 파악되지 못한 상태에서 처방되었다. 이는 오늘날의 기준으로 보면 상상하기 힘든 일이다.

라 아스피린의 작용 원리는 1971년에 이르러서야 영국의 약학자 존 베인에 의해 밝혀졌다. 사람이 상처를 입으면 세포들이 손상되면서 세포막에서 다중불포화지방산이 분비된다. 이것은 세포벽을 부드럽게 만드는 지방산이다. 이때 효소인 사이클로옥시게나제의 작용으로 다중불포화지방산은 프로스타글란딘이라는 물질로 변화된다. 체내에 발생한 프로스타글란딘은 혈관의 확장과 수축, 즉 혈소판의 활동을 제어하는 동시에 체내의 열, 통증, 염증에 관여하는데, 그 중 통증은 이 물질이 통증 수용체가 자리하고 있는 신경 섬유를 자극함으로써 생겨나는 것이다. 그리고 아세틸살리실산은 사이클로옥시게나제를 차단함으로써 프로스타글란딘의 합성을 막는 것이다. 이러한 사실을 밝혀낸 존 베인은 1982년 노벨 의학상을 받았다.

- **의약품**: 병을 치료하는 데 쓰는 약품
- **추출한**: 전체 속에서 어떤 물건, 생각, 요소 따위를 뽑아낸
- **공정**: 한 제품이 완성되기까지 거쳐야 하는 하나하나의 작업 단계
- **다중불포화지방산**: 탄소를 기준으로 한 이중 결합이 3개 이상인 불포화 지방산
- **혈소판**: 어혈액의 고형(固形) 성분의 하나. 핵이 없는 불규칙한 모양으로, 골수에 있는 거대 핵세포에서 만들어짐
- **수용체**: 세포막이나 세포 내에 존재하며 호르몬이나 항원, 빛 따위의 외부 인자와 반응하여 세포 기능에 변화를 일으키는 물질

마 훗날 아스피린이 혈소판의 응고를 방지하고 혈전을 예방할 수 있다는 사실이 ㉠밝혀지면서 그 적용 범위가 확대되었다. 소량의 아스피린만으로도 갑작스러운 심장 발작을 예방하고, 엄마 뱃속에 있는 태아의 혈액 공급을 개선하는 데 효과가 있기 때문이다. 현재 아스피린은 연구가 가장 많이 된 의약품 중 하나이며, 지금도 다양한 효능에 관한 연구 결과들이 계속해서 발표되고 있다.

혈전: 생물체의 혈관 속에서 피가 굳어서 된 조그마한 핏덩이

사실적 사고

1

수능형

윗글의 내용과 일치하는 것은?

① 아세틸살리실산은 기원전 4세기에 히포크라테스가 조팝나무 껍질에서 처음 발견하였다.
② 아스피린이 심장 발작을 예방할 수 있는 것은 통증을 완화시키는 효능이 있기 때문이다.
③ 아스피린이 베를린 제국 의회의 상표 심사를 통과하기 전까지 아세틸살리실산의 처방은 불법이었다.
④ 과거에 아스피린의 작용 원리가 밝혀지지 않은 채 처방된 것은 오늘날로서는 상상하기 힘든 일이다.
⑤ 살리실산을 아세트산으로 변환시킨 물질은 통증을 줄이는 데 효과적이었지만 쓴맛 때문에 복용이 어려웠다.

2

〈보기〉는 (라)에 제시된 아스피린의 작용 원리를 도식화한 것이다. Ⓐ~Ⓔ 중 아스피린이 실제로 작용하는 지점에 해당하는 것은?

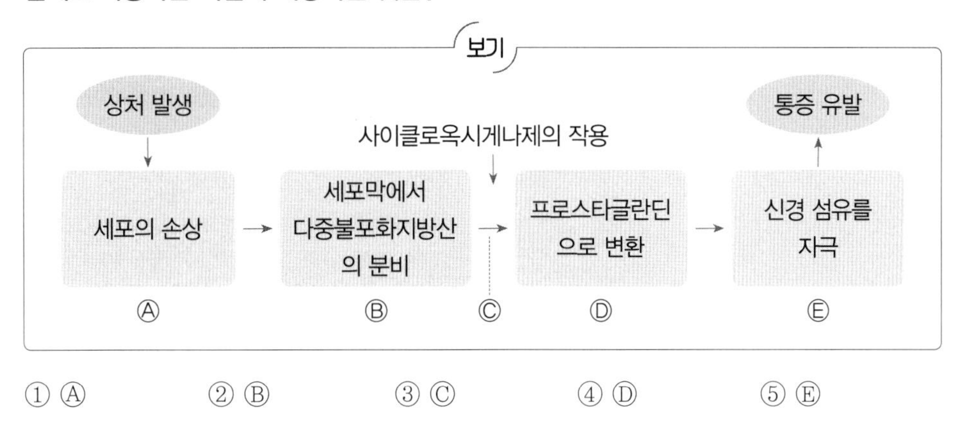

① Ⓐ ② Ⓑ ③ Ⓒ ④ Ⓓ ⑤ Ⓔ

어휘·어법

3

㉠과 바꾸어 쓰기에 가장 적절한 것은?

① 상기(想起)되면서
② 추정(推定)되면서
③ 전달(傳達)되면서
④ 규명(糾明)되면서
⑤ 구현(具現)되면서

1 이 글의 핵심 화제를 살펴보자.

(　　　　　)의 역사

2 각 문단별 중심 내용을 정리해 보자.

3 핵심 내용을 구조화해 보자.

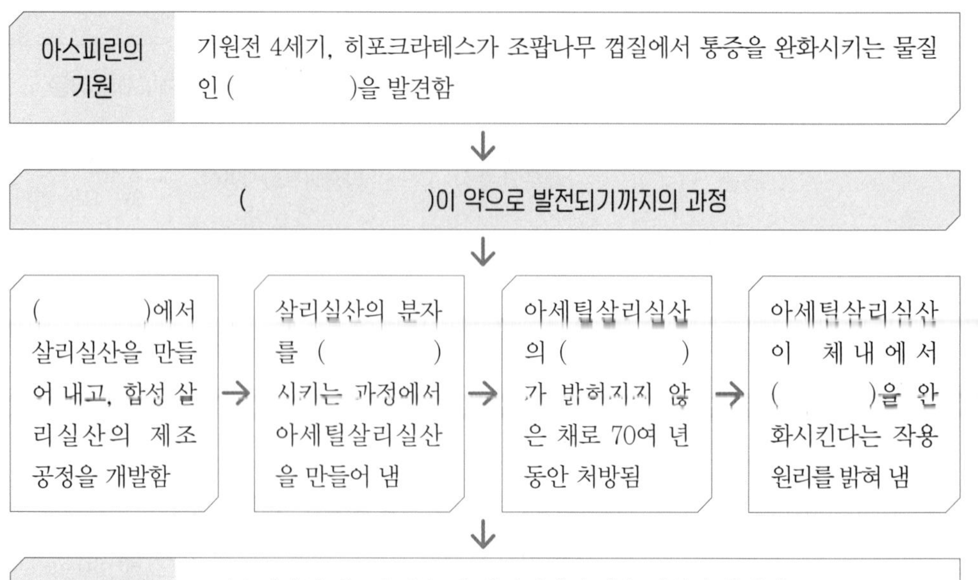

• 정답과 해설 40쪽

어휘력 테스트

1 다음 단어의 뜻을 참고하여 끝말잇기를 완성해 보자.

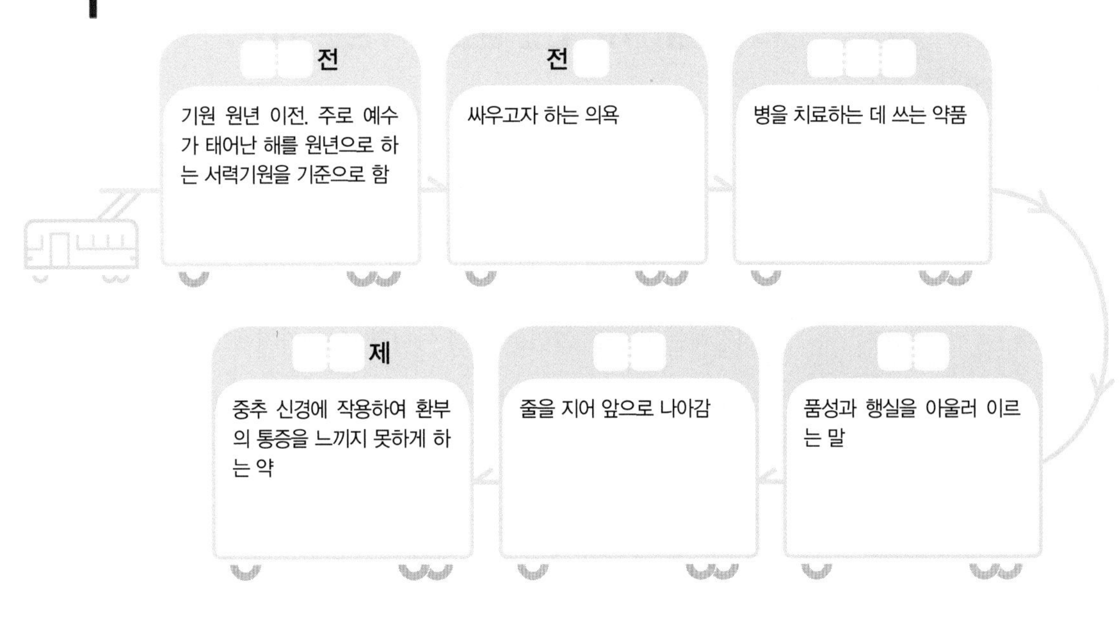

2 다음 단어를 활용하기에 적절한 문장을 찾아 바르게 연결해 보자.

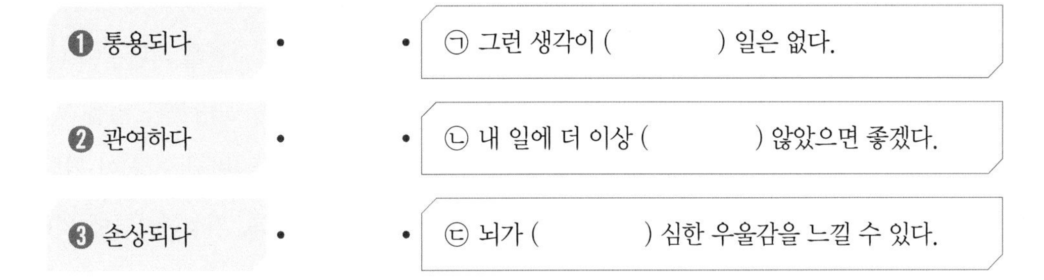

어휘·어법 확장

피동 표현 – 통용되다, 처방되다, 변환되다, 발표되다

능동문: 혈관 질환 환자에게 아스피린을 처방하다. → 피동문: 혈관 질환 환자에게 아스피린이 처방되다.

피동 표현은 주어가 다른 주체에 의해서 어떤 동작이나 행위를 당하게 되는 것을 나타내는 표현을 말한다. 피동 표현은 보통 동사에 피동 접미사 '-이-, -히-, -리-, -기-'를 붙이거나 어간에 '-어/-아지다', '-게 되다'를 붙여 만든다. 또 '통용되다, 처방되다, 변환되다, 발표되다' 등과 같이 '-하다'가 붙는 말에 '-되다'가 붙어 실현되기도 한다. 이와 같은 피동 표현을 사용하면 행위를 당하는 대상을 강조하거나 외부 상황에 의해 어떤 일이 일어남을 드러낼 수 있다.

과학 02

번개는 어떻게 만들어질까?

- 핵심어를 찾아보자.
- 문단별 중심 내용에 밑줄을 그어 보자.
- 핵심 내용을 구조적으로 재배열해 보자.

가 사람들에게 번개 ㉠치는 장면을 그려 보라고 하면 구름에서 지상까지 직선으로 ㉡하강하는 모습을 그리는 것이 아니라, 나뭇가지 모양이나 지그재그로 내려오는 모습을 그린다. 왜 그럴까? 빛의 성질 중에는 굴절이라는 현상이 있는데, 굴절은 파동이 하나의 매질에서 다른 매질로 진입하는 경계면에서 속도 차이로 인해 나아가는 방향이 바뀌는 현상이다. 이러한 현상은 빛이 진행할 때는 최단 거리 경로가 아닌 최소 시간 경로로 이동하며, 매질에 따라 빛의 속력이 다르기 때문에 나타난다. 번개는 엄청난 에너지를 지닌 채 지상에 내려오므로 그 주변의 ㉢대기 상태가 매우 불안정하다. 번개는 이런 불안한 상태의 대기를 지나면서 최대한 빨리 내려오기 위해 가장 빠른 길을 찾아 요리조리 왔다 갔다 하다 보니 지그재그 형태를 ㉣그리며 내려오는 것이다.

나 이러한 번개가 만들어지기 위해서는 우선 여름철에 내리쬐는 강한 태양 광선이 지표의 공기를 가열시키고, 가열되어 가벼워진 공기는 위로 올라가 상승 기류를 형성해야 한다. 상승 기류는 여러 가지 구름을 만드는데, 그중에서 바닥은 평평하면서 웅장한 산봉우리 모양으로 하늘 높이 솟아오르는 구름을 적란운(소나기구름)이라 한다.

다 적란운 속에 있던 많은 양의 작은 물방울과 얼음 입자가 더욱 상승하여 온도가 −20℃보다 훨씬 낮은 상태가 되면, 뇌운(번개 구름)이 된다. 모든 전기 현상을 일으키는 것은 전하인데, 기상학자들에 의하면, 적란운에서 상승하는 작은 물방울과 얼음 입자가 적란운의 바닥으로 하강하는 얼음 입자 혹은 우박과 충돌하면서 전하의 분리가 나타난다고 한다. 상승하는 입자들은 양전하를 띠지만, 하강하는 입자들은 음전하를 띠기 때문에 구름의 윗부분은 강한 양전하를, 구름의 바닥 부분은 강한 음전하를 가진다. 뇌운 속에서 분리되어 쌓인 위쪽의 양전하와 바닥 쪽의 음전하가 충돌하면서 번개가 발생하는 것이다. 또는 뇌운이 지표면 위를 지나가면서 뇌운의 바닥 쪽에 강한 음전하가 마치 그림자를 드리우는 듯 지표면의 양전하를 유도해 끌고 다닐 때에도 번개가 발생할 수 있다. 이때 뇌운과 지표면의 전하가 충돌하면서 발생하는 스파크(전기 불꽃)가 번개다.

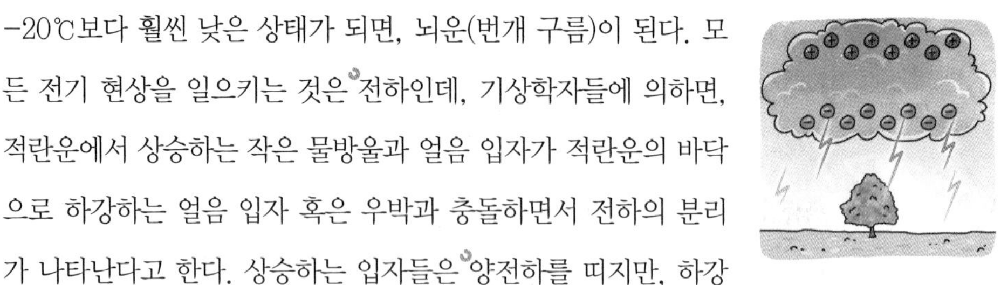

- **매질**: 파동 또는 물리적 작용을 다른 곳으로 옮겨 주는 매개물
- **기류**: 온도나 지형의 차이로 말미암아 일어나는 공기의 흐름
- **전하**: 물체가 띠고 있는 정전기의 양
- **양전하**: 양의 전기를 띤 전하
- **음전하**: 음의 전기를 띤 전하

라 한편, 번개가 치는 것을 대개 구름에서 지상으로 내려오는 것처럼 표현하는데 사실 전류가 흐르는 현상 자체는 지상에서 구름을 향해 일어난다. 구름의 바닥 부분 밑으

로 스텝 리더(음전하로 대전된 보이지 않는 공기 기둥)가 생기고 이 공기 기둥은 순식간에 지상에 있는 물체, 이를테면 높은 나무나 빌딩 근처까지 가지를 ⓜ치듯 형성된다. 그때 지상에 있는 물체에서 발생한 스파크가 갑자기 커져 순식간에 위쪽으로 올라가 스텝 리더를 만난다. 그 즉시 스텝 리더는 도선의 역할을 하며 음전하들이 구름의 밑부분으로 다시 돌아가는 경로가 되어 찬란하고 밝은 빛으로 보인다. 실제로 우리가 보는 번개는 이렇게 음전하들이 구름 쪽으로 되돌아 흘러서 발생하는 빛인 것이다.

- **대전된**: 어떤 물체가 전기를 띤
- **도선**: 전류를 통하게 하는 줄

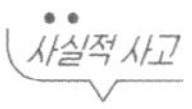

1 **윗글을 통해 해결할 수 있는 질문이 아닌 것은?**

① 번개가 생성되기 위한 조건에는 무엇이 있는가?
② 번개 치는 모양은 빛의 어떤 성질에 의해 결정되는가?
③ 번개가 발생하는 순간 전하의 이동과 방향은 어떠한가?
④ 번개의 발생에 적란운의 이동이 어떠한 영향을 끼치는가?
⑤ 번개가 치기 전에 뇌운 속에서는 어떠한 현상이 일어나는가?

추론적 사고

2 수능형 **〈보기〉는 번개가 치는 모습을 표현한 것이다. 이에 대한 설명으로 적절하지 않은 것은?**

보기

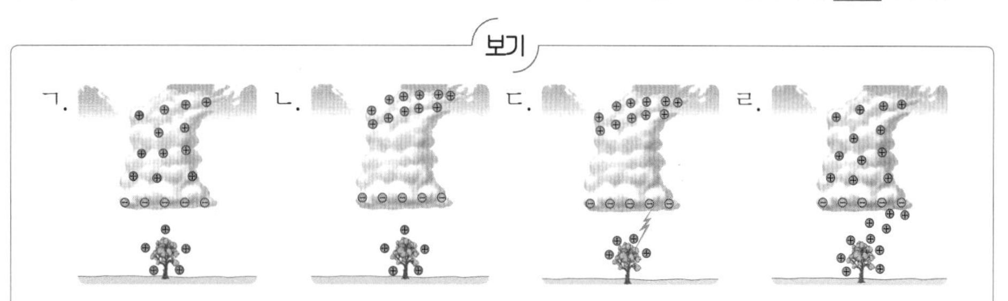

① 〈보기〉의 그림 속 구름은 뇌운으로, 상승하는 입자와 하강하는 입자가 충돌하면서 전하의 분리가 시작된다.
② ㄱ에서 나무에 양전하가 유도된 것은 나무가 높은 위치에 있어 구름과 가깝기 때문이다.
③ ㄴ에서 구름 바닥 부분 밑에, 보이지는 않지만 스텝 리더가 있을 것이다.
④ ㄷ에서 스텝 리더는 점점 커지면서 나무와 같은 물체에 접근하게 되는데, 이때 구름에서 갑자기 스파크가 발생한다.
⑤ ㄹ은 나무의 양전하와 마주친 음전하가 구름 밑으로 되돌아오고 대기 중에 양전하만 남은 상황을 보여 준다.

어휘·어법

3 **㉠~㉤을 사용하여 만든 문장으로 적절하지 않은 것은?**

① ㉠: 천둥 치는 소리에 잠이 깼다.
② ㉡: 주가가 연일 하강 곡선을 긋고 있다.
③ ㉢: 심호흡을 하여 신선한 대기를 들이마셨다.
④ ㉣: 그는 오래전에 상처했으나 아직도 옛날 부인을 그리고 있다.
⑤ ㉤: 나무가 가지를 많이 쳐서 제법 무성하다.

1 이 글의 핵심 화제를 살펴보자.

번개의 특성과 (　　　　) 과정

2 각 문단별 중심 내용을 정리해 보자.

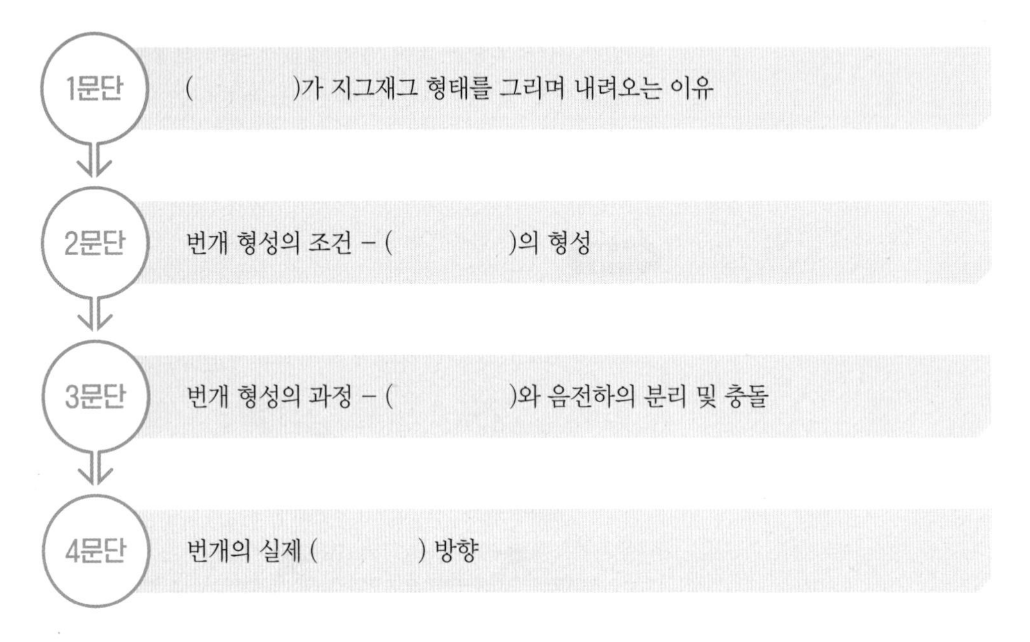

3 핵심 내용을 구조화해 보자.

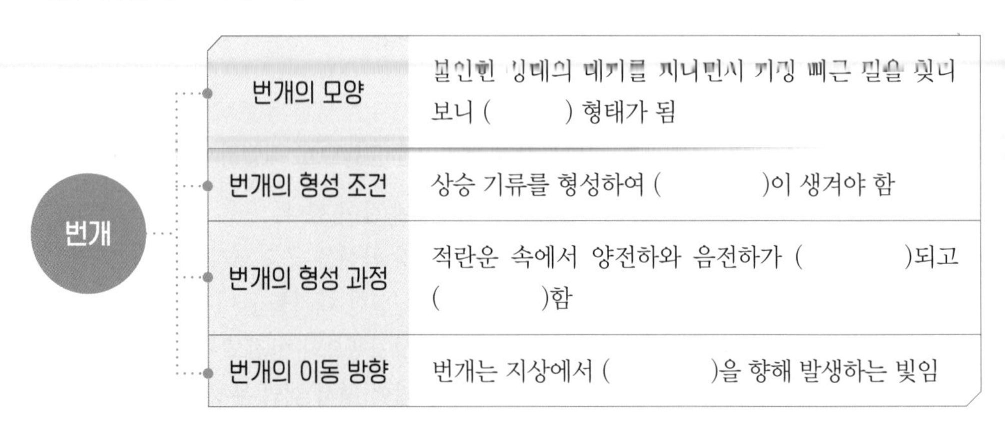

• 정답과 해설 42쪽

어휘력 테스트

● 다음 괄호 안에 들어갈 단어의 뜻을 〈보기〉에서 골라 기호를 써 보자.

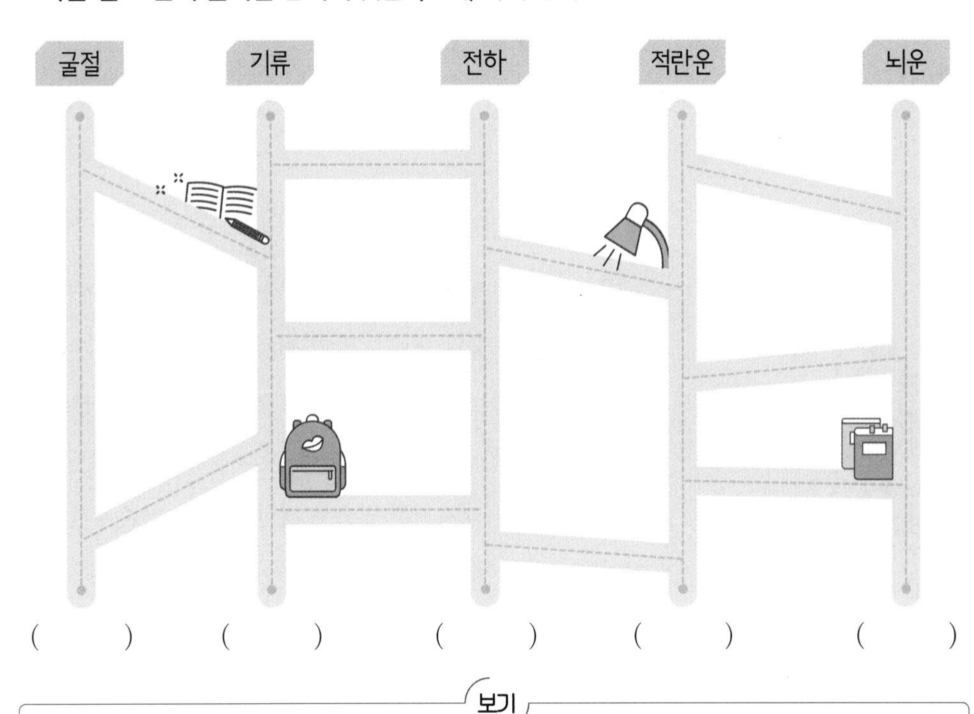

( ) ( ) ( ) ( ) ( )

보기

㉠ 물체가 띠고 있는 정전기의 양
㉡ 번개, 천둥, 뇌우 따위를 몰고 오는 구름
㉢ 온도나 지형의 차이로 말미암아 일어나는 공기의 흐름
㉣ 광파, 음파, 수파 따위가 한 매질에서 다른 매질로 들어갈 때 경계면에서 그 진행 방향이 바뀌는 현상
㉤ 위는 산 모양으로 솟고 아래는 비를 머금고 있는 구름. 물방울과 작은 얼음 결정을 포함하고 있어 우박, 소나기, 천둥 등을 동반하는 경우가 많음

어휘·어법 확장

'번개'와 관련된 속담 하나

번개가 잦으면 천둥을 한다

1. 어떤 일의 징조가 잦으면 반드시 그 일이 생기기 마련임을 비유적으로 이르는 말이다.
2. 나쁜 일이 잦으면 결국에는 큰 봉변을 보게 됨을 비유적으로 이르는 말이다.

지렁이의 유용성

- 핵심어를 찾아보자.
- 문단별 중심 내용에 밑줄을 그어 보자.
- 핵심 내용을 구조적으로 재배열해 보자.

가 예전에는 땅 위를 소리 없이 기어 다니는 지렁이를 흔하게 볼 수 있었지만, 요즘은 아스팔트로 포장된 도로가 많아 지렁이를 보는 일이 어려워졌다. 어쩌다 지렁이를 보게 되더라도 생긴 모양이 징그럽다고 지렁이를 피해 다니거나 혐오의 대상으로 취급하는 사람들이 많다. 그러나 지렁이를 이와 같이 무시하는 것은 옳지 못하다. 우리나라에서 지렁이는 소나 돼지처럼 법으로 정한 엄연한 가축이기 때문이다. 가축이란 인간 생활에 유용하게 사용하기 위해 기르는 동물이다. 그렇다면 지렁이는 어떤 이유에서 가축이 되었을까?

나 첫째, 농업을 위해 지렁이가 쓰인다. 지렁이는 소화 과정에서 해로운 미생물을 제거하고 식물 생장에 필수적인 질소, 칼슘, 마그네슘, 인, 칼륨 등이 포함된 분변토를 ⓐ배출한다. 이 분변토를 사용하면 화학 비료를 적게 쓸 수 있어서 땅의 산성화를 ⓑ막는 데에 도움이 된다. 또한 지렁이는 표면과 땅속을 오가면서 지표면의 물질과 땅속의 흙을 순환시킨다. 농사를 지을 때 쟁기로 밭을 가는 행위를 지렁이는 평생토록 하는 셈이다. 지렁이가 많이 사는 토양은 지렁이의 이러한 행위로 인해 땅속에 수많은 미세한 굴들이 상하좌우로 형성되어 흙이 폭신하고 부드러워지며 공극이 많아진다. 공극은 식물의 뿌리가 성장하는 데에 도움을 준다. 아울러 비가 오면 공극에 빗물이 스며들게 되어 식물에게 필요한 수분을 저장할 뿐만 아니라 지하수를 확보하는 데에 도움이 된다. 이같은 지렁이의 특성 때문에 농사가 잘되는 비옥한 토양에는 지렁이가 많다.

다 둘째, 환경을 위해 지렁이가 쓰인다. 우리나라에서는 하루 1만 7,000톤 정도의 음식물 쓰레기가 발생하고 이로 인해 한 해 동안 25조 원 정도의 비용이 낭비되고 있다. 또한 음식물 쓰레기가 버려지면 썩어서 토양과 물이 오염된다. 이를 제대로 처리하기 위해서는 많은 돈과 노력을 들여 대규모의 시설을 지어야 하고, 그 시설로 인해 지역 주민들과 갈등을 빚기도 한다. 그러나 음식물 쓰레기를 지렁이가 먹으면 이런 문제를 해결하는 데에 도움이 된다. [㉠]

라 아직 우리나라에서는 지렁이를 농업과 음식물 쓰레기 처리에 대규모로 이용하는 경우가 많지 않다. 지렁이의 먹이는 염분 농도가 낮아야 하기 때문에 국이나 찌개를 많이 먹는 우리 음식 문화에서는 소금기를 낮추는 ⓒ별도의 처리가 필요하다. 또한 살아 있는 생명인 지렁이는 ⓓ적합한 환경이 아니면 살 수 없다. 온도는 늘 15~25도로, 흙

- **혐오**: 싫어하고 미워함
- **미생물**: 눈으로는 볼 수 없는 아주 작은 생물. 보통 세균, 효모, 원생동물 따위를 이르는데, 바이러스를 포함하는 경우도 있음
- **분변토**: 지렁이의 배설물로 만들어진 천연 비료
- **공극**: 작은 구멍이나 빈틈

의 수분은 20%로 유지해야 하는 관리의 어려움이 있다.

마 20세기 들어 전 세계적으로 지렁이의 분변토를 이용한 비료나 지렁이를 농경지에 인공적으로 서식하게 하는 지렁이 농법의 사용이 ⓔ늘어나고 있다. 최근에는 유기물을 섭취해 안정된 물질로 전환시켜 배설하는 특성을 이용해 음식물 쓰레기와 가축 폐기물, 하수 시설의 슬러지 및 분뇨 처리에 활용하는 방안도 모색하고 있다. 지렁이를 이용하는 것이 쉽지 않지만, 지렁이의 유용성을 생각한다면 지렁이를 활용할 수 있는 방안을 적극적으로 연구해야 할 필요가 있다.

슬러지: 하수 처리나 정수 과정에서 생긴 침전물

사실적 사고

1

수능형

윗글을 통해 알 수 있는 내용이 아닌 것은?

① 음식물 쓰레기를 처리할 때 여러 가지 문제가 발생한다.
② 땅속의 공극이 적어지면 더 많은 빗물을 저장할 수 있다.
③ 지렁이를 이용할 때는 염도, 습도, 온도 등을 고려해야 한다.
④ 지렁이를 이용하여 환경 오염을 막는 여러 가지 방법이 연구되고 있다.
⑤ 지렁이의 배설물로 만들어진 분변토는 땅의 산성화를 막는 데 도움이 된다.

추론적 사고

2

㉠에 들어갈 내용으로 가장 적절한 것은?

① 한편, 지역 주민들의 이 같은 행동은 집단 이기주의로 볼 수 있다.
② 혐오스러워 보이지만 지렁이는 음식물 쓰레기를 줄이는 일등 공신이다.
③ 이와 같이 지렁이가 사는 땅은 잘 갈아 놓은 비옥한 밭과 같다고 할 수 있다.
④ 따라서 지렁이를 사육할 대규모의 시설을 짓기 위한 지역 주민들의 동의가 필요하다.
⑤ 현재 지렁이는 우리가 버린 음식물 쓰레기를 상당량 처리하고 있어 환경을 지키는 데 일조하고 있다.

어휘·어법

3

ⓐ~ⓔ와 바꾸어 쓰기에 적절하지 않은 것은?

① ⓐ: 내보낸다
② ⓑ: 방지하는
③ ⓒ: 추가적인
④ ⓓ: 특수한
⑤ ⓔ: 증가하고

1 이 글의 핵심 화제를 살펴보자.

가축으로서 (　　　　　)의 쓰임

2 각 문단별 중심 내용을 정리해 보자.

3 핵심 내용을 구조화해 보자.

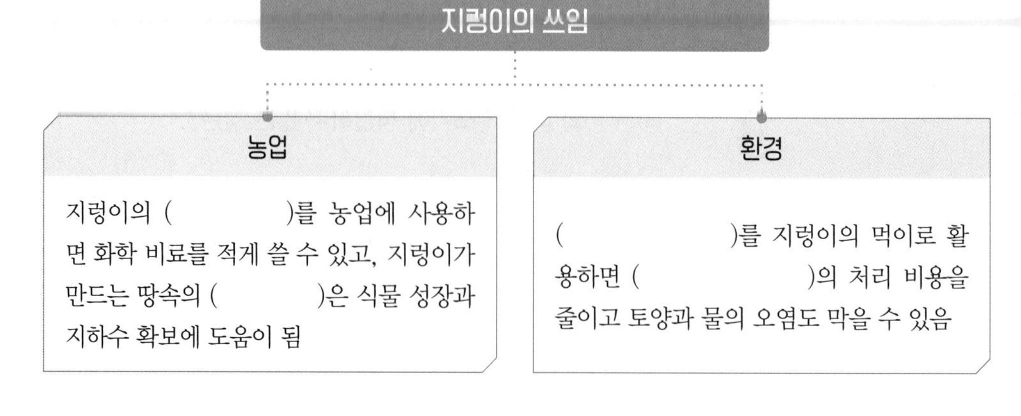

어휘력 테스트

1 **제시된 뜻과 예문을 참고하여 다음 초성에 해당하는 단어를 괄호 안에 써 보자.**

(1) ㅂㅊ : 안에서 밖으로 밀어 내보냄

예 쓰레기 종량제가 실시되자 쓰레기의 (　　　　)이 크게 줄었다.

(2) ㅁㅅㅁ : 눈으로는 볼 수 없는 아주 작은 생물. 보통 세균, 효모, 원생동물 따위를 이르는데, 바이러스를 포함하는 경우도 있다.

예 당분의 농도가 50% 이상이 되면 (　　　　)의 발육이 억제된다.

(3) ㅎㅇ : 싫어하고 미워함

예 현수는 온갖 벌레를 (　　　　)하여 산에 가는 것을 싫어했다.

2 **다음 〈보기〉의 뜻을 참고하여 십자말풀이를 완성해 보자.**

❶		❷	■
■	■	❸ 양	❹
■	■	■	
❺	❻	■	
■	❼		■

보기

❶ 가로: 지렁이의 배설물로 만들어진 천연 비료
❷ 세로: 식물에 영양을 공급하여 자라게 할 수 있는 흙
❸ 가로: 많이 만들어 냄
❹ 세로: 산성으로 변함
❺ 가로: 작은 구멍이나 빈틈
❻ 세로: 성질이나 행동이 몹시 드세거나 지나치게 적극적임
❼ 가로: 사람이나 동식물 따위가 자라서 점점 커짐

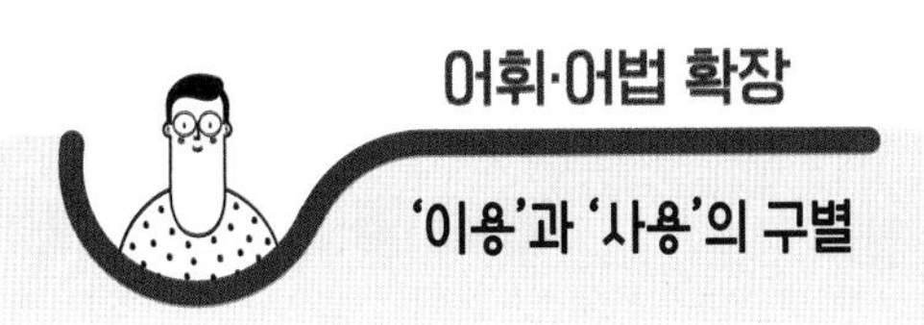

어휘·어법 확장

'이용'과 '사용'의 구별

아직 우리나라에서는 지렁이를 농업과 음식물 쓰레기 처리에 대규모로 이용하는 경우가 많지 않다.

'이용'과 '사용'은 서로 바꾸어 써도 무리가 없을 만큼 의미가 비슷하지만, 두 단어의 의미 차이는 분명히 있다. 다음 예문을 보자.

예 • 출퇴근은 대중교통 이용을 권장한다. (사용 ×)
• 교실에서는 휴대전화 사용을 금지한다. (이용 ×)

※ 위의 예문들은 '사용'이나 '이용'을 바꾸어 쓰면 어색한 문장이 된다. '사용'은 '일정한 목적이나 기능에 맞게 씀', '이용'은 '대상을 필요에 따라 이롭게 씀'이라는 의미이다. '사용'에 비해 '이용'이 '이익이 되다'라는 뜻을 더 많이 담고 있는 것에서 차이가 있다.

쿼티 자판과 드보락 자판

- 핵심어를 찾아보자.
- 문단별 중심 내용에 밑줄을 그어 보자.
- 핵심 내용을 구조적으로 재배열해 보자.

가 지금 우리가 쓰는 컴퓨터의 영문 자판인 '쿼티(QWERTY)' 자판은 컴퓨터가 보편화되기 이전인 타자기 시대부터 표준 자판의 자리를 지켜 왔다. ㉠이 자판이 현재까지 독보적인 지위를 누릴 수 있었던 까닭은 무엇일까?

나 최초의 실용적 타자기는 크리스토퍼 라삼 숄즈가 발명한 '숄즈와 글리든 타자기'였다. 숄즈가 처음에 이 타자기를 개발하였을 때 타자기의 철자 막대는 알파벳 순서에 따라 두 줄로 배열되었다. 그런데 타자기 작동 실험에서 자판을 조금만 빨리 쳐도 철자 막대들이 서로 뒤엉키는 문제점이 드러났다. 이에 숄즈는 T나 H처럼 함께 자주 쓰이는 철자들을 서로 띄어 놓으면 뒤엉킴이 덜할 것이라고 판단하여 이런 철자 쌍을 가능한 서로 떨어지도록 배치한 결과, ㉡총 4열로 된 자판을 완성하였다.

▲ 쿼티(QWERTY) 자판

다 숄즈의 해결책으로 철자 막대의 엉킴은 확실히 줄었지만 엉킴을 막기 위해 자판을 배열하다 보니 상대적으로 약한 손가락들로 가장 많이 쓰이는 철자들을 쳐야 하는 상황이 벌어졌다. 이런 인체공학적 결점은 타자 속도에도 영향을 주었다. 그러나 비합리적이라는 비판을 받으면서도 레밍턴 타자기의 대량 보급으로 인해 숄즈의 자판은 널리 퍼져 나갔고, 1895년 이후로는 ㉢보편적인 표준 자판으로까지 자리 잡게 되었다.

라 하지만 숄즈 자판의 단점을 보완하기 위한 노력은 계속되었는데, 그중의 하나가 드보락(Dvorak) 자판이었다. 드보락 자판은 중앙에 5개 모음(A, O, E, U, I)과 가장 많이 쓰이는 자음(D, H, T, N, S)을 배치하였다. 이는 가능한 한 양손의 움직임을 줄이고 손가락만을 움직여 자주 쓰는 철자들을 칠 수 있도록 한 것이다. 반면 약한 손가락이 놓이는 곳에는 잘 쓰지 않는 철자들을 배치하였다. 이로써 드보락 자판에서는 양손을 고루 쓸 수 있어 타자를 치는 리듬이 고르게 유지됐다. 그럼에도 불구하고 드보락 자판은 먼저 보급된 ㉣쿼티 자판에 밀려 폭넓은 상용화에는 실패하였다.

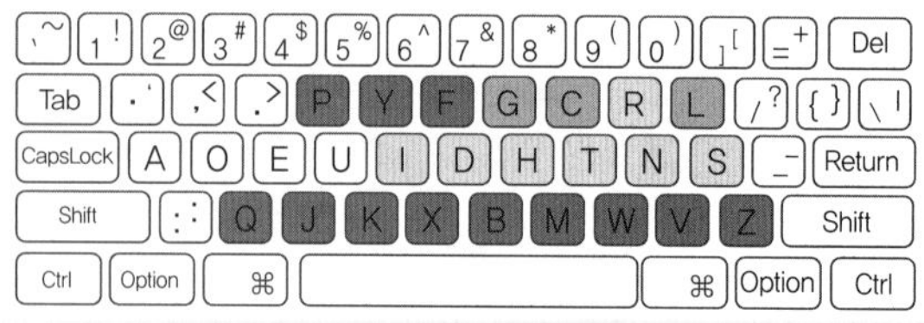

▲ 드보락(Dvorak) 자판

- **쿼티(QWERTY) 자판**: 왼쪽 상단에 큐(Q), 더블유(W), 이(E), 아르(R), 티(T), 와이(Y)가 배열되어 있는 자판
- **인체공학적**: 인체 공학에 기초를 두거나 인체 공학에 관한. 또는 그런 것
- **보급(普及)된**: 널리 퍼져서 많은 사람들에게 골고루 미치게 되어 누리게 된
- **상용화(常用化)**: 일상적으로 쓰이게 됨. 또는 그렇게 만듦

마 드보락 자판이 실패한 결정적인 이유는 이용자들이 드보락 자판을 외면했기 때문이다. 사람들은 드보락 자판에 대해 이를 능숙하게 다룰 수 있는 새로운 습관을 익히는 수고를 감수할 만큼의 매력을 느끼지 못했던 것이다. 경영자 입장에서도 기존의 자판을 드보락 자판으로 교체하는 데 드는 비용이 부담스럽고 ㉤새 자판을 다루기 위해 타자수들을 새로 훈련시키는 일이 번거로웠던 것이다. 결국 드보락 자판은 기술적인 합리성에도 불구하고 시장에서 사라지고 말았다.

사실적 사고

1 **윗글을 쓰기 위해 글쓴이가 제기한 핵심 질문으로 가장 적절한 것은?**

① 쿼티 자판과 드보락 자판 중 어느 것이 기술적으로 더 우수한가?
② 드보락 자판이 쿼티 자판을 대체하는 데 실패한 이유는 무엇일까?
③ 쿼티 자판과 드보락 자판이 철자 막대를 어렵게 배치한 까닭은 무엇일까?
④ 드보락 자판이 시장에서 외면당한 이유를 네트워트 효과로 설명할 수 있을까?
⑤ 쿼티 자판이 드보락 자판을 꺾고 보편적인 표준 자판으로 자리 잡게 된 계기는 무엇일까?

수능형

2 **이 글을 통해 짐작할 수 있는 내용으로 적절하지 않은 것은?**

① 타자 속도 면에서 드보락 자판이 쿼티 자판보다 더 능률적이다.
② 드보락 자판은 쿼티 자판의 문제점을 개선하려는 노력에서 개발되었다.
③ 쿼티 자판은 자판 왼쪽 상단의 영문자 배열 순서에서 그 명칭이 유래되었다.
④ 드보락 자판은 왼손은 자음을, 오른손은 모음을 쉽게 칠 수 있도록 설계되었다.
⑤ 쿼티 자판에 비해 드보락 자판이 손에 무리가 덜 가서 타자를 오랫동안 칠 수 있다.

3 **㉠~㉤ 중, 가리키는 대상이 다른 하나는?**

① ㉠　② ㉡　③ ㉢　④ ㉣　⑤ ㉤

1 이 글의 핵심 화제를 살펴보자.

독보적인 지위를 누리는 쿼티 자판과 시장에서 사라진 (   )

2 각 문단별 중심 내용을 정리해 보자.

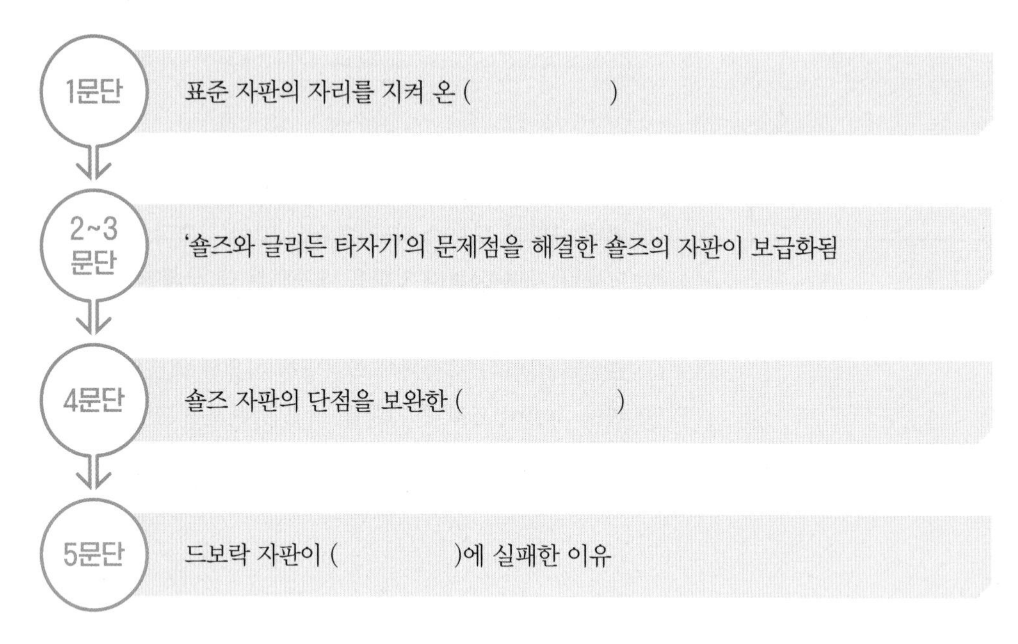

3 핵심 내용을 구조화해 보자.

표준 자판의 자리를 지켜 온 쿼티 자판

숄즈와 글리든 타자기	철자 두 줄 배열로 인해, 철자 막대들이 서로 뒤엉키는 문제점이 드러남 → 철자 쌍을 서로 떨어지게 배치한 ( ) 자판의 등장

↓

숄즈의 자판 (쿼티 자판)	• 두 줄 배열의 문제점 해결을 위해 철자 쌍을 서로 떨어지게 배치하여 총 ( )로 된 자판을 완성함 → 약한 손가락들로 많이 쓰이는 철자들을 치다 보니 타자 속도가 느림 • ( )이라는 비판에도 표준적인 자판으로 자리 잡음

↓

드보락 자판	숄즈 자판의 단점을 ( )하여 개발된 자판으로, 양손의 움직임을 줄이고 손가락만 움직여 자주 쓰는 철자들을 치도록 한 반면, 약한 손가락에는 잘 쓰지 않는 철자들을 배치함 → 양손을 고루 써서 타자 치는 리듬을 고르게 유지함

⇓

(   )은 기술적인 합리성에도 불구하고 이용자들의 외면으로 폭넓은 상용화에 실패하였고, (   )이 독보적인 지위를 누림

어휘력 테스트

● 다음 괄호 안에 들어갈 단어의 뜻을 〈보기〉에서 골라 기호를 써 보자.

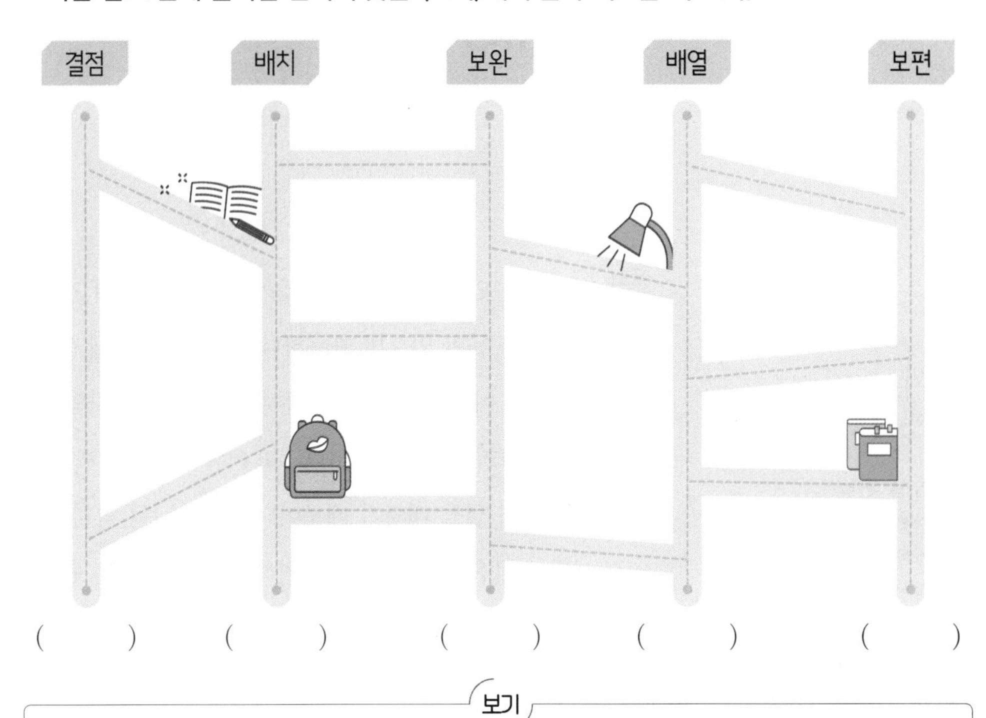

( ) ( ) ( ) ( ) ( )

보기

㉠ 일정한 차례나 간격에 따라 벌여 놓음
㉡ 잘못되거나 부족하여 완전하지 못한 점
㉢ 모든 것에 두루 미치거나 통함. 또는 그런 것
㉣ 모자라거나 부족한 것을 보충하여 완전하게 함
㉤ 사람이나 물자 따위를 일정한 자리에 나누어 둠

어휘·어법 확장

'줄다'의 비슷한말 & 반대말

비 비슷한말 반 반대말

비 감소하다
양이나 수치가 줄다.
예 수입이 감소하다.

비 작아지다
작은 상태로 되다.
예 그는 세력이 급격히 작아진 조직을 떠났다.

줄다
1. 수나 분량이 본디보다 적어지거나 무게가 덜 나가게 되다.
예 수입이 줄다.
2. 힘이나 세력 따위가 본디보다 못하게 되다.
예 세력이 줄다.

반 늘다
1. 수나 분량 따위가 본디보다 많아지거나 무게가 더 나가게 되다. 예 수입이 늘다.
2. 힘이나 기운, 세력 따위가 이전보다 큰 상태가 되다 예 세력이 늘다.

반 자라다
세력이나 역량 따위가 커지거나 높아지다.
예 범죄 세력이 자라는 것을 막아야 한다.

환경친화적인 물 에어컨

- 핵심어를 찾아보자.
- 문단별 중심 내용에 밑줄을 그어 보자.
- 핵심 내용을 구조적으로 재배열해 보자.

가 사막에서 얼음을 만들 수 있을까? 중동 지방에 전해 오는 문헌에 따르면, 공기가 통하는 토기와 물만 있으면 가능하다고 한다. 토기에 물을 넣고 바람이 잘 통하는 서늘한 곳에 둔다. 이때 물이 토기를 통해 조금씩 스며 나와 증발이 일어나고, 토기 안의 물은 차가워지다가 결국 얼게 된다. 그 이유는 무엇일까? 물이 수증기로 바뀌는 증발 과정에서 주변의 열을 빼앗기 때문이다. 숨이 턱턱 막히는 더운 여름, 햇볕을 받아 뜨거워진 마당에 물을 뿌리면 한결 시원해지는 것도 같은 원리이다.

나 이와 같은 원리에 (　　㉠　　)하여 한국과학기술연구원 연구팀은 건조한 사막과 달리 고온 다습한 우리나라 실정에 맞는 '물 에어컨' 개발에 착수하였다. 먼저 연구팀은 지름이 약 8cm인 유리병에 물을 약간 채우고 병 안을 진공으로 만들었다. 그리고 병 입구를 습기 제거제가 든 용기로 막고 온도 변화를 측정하였다. 그랬더니 처음에는 22℃였던 유리병 안의 온도가 놀랍게도 10초도 안 되어 0℃로 떨어졌다. 연구팀은 이를 응용해서 습기 제거 장치와 물만 있으면 냉방이 가능한 신개념의 에어컨을 만들었다. 이것이 물 에어컨이다.

다 물 에어컨의 원리는 물이 증발함으로써 주변 공기를 차게 만드는 것이다. 축축하고 더운 실내 공기가 에어컨 안으로 들어오면 습기 제거 장치를 거치면서 건조해진다. 그러나 온도는 높은 상태이다. 이 덥고 건조한 공기가 물이 뿌려진 그물망을 통과하면서 그물망의 물이 증발하게 되고 증발되는 그물망의 물이 공기 중의 열을 빼앗아 온도를 낮춰 준다. 이렇게 차갑고 건조한 상태의 공기를 에어컨 밖으로 배출해 실내에 공급함으로써 냉방을 하는 것이다.

라 기존 에어컨은 냉매, 증발기, 압축기, 응축기(실외기) 등으로 구성된다. 냉매는 증발기에서 기화하면서 주변의 열을 빼앗고, 압축기는 기체 냉매에 압력을 높이며, 응축기는 기체 냉매를 액화시켜 열을 방출한다. 이처럼 냉매가 액화와 기화를 반복하면서 차가운 공기를 만들어 내는 것이다. 이 작용을 위해 기존 에어컨은 실내기와 실외기로 구분된다. 이에 비해 물 에어컨은 실내기와 실외기의 구분이 없는 일체형이다. 또한 연구팀은 '기존 에어컨이 사용하는 전력의 5분의 1 정도면 충분히 물 에어컨을 가동할 수 있다.'고 강조하였다. 프레온 가스를 회수하기 위한 실외기를 설치하지 않아도 되며, 또 에어컨의 전기 소비의 주범인 압축기도 필요 없어 전기 사용량을 줄일 수 있는 것이다.

- **진공(眞空)**: 물질이 전혀 존재하지 아니하는 공간. 인위적으로 만들어 낼 수는 없고, 실제로는 극히 저압의 상태를 이름
- **냉매(冷媒)**: 냉동기 따위에서, 저온 물체로부터 고온 물체로 열을 끌어가는 매체
- **액화(液化)**: 기체가 냉각·압축되어 액체로 변하는 현상. 또는 그렇게 만드는 일
- **기화(氣化)**: 액체가 기체로 변함. 또는 그런 현상
- **프레온(Freon)**: 탄화수소의 플루오린화 유도체. 화학적으로 안정한 액체 또는 기체로서 냉장고의 냉매, 에어로졸 분무제, 소화제(消火劑) 따위에 쓰이며, 오존층을 파괴하는 원인이 되는 물질

● 정답과 해설 46쪽

오존(ozone)층: 오존을 많이 포함하고 있는 대기층. 지상에서 20~25km의 상공이며 인체나 생물에 해로운 태양의 자외선을 잘 흡수하는 성질이 있음

그리고 오존층을 파괴하는 프레온 같은 냉매도 사용하지 않으므로 환경친화적이다. 물에어컨의 습기 제거 장치를 말릴 때는 산업 폐열이나 여름철 사용량이 적어 비용이 저렴한 지역난방 등을 사용할 수도 있다. 남는 에너지 자원을 냉방에 재활용하는 셈이다.

사실적 사고

1

수능형

윗글을 읽고 정리한 내용으로 적절하지 않은 것은?

	기존 에어컨	물 에어컨
① 냉방 방식	기화	기화와 액화
② 냉방 원리	기화열이 온도를 낮춰 줌	물의 증발로 주변 공기를 차게 만듦
③ 구조	실내기와 실외기로 구분됨	실내기·실외기 구분 없는 일체형임
④ 냉매	프레온 가스	물
⑤ 특징	전력 소모가 많고 환경을 파괴함	전력 소모가 적고 환경친화적임

추론적 사고

2

〈보기〉를 참고하여 물 에어컨의 냉방 과정을 바르게 정리한 것은?

보기

㉠ 축축하고 더운 실내 공기가 에어컨 안으로 들어옴
㉡ 공기가 그물망을 통과하면서 그물망의 물이 증발함
㉢ 차갑고 건조한 상태의 공기를 에어컨 밖으로 배출함
㉣ 덥고 건조한 공기가 물이 뿌려진 그물망으로 들어감
㉤ 습기 제거 장치를 거쳐 높은 온도의 건조한 공기가 됨
㉥ 증발되는 그물망의 물이 공기 중의 열을 빼앗아 온도를 낮춰 줌

① ㉠ → ㉡ → ㉣ → ㉤ → ㉥ → ㉢
② ㉠ → ㉡ → ㉢ → ㉤ → ㉣ → ㉥
③ ㉠ → ㉤ → ㉣ → ㉡ → ㉥ → ㉢
④ ㉡ → ㉤ → ㉣ → ㉢ → ㉠ → ㉥
⑤ ㉡ → ㉥ → ㉢ → ㉤ → ㉣ → ㉠

어휘·어법

3

〈보기〉를 참고할 때, ㉠에 들어갈 단어로 가장 적절한 것은?

보기

(   ): 명 어떤 일을 주의하여 봄. 또는 어떤 문제를 해결하기 위한 실마리를 잡음

① 제안 ② 고안 ③ 복안
④ 혜안 ⑤ 착안

1 이 글의 핵심 화제를 살펴보자.

(　　　　　　)의 원리와 냉방 과정 및 특징

2 각 문단별 중심 내용을 정리해 보자.

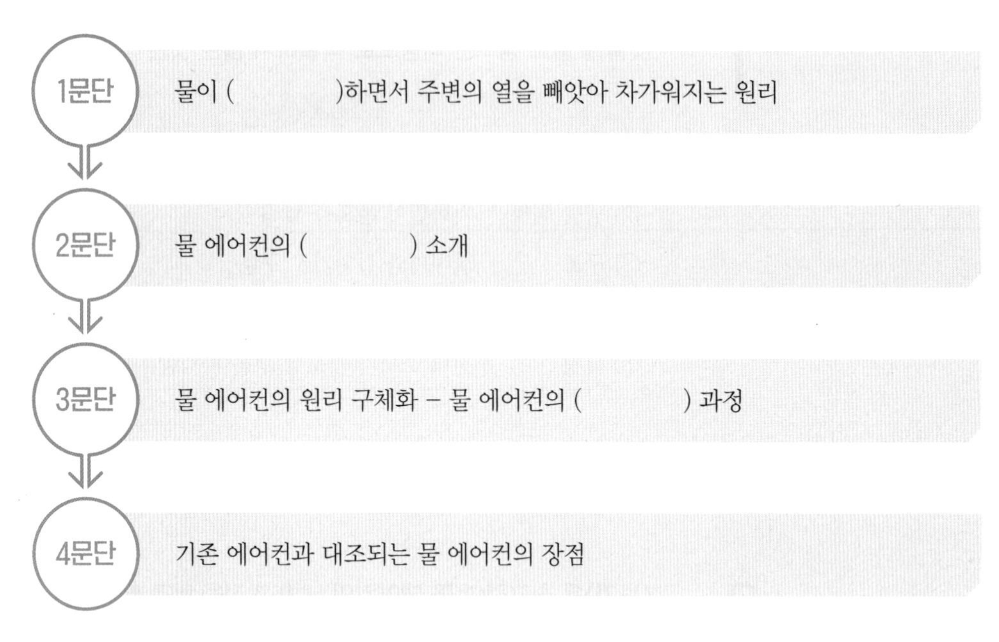

3 핵심 내용을 구조화해 보자.

물 에어컨의 원리	물이 증발함으로써 주변 공기를 차게 만듦
물 에어컨의 냉방 과정	더운 실내 공기가 에어컨 안으로 들어오면 습기 제거 장치를 거쳐 건조해짐 ↓ 고온 상태의 건조한 공기가 물이 뿌려진 (　　　　　　)을 통과하면서 그물망의 물이 증발함 ↓ 증발되는 그물망의 물이 공기 중의 열을 빼앗아 (　　　　　　)를 낮춰 줌 ↓ 차갑고 건조한 상태의 공기를 에어컨 밖으로 배출해 (　　　　　　)을 힘
물 에어컨의 특징(장점)	• 실내기와 실외기의 구분이 없는 일체형이라서 실외기를 설치하지 않아도 됨 • 압축기가 필요 없어 (　　　　　) 사용량을 줄일 수 있음 • 냉매를 사용하지 않으므로 (　　　　　　　)임

어휘력 테스트

1 **제시된 뜻과 예문을 참고하여 다음 초성에 해당하는 단어를 괄호 안에 써 보자.**

(1) ㅇ ㅎ : 기체가 냉각·압축되어 액체로 변하는 현상. 또는 그렇게 만드는 일

예 냉매가 (   )와 기화를 반복하면서 차가운 공기를 만들어 낸다.

(2) ㅈ ㄱ : 물질이 전혀 존재하지 아니하는 공간. 인위적으로 만들어 낼 수는 없고, 실제로는 극히 저압의 상태를 이른다.

예 과자 봉지가 (   ) 상태로 포장되었다.

(3) ㄴ ㅁ : 냉동기 따위에서, 저온 물체로부터 고온 물체로 열을 끌어가는 매체

예 (   )를 활용하여 과학 실험을 진행하였다.

2 **다음 〈보기〉의 뜻을 참고하여 십자말풀이를 완성해 보자.**

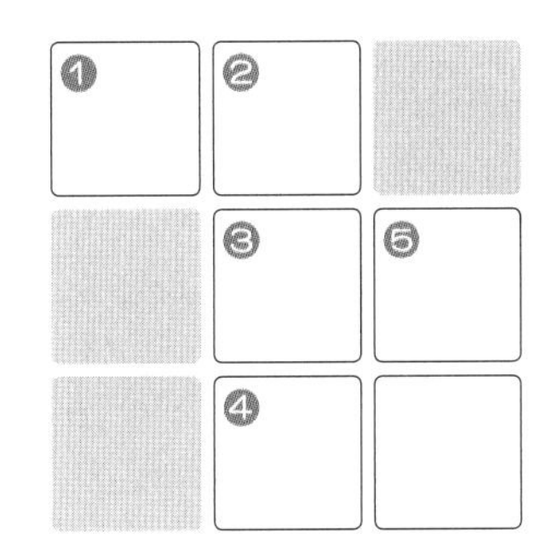

보기

❶ 가로: 도로 거두어들임
❷ 세로: 기체 상태로 되어 있는 물
❸ 가로: 어떤 물질이 액체 상태에서 기체 상태로 변함
❹ 가로: 액체가 기체로 변함. 또는 그런 현상
❺ 세로: 불이 일어나거나 타기 시작함. 또는 그렇게 되게 함

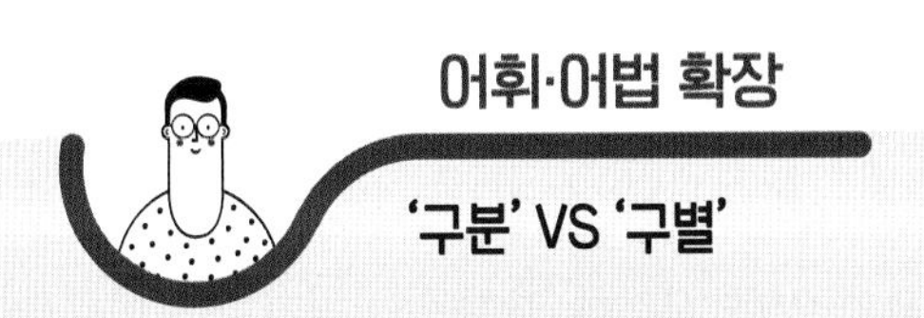

어휘·어법 확장

'구분' VS '구별'

이 작용을 위해 기존 에어컨은 실내기와 실외기로 구분된다.

'구분'은 '區(구역 구)+分(나눌 분)'으로, '일정한 기준(구역)에 따라 전체를 몇 개로 갈라 나눔'을 의미한다. '구별'은 '區(구역 구)+別(다를 별)'로, '성질이나 종류에 따라 차이가 남. 또는 성질이나 종류에 따라 갈라놓음'을 의미한다. 즉, '구분'은 대상을 공통점이 있는 것끼리 나누는 것을 말하고, '구별'은 차이점을 기준으로 나누는 것을 말한다.

예 • 우리 반을 남자와 여자로 구분하였다.
• 그 자매는 너무 닮아서 잘 구별되지 않는다.

콘서트홀의 잔향 시간

- 핵심어를 찾아보자.
- 문단별 중심 내용에 밑줄을 그어 보자.
- 핵심 내용을 구조적으로 재배열해 보자.

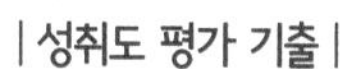

가 콘서트홀에서 감미로운 노래와 웅장한 오케스트라 연주에 휩싸이는 경험은 정말 매력적이다. 하지만 모든 콘서트홀이 늘 최고의 소리를 들려주는 것은 아니다. 어떤 콘서트홀에서 공연을 관람하느냐에 따라서 공연의 만족도가 달라질 수 있다. 왜냐하면 오케스트라와 가수 외에도 콘서트홀의 다양한 요소들이 공연의 질에 영향을 미치기 때문이다.

나 공연의 질을 좌우하는 중요한 요소 중 하나는 음이 지속되는 잔향 시간이다. 잔향 시간은 음 에너지가 최대인 상태에서 일백만 분의 일만큼의 에너지로 감소하는 데 걸리는 시간을 말한다. 콘서트홀 종류마다 알맞은 잔향 시간이 다르다. 오케스트라 전용 콘서트홀은 청중들이 풍성하고 웅장한 감동을 느낄 수 있도록 잔향 시간을 1.6~2.2초로 길게 설계하고, 오페라 전용 콘서트홀은 이보다는 소리가 덜 울려야 청중들이 대사를 잘 들을 수 있기 때문에 잔향 시간을 1.3~1.8초로 짧게 만든다. 예술의 전당에서, 주로 오케스트라가 공연하는 콘서트홀은 잔향 시간이 2.1초에 달하고, 오페라를 공연하는 콘서트홀은 잔향 시간이 1.3~1.5초이다. 그러면 콘서트홀의 잔향 시간을 조절하는 방법을 살펴보자.

다 잔향 시간을 조절하는 방법에는 콘서트홀의 크기를 고려하는 방법이 있다. 잔향 시간은 콘서트홀의 크기에 따라 달라지기 때문이다. 작은 콘서트홀에서는 무대에서 나가는 소리가 벽에 부딪히기까지의 시간이 짧다. 따라서 소리가 벽에 부딪히는 횟수가 많아지므로 소리 에너지가 빨리 줄어들어 잔향 시간이 짧아진다. 큰 콘서트홀은 작은 콘서트홀에 비해 무대에서 나가는 소리가 벽에 부딪히기까지의 시간이 길다. 따라서 소리가 벽에 부딪히는 횟수가 적으므로 소리 에너지가 천천히 줄어들어 잔향 시간이 길어진다.

라 콘서트홀의 재료를 고려하여 잔향 시간을 조절하는 방법도 있다. 콘서트홀의 벽면과 바닥, 객석 등에 쓰이는 재료가 잔향 시간에 영향을 미치기 때문이다. 밀도가 낮고 통기성이 좋은 합성 섬유와 같은 푹신한 재료는 소리를 잘 흡수하므로 ㉠흡음재로 쓰인다. 반면 돌이나 두꺼운 합판은 소리를 거의 흡수하지 않고 튕겨 내기 때문에 ㉡반사재로 쓰인다. 흡음재와 반사재를 적절히 조합하면 원하는 잔향 시간을 만들 수 있다. 무대 바닥이나 벽은 반사재를 붙여 반사의 정도를 조절한다. 객석과 주변의 벽은 흡음재를 사용하여 소리를 잘 흡수할 수 있도록 한다.

- **오케스트라(orchestra)**: 관현악(관악기, 타악기, 현악기 따위로 함께 연주하는 음악)을 연주하는 단체
- **잔향(殘響)**: 실내의 발음체에서 내는 소리가 울리다가 그친 후에도 남아서 들리는 소리
- **흡음재**: 소리를 잘 흡수하는 재료. 잔구멍이 많아서 그 속으로 음파가 들어가 다시 되돌아 나오지 못하고 흡수된다. 텍스, 유리 섬유, 펠트 따위가 있음
- **반사재**: 일정한 방향으로 나아가던 파동이 다른 물체의 표면에 부딪쳐서 나아가던 방향을 반대로 바꾸는 재료

마 또 다른 방법으로 음향 장치를 활용하기도 한다. 공연이 열릴 때 반사판을 더하면 잔향 시간을 조절할 수 있다. 피아노 독주처럼 작은 소리를 울리게 해야 할 때 피아노 뒤편 무대에 음향 반사판을 병풍처럼 세운다. 그리고 이런 방법으로 잔향 시간을 많이 늘리기 어려울 때에는 최첨단 전기 음향 시스템을 활용하기도 한다. 곳곳에 숨겨진 마이크가 음을 받아 목적에 맞는 잔향 시간만큼 늘린 뒤 다시 스피커로 들려주는 것이다.

사실적 사고

1

수능형

(나)의 서술 방식으로 적절한 것은?

① 구성 요소를 분석하고 그 속성을 나열하고 있다.
② 문제의 원인을 분석하고 그 결과를 서술하고 있다.
③ 생소한 개념을 풀이하고 관련 사례를 제시하고 있다.
④ 현상을 기술하고 변화의 과정을 단계별로 밝히고 있다.
⑤ 과정을 시간 순으로 나열하고 일정 기준에 따라 분류하고 있다.

사실적 사고

2

(가)~(마)의 구조를 나타낸 것으로 적절한 것은?

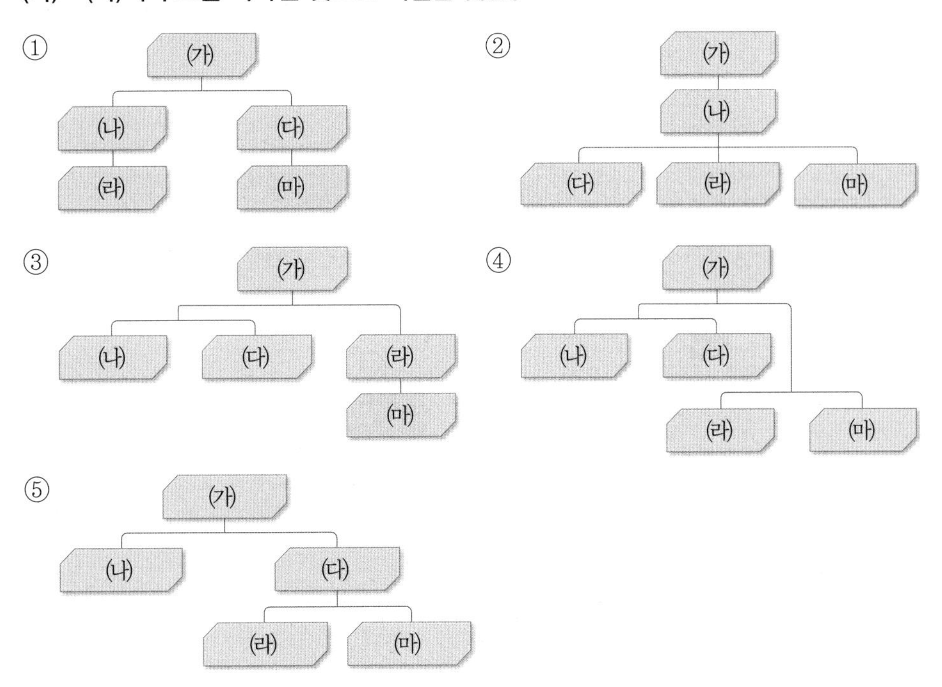

어휘•어법

3

밑줄 친 말의 의미 관계가 ㉠, ㉡과 유사한 것은?

① 나는 차 안에서 따뜻한 차를 마셨다.
② 나는 과일 중에서 사과를 가장 좋아한다.
③ 그녀는 아름다운 얼굴과 고운 목소리를 지녔다.
④ 그는 그 책을 처음부터 끝까지 꼼꼼하게 읽었다.
⑤ 형이 머리를 감고 가자고 하자 동생은 머리가 아파서 쉬겠다고 하였다.

1 이 글의 핵심 화제를 살펴보자.

공연의 질을 좌우하는 콘서트홀의 (　　　　　　)

2 각 문단별 중심 내용을 정리해 보자.

3 핵심 내용을 구조화해 보자.

공연의 질을 좌우하는 요소인 잔향 시간

콘서트홀의 종류에 따른 잔향 시간의 차이

- **오케스트라 전용 콘서트홀**: 청중들이 풍성하고 (　　　　)한 감동을 느낄 수 있게 잔향 시간을 1.6~2.2초로 길게 설계함
- **오페라 전용 콘서트홀**: 소리가 덜 울려 청중들이 (　　　　)를 잘 들을 수 있게 잔향 시간을 1.3~1.8초로 짧게 설계함

콘서트홀의 잔향 시간을 조절하는 방법

- **콘서트홀의 크기를 고려하는 방법**: (　　　) 콘서트홀은 소리가 벽에 부딪히는 횟수가 많아 잔향 시간이 짧아지고, (　　　) 콘서트홀은 소리가 벽에 부딪히는 횟수가 적어 잔향 시간이 길어짐
- **콘서트홀의 재료를 고려하는 방법**: 흡음재와 (　　　　　)를 적절히 조합하여 원하는 잔향 시간을 만듦
- **음향 장치를 활용하는 방법**: 음향 (　　　　), 최첨단 전기 음향 시스템을 활용하여 잔향 시간을 조절함

어휘력 테스트

1 다음 단어의 뜻을 참고하여 끝말잇기를 완성해 보자.

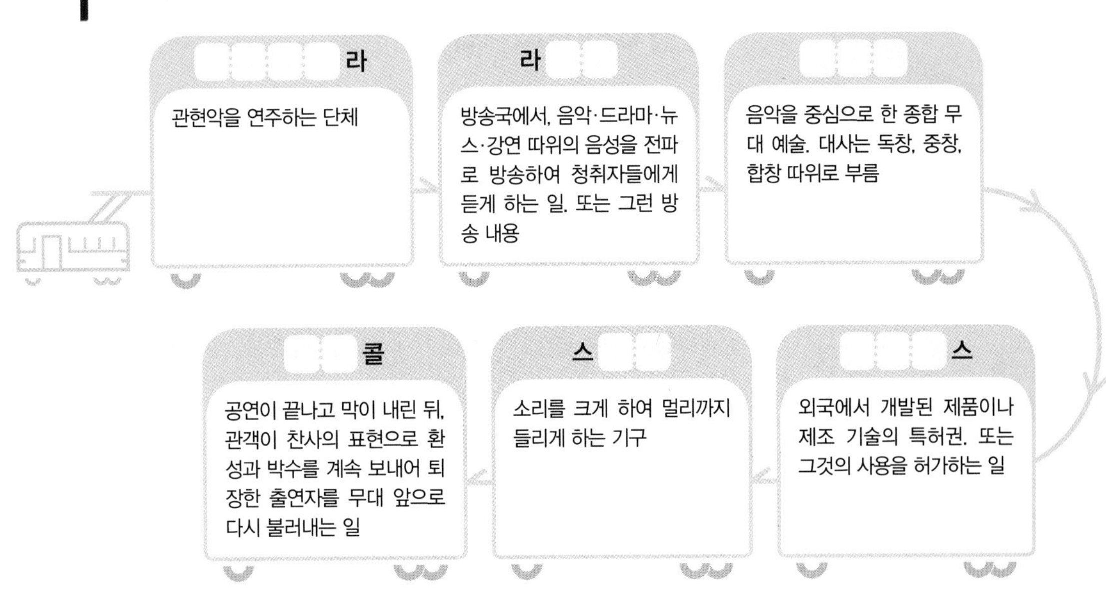

2 다음 단어를 활용하기에 적절한 문장을 찾아 바르게 연결해 보자.

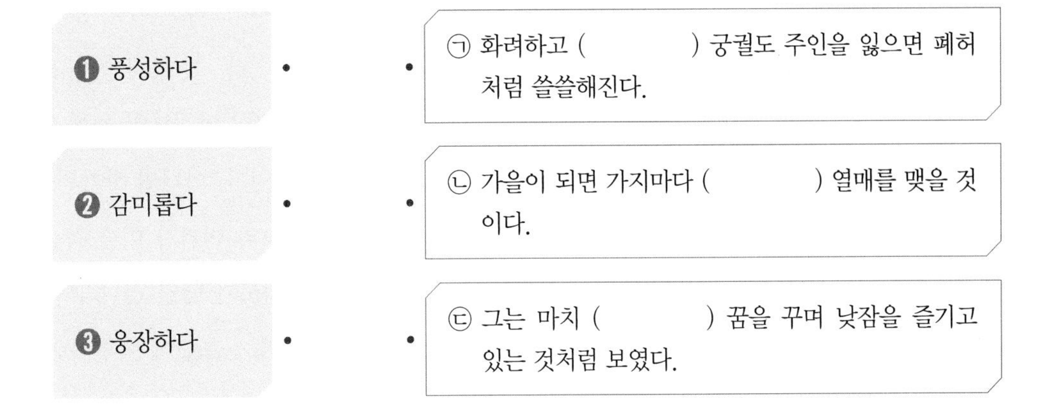

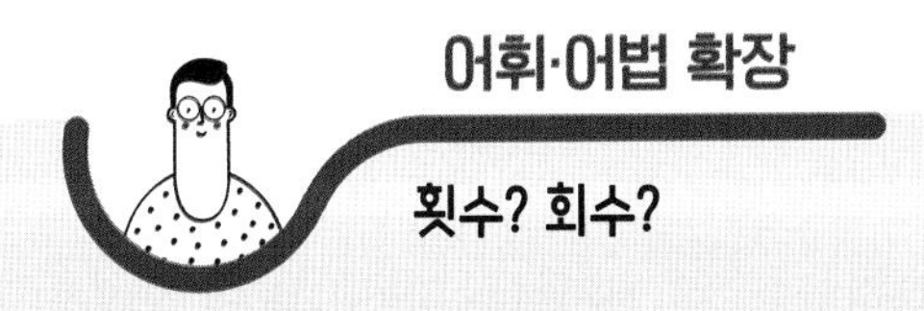

소리가 벽에 부딪히는 횟수가 많아지므로 소리 에너지가 빨리 줄어들어 잔향 시간이 짧아진다.

사이시옷은 '순우리말+순우리말, 순우리말+한자어, 한자어+순우리말'의 두 단어가 결합하여 합성어를 이룰 때, 'ㄴ'(또는 'ㄴㄴ') 소리가 덧나거나, 뒷말의 첫소리가 된소리로 나고 앞말이 모음으로 끝나면 사이시옷을 받치어 적는다. 따라서 원칙적으로 '한자어+한자어'의 결합은 사이시옷을 적지 않는다. 하지만 아래에 제시한 두 음절로 된 6개의 한자어에만 예외적으로 사이시옷을 표기에 반영한다. 그 외의 한자어에는 사이시옷을 적지 않는다.

※ 곳간(庫間), 셋방(貰房), 숫자(數字), 찻간(車間), 툇간(退間), 횟수(回數)

예술 01

변기? 작품이 되다

- 핵심어를 찾아보자.
- 문단별 중심 내용에 밑줄을 그어 보자.
- 핵심 내용을 구조적으로 재배열해 보자.

가 예술 작품이란 무엇일까? 간단히 정의하면 예술적 가치가 있는 작품을 말한다. 이와 같은 예술 작품 중에서 그림이나 조각, 건축물, 공예품과 같이 미술 분야에 속하는 예술 작품을 미술 작품이라고 한다.

나 우리가 생각하는 미술 작품에는 어떤 것들이 있는지 떠올려 보자. 19세기 °인상주의 화가인 빈센트 반 고흐의 「별이 빛나는 밤」이나 르네상스 시대의 천재 화가이자 과학자였던 레오나르도 다빈치의 「모나리자」가 떠오르는가? 아니면 20세기 미술의 °거장 파블로 피카소의 「아비뇽의 아가씨들」, 그것도 아니라면 조선 후기 겸재 정선의 °산수화나 단원 김홍도의 °풍속화를 떠올렸을 수도 있다. 어떤 작품이라도 좋다. 각자가 생각하는 미술 작품을 자유롭게 떠올려 보자.

다 앞서 우리는 미술 작품이 무엇인지, 그리고 미술 작품에는 어떤 것들이 있는지 생각해 보았다. 자, 이제 다음 사진을 보자.

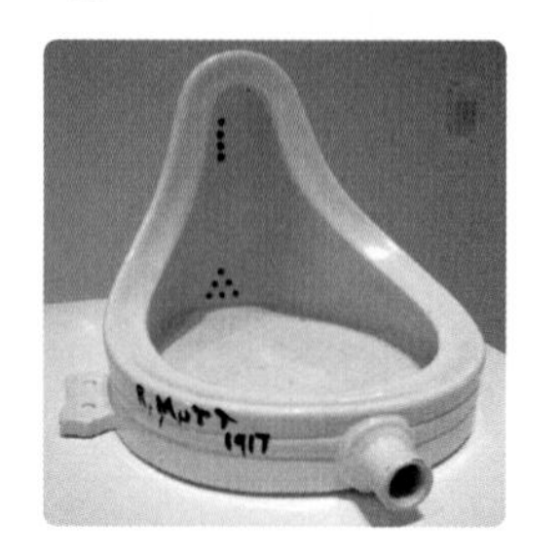

사진 속에 보이는 것은 무엇인가? 여러분의 눈에 보이는 것은 탁자 위에 놓인 낡은 소변기인가, 아니면 작가의 서명이 담긴 미술 작품인가. 만약 사진 속의 변기가 미술 작품일 수 있다면, 어떤 대상이든 작가의 의도가 담긴 것이라면 작품으로 인정받을 수 있다는 말인가? 이에 대한 논쟁은 이미 20세기 초반에 이루어졌다.

라 사진 속의 작품은 20세기 프랑스의 화가이자 °다다이즘의 중심인물이었던 마르셀 뒤샹(1887~1968)이 1917년 뉴욕의 독립미술가협회가 주최하는 전시회에 「샘(Fountain)」이라는 이름을 붙여 출품했던 작품의 복제품이다. 당시 전시회의 전시 위원이기도 했던 뒤샹은 뉴욕의 어느 철공소에서 변기를 하나 구입한 뒤 자신의 이름을 감춘 채, 소변기의 제조 회사의 이름을 조금 바꾼 '리처드 머트(R. Mutt)'라는 이름으로 변기에 서명한 후 전시회에 출품하였다. 이 전시회는 참가비를 낸 작가라면 누구나 작품을 출품하여 심사 없이 전시할 수 있었지만, 뒤샹의 작품은 전시되자마자 곧바로 전시장의 칸막이 뒤로 치워졌다. 당시 독립미술가협회 회장은 「샘」은 원래 있어야 할 자리에서는 매우 유용한 물건일지 모르지만, 미술 전시장은 그에 알맞은 자리가 아니며 일반적인 규정에 따르면 그것은 예술 작품이 아니라는 의견을 ⓐ밝혔다. 그들의 눈에 뒤샹의 「샘」은 단지 대량 생산품으로서의 흔한 소변기일 뿐이었다.

- **인상주의**: 19세기 후반 프랑스에서 일어난 근대 미술의 한 경향. 사물의 고유색을 부정하고 태양 광선에 의하여 시시각각으로 변해 보이는 대상의 순간적인 색채를 포착해서 밝은 그림을 그렸음
- **거장**: 예술, 과학 따위의 어느 일정 분야에서 특히 뛰어난 사람
- **산수화**: 동양화에서, 산과 물이 어우러진 자연의 아름다움을 그린 그림
- **풍속화**: 그 시대의 세정과 풍습을 그린 그림
- **다다이즘**: 모든 사회적 예술적 전통을 부정하고 반이성(反理性), 반도덕, 반예술을 표방한 예술 운동

레디메이드: '기성품'이라는 뜻으로 마르셀 뒤샹이 창조해 낸 미적 개념. 사전적 의미로는 '기성품의, 전시용의' 제품이라는 뜻이지만, 마르셀 뒤샹이 이미 만들어져 있는 제품을 예술 작품으로 전시하면서 미술 용어로 자리 잡음

마 이에 대해 뒤샹은 '머트 씨'가 자신의 손으로 이 작품을 만들었는가의 여부는 중요한 문제가 아니라고 반박했다. 중요한 점은 작가가 이것을 '선택'하여 이 일상적인 생활용품에 새로운 명칭을 부여하고, 원래의 실용적 가치를 제거하여 환경을 바꿈으로써 이 물체에 새로운 의미를 부여한 것이라고 주장했다.

바 이처럼 기성 제품도 작가의 선택에 의해 특정 주제와 의식을 담아내는 독립된 작품이 될 수 있다는 ㉠뒤샹의 혁명적 제안은 현대 미술의 영역을 '레디메이드(ready-made)'로 확장시켰으며, 이후 현대 미술에 커다란 영향을 끼쳤다.

사실적 사고

1 윗글의 내용과 일치하지 않는 것은?

① 뒤샹은 철공소에서 구입한 변기를 전시회에 출품했다.
② 뒤샹은 작품 「샘(Fountain)」에 자신의 서명을 남겼다.
③ 뒤샹은 프랑스의 화가이자 다다이즘의 중심인물이었다.
④ 뒤샹의 작품은 뉴욕 독립미술가협회로부터 외면당했다.
⑤ 미술 작품의 범주에 대한 논쟁이 20세기 초반에 있었다.

비판적 사고

2 수능형

㉠에 대한 이해로 적절하지 않은 것은?

① ㉠은 당시의 예술관으로는 받아들이기 힘든 주장이었겠군.
② ㉠에서 중요한 것은 작가의 손에서 만들어 낸 예술성이겠군.
③ ㉠은 미술의 영역을 창조의 개념에서 선택의 개념으로 확장하였군.
④ ㉠을 계기로 현대 미술에서 '레디메이드'라는 개념을 도입하게 되었군.
⑤ ㉠에 따르면 기성품이라도 작가에 의해 독립된 작품으로 인정받을 수 있겠군.

어휘·어법

3 다음 밑줄 친 단어의 문맥적 의미가 ⓓ와 유사하게 쓰인 것은?

① 언론에 사건의 전모를 밝혔다.
② 한동안 먹을 것을 밝혔더니 살이 쪘다.
③ 준영이는 시험공부를 하느라 밤을 꼬박 밝혔다.
④ 칠흑 같은 어둠 속에서 조명탄 하나가 사방을 밝혔다.
⑤ 마을 사람들은 줄지어 횃불을 밝혀 들고 서희의 뒤를 따랐다.

1 **이 글의 핵심 화제를 살펴보자.**

미술 작품에 대한 (   )의 주장

2 **각 문단별 중심 내용을 정리해 보자.**

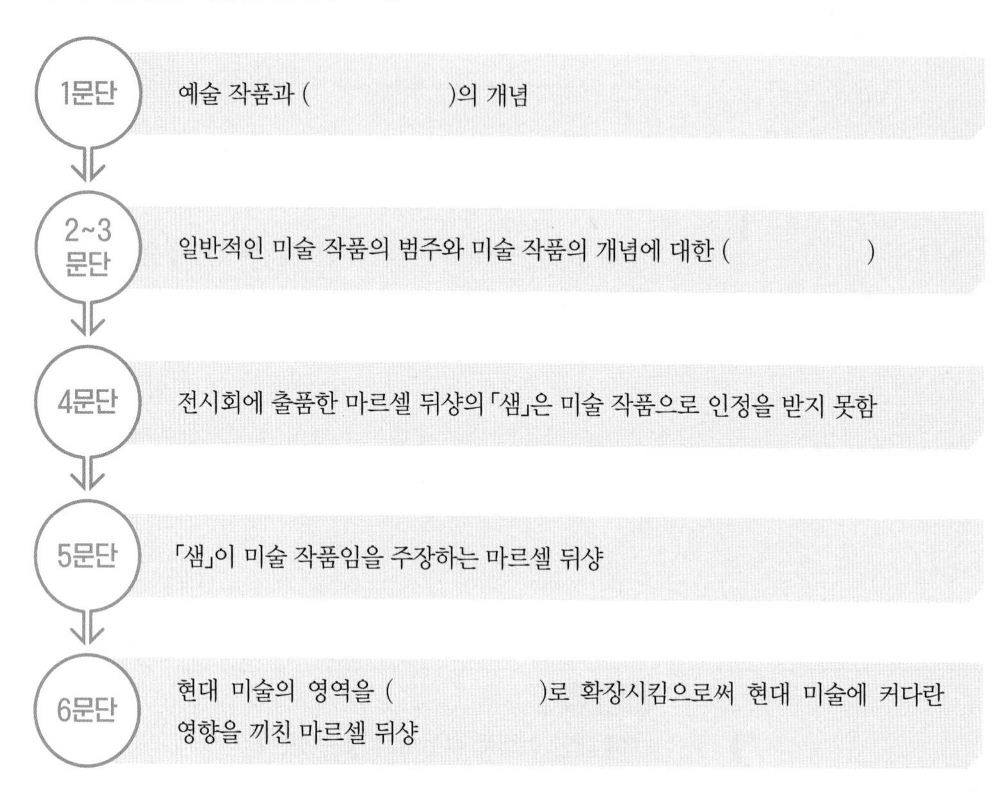

3 **핵심 내용을 구조화해 보자.**

'변기'도 미술 작품이 될 수 있는가?

전시회 측의 입장	마르셀 뒤샹의 입장
「샘」은 단지 기성품일 뿐이며, 본래의 목적에 맞게 쓰일 때 의미가 있는 것이지, 미술 전시장에 어울리는 ( )은 아니다.	「샘」을 작가가 자신의 손으로 만들었는가는 중요하지 않으며, 기성품이라도 작가가 그것을 ( )하고 새로운 ( )를 부여했다면 작품으로 인정되어야 한다.

이후의 변화

뒤샹의 혁명적 제안은 현대 미술의 영역을 (   )로 확장시켰으며, 이후 현대 미술에 커다란 영향을 끼침

어휘력 테스트

1 **제시된 뜻과 예문을 참고하여 다음 초성에 해당하는 단어를 괄호 안에 써 보자.**

(1) ㅅ ㅁ : 자기의 이름을 써 넣음. 또는 써 넣는 것

예 마르셀 뒤샹은 상점에서 구입한 남자 소변기에 'R. Mutt'라는 가명으로 (　　　　)을 한 뒤, 전시회에 출품하였다.

(2) ㅅ ㅅ ㅎ : 동양화에서, 산과 물이 어우러진 자연의 아름다움을 그린 그림

예 진경 (　　　　)는 화보나 다른 그림을 모방한 그림이 아니고, 우리나라의 산천을 직접 답사하여 화폭에 담은 것이다.

(3) ㅍ ㅅ ㅎ : 그 시대의 세상 모습이나 형편, 풍습을 그린 그림

예 조선 후기에 (　　　　)로 유명했던 대표적인 화가로는 농촌 생활을 주로 그린 김홍도와 도시 양반의 삶을 주로 그린 신윤복이 있다.

2 **다음 〈보기〉의 뜻을 참고하여 십자말풀이를 완성해 보자.**

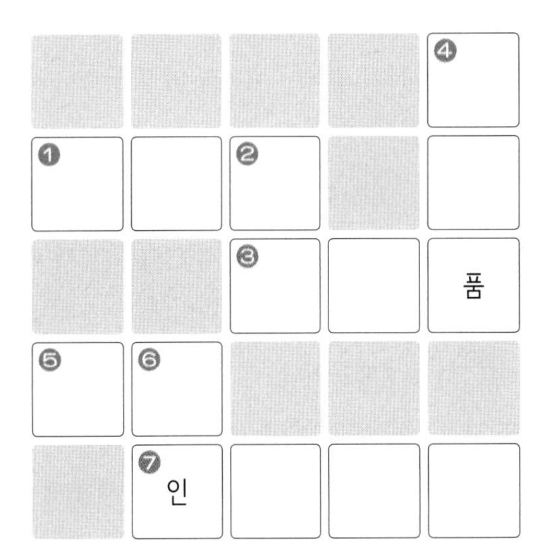

보기

❶ 가로: 특정한 물건을 벌여 차려 놓고 일반에게 참고가 되게 하는 모임
❷ 세로: 돌아올 시기
❸ 가로: 이미 만들어져 있는 물품. 또는 미리 일정한 규격대로 만들어 놓고 파는 물품
❹ 세로: 본디의 것과 똑같이 본떠 만든 물품
❺ 가로: 실제의 자기 이름이 아닌 이름
❻ 세로: 어떤 분야에서 기예가 뛰어나 유명한 사람
❼ 가로: 19세기 후반 프랑스에서 일어난 근대 미술의 한 경향. 드가, 르누아르, 마네 등이 대표적 작가임

어휘·어법 확장

'레디메이드(ready-made)'의 의미

예술가의 선택에 의해 예술 작품이 된 기성품을 말한다. 마르셀 뒤샹이 창조해 낸 미적 개념으로, 그가 기성 제품인 변기를 전시회에 출품하면서 일반화된 명칭이다. 뒤샹은 기존의 물건에 어떠한 변형이나 디자인을 가하지 않고, 제목만 새로 붙여 전시하는 레디메이드 개념을 제시하였다. 미(美)는 발견해야 한다는 뒤샹의 주장은 이전 사고에 대한 도전이었다. 또한 레디메이드는 반(反)예술로서 이전 예술에 대한 조롱과 비판을 동시에 포함하는 개념이기도 하다.

우리 춤이 지닌 멋

- 핵심어를 찾아보자.
- 문단별 중심 내용에 밑줄을 그어 보자.
- 핵심 내용을 구조적으로 재배열해 보자.

가 옛날에는 공방에서 만들어진 접시가 10개면 10개 모두 다르고 조금씩 흠이 있었다. 그러나 그 접시의 흠은 흉이 아니고 도리어 그 각각의 다른 점에서 아름다움을 지닌다. 신의 창조물이 어느 것 하나 똑같지 않은 듯 말이다. "사람은 있되 내가 없으면 이는 꼭두각시이지 산 사람이 아니다."라는 말이 있는데, 이 말을 춤에 적용시켜 보면 타인의 춤을 그대로 모방하는 것이 아니라 자신의 춤을 추어야 한다는 진리가 담겨 있다 하겠다.

나 요즘은 우리나라 춤에 '누구누구의 유파'라는 말이 있지만, 우리나라 춤에는 본래 유파가 없었다. 일본의 고전 예술은 이른바 이에모토[家元] 제도가 있어서 각 유파의 제자들은 자기 선생의 성까지 넣어서 이름을 바꿀 정도로 세습적인 체제로 교육을 받았다. 일본에는 선생의 춤을 그대로 답습하는 것을 미덕으로 여겨 수백 년 동안 변함없이 이어지는 것이 보통이다. 그러나 우리나라의 판소리나 춤은 몇 달 또는 한두 해 동안만 선생에게 기초를 배우고 그 이후에는 혼자서 연습했다. 우리나라 사람들은 다른 사람의 춤을 그대로 모방하거나 그 춤을 반복하며 전수하는 것을 싫어했으며, 변화와 다양성과 개성을 지닌 춤을 중시했기 때문이다.

다 우리의 춤은 자기표현성이 강하다. 나름대로의 원형적 동작이나 형식적 틀이 있지만 이 틀은 시대에 따라 또는 춤추는 사람에 따라 새롭게 꾸며진 형식이며, 춤 동작은 그때마다 달라진다. 우리 춤의 본질은 어떠한 춤을 그대로 추는 것을 자랑하는 것이 아니라, 그 춤 자체가 가진 예술성이 어떠하냐에 따라 평가된다. 따라서 우리 춤은 자손 대대로 옛 춤의 형식이나 동작 하나하나를 그대로 이어 가면서 추는 (　㉠　)의 개념이 아니라 자기 멋이 들어간 (　㉡　)의 개념이라 할 수 있다. 즉, 우리 춤은 원칙적으로 선생에게 배워야 하는 춤이라기보다 춤판에서 보고 듣고 하는 가운데 저절로 추게 되는 춤인 것이다.

라 우리 춤은 자기표현성이 강하기 때문에 창작성과 자율성이 내재되어 있다. 이러한 자기표현의 특성이 가장 잘 나타난 것은 농민들의 춤이다. 농민들은 항상 몸을 땅을 향해 구부리고 일을 하기 때문에 농민들의 춤을 보면 허리가 조금씩 굽어 있는 것을 알 수 있다. 이들은 춤을 정식으로 배운 적이 없음에도 농사일을 마치고 악기 소리에 맞추어 춤을 추는 날이면 어디서 그런 신명이 나오는지 당당하고 멋들어지게 춤을 춘다.

- **유파**: 생각이나 방법 경향이 비슷한 사람이 모여서 이룬 무리
- **이에모토 제도**: 이에모토(고전 예능 분야에서 각 유파의 전통이나 가르침을 전수하고 있는 집안이나 그 지위에 있는 사람)가 유파를 관리하고 기술을 전수해 가는 제도
- **답습하는**: 예로부터 해 오던 방식이나 수법을 좇아 그대로 행하는
- **원형적**: 본디의 모습을 갖춘 특성이 있는
- **신명**: 흥겨운 신이나 멋

마 농민들의 춤은 마치 벼 이삭이 익어 고개를 숙인 듯한 동시에 막대기처럼 무뚝뚝하면서도 거칠고 역동적인 멋을 지니기도 한다. 이렇게 자기표현이 자연스럽게 이루어지는 과정에서 형상화된 춤이야말로 우리 춤의 특성을 잘 보여 준다고 하겠다. 우리 춤의 진정한 멋은 누구에게서 배워서 나온 것이 아니라 멋을 가진 우리나라 사람이기에 나온 것이다.

사실적 사고

1 **윗글에서 사용한 글쓰기 전략으로 적절하지 않은 것은?**

① 비유적 표현을 사용하여 우리 춤의 모습을 묘사한다.
② 다른 춤과의 대조를 통하여 우리 춤의 특성을 부각시킨다.
③ 우리 춤이라는 개념이 정해진 과정을 시대순으로 제시한다.
④ 우리 춤의 특성을 드러내기 위해 농민의 춤을 사례로 들고 있다.
⑤ 다른 대상을 근거로 유추의 방법을 활용하여 춤에 대한 관점을 드러낸다.

수능형

2 **윗글을 읽은 학생들의 반응으로 적절하지 않은 것은?**

① 일본의 전통 춤은 같은 춤 동작을 대대로 전수하겠군.
② 우리 춤은 누군가에게 배울 수 없었으므로 춤 동작을 익히기가 어려웠겠군.
③ 우리 춤은 춤을 추는 사람의 개성이 자연스럽게 표현되는 것을 중시했겠군.
④ 춤 동작이 춤을 출 때마다 달라진다는 것으로 보아 우리 춤은 즉흥적인 속성이 있군.
⑤ 우리 춤은 나름의 원형적 동작이나 형식적 틀이 있지만 시대에 따라 새롭게 바뀌는군.

어휘·어법

3 **〈보기〉를 참고하였을 때, ㉠과 ㉡에 들어갈 말을 바르게 짝지은 것은?**

보기

- **전승(傳承)**: 문화, 풍속, 제도 따위를 이어받아 계승함
- **전수(傳受)**: 기술이나 지식 따위를 전하여 받음
- **전달(傳達)**: 지시, 명령, 물품 따위를 다른 사람이나 기관에 전하여 이르게 함
- **전파(傳播)**: 전하여 널리 퍼뜨림

	㉠	㉡
①	전수(傳受)	전승(傳承)
②	전수(傳受)	전달(傳達)
③	전달(傳達)	전수(傳受)
④	전승(傳承)	전파(傳播)
⑤	전파(傳播)	전수(傳受)

1 이 글의 핵심 화제를 살펴보자.

(   )이 강한 우리 춤

2 각 문단별 중심 내용을 정리해 보자.

3 핵심 내용을 구조화해 보자.

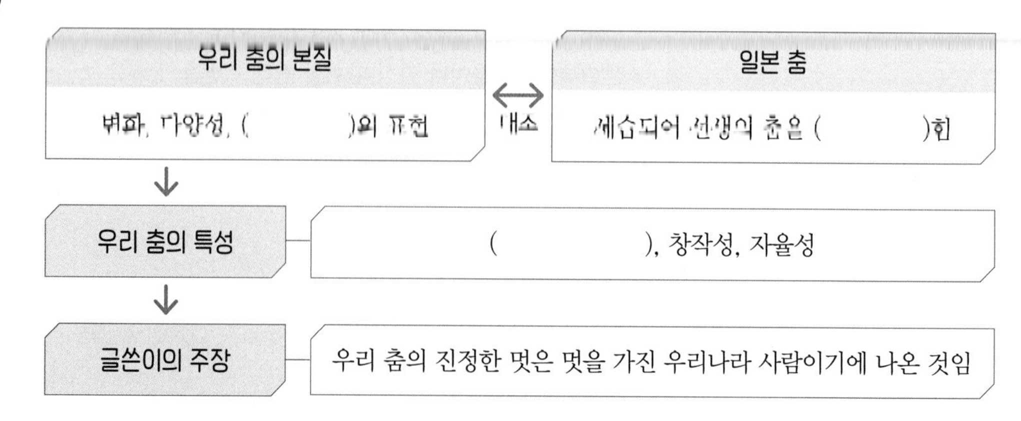

어휘력 테스트

1 다음 단어의 뜻을 참고하여 끝말잇기를 완성해 보자.

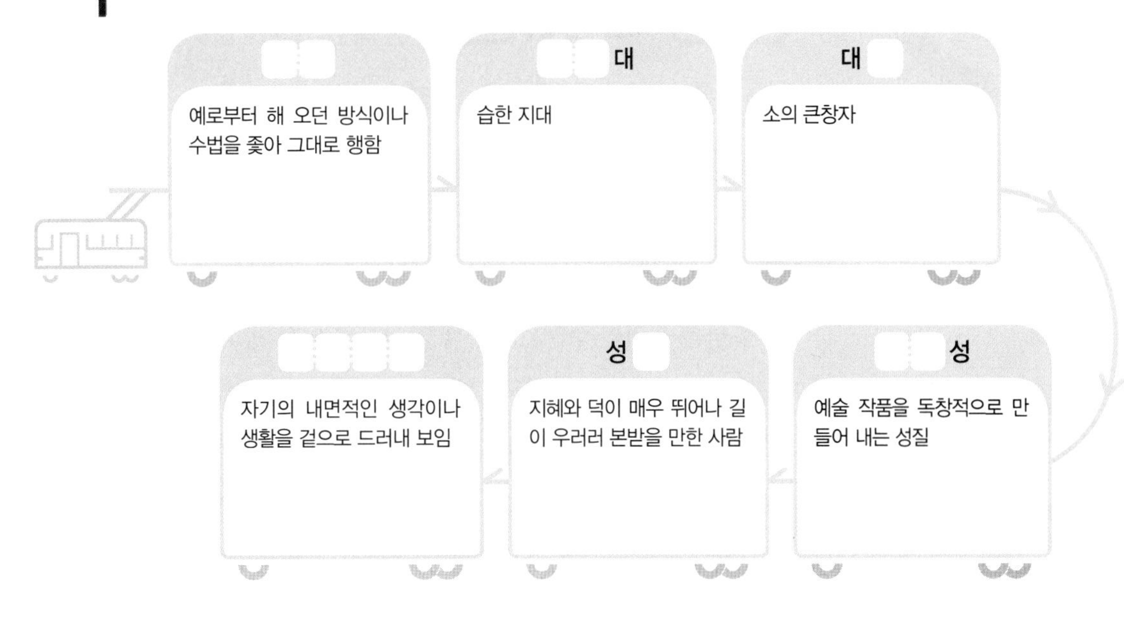

2 다음 단어를 활용하기에 적절한 문장을 찾아 바르게 연결해 보자.

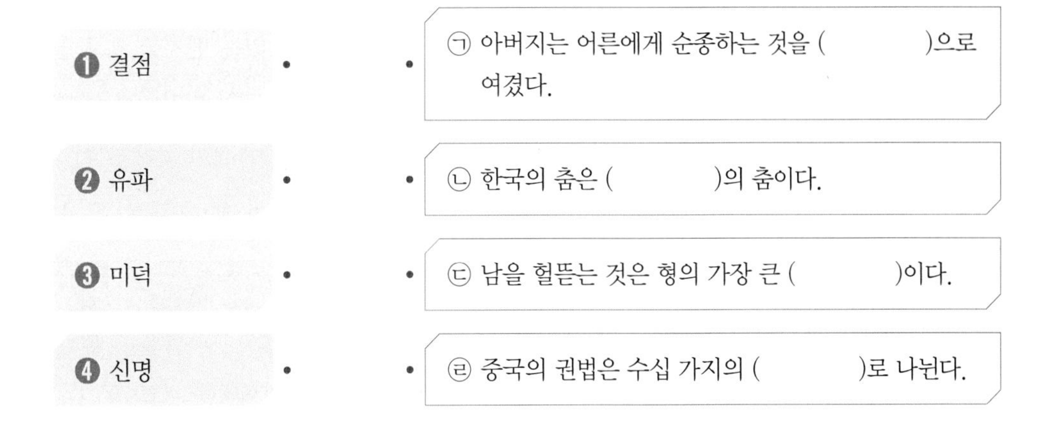

어휘·어법 확장

'꼭두각시'의 어원

사람은 있되 내가 없으면 이는 꼭두각시이지 산 사람이 아니다.

우리나라의 민속 인형극인 '박첨지놀음'에서 박 첨지의 아내 역을 '꼭두각시'라고 한다. 여기서 '각시'는 '아내'를 말하며, '꼭두'는 옛말로 '곡도'이다. '곡도'는 '곡독'에서 'ㄱ'이 떨어진 것으로, '곡독'은 한자말 '곽독(郭禿)'에서 온 말이다. '곽독(郭禿)'은 본디 몽고에서 '괴뢰(傀儡)의 얼굴', 즉 가면을 지칭하던 말로 'godor ocin'의 준말 'godor'에서 유래된 것이다. 이 'godor(고도르)'가 중국에서 '곽독'으로 받아들여지고, 다시 우리나라에서 '곡독'으로 변해서 '곡독 → 곡둑 → 꼭둑 → 꼭두'로 변한 것이다. 따라서 '꼭두각시'는 '허깨비의 가면'을 뜻하는 몽고어에서 비롯하여 우리말 '각시'가 덧붙어 민속 인형극 '박첨지놀음'의 '색시 인형'을 의미하게 되었다. 그러다가 인형이 그 자체로 움직이지 못하고 반드시 뒤에서 조종하는 사람에 의해서만 동작을 할 수 있다는 데서 그 의미가 확대되어 '남의 조종에 놀아나는 사람'을 가리키는 말로 쓰이게 되었다.

일상을 바꾸는 공공 디자인

- 핵심어를 찾아보자.
- 문단별 중심 내용에 밑줄을 그어 보자.
- 핵심 내용을 구조적으로 재배열해 보자.

| 성취도 평가 기출 |

가 공공 디자인은 우리 주변의 공공 시설물을 디자인하는 행위나 그 결과물을 의미한다. 우리를 둘러싼 수많은 공공 디자인은 다양한 방식으로 우리 삶에 관여하기 때문에 공공 디자인에 대한 사람들의 관심이 점차 높아지고 있다. 그러나 최근 조사에 따르면 공공 디자인에 대해 만족하지 않는다는 응답이 만족한다는 응답의 두 배가 넘는 것으로 나타났다. 이는 급속한 경제 발전 과정에서 공공 디자인의 미적 기능을 소홀히 여긴 결과로 볼 수 있다. 보다 나은 공공 디자인을 위해 실용적 기능이나 미적 기능의 균형을 생각해 볼 때이다.

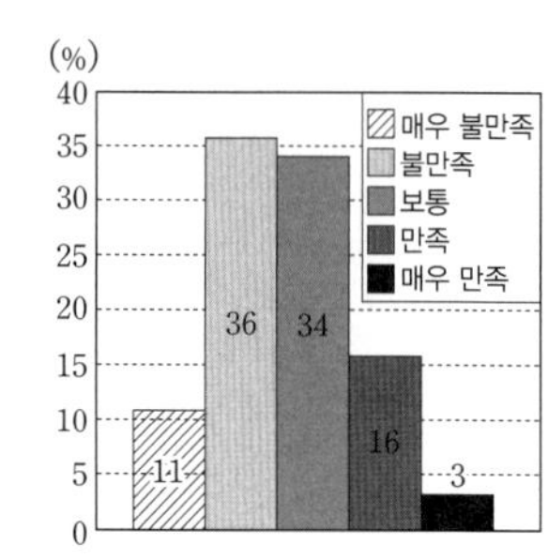

〈자료 1〉 공공 디자인 만족도 조사

나 공원이나 정류장에서 흔히 볼 수 있는 벤치를 예로 들어 보자. 모양이나 색, 재료 등이 비슷한 경우가 많다. 하지만 덴마크의 디자이너 예페 하인은 이러한 벤치를 다양한 모양으로 디자인하여 사람들이 각양각색의 자세로 쉴 수 있도록 하였다. 실용적 기능에 창의적 상상력이 더해져 사람들에게 재미와 즐거움까지 주게 된 좋은 예이다.

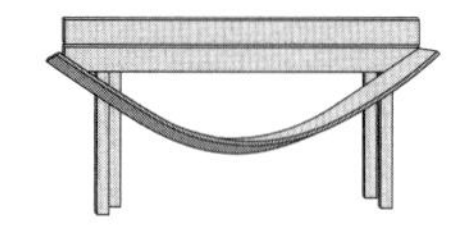
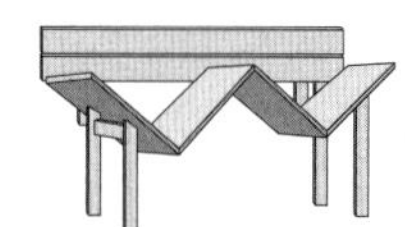
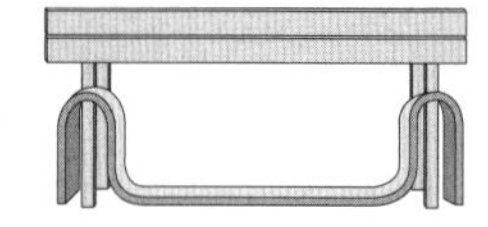

〈자료 2〉 예페 하인의 벤치들

다 실용적 기능과 미적 기능이 균형을 이룬 예는 영국에서도 찾아볼 수 있다. 영국의 산업 디자이너 로스 러브그로브가 디자인한 '솔라 트리'가 그것이다. 솔라 트리는 태양광 패널이 달린 나무 모양의 가로등으로, 주변을 밝히는 가로등의 실용적 기능에 자연의 아름다움을 더해 사람들에게 만족감과 편안함을 주고 있다.

〈자료 3〉 솔라 트리

라 우리나라에도 좋은 예가 있다. 전주에는 남원과의 경계를 알리는 '전주 연돌 탑'이 있다. 이 탑의 굴뚝에서는 밥 짓는 때에 맞춰 하루 세 번 연기가 나는데, 이는 사랑이 담긴 '엄마의 밥상'을 상징적으로 표현한 것이라고 한다. 이처럼 공공 디자인에 인간미를 더하면 사람들에게 깊은 인상을 줄 수 있다.

〈자료 4〉 전주 연돌 탑

- 미적(美的): 사물의 아름다움에 관한
- 각양각색: 각기 다른 여러 가지 모양과 빛깔
- 패널(panel): 벽널 따위의 건축용 널빤지
- 인간미: 인간다운 따뜻한 맛

마 이와 같이 공공 디자인은 실용적 기능과 미적 기능이 균형을 이룰 때 공공 디자인으로서의 효과가 더욱 크게 발휘될 수 있다. 주변을 둘러보자. 집 앞 놀이터의 바닥 분수, 알록달록한 안내 표지판, 보행자 우선 도로의 ㉠작은 타일에 이르기까지 공공 디자인은 우리의 일상생활에 밀접하게 관련되어 있다. 보다 많은 사회 구성원들이 만족할 수 있도록 실용적 기능과 미적 기능이 조화된 공공 디자인이 우리 주변에 더욱 많아져야 한다.

타일: 지점토를 구워서 만든, 겉이 반들반들한 얇고 작은 도자기 판. 벽, 바닥 따위에 붙여 장식하는 데 씀

사실적 사고

1

수능형

(가)~(마)에 대한 설명으로 적절하지 않은 것은?

① (가): 공공 디자인에 대한 만족도 조사 결과를 근거로 공공 디자인 개선의 필요성을 주장하고 있다.
② (나): 실용적 기능이 없는 공공 디자인의 사례를 근거로 공공 디자인의 실용적 기능 강화를 주장하고 있다.
③ (다): 공공 디자인에 자연의 아름다움을 더하면 사람들에게 만족감과 편안함을 줄 수 있음을 예를 통해 제시하고 있다.
④ (라): 우리나라의 예를 소개하여 공공 디자인에 인간미를 더하면 사람들에게 깊은 인상을 줄 수 있음을 보여 주고 있다.
⑤ (마): 공공 디자인이 일상생활에 밀접하게 관련되어 있음을 근거로 실용적 기능과 미적 기능이 조화된 공공 디자인이 많아져야 함을 주장하고 있다.

추론적 사고

2

윗글에 사용된 〈자료〉에 대한 이해로 적절하지 않은 것은?

① 〈자료 1〉은 공공 디자인 만족도와 관련한 정보를 수치화하여 보여 주고 있다.
② 〈자료 2〉는 벤치 디자인의 변화를 시간의 흐름에 따라 보여 주고 있다.
③ 〈자료 2〉는 예페 하인의 벤치들의 특징을 시각화하여 보여 주고 있다.
④ 〈자료 3〉은 '솔라 트리'가 설치된 모습을 주변 경관과 함께 보여 주고 있다.
⑤ 〈자료 4〉는 글의 설명을 보완하기 위해 '전주 연돌 탑'의 모습을 보여 주고 있다.

어휘·어법

3

밑줄 친 단어 중 ㉠의 문장 성분과 다른 것은?

① 어젯밤에 꽤 많은 비가 내렸다.
② 대청소를 하며 헌 옷을 내다 버렸다.
③ 온 가족이 함께 즐거운 시간을 보냈다.
④ 너의 모든 소망이 이루어지기를 바란다.
⑤ 수연이는 소중한 추억이 깃든 일기장을 찾았다.

1 이 글의 핵심 화제를 살펴보자.

(　　　　　) 기능과 (　　　　　) 기능이 균형을 이룬 공공 디자인

2 각 문단별 중심 내용을 정리해 보자.

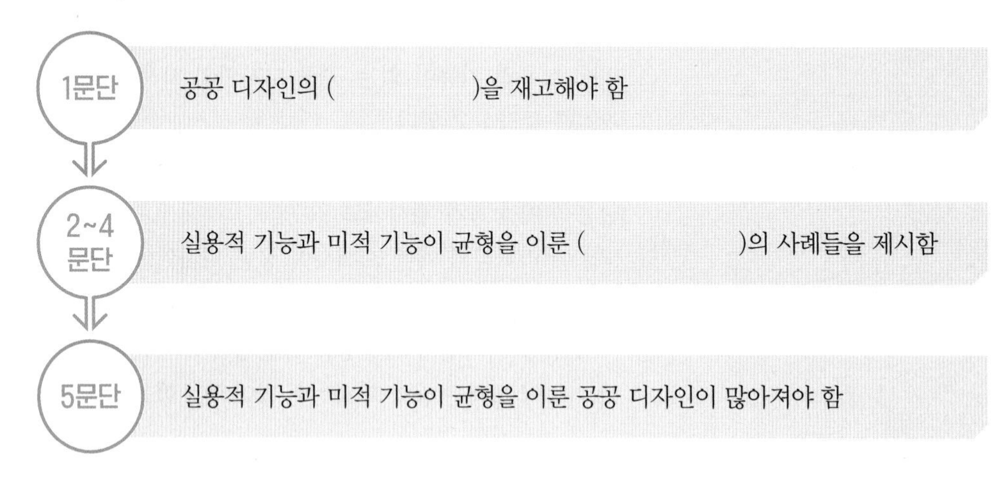

3 핵심 내용을 구조화해 보자.

실용적 기능과 미적 기능이 균형을 이룬 공공 디자인

다양한 모양으로 디자인한 예페 하인의 벤치	로스 러브그로브의 가로등 '솔라 트리'	엄마의 밥상을 상징적으로 표현한 '전주 연돌 탑'
(　　　　　) 기능에 창의적 상상력이 더해져 사람들에게 즐거움을 줌	실용적 기능에 (　　　　　)의 아름다움을 더해 사람들에게 만족감과 편안함을 줌	공공 디자인에 (　　　　　)를 더해 사람들에게 깊은 인상을 줌

⇓

실용적 기능과 미적 기능이 균형을 이룰 때 (　　　　　　　)으로서의 효과가 증대됨

어휘력 테스트

● 다음 괄호 안에 들어갈 단어의 뜻을 〈보기〉에서 골라 기호를 써 보자.

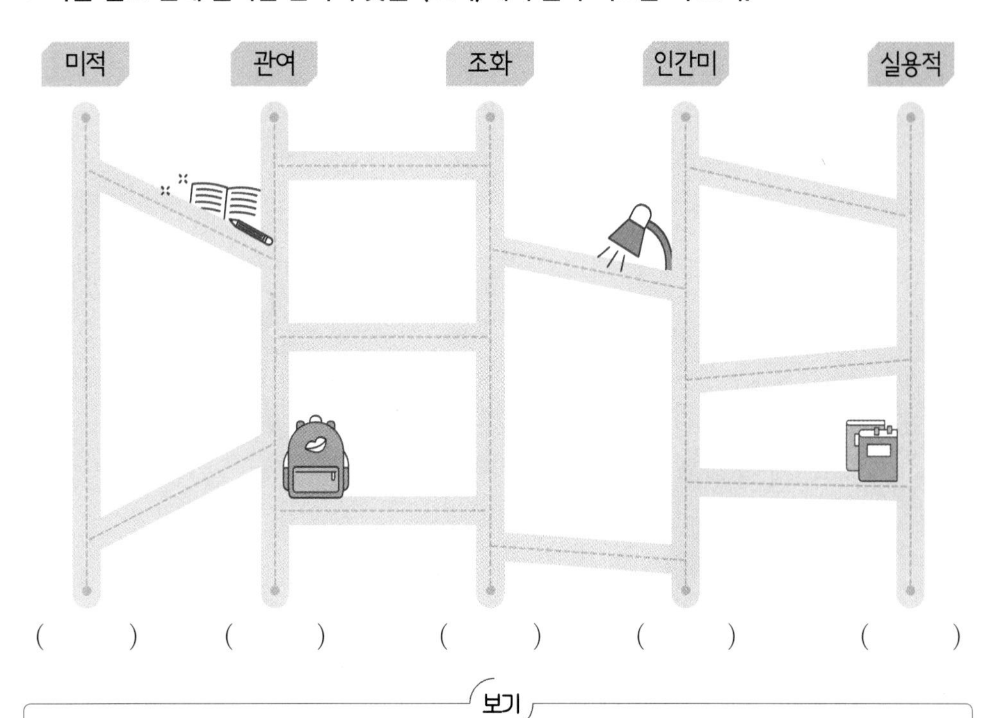

( ) ( ) ( ) ( ) ( )

보기

㉠ 서로 잘 어울림
㉡ 인간다운 따뜻한 맛
㉢ 실제로 쓰기에 알맞은 것
㉣ 사물의 아름다움에 관한 것
㉤ 어떤 일에 관계하여 참여함

어휘·어법 확장

'각양각색'과 비슷한말

각양각색
각기 다른 여러 가지 모양과 빛깔
예 각양각색으로 치장한 사람들이 모여 흥겨워하고 있다.

각색각양
각기 다른 여러 가지 모양과 빛깔
예 군중들 속에서 각색각양의 깃발이 나부끼고 있다.

형형색색
형상과 빛깔 따위가 서로 다른 여러 가지
예 붙박이 장식장에는 형형색색의 그릇들이 전시되어 있다.

가지각색
모양이나 성질 따위가 서로 다른 여러 가지
예 그곳에 모인 사람들의 옷차림이 가지각색이었다.

가지가지
이런저런 여러 가지
예 교실에 들어서니 아이들 얼굴 생김도 가지가지였다.

독해 성취도 평가

- 독해 성취도 평가 1회
- 독해 성취도 평가 2회
- 독해 체크리스트

독해 성취도 평가 1회

⏱ 제한 시간: 45분

[01~04] 다음 글을 읽고, 물음에 답하시오.

가 "몸에 좋은 약이 입에 쓰다."라는 말이 있다. 좋은 약은 병을 낫게 하지만 쓴맛 때문에 먹기는 괴롭다. 하지만 입에 쓰다고 약을 주지 않거나 먹지 않으면 병을 고칠 수 없다. 비판도 마찬가지이다. 비판하기를 꺼리거나 비판을 제대로 듣지 않으면 갈등이 심해지고 문제가 더 커질 수 있다. 갈등이나 문제를 해결하여 건강한 사회를 만들기 위해서는 올바른 비판 문화를 형성할 필요가 있다.

나 올바른 비판 문화를 형성하기 위해 먼저 비판의 의미를 알아보자. 비판과 비난을 혼동하는 경우가 있는데 비판은 비난과는 엄연히 다르다. ㉠비판은 어떤 행동이나 의견에 대해 이성적으로 판단하여 말하는 것이다. 반면, 비난은 감정만 앞세워서 상대방을 이유 없이 헐뜯는 것이다. 예를 들어, 친구의 글을 읽고 "네 글이 잘 이해되지 않아. 자세한 예를 들어 주면 더 좋을 것 같아."라고 말하는 것은 비판이라고 할 수 있다. 그러나 "너는 글을 참 못 쓰는 것 같아."라고만 말하는 것은 비난에 가깝다. 비판은 부족한 점을 흠잡는 것이 아니라 상대방에게 도움을 주는 것이어야 한다.

다 그렇다면 올바른 비판 문화를 만들어 가기 위해 어떻게 해야 할까? 첫째, 비판을 할 때는 상대방을 존중하는 마음을 ㉡가져야 한다. 둘째, 비판을 할 때는 알맞은 이유를 들어야 한다. 셋째, 비판을 할 때는 문제를 해결할 수 있는 대안을 함께 제시해야 한다. 넷째, 비판을 들을 때에는 자신의 생각과 비교하여 받아들여야 한다. 다섯째, 비판을 들을 때에는 상대방의 말을 경청하고 감사의 뜻을 표해야 한다.

라 비판의 의미를 잘못 이해하여 바르게 비판하지 못하면 상대방에게 상처를 입히거나 상대방으로부터 상처를 받기 쉽다. 따라서 비판의 의미를 제대로 이해하고 올바른 비판 문화를 만들어 가야 한다. 좋은 비판은 우리 사회를 성숙하고 아름답게 만드는 디딤돌이 될 것이다.

01 윗글의 글쓴이가 말하고자 하는 바로 가장 적절한 것은?

① 비판과 비난을 삼가야 성숙한 사회를 만들 수 있다.
② 비판을 들을 때에는 경청하며 적극적으로 수용해야 한다.
③ 상대방에게 도움이 되는 비난이라면 기꺼이 말해 주어야 한다.
④ 비판의 의미를 제대로 이해하고 올바른 비판 문화를 만들어 가야 한다.
⑤ 문제점에 대한 비판은 해 주되 대안은 상대방 스스로 찾도록 해야 한다.

02 윗글에 대한 평가로 적절하지 않은 것은?

① 알맞은 이유를 들어 비판하라는 것은 좋은 생각이야. 친구가 이유를 들어 비판해 주어서 무엇이 잘못되었는지 알 수 있었거든.
② 비판을 들을 때에 상대방의 말을 경청하고 감사의 뜻을 표하라는 것은 좋은 생각이야. 나의 문제를 흠잡더라도 인사치레는 해야 하거든.
③ 상대방을 존중하는 마음을 갖고 비판하라는 것은 좋은 생각이야. 토론할 때 상대방을 존중하지 않아서 친구들끼리 마음 상하는 일이 있었거든.
④ 비판을 들을 때에 자신의 생각과 비교하여 보라는 것은 좋은 생각이야. 친구의 생각과 내 생각을 비교하면서 부족한 점을 보충할 수 있었거든.
⑤ 문제를 해결할 수 있는 대안을 함께 제시하며 비판하라는 것은 좋은 생각이야. 친구가 대안을 함께 말해 주어서 문제를 해결하는 데 도움이 되었거든.

03 두 문장의 연결 관계가 ㉠과 같은 것은?

① 사전에는 여러 가지가 있다. 백과사전, 국어사전, 인물 사전 등이 그 예이다.
② 북극곰의 서식지가 줄어들고 있다. 왜냐하면 북극의 얼음이 녹고 있기 때문이다.
③ 꽃은 여러 부분으로 되어 있다. 꽃은 암술, 수술, 꽃잎, 꽃받침 등으로 이루어진다.
④ 에너지를 만들기 위해 수력 발전은 물을 이용한다. 이와 달리, 화력 발전은 화석 연료를 이용한다.
⑤ 악기는 연주 방법에 따라 몇 가지로 구분된다. 줄을 진동시켜 소리를 내는 현악기, 두드려서 소리를 내는 타악기, 입으로 불어서 소리를 내는 관악기로 나눌 수 있다.

04 다음 밑줄 친 말 중, ㉡의 문맥적 의미와 쓰임이 가장 유사한 것은?

① 좋은 것을 <u>가지고</u> 싶어 하는 것은 인지상정이다.
② 그녀는 첫 만남에서부터 그에게 호의를 <u>가지고</u> 있었다.
③ 동생은 주머니를 탈탈 털어 <u>가지고</u> 과자를 몽땅 사 왔다.
④ 그 연예인은 사건의 의혹을 해명하기 위해 기자 회견을 <u>가졌다</u>.
⑤ 한 가지 일을 <u>가지고</u> 너무 오래 끄는 것은 좋지 않은 습관이다.

[05~08] 다음 글을 읽고, 물음에 답하시오.

(가) 마음의 감기로 불리는 우울증. 누구나 쉽게 걸릴 수 있고, 명확한 발병 원인을 알지 못하는 감기 같은 병이다. 하지만 많은 사람들이 우울증을 그저 나약하기 때문이라고, 의지력을 가지면 이겨 낼 수 있는 것이라고 생각한다. 그뿐만 아니라 기분이 우울한 것을 병원에 간다고 낫겠느냐는 생각도 팽배하다. 이런 반응은 우울한 감정과 우울증을 같은 것으로 보기 때문이다.

(나) 우울증의 원인으로 지적되고 있는 것 중 하나는 호르몬이다. 가장 많이 지목되는 '세로토닌(Serotonin)'은 뇌척수액에서 발견되는 신경 대사 물질로, 뇌를 순환하며 신경 전달 기능을 한다. 세로토닌은 감정 표현과 밀접한 관련을 가진 것으로, 부족하면 감정이 불안정해져서 근심 걱정이 많아지고 충동적인 성향이 나타난다.

(다) 멜라토닌 역시 우울증과 관련이 있다. 우리 몸의 생체 시계 역할을 하는 호르몬인 멜라토닌은 잠과 연관되어 있어 부족할 경우 불면증에 시달리게 된다. 우울증 환자들 중에 잠을 제대로 자지 못하는 경우가 많은데, 실제 많은 환자들이 멜라토닌 수치가 정상보다 낮은 것으로 ㉠<u>밝혀졌다</u>. 세로토닌과 멜라토닌뿐 아니라 도파민, 노르에피네프린 등 신경과 관련된 여러 가지 호르몬이 우울증에 영향을 미친다.

(라) 우울증이 단지 '기분'의 문제가 아니라 명백한 질환이라는 것은 해부학적으로도 증명된다. 미국 워싱턴 대학 이베트 셀린 교수는 만성 우울증을 앓은 사람들의 뇌의 경우, 기억과 학습에 관여하는 해마 부위가 우울증이 없는 사람에 비해 10% 정도 작다고 발표한 바 있다.

(마) 우울증은 지금까지 밝혀진 바에 의하면 호르몬 분비 체계가 제대로 기능하지 못하는 문제이고 몸의 기능이 손상되어 나타나는 질병인에 분명하다. 즉, 기분이 문제가 아니고 생리적인 문제인 것이다.

팽배하다: 어떤 기세나 사조 따위가 매우 거세게 일어나다.
만성: 병이 급하거나 심하지도 아니하면서 쉽게 낫지도 아니하는 성질

05 윗글의 내용과 일치하지 않는 것은?

① 우울증은 치료가 필요한 질병이다.
② 우울증은 누구나 쉽게 걸릴 수 있다.
③ 우울증과 우울한 감정은 같은 말이다.
④ 우울증의 원인 중 하나는 호르몬이다.
⑤ 우울증에 걸리면 잠을 잘 못 자는 경우가 많다.

06 윗글에 〈보기〉를 추가한다고 할 때, (가)~(마) 중 가장 적절한 곳은?

• 보기 •
그러나 우울증은 단순한 감정적인 문제가 아니라 감정을 조절하는 뇌의 기능에 변화가 생겨 나타나는 병이며 전 세계 1억여 명 이상이 앓고 있는 엄연한 질환이다.

① (가)의 뒤　　② (나)의 뒤
③ (다)의 뒤　　④ (라)의 뒤
⑤ (마)의 뒤

07 윗글에 대한 설명으로 가장 적절한 것은?

① 자문자답의 형식을 통해 논지를 강화하고 있다.
② 추상적인 내용을 특별한 경험에 비유하여 설명하고 있다.
③ 상반된 주장을 대비한 후 절충적인 견해를 제시하고 있다.
④ 객관적인 통계 자료보다 직관에 기대어 결론을 유추하고 있다.
⑤ 전문가의 발표 내용을 인용하여 자신의 주장에 신뢰성을 더하고 있다.

08 다음 밑줄 친 말 중, ㉠의 문맥적 의미와 쓰임이 가장 유사한 것은?

① 그는 쫓아오는 경찰에 신분을 밝혔다.
② 이인국은 돈과 지위를 밝히는 인물이었다.
③ 어머니는 밤을 거의 뜬눈으로 밝히고 아침 일찍 길을 나섰다.
④ 할아버지는 정전 상태가 길어지자 촛불을 켜서 어둠을 밝혔다.
⑤ 아무리 눈을 밝혀 뒤를 밟아도 계속해서 그를 놓치고 말았다.

[09~12] 다음 글을 읽고, 물음에 답하시오.

㉮ 38억 년 전 단세포 생물이 나타난 이후, 지구에는 다섯 번의 대멸종이 있었다. 그런데 마지막 대멸종이 일어난 지 6,500만 년이 지난 현재, 유엔(UN)의 한 보고서는 1시간에 3종, 하루 150종의 생물이 지구상에서 ⓐ멸종하고 있다고 밝혔다. 빠른 속도로 진행 중인 현대의 이 멸종을 '제6의 대멸종'으로 부르는 이도 있다. 우리는 멸종되는 생물들을 그냥 지켜보고 있어도 되는 것일까?

㉯ 지구상의 생물들은 먹이 사슬을 이루고 있다. 예를 들어 초식 동물인 토끼와 쥐는 늑대의 먹이가 된다. 그런데 만약 늑대가 멸종된다면, 토끼와 쥐의 수는 (　　㉠　　) 것이다. 그렇게 되면 토끼와 쥐가 먹이로 삼는 식물의 ⓑ개체 수는 (　　㉡　　) 것이고,

이는 또 다른 생물의 ⓒ생존에 영향을 줄 것이다. 먹이 사슬이 복잡한 그물 구조를 이루고 있다는 점을 생각할 때, 한 생물의 멸종은 생태계 전체에 변화를 가져와 다른 생물들의 생존에 영향을 미치게 된다고 할 수 있다.

다 따라서 현재 멸종 위기에 처한 생물들을 보호하고, 이미 멸종된 생물들을 ⓓ복원하기 위한 노력이 필요하다. 먼저 사람들이 모피나 고기 등을 얻기 위해, 또는 가축이나 농작물에 피해를 입힌다는 이유로 사냥하는 동물들을 보호해야 한다. 당장의 이익을 위해 이들을 멸종시킨다면 그 피해는 고스란히 우리에게 돌아올 것이다.

라 또 멸종된 생물들을 복원하는 노력을 계속해야 한다. 아프리카 코뿔소는 개체 수가 한때 전 세계에 4,000마리도 안 되었지만 복원 사업으로 인해 지금은 1만여 마리로 늘어났다고 한다. 우리나라에서도 한국 늑대, 반달가슴곰에 대한 복원 사업이 상당히 진행되어, 개체 수가 상당히 증가했다고 한다.

마 우리 인간은 생태계를 ⓔ지배하는 존재가 아니라 생태계의 한 구성원일 뿐이다. 생태계가 파괴된다면 생태계의 일부인 사람도 그 피해를 피해 갈 수 없다. 그러므로 우리는 멸종 위기의 생물들을 보호하고 복원하는 일에 힘써야 한다.

- **단세포 생물**: 하나의 개체가 한 개의 세포로 이루어진 생물. 가장 단순한 생물로 아메바, 짚신벌레, 박테리아 따위가 있다.
- **대멸종**: 생물이 지구상에 나타난 이후, 지구 환경이 갑작스럽게 변화하여 최소 열 한 차례에 걸쳐 생물이 크게 멸종한 사건 가운데 규모가 큰 다섯 차례의 멸종
- **먹이 사슬**: 생태계에서 먹이를 중심으로 이어진 생물 간의 관계
- **생태계**: 어느 환경 안에서 사는 생물군과 그 생물들을 제어하는 제반 요인을 포함한 복합 체계

09 (가)~(마)를 글의 내용에 따라 처음, 중간, 끝의 세 부분으로 바르게 나눈 것은?

① (가) / (나), (다) / (라), (마)
② (가) / (나), (다), (라) / (마)
③ (가), (나) / (다) / (라), (마)
④ (가), (나) / (다), (라) / (마)
⑤ (가), (나), (다) / (라) / (마)

10 윗글의 주제로 가장 적절한 것은?

① 인간은 생태계를 지배하려는 사고에서부터 벗어나야 한다.
② 멸종 위기의 생물들을 보호하고 복원하는 일에 힘써야 한다.
③ 모피나 고기를 얻기 위해 동물을 사냥하는 것은 비인간적인 행위이다.
④ 꾸준한 복원 사업을 통해 멸종 위기의 생물들의 개체 수가 점차 증가하고 있다.
⑤ 생태계가 파괴된다면 생태계의 일부인 사람도 그 피해를 고스란히 받게 될 것이다.

11 윗글의 내용을 고려하였을 때, ㉠과 ㉡에 들어갈 말이 바르게 연결된 것은?

	㉠	㉡
①	갑자기 늘어날	점점 줄어들
②	갑자기 늘어날	점점 늘어날
③	갑자기 줄어들	점점 줄어들
④	갑자기 줄어들	점점 늘어날
⑤	점점 줄어들다 늘어날	점점 늘어나다 줄어들

12 ⓐ~ⓔ를 활용하여 만든 다음 문장 중, 적절하지 않은 것은?

① ⓐ: 인간이 멸종된 다음에는 침팬지나 수달이 지구를 지배할까?
② ⓑ: 인간은 자신을 독립된 개체로서 인식할 수 있는 존재이다.
③ ⓒ: 환경 파괴는 인간의 생존에 위협적 존재이다.
④ ⓓ: 그는 이번 타이틀전을 앞두고 다시 링으로 복원하였다.
⑤ ⓔ: 그들은 지금까지 아무에게도 지배된 적이 없었다.

독해 성취도 평가 1회

[13~16] 다음 글을 읽고, 물음에 답하시오.

(가) 지금까지 도시는 자연환경을 희생시켜 생산한 에너지를 바탕으로 지탱되어 왔다. 하지만 화석 연료가 바닥을 드러내고 지구 온난화와 환경 파괴로 삶의 터전인 지구가 몸살을 앓고 있는 이 시점에서 환경과 에너지의 상생을 이끌어 내는 새로운 패러다임이 필요하게 되었다. 이에 따라 매장량이 유한할 뿐 아니라 지구 온난화를 일으키는 화석 에너지 대신 폐기물을 이용한 리사이클링 기술이 부각되고 있다.

(나) 폐기물을 에너지로 사용하려면 도시에서 배출된 폐기물을 수거한 뒤 분류하여 물리적·화학적 특성에 맞게 에너지로 전환하는 시스템이 필요하다. 에너지로 전환할 수 있는 폐기물은 폐플라스틱, 폐타이어 같은 합성 고분자 폐기물과 폐종이, 음식물 쓰레기와 같은 '생물적 물질'로 구성된 '바이오매스'이다. 가축 분뇨, 하수 슬러지, 나무나 볏짚, 낙엽도 바이오매스의 한 종류다.

(다) 리사이클링 복합 단지에는 미생물로 분해할 수 있는 폐기물인 유기성 폐기물을 에너지로 바꾸는 생화학적 전환 공장이 있다. 이 공장에서 유기성 폐기물은 혐기성 소화 과정을 거쳐 메탄 가스로 바뀐 뒤 전력 생산을 위한 터빈의 동력으로 사용되거나, 지역난방의 원료로 사용된다. 옥수수와 사탕수수, 목재 같은 탄수화물 구성체는 발효된 뒤 바이오에탄올을 생산하는 데 쓰인다.

(라) 도시에서 수거한 폐플라스틱, 폐가구, 폐목재, 하수 슬러지는 가스화 플랜트로 향한다. 폐기물을 가스로 만들려면 완전 연소에 필요한 양보다 적은 양의 산소를 공급해 폐기물의 부분 산화를 일으켜야 한다. 완전 연소를 시킬 때와 달리 산소가 부족한 상태에서 폐기물을 소각하면 수소, 일산화 탄소, 메탄, 저분자 탄화수소를 다량 생산할 수 있다. 가스화 플랜트에서는 이 가스를 태운 열을 모아 난방에 사용하거나 가스 터빈, 가스 엔진을 구동시켜 전기를 생산한다. 가스 생성물의 일부는 메탄올 같은 다양한 화학 물질을 합성하기 위한 원료로 쓰인다.

(마) 열분해 플랜트에서는 산소가 전혀 없는 상태에서 유기성 고분자 폐기물에 열을 가하여 분자의 결합을 파괴한 뒤 메탄, 에탄올 같은 가스, 오일 그리고 탄소가 주성분인 고체 상태의 '차(char)'를 만든다. 우리가 잘 알고 있는 숯(목탄)은 목재를 천천히 열분해시켜 생산한 차의 일종이다. 열분해 플랜트는 에너지 양이 많은 오일과 차를 생산하는 것이 목표다. 오일을 생산할 때에는 500℃의 고온에서 폐기물이 반응기에 머무는 시간을 최소로 줄일 수 있도록 급속으로 열분해시켜야 한다. 폐기물이 반응기에서 오래 머물면 이차 반응이 일어나 오일이 줄고 가스의 발생량이 늘어나 에너지의 양이 줄기 때문이다.

(바) 또 열분해 플랜트에서는 바이오 연료도 생산할 수 있다. 폐목재와 같은 바이오매스를 급속하게 열분해할 때 나오는 바이오 연료는 가정용 보일러에서 사용할 수 있다. 또한 생명 공학 분야에서 면역 억제제를 생산하는 데 쓰이거나 화학 공업의 원료 물질로도 활용될 수 있어 그 가치가 높은 물질이다.

(사) 더 이상 활용할 수 없는 폐기물은 매립지로 향한다. 매립된다고 폐기물의 일생이 끝나는 것이 아니다. 매립지에서 혐기성 미생물이 유기물을 분해할 때 매탄 가스와 이산화 탄소가 반씩 포함된 가스가 나오는데, 이 가스를 정제한 '매립지 가스'를 전력 생산이나 지역난방 등에 활용할 수 있다. 이후 매립지는 공원으로 탈바꿈한다. 길고 길었던 폐기물의 일생은 자연으로 돌아가며 비로소 마무리되는 ㉠ 셈이다.

- **상생**: 둘 이상이 서로 북돋우며 다 같이 잘 살아감
- **패러다임(paradigm)**: 어떤 한 시대 사람들의 견해나 사고를 근본적으로 규정하고 있는 테두리로서의 인식의 체계. 또는 사물에 대한 이론적인 틀이나 체계
- **리사이클링(recycling)**: 자원을 절약하고 환경 오염을 방지하기 위하여 불용품이나 폐품을 재생하여 이용하는 일
- **바이오매스(biomass)**: 어느 지역 내에 생활하고 있는 생물의 현존량
- **바이오에탄올(bioethanol)**: 당질이나 전분질이 풍부한 사탕수수, 옥수수 따위의 작물을 발효시켜 정제한 휘발성 액체
- **플랜트(plant)**: 산업 기계, 공작 기계, 전기 통신 기계 따위의 종합체로서의 생산 시설이나 공장
- **차(char)**: 유기물의 고상 탄화 시에 생성되는 탄소질 물질
- **혐기성 미생물**: 무산소 상태에서 생겨나서 자라는 미생물

13 윗글의 표제와 부제로 가장 적절한 것은?

① 리사이클링 기술 – 폐기물의 분류 방법
② 환경과 에너지의 상생 – 지구 온난화 문제의 해결
③ 에너지 전환 시스템 기술 – 고분자 폐기물의 처리
④ 폐기물 재활용 기술 – 폐기물에서 확보하는 에너지
⑤ 폐기물의 새로운 변신 – 매립을 활용한 폐기물 리사이클링

14 윗글을 쓰기 위해 사용한 글쓰기 전략으로 가장 적절한 것은?

① 대안에 대한 객관적인 연구 자료를 제시하여 신뢰성을 높인다.
② 연구의 현황과 앞으로의 과제에 대해 서술하여 의의를 밝힌다.
③ 문제점을 해결하기 위해 도입된 기술의 장점과 단점을 비교한다.
④ 해당 기술을 활용한 다양한 설비의 특징을 병렬식으로 나열한다.
⑤ 문제점에 대한 상반된 관점과 각 관점에서의 기술적 해결책을 제시한다.

15 윗글을 다음과 같이 정리할 때, Ⓐ~Ⓔ 중 적절하지 않은 것은?

리사이클링 기술 공단				
설비	대상	과정	생성물	
생화학적 전환 공장	유기성 폐기물	혐기성 소화	메탄 가스	
	탄수화물 구성체	발효	바이오 에탄올	… Ⓐ
가스화 플랜트	도시에서 수거한 폐기물	완전 연소	수소, 메탄 등의 가스	… Ⓑ
열분해 플랜트	유기성 고분자 폐기물	열분해	가스, 오일, 차(char)	… Ⓒ
	바이오매스	급속 열분해	바이오 연료	… Ⓓ
매립지	활용을 모두 마친 폐기물	혐기성 미생물의 분해	매립지 가스	… Ⓔ

① Ⓐ ② Ⓑ ③ Ⓒ ④ Ⓓ ⑤ Ⓔ

16 다음 밑줄 친 단어 중, ㉠의 의미로 쓰인 것은?

① 이만하면 실컷 구경한 셈이다.
② 아버지는 셈이 분명한 사람이다.
③ 어쩔 셈인지 도통 알 수가 없다.
④ 나는 다섯 살 때부터 글자와 셈을 익혔다.
⑤ 할아버지는 아들 하나 없는 셈 친다고 하셨다.

[17~20] 다음 글을 읽고, 물음에 답하시오.

가 조선 시대 도자기의 대표작으로 보통 분청사기와 백자를 꼽는다. 분청사기는 우리나라의 수많은 예술 작품 중에서도 가장 한국적인 미를 많이 ⓐ간직하고 있는 예술품이다. 오늘날의 미감과도 어울리는 현대성을 가지고 있을 뿐 아니라, 전통적인 특징도 동시에 지니고 있는 게 바로 분청사기다. 일반적으로 자유분방한 형태의 달항아리와 같은 백자들은 조선 후기에 모습을 ⓑ드러낸다. 이러한 자유분방한 미의식을 분청사기에서도 엿볼 수 있는데, 분청사기는 조선 전기에 모습을 드러냈다.

나 ㉠분청사기에 나타난 미의식을 구체적으로 살펴보자. 우선 그릇의 겉면을 장식한 문양이 불가사의하다. 대표적인 것에는 보통 선으로 그린 추상적인 도형과 물고기 문양 등이 있다. 선각(線刻)으로 된 문양은 너무 자유로워서 마치 현대의 추상화를 연상케 한다. 어떻게 보면 마구 그린 것 같지만 그 안에는 투박하면서도 대범한 미 감각이 엿보인다. 또 나름대로의 기하학적인 구성도 눈에 띄는 등 매우 현대적이다. 조선 초기라는 엄격한 유교 사회에서 어떻게 저런 자유분방한 생각과 예술적 표현이 가능했는지 이해가 잘 안 된다. 아무리 무지한 도공이 생각나는 대로 혹은 ⓒ생각 없이 그렸다고 하더라도 당시의 사회적 분위기를 생각해 볼 때 어떻게 저런 표현이 가능했을까?

다 물고기 문양도 자유분방함과 익살에 있어 선각 문양에 결코 뒤지지 않는다. 분청사기에는 선각보다 물고기 문양이 훨씬 더 많이 발견되는데, 왜 물고기를 많이 그렸는지에 대해서는 설명이 남아 있지 않다. 그저 물고기가 알을 많이 낳으니까 자식이 많음을 상징하는 것이라고 추측할 수밖에 없다. 그런데 이 물고기 그림들이 꽤 볼 만하다. 매우 거칠게 그렸을 뿐 아니라 죽은 물고기처럼 배를 위로 올린 것을 그린 것, 서서 있는 것 등등 그 표현의 자유로움이 상상을 초월한다. 아울러 익살을 ⓓ가미해서 그린 물고기도 많이 발견된다. 게다가 전혀 정형화되지 않은 병의 모습도 주목을 끈다. 도자기의 양쪽을 눌러서 편병을 만든다든가 긴 원통형으로 만드는 등 분청자 병의 양식에는 규격적이고 대칭적이지 않은 작품들이 많이 ⓔ눈에 띈다. 과감한 생략과 파격이다.

라 어떻게 해서 도자기는 이렇게 이른 시기부터 자유분방한 디자인이 가능했을까? 일단 가능한 설명은 당시가 아직 유교가 완전히 정착되기 이전의 시기라 예술에 있어서도 딱딱한 규범성만을 강조하지는 않았을 것이라는 것이다. 게다가 분청사기는 사대부뿐 아니라 서민들도 사용하던 그릇이라 서민들의 자유분방하고 꾸밈없는 성품이 그대로 반영되어 이러한 특징을 갖게 되었을 것이다.

마 또 다른 이유도 있을 것이다. 조선 초에 왕위 계승을 둘러싼 피비린내 나는 살육으로 생겨났던 정치적 불안, 신분층의 변화, 새로운 지배 세력의 성장 등의 사회적 혼란 때문에 관아에서 운영하던 사기 가마인 관요의 기능이 마비되는 일이 생긴다. 이 때문에 관요의 기술자들이 전국적으로 흩어지게 된다. 각지에 흩어진 도공들은 국가의 규제에서 벗어나 저마다 취향대로 자유롭게 제작할 수 있었을 것이다. 분청사기가 활달하고 구김살 없는 자유분방한 멋을 풍기는 것은 바로 이러한 데서 연유한 것으로 보아야 할 것이다.

17 **윗글을 신문 기사로 작성한다고 할 때, 표제와 부제로 가장 적절한 것은?**

① 조선 시대의 자기들 – 분청사기와 백자를 비교하며
② 분청사기의 예술성 – 사회 현실에 대한 비판을 바탕으로
③ 조선 시대의 미의식 – 전기와 후기의 변화 과정을 찾아서
④ 분청사기에 담긴 미의식 – 그 특징과 형성 배경을 중심으로
⑤ 자유분방한 조선의 자기 – 조선 시대를 관통하는 자유분방한 미학에 대해서

18 윗글을 통해 알 수 있는 내용이 아닌 것은?

① 분청사기의 출현 시기
② 분청사기를 만든 계층
③ 조선 시대 도자기의 종류
④ 분청사기의 형태와 무늬 모양
⑤ 분청사기에 담겨 있는 정치적 의도

19 ㉠에 해당하는 것으로 적절하지 않은 것은?

①

②

③

④

⑤

20 ⓐ~ⓔ와 바꾸어 쓸 수 없는 것은?

① ⓐ: 보유하고
② ⓑ: 표현한다
③ ⓒ: 의도하지 않고
④ ⓓ: 첨가하여
⑤ ⓔ: 부각된다

독해 성취도 평가 2회

제한 시간: 45분

[01~05] 다음 글을 읽고, 물음에 답하시오.

가 오랜만에 우연히 만난 동창과 안부를 주고받다가 "언제 만나 함께 영화나 보자."라는 이야기를 나누고 약속을 정했다. 그러나 약속 당일, 약속한 장소에서 아무리 기다려도 상대는 오지 않았다. 친구의 휴대 전화로 연락해 보니 "미안해. 잊고 있었어."라는 대답이 돌아왔다. 그 친구를 잘 아는 다른 친구의 얘기로는 그 친구는 평소에 건망증이 심하거나, 약속을 쉽게 어기는 사람이 아니라고 한다. 그렇다면 그 친구가 유독 나와의 약속을 잊어버린 이유는 무엇일까?

물론, 누구나 깜빡하고 본인이 한 말이나 약속 등을 잊을 수 있다. 사람이라면 누구나 이와 같은 실수를 할 수 있기 때문에 이를 있을 수 있는 일로 여기고 쉽게 넘겨 버릴 수도 있다. 그러나 이 같은 사소한 실수 속에 상대의 무의식적인 심리가 감춰져 있을지도 모른다.

나 정신 분석학의 창시자인 프로이트는 사람들이 엉겁결에 잘못 말을 하거나 깜빡 잊는 등의 사소한 실수를 '실착(失錯) 행위'라고 이름 붙였다. 프로이트에 따르면 인간의 다양한 행동에는 심리적인 원인이나 동기가 선행되기 때문에 이렇게 별것 아닌 것처럼 보이는 사소한 행동에도 반드시 심리적 동기가 존재한다고 지적했다.

프로이트는 자신이 한 회의석상에서 겪은 일을 예로 들었다. 회의의 시작을 알리려고 단상에 선 사회자가 "지금부터 회의를 시작하겠습니다."라고 해야 할 부분에서 "지금부터 회의를 마치겠습니다."라고 잘못 말했다. 사회자는 당황하여 '마치겠습니다.'를 '시작하겠습니다.'라고 바로 정정했고, 회의에 참석한 사람들은 사회자의 단순한 실수로 생각하여 회의는 별 무리 없이 마무리되었다. 그러나 회의가 끝난 후에 프로이트가 사회자에게 사정을 물어본 결과, 당시 그의 마음속에는 이 회의를 빨리 끝내고 돌아가고 싶은 마음이 매우 컸다고 한다.

다 실착 행위는 어떤 의식적인 의도가 그에 대립하는 무의식적인 의도의 방해를 받아 억압당할 때 쉽게 발생한다. 위의 사회자의 경우는 '회의를 시작하겠습니다.'라는 형식적인 말에 '빨리 끝내고 돌아가고 싶다.'라는 본심이 배어 나와 말실수를 하게 되었다고 볼 수 있다. 따라서 어떤 사람이 말을 하다가 도중에 멈추거나, 혹은 처음에 한 말과 다르게 고쳐 말할 때는 말실수였다고 한, 처음에 했던 말이 실은 그 사람의 본심일 수 있다.

깜빡 잊는 행위도 마찬가지이다. 이것은 평소 '잊고 싶다'는 열망이 잠재의식에 있다가, ㉠<u>방어벽이 약해지자 그 실체를 드러낸 것이다.</u> 나와의 약속을 깜빡 잊은 친구의 잠재의식에는 나를 별로 '만나고 싶지 않은 마음'이 있고, 이것이 실체를 드러내어 약속을 잊게 한 것이다.

라 프로이트에 의하면 실착 행위는 본인도 모르게 나오는 무의식적인 행동이라고 한다. 이러한 무의식적인 행동은 말실수, 건망증 외에도 꿈을 통해서도 드러난다. 우리가 단순히 실수라고 생각하는 이러한 행동을 자주 하는 사람은 자신의 진짜 속내를 많이 억압하고 있는 가식적인 사람일 수 있다. 즉, 겉으로 보이는 행동과 표정들은 자신의 본심을 숨긴 가식적인 행동일 수 있다는 것이다. 따라서 실착 행위를 많이 하는 상대방의, 겉으로 보이는 얼굴 표정에 속아 넘어가거나, 겉치레로 하는 말을 진심으로 받아들이지 말고 말 속에 감춰진 진실을 제대로 파악하여 숨겨진 본심을 읽어 낼 수 있어야 한다.

01 윗글의 내용과 일치하지 <u>않는</u> 것은?

① 의식적 의도와 무의식적 의도는 서로 반대되는 성향이 있다.
② 말실수나 건망증 등의 실수들은 심리학적 용어로 실착 행위라고 한다.
③ 실착 행위는 무의식적 의도가 의식적 의도의 방해를 받을 때 발생한다.
④ 친구와 만나기로 한 약속을 잊은 것은 만나고 싶지 않은 마음이 작용했기 때문이다.
⑤ 프로이트는 겉으로 봐서 사소한 실수로 보이는 행동들에 반드시 심리적 동기가 있다고 하였다.

02 윗글의 논지 전개 방식으로 적절하지 않은 것은?

① 예상되는 다른 의견을 비판함으로써 논지를 강화하고 있다.
② 주요 내용을 정리하며 끝을 맺어 주제를 선명히 드러내고 있다.
③ 전문가의 견해를 인용하며 논의를 전개하여 설득력을 높이고 있다.
④ 현상을 제시한 뒤, 그 내용을 간단한 용어로 정리하여 이해를 돕고 있다.
⑤ 논의가 될 문제와 관련된 사례로 글을 시작하여 독자의 주의를 환기하고 있다.

03 다음은 심리학의 용어인 '방어 기제'의 종류를 정리한 것이다. 윗글과 가장 관계가 깊은 것은?

방어 기제의 종류

- 투사(projection): 스트레스와 불안을 일으키는 자신의 감정이나 사고를 타인에게 있는 것처럼 전가시킴으로써 자신을 방어하는 것 ⋯⋯ ⓐ
- 부정(denial): 고통스러운 환경이나 위협적 정보를 거부함으로써 자신의 불안을 공상을 통해 기분 좋은 현실로 전환하여 일시적으로 도피하려는 것 ⋯⋯ ⓑ
- 억압(repression): 스트레스나 불안을 일으키는 생각이나 충동을 의식화시키지 않으려는 무의식적인 노력 ⋯⋯ ⓒ
- 승화(sublimation): 사회적으로 허용되지 않는 충동을 허용되는 형태로 충동을 변화시키는 것. 원초적이고 용납될 수 없는 충동을 억제하는 데 사용되던 에너지가 사회적으로 용납될 수 있는 방향으로 바뀌어 나타나 그 본능을 만족시키는 것 ⋯⋯ ⓓ
- 퇴행(regression): 어려움을 피하려고 발달의 초기 단계로 돌아가는 것. 갈등 상황에서 무기력한 방식으로 갈등에 대처하는 경향을 보이는 것 ⋯⋯ ⓔ

① ⓐ ② ⓑ ③ ⓒ ④ ⓓ ⑤ ⓔ

04 윗글의 관점에서 〈보기〉를 설명한 내용으로 가장 적절한 것은?

보기

이성계가 아직 왕이 되기 전에 사흘 연달아 꿈을 꾸었다. 하루는 등에 서까래 셋을 지고 길을 가더니, 다음 날에는 양을 만나 뿔을 잡자 뿔이 모두 빠지고 꼬리를 잡자 꼬리도 빠졌으며, 마지막 날에는 땅 위에 작대기로 기다랗게 금을 긋는 것이었다. 한 스님이 이 이야기를 듣고는, "등에 서까래 셋을 지었으니 이는 임금 왕(王) 자요, 양(羊)의 두 뿔과 꼬리가 없으니 이 또한 임금 왕(王) 자며, 땅[土]에 작대기로 금을 그으니 이도 역시 임금 왕(王) 자가 된다."라고 하였다.

① 스님이 겉치레로 하는 말을 이성계는 진심으로 받아들이게 된 것이다.
② 스님은 이성계의 꿈을 있을 수 있는 일로 여기고 쉽게 넘겨 버리고 있다.
③ 이성계의 가슴 속에 숨어 있던 왕이 되고자 하는 욕망이 꿈으로 표출된 것이다.
④ 이성계는 왕이 되고자 하는 의지를 꿈인 것처럼 드러냄으로써 자신의 처지를 정당화하고 있다.
⑤ 이성계는 자신이 원하는 것을 실수인 것처럼 보이게 하여 자신의 의지를 다른 사람에게 표명하고 있다.

05 ㉠을 뒷받침할 만한 사례로 가장 적절한 것은?

① 윤주는 친구 미리가 준 빨간색 펜을 자주 잃어버리곤 하는데, 윤주는 평소 미리의 잘난 척을 못마땅해하였다.
② 효주는 어릴 적 동생과 성냥으로 불장난을 하다가 크게 놀란 적이 있다. 그 이후로 효주는 성냥으로 촛불도 켜지 않으려고 한다.
③ 아주 작은 문제가 생기더라도 늘 부모님이 결정해 주신 것을 따라서 행동한 은혁이는 대학 입시를 앞두고 자신이 무엇을 하고 싶은지를 몰라서 고민하고 있다.
④ 은선이는 초등학교 때 전학을 가면서 헤어진 친구 영주의 전화번호를 아직까지도 기억하고 있다. 은선이와 영주는 헤어지기 전까지 가장 가까운 친구 사이였다.
⑤ 민성이는 어색하거나 불편한 상황에서는 말을 더듬는 버릇이 있다. 자신의 버릇을 잘 아는 민성이는 혹시라도 실수를 하게 될까 봐 처음 만난 사람 앞에서는 거리감을 두고 많은 이야기를 하지 않는다.

[06~08] 다음 글을 읽고, 물음에 답하시오.

가 최근 우리 사회는 청년 실업 대란이라는 말을 실감할 정도로 높은 청년 실업률을 보이고 있다. 그러나 이처럼 심각한 청년 실업에도 불구하고 새로운 노동 인간형을 꿈꾸는 청년 세대의 자율적인 흐름이 존재한다. 자유 시간에 따른 자율 노동을 원하는, 새로운 노동 주체상을 희망하는 청년들이 등장한 것이다. 이른바 프리터족의 출현이다. 프리터족은 자유롭다는 의미의 형용사 'free'와 임시직을 의미하는 'arbeiter'를 합성한 말로서 말 그대로 아르바이트를 통해 돈을 벌면서 나머지 자유 시간에 자신이 원하는 것을 즐기며 사는 사람들을 의미한다.

나 과도한 노동의 거부와 자유 시간의 확보를 원하는 프리터족은 후기 자본주의가 만들어 놓은 유연한 노동 조건들을 오히려 자신의 삶의 방식대로 조절하고 싶어 하는 일종의 탈노동 사회의 인간들의 욕망을 반영한다. 프리터족을 이해하기 위해서는 노동 시간이나 임금이 아니라 이들이 비노동 시간을 어떻게 활용하는가에 주목해야 한다. 이들에게 비노동 시간은 문화 활동을 하며 보내는 시간과 상당 부분 일치한다. 이들은 아르바이트를 하며 노동하는 시간을 제외한 나머지 시간들을 문화 감상, 레포츠와 같은 창조적 소비 활동에 투자한다. 완전한 노동 포기와 일상생활에서의 무기력증을 보이는 니트족과는 다르게 프리터족은 노동 시간과 비노동 시간을 구분하여 후자를 위해 전자를 선택하고 조절한다. 일하기 위해 노는 것이 아니라 놀기 위해 최소한의 일만 하는 것, 이것이 ㉠ <u>엄밀한 의미에서의 프리터족</u>이다.

다 물론 이와는 정반대로 프리터족을 기업의 장기 불황에 따른 불안정한 고용 구조에서 비롯된 고도 성장 자본주의의 희생자로 해석할 수도 있다. 프리터족을 정규직에 취업하고 싶어도 모든 청년 노동 인력을 수용할 수 없는 노동 구조 때문에 아르바이트만 하는 청년으로 볼 경우, 프리터족은 자율 주체라기보다는 경쟁에서 탈락한 실패한 인간으로 분류될 수 있다. 한국에서 일용직에 종사하는 대부분의 청년 노동 인력은 심각한 저임금으로 인해 더 많은 시간을 노동해야 하고, 자기 재생산성이 없는 노동을 단순 반복해야 하는 악순환에 빠져 있다. 일본의 경우도 이미 500만 명에 육박하는 프리터족이 노동 시장이나 고용 구조에 있어 심각한 사회 문제로 대두되고 있다.

라 프리터족을 노동 시장의 불균형 구조의 희생자로 볼 것인지, 아니면 노동 시간을 스스로 선택하고 조절하는 자율적인 주체로 볼 것인지 단언할 수는 없지만, 중요한 것은 프리터족이 다면화된 개인 삶의 진정한 목적이 무엇이고, 열악한 노동 조건 속에서 개인이 어떻게 살아가는 것이 현명한지를 고민하는 가운데 출현했다는 점이다.

마 프리터족을 사회적 낙오자 혹은 반실업자로만 보기에는 그들의 삶의 방식이 근대 자본주의의 노동 규율과 규칙에서 벗어나 있다는 점에서 무리가 있다. 물론 프리터족의 지배적인 삶이 자율적인 삶과는 거리가 멀 수 있다. 생계형 프리터족이 어쩌면 압도적일 수 있다. 그러나 더 많은 자유 시간을 확보하기 위해 노동 시간을 줄이고 노동하는 시간을 스스로 선택할 수 있는 삶을 원하는 것이 '완전 고용이냐 반 고용이냐'라는 노동 조건의 문제로만 돌릴 수는 없다. 프리터족의 목적이 정규직 완전 고용은 아니며, 프리터족 중에는 자유 시간을 더 많이 확보하기 위해 정규직 고용을 자발적으로 포기한 사람들도 많기 때문이다. 프리터족은 궁극적으로는 일하는 시간을 스스로 조절함으로써 문화적 시간을 최대한 즐기는 삶에서 대안을 찾고자 한다.

- **불황**: 경제 활동이 일반적으로 침체되는 상태. 물가와 임금이 내리고 생산이 위축되며 실업이 늘어난다.
- **일용직**: 하루 단위로 근로 계약을 체결하여 임금을 지불받는 직위나 직무
- **대두되고**: 어떤 세력이나 현상이 새롭게 나타나게 되고
- **단언할**: 주저하지 아니하고 딱 잘라 말할
- **다면화**: 여러 방면에 걸치는 특성을 갖게 함
- **자발적**: 남이 시키거나 요청하지 아니하여도 자기 스스로 나아가 행하는 것

06 윗글을 기사문으로 작성한다고 할 때, 표제 및 부제로 가장 적절한 것은?

① 프리터족의 본질은 무엇인가
- 경쟁에서 탈락하고 실패한 인간을 중심으로

② 프리터족, 어떻게 바라보아야 하는가
- 세대 간 벽을 허물려는 도전 의식을 중심으로

③ 프리터족의 앞날은 어떠한가
- 자율적 주체가 사회를 변화시키는 과정을 중심으로

④ 프리터족을 바라보는 새로운 시각
- 노동에서 구애받지 않으려는 자율적 주체를 중심으로

⑤ 프리터족은 우리에게 무엇을 전하는가
- 불안정한 노동 여건에 대한 능동적인 일자리 찾기를 중심으로

07 〈보기〉를 통해 윗글의 내용 흐름을 이해한 것으로 적절하지 <u>않은</u> 것은?

보기

Ⅰ. 서론: 화제 제시
Ⅱ. 본론
1. 프리터족의 형성 배경: (ㄱ) 개인적 원인 (ㄴ) 사회적 원인
2. 프리터족에 대한 이해: (ㄱ) 긍정적 해석 (ㄴ) 부정적 해석
Ⅲ. 결론: 프리터족의 의의

① 서론에서는 프리터족의 어원을 설명하면서 독자의 관심을 유발하고 있다.
② 본론 1의 (ㄱ)에서는 프리터족이 출현하게 된 요인을 노동 시장의 불균형에서 찾고 있다.
③ 본론 1의 (ㄴ)에서는 프리터족이 발생하게 된 구조적 문제를 지적하며 일본의 사례를 소개하고 있다.
④ 본론 2의 (ㄱ)에서는 프리터족이 노동 시간을 선택, 조절하는 유연한 노동자라는 점을 드러내고 있다.
⑤ 본론 2의 (ㄴ)에서는 프리터족이 자본주의의 희생자라는 점을 밝히고 있다.

08 다음은 신문 기사의 일부이다. ㉠의 사례로 가장 적절한 것은?

① 회사원 강 씨는 내 집 마련을 위해 새벽에 신문을 배달하고 있습니다.
② 대학을 졸업한 장 씨는 회사의 월급보다 과외 수입이 더 좋다며, 구직을 포기하고 과외 아르바이트를 하며 레저 활동을 즐기고 있습니다.
③ 한의사 김 씨는 10년간 운영하던 한의원을 그만두고, 밤에는 스키장 근처의 편의점에서 일하고 낮에는 스키를 타는 생활을 즐기고 있습니다.
④ 대학을 중퇴한 이 씨는 배우고 싶은 생각도 없고 일자리를 구할 생각도 없다면서, 하루 종일 자신의 방 안에서 이런저런 공상에 빠져 있습니다.
⑤ 대학원생 박 씨는 야간에는 레스토랑에서 아르바이트를 하고 낮에는 정규직을 채용하는 기업에 이력서를 내면서 면접 시험을 치르고 있습니다.

독해 성취도 평가 2회

[09~13] 다음 글을 읽고, 물음에 답하시오.

㉮ 통증이란 말 그대로 아픈 증상을 말한다. 통증은 우리가 지닌 °오감의 하나인 촉감의 한 갈래다. 촉감은 온몸에 광범위하게 퍼져 있는 °감각 수용기들로 느낀다. 따뜻함을 느끼는 온점, 차가움을 느끼는 냉점, 압력을 느끼는 압점, 그리고 고통을 느끼는 통점이 있어 각각 뜨거움, 차가움, 압력, 고통의 신호를 뇌에 전달한다. 이 여러 가지 감각 수용체 가운데 가장 많은 것이 바로 고통을 느끼는 통점이다. 그런데 통증은 고통스러우므로 누구나 피하려고 한다. 그래서 약국에서 가장 많이 팔리는 약도 진통제이다. 이렇게 사람들은 가능하면 고통을 없애려고 하는데, 통증을 느끼는 감각은 왜 그렇게 발달한 것일까?

㉯ '사라'라는 아이의 사례를 통해 생각해 보자. 사라는 태어나면서부터 잘 울지 않는 아기여서 부모는 그저 순하고 착한 아이로만 알았다. 그런데 두 살 무렵, 막 자라나기 시작한 사라의 예쁜 이가 별다른 이유 없이 빠져 버리는 일이 생겼다. 충치가 발생한 것도 아니고 어디에 심하게 부딪힌 것도 아닌데 이가 자꾸 빠지자 걱정이 된 부모는 '사라'를 데리고 치과를 찾았다. 그런데 진찰 결과는 뜻밖에도 아이가 아픈 줄도 모르고 자기 이를 너무 세게 씹어서 아직 제대로 자리 잡지 못한 작은 이들이 빠진다는 것이었다. 언뜻 생각하기에 통증을 느낄 수 없다면 좋을 것 같다. 지긋지긋한 편두통이나 관절염 같은 °만성 통증에 시달리는 사람들은 오히려 통증을 느낄 수 없는 사라가 부러울지도 모른다. 하지만 사라는 7년이라는 짧은 세월을 사는 동안, 손가락이 떨어져 나갈 만큼 심한 화상을 입기도 했고, 연필이 볼을 뚫고 나오는 경험도 했다.

㉰ 통증 없이 생명을 유지하는 것은 불가능하다. 우리 유전자는 통증이 없는 것이 생명을 유지하는 데 °치명적이라는 것을 깨닫고 우리 몸에 정교한 '통증 프로그램'을 설치했다. 통증은 생명체가 위험에 빠졌음을 알려 주는 내부 경고등인 것이다. 예를 들어 보자. 물을 못 마시면 고통스럽다. 이는 수분이 부족하면 생명을 유지하기 힘들기 때문에, 고통을 일으켜 경고를 하는 것이다. 그리고 이러한 고통을 벗어나고 나면 기분이 좋아지도록 하여 통증 탈출을 더욱 부추긴다. 목이 마를 때 시원한 물 한 잔이 주는 상쾌함을 누구나 느껴 봤을 것이다. 우리 유전자는 현명하게도 외부 자극이 왔을 때 고통스럽게 만들어서 통증을 피하고자 하는 욕구와 함께, 거기서 벗어나면 즐겁고 행복하게 만들어 이를 추구하고자 하는 욕구를 동시에 진화시킨 것이다.

㉱ 그러나 애초에 그런 형태로 진화돼 왔다고 해서 고통을 고스란히 받아들여야 하는 것은 아니다. 통증은 생명의 위협을 알려 주는 경고등이지 위협 자체를 해소시켜 주는 것은 아니기 때문이다. 불이 났을 때 시끄럽게 울리는 화재 경보는 불이 난 것을 사방에 알려 진화를 서두르게 할 뿐, 그 자체가 불을 끄지는 못한다. 그리고 성공적으로 불을 ⓐ끄고 난 후에는 더 이상 화재 경보가 울릴 필요가 없기에 바로 스위치를 ⓑ꺼야만 다음을 대비할 수 있다.

㉲ 통증 역시 마찬가지다. 통증은 생명체에게 °위해가 될 만한 사항들을 바로바로 알려 주는 꽤나 유용한 경고등인 것이다. 따라서 통증은 그것을 일으킨 원인을 해결한 뒤에는 반드시 제거되어야 한다. 경고의 의미를 제대로 주지 못하는 만성적인 통증은 [㉠]와/과 같다. 우리가 할 일은 통증을 참고 견디는 것이 아니라, 이 [㉡]을/를 고치고, 정말 필요할 때에만 신속하고 정확하게 울리도록 조절하는 일이다.

- **오감(五感)**: 시각, 청각, 후각, 미각, 촉각의 다섯 가지 감각
- **감각 수용기**: 감각 자극을 받아 이를 전기적 자극으로 변환하여 감각 신경 섬유에 전달하는 수용기를 통틀어 이르는 말. 인체의 각 수용기마다 특정한 자극을 받아들이는 성질이 있다. 예를 들어 시각기인 눈은 빛을 자극으로 받아들이지만 소리는 받아들이지 않는다.
- **만성**: 병이 급하거나 심하지도 아니하면서 쉽게 낫지도 아니하는 성질
- **치명적**: 생명을 위협하는 것
- **위해**: 위험과 재해를 아울러 이르는 말

09 윗글의 중심 내용으로 가장 적절한 것은?

① 통증은 생명체 유지를 위한 필수 장치이다.
② 통증을 적절하게 활용하는 자세가 필요하다.
③ 통증을 회피하고자 하는 것은 일반적인 인식이다.
④ 통점은 우리 몸에 가장 광범위하게 퍼진 감각 수용체이다.
⑤ 통증의 원인 규명을 통해 통증의 위험에서 벗어날 수 있다.

10 〈보기〉에서 윗글의 서술 전략에 해당하는 내용끼리 바르게 묶은 것은?

보기

ㄱ. 구체적 사례를 통해 이해를 돕는다.
ㄴ. 두 대상을 견주어 차이점을 드러낸다.
ㄷ. 여러 관점을 분석하여 논점을 밝힌다.
ㄹ. 적절한 비유를 활용하여 쉽게 설명한다.
ㅁ. 시간의 흐름에 따른 대상의 변화를 드러낸다.

① ㄱ, ㄷ ② ㄱ, ㄹ ③ ㄴ, ㄷ
④ ㄴ, ㄹ ⑤ ㄷ, ㅁ

11 글의 흐름으로 보아 ㉠과 ㉡에 공통적으로 들어갈 말로 가장 적절한 것은?

① 수동식 점멸등
② 먹통이 된 알람
③ 가짜 감시 카메라
④ 일회적인 옐로 카드
⑤ 계속 울리는 사이렌

12 윗글과 〈보기〉를 읽은 독자가 '두통'에 대해 가질 수 있는 인식으로 가장 적절한 것은?

보기

현대 의학은 인체의 해부학적 구조와 생리적 현상을 연구하여 질병의 원인을 밝혀내고 치료법을 찾아낸다. 이와 대조적으로 진화의 관점에서 인체가 각종 질병에 취약하게 설계된 이유와, 환경이 병원균의 독성에 영향을 미치는 요인을 찾아내서 의학 문제에 접근하는 새로운 학문이 부상하고 있다. 최근 미국에서 태동한 이 학문은 진화 생물학을 의학에 접목하고 있으므로 진화론의 창시자인 찰스 다윈의 이름을 따서 다윈 의학이라 불린다. 다윈 의학은 기침, 발열, 구토, 두통처럼 일상생활에서 흔히 겪는 증상을 질병이라기보다는 오히려 적응에 의해 진화된 우리 몸의 방어 체계라고 주장한다.

① 두통의 발생은 몸의 이상을 알리는 것이니 두통을 없애기 위해 즉시 두통약을 먹는다.
② 두통이 발생한 것은 통증을 통해 우리 몸의 방어 체계가 가동된 것이니 가만히 내버려 둔다.
③ 두통은 우리 몸의 면역 체계가 약화되어 나타난 증상이므로 강한 신체 활동을 통해 몸을 단련시킨다.
④ 두통이 발생한 것은 우리 몸의 방어 체계가 가동한 것이므로 그 원인을 밝혀내어 적절한 조치를 취한다.
⑤ 두통은 환경에 따라서 좋은 증상일 수도 있고 나쁜 증상일 수도 있으니 적절한 조사를 통해 실태를 정확히 파악해야 한다.

13 ⓐ와 ⓑ의 문맥적 의미를 고려할 때, 〈보기〉의 ㉮와 ㉯에 들어갈 ⓐ와 ⓑ의 반의어로 가장 적절한 것은?

보기

끄다[끄니, 꺼] 타
1. 타는 불을 못 타게 하다.
¶ 모닥불을 끄다. ↔ [㉮]
2. 전기가 통하는 길을 끊어 전기 제품을 작동하지 않게 하다.
¶ 전등을 끄다 ↔ [㉯]
3. 빚이나 급한 일 따위를 해결하다.
¶ 다달이 빚을 꺼 나가다.

	㉮	㉯
①	켜다	피우다
②	켜다	지르다
③	지르다	피우다
④	피우다	지르다
⑤	피우다	켜다

[14~17] 다음 글을 읽고, 물음에 답하시오.

㉮ 집 한 채를 짓기 위해서는 많은 사람이 동원되고 여러 단계의 작업을 거치게 된다. 집주인이 살기 좋은 ㉠집터를 정하고 집의 크기와 모양, 건물이 들어앉을 방향을 결정한 뒤, 대목을 불러 공사를 시작하게 한다. 대목은 집 짓는 기술자로 집을 설계하고 집 짓는 모든 공사를 지휘하는 사람이다. 대목이 누가 되느냐에 따라 그 집이 잘 지은 집이냐 아니냐가 판가름 난다.

㉯ 집을 지을 때 가장 먼저 하는 일은 높은 곳을 깎아 내고 낮은 곳을 메워 집터를 평평하게 고르는 일이다. 건물을 앉힐 자리는 마당보다 높게 돋우는데 이를 ㉡기단이라고 한다. 기단은 빗물이 집 쪽으로 튀어 오르는 것을 막고, 바닥에 고인 물이 집 안으로 스며들지 못하게 하는 역할을 한다. 기단 위에 말뚝을 박아 기둥 세울 자리를 표시하고 깊이 파서 단단하게 다진다. 기둥은 무거운 지붕을 받치고 건물을 지탱하는 역할을 하므로 기둥 자리는 땅이 꺼져 들어가지 않도록 단단하게 다져야 한다. 기둥 구멍에는, 기둥을 받쳐 주고 땅에서 올라오는 습기로 인해 기둥이 썩는 것을 막아 주는 주춧돌을 놓는다.

㉰ 주춧돌을 놓은 다음에는 기둥을 세우는 작업을 한다. 일꾼들이 대목의 지시에 따라 끌로 기둥 밑동을 주춧돌의 표면에 맞게 깎아 내는 그랭이질을 하고 나면 기둥은 아무런 버팀목 없이 주춧돌 위에 똑바로 서게 된다. 기둥이 수직으로 서지 않으면 집 전체가 기울어지게 되므로 이 작업은 경험이 많은 숙련된 대목만이 할 수 있다. 기둥이 곧게 서면 집을 정면에서 보았을 때 좌우 기둥을 가로 방향으로 연결하는 목재인 ㉢도리와 앞뒤 기둥을 세로 방향으로 연결하는 목재인 보를 연결하여 기둥이 쓰러지지 않게 한다. 기둥 위에 도리와 보를 짜 맞추면 육면체의 든든한 틀이 만들어지고 이 위에 삼각형의 지붕대를 얹으면 집의 뼈대가 비로소 완성된다. 삼각형 지붕의 꼭짓점에 해당하는 자리에 얹는 목재인 마룻대를 올리는 것을 상량이라고 하는데, 옛사람들은 ㉣상량을 하고 나면 비로소 집을 짓는 주요 공정이 끝났다고 여겼다.

㉱ 지붕을 만들기 위해서는 삼각형의 지붕대에서 빗변 방향으로 놓는 목재인 서까래를 먼저 건다. 한옥에서 가장 아름다운 부분인 처마의 곡선은 이 서까래를 거는 솜씨에 달려 있다. 그리하여 서까래를 얼마나 아름답게 만드느냐에 따라 대목의 기술이 평가되기도 하였다. 서까래가 놓이면 수수깡이나 갈대 등의 잔가지를 엮어 덮는다. 이를 ㉤산자라고 하는데 산자는 지붕 위에 덮을 흙이 서까래 아래로 빠지지 않도록 하는 역할을 한다. 산자 위에 흙을 덮어 지붕의 곡선을 만들어 가면서 기와를 얹는데, 지붕 위에 흙을 덮으면 빗물이 스며들지 않으며 열의 전도를 차단하는 역할을 한다.

㉲ 뼈대와 지붕을 만든 뒤에는 벽과 바닥을 만든다. 벽을 만들기 위해서는 먼저 기둥과 기둥 사이에 인방이라는 목재를 끼우고 창이나 문이 들어갈 자리에는 문설주라는 기둥을 미리 만들어 둔다. 우리나라 벽은 대부분 흙벽이라서 지붕을 만들 때와 마찬가지로 수숫대나 싸릿가지로 바탕을 마련하고 양쪽에서 흙을 발라 만든다. 벽을 바르면서 방바닥에는 구들을 놓고 마루에는 마룻바닥을 깐다. 구들은 불에 타지 않는 흙과 돌로 만들어 한번 불을 때면 열이 쉽게 식지 않아 오랫동안 따뜻하다. 나무 널빤지를 깔아 만든 마루는 바람이 잘 통하여 한여름에 앉아 있어도 땀이 차지 않고 시원하다. 마지막으로 창과 문을 단다.

14 윗글의 내용과 일치하지 않는 것은?

① 한옥을 지을 때는 대목의 역할이 중요하므로 대목을 잘 선정해야 한다.
② 한옥에서는 바닥에 고인 물이 바깥으로 나가도록 기단의 높이를 조절한다.
③ 한옥이 한쪽으로 쏠리지 않게 하기 위해서는 기둥을 수직으로 세워야 한다.
④ 한옥의 아름다움은 상량을 어떤 방식으로 설치하느냐에 따라 평가받는다.
⑤ 한옥은 지붕 위에 흙을 덮는데 이는 방 안으로 전도되는 열을 막을 뿐만 아니라 빗물이 스며들지 않도록 하기 위한 것이다.

15 윗글의 서술 방식으로 가장 적절한 것은?

① 구성 요소별로 세분화하여 설명함으로써 대상의 과학성을 입증하고 있다.
② 대상에 대한 전문가의 견해를 자주 인용하여 대상의 소중함을 일깨우고 있다.
③ 일의 진행 순서를 단계적으로 진술함으로써 대상이 완성되는 과정을 설명하고 있다.
④ 전문적인 용어의 어원을 자세히 설명해 가면서 대상의 역할에 대한 이해를 돕고 있다.
⑤ 전통 문화의 특수성을 언급하면서 시대에 따른 대상의 변모 양상과 의의를 고찰하고 있다.

16 윗글을 〈보기〉와 관련지어 살펴본다고 할 때, ㉮~㉲ 중 윗글에 나타나 있지 않은 것은?

보기

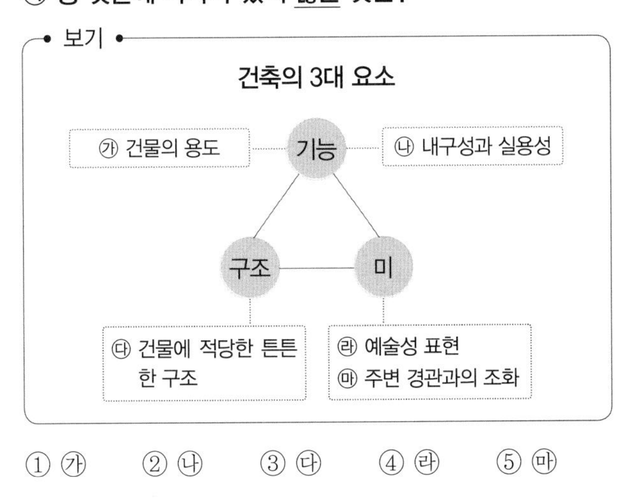

① ㉮ ② ㉯ ③ ㉰ ④ ㉱ ⑤ ㉲

17 ㉠~㉤ 중, 〈보기〉의 ⓐ에 해당하지 않는 것은?

보기

단어는 쓰임에 따라 여러 분야에서 고르게 쓰는 일반어와 특수한 분야에서 주로 쓰는 ⓐ전문어로 나눌 수 있다. 전문어는 전문성이 필요한 분야에서 그 일을 효과적으로 하기 위하여 사용하는 말로, 일반 사회에서 별로 쓰지 않는 전문 개념을 표현한다. 따라서 의미가 정확하고 자세한 편이며, 대응하는 일반 어휘가 없는 것이 특징이다.

① ㉠ ② ㉡ ③ ㉢ ④ ㉣ ⑤ ㉤

[18~20] 다음 글을 읽고, 물음에 답하시오.

가 매체는 일반적으로 커뮤니케이션 과정에 개입하여 메시지의 송신자와 수신자 사이를 이어 주는 전달 요소로 정의된다. 매체의 형식에 따라 책, 잡지, 신문 등을 인쇄 매체라고 하고 영화, 텔레비전 등을 영상 매체라고 한다. 그런데 대부분의 매체들은 특정 메시지의 전달 효과를 극대화하기 위하여 선택된 것들이다. 이를테면 한 권의 책에 담긴 내용을 카메라로 찍어 텔레비전에 그대로 방영할 수 있고, 또 영화의 각 장면을 스냅 사진으로 찍어서 한 장 한 장 그대로 펼쳐 놓아 한 권의 책을 만들 수도 있다. 그러나 이들 경우 원래의 매체들이 가졌던 전달 효과는 ㉠현저하게 감소하고 만다. 그렇다면 이러한 일반적인 매체들과 구분되는 매체로서 만화가 지니고 있는 호소력의 근원은 무엇일까?

나 제일 먼저 꼽을 수 있는 것은 만화가 지닌 융통성이다. 만화는 특정한 매체 형식에 국한되지 않고, 다양하고 폭넓게 ㉡적용될 수 있다. '날아라 슈퍼 보드' 같은 만화는 만화책으로 보든, 아니면 텔레비전을 통해 만화 영화로 보든 각각 모두 나름대로의 감동을 수용자에게 전달해 줄 수 있다는 점에서 특별히 어느 쪽이 만화 매체의 본질에 더 일치한다고 말할 수 없다. 이렇게 매체 형식에 대한 융통성을 지니고 있어서 송신자가 겨냥하는 목표인 수용자에게 쉽게 ㉢도달할 수 있다는 것이 만화라는 매체의 첫 번째 힘이 된다.

다 또 만화란 그림과 글이 절묘하게 조화되어 있는 매체이다. 이 조화 속에서 만화는 그림과 글의 장점을 효과적으로 결합한다. 글이라는 매체의 장점이 분명함에 있다면, 그림이라는 매체의 장점은 즉각성에 있다. 만화는 글의 분명함과 그림의 즉각성을 결합하면서 글의 어려움을 그림을 통해 보완하고, 그림의 다의성은 글을 통해 보완하는 매체이다. 이 때문에 만화는 교육 수준과 관계없이 누구에게나 쉽게 받아들여지며, 문화권의 차이에도 영향을 덜 받으면서 이해될 수 있는 매체이다.

라 그런데 글과 그림의 장점을 결합하고 단점을 보완할 수 있는 만화의 능력은 만화의 자유스러움에 ㉣기반하고 있다. 이 자유스러움은 만화가 자유롭게 구사하는 생략과 변형, 과장 등에서 온다. 물론 만화가 자유스럽다는 말이 만화에 아무런 ㉤규제나 제한도 존재하지 않는다는 의미는 아니다. 만일 그렇다면 만화는 추상화보다도 더 이해하기 어렵게 되어 버릴 것이기 때문이다. 만화에 내재하는 자유의 한계를 우리는 만화의 약호(略號, code)에서 찾아볼 수 있다. 다시 말해서 만화가 일반 대중에게 쉽게 수용될 수 있으려면 만화의 내부에 일정한 약호가 존재해야 하며, 우리는 그 약호에 익숙해 있어야 한다. 즉, 우리는 말풍선 속에 들어 있는 글을 만화 속의 등장인물의 말로 들을 수 있어야 하고, 수직이나 수평으로 몇 개씩 나 있는 선들을 등장인물들의 움직임으로 볼 수 있어야 하며, 등장인물의 머리 위에 핀 작은 구름을 그가 놀라거나 화내는 것으로 느낄 수 있어야 한다.

마 그러나 만화의 자유스러움은 약호로부터의 자유스러움은 아니다. 그것은 회화나 사진 등의 매체가 여전히 간직하고 있는 사실성으로부터의 자유스러움이라고 할 수 있다. 즉, 대상의 특징을 순간적으로 포착하여 세부를 단순화한 채 그것을 과장하는 만화의 기법은, 일상적인 의식이 지니고 있는 사실성에 대한 요구로부터 만화를 상당히 자유롭게 해 준다. 특히 등장인물의 얼굴을 묘사할 때 이 자유는 두드러진다. 만화는 현실의 인간에 비해 훨씬 더 얼굴을 크게 묘사함으로써 사진과 달리 몸 전체와의 관련을 희생시키지 않으면서도 오히려 더 사실적인 얼굴 표정의 묘사가 가능하도록 만들 수 있다. 다시 말해 대상과 인어를 반죽처럼 마음대로 주물러 변형시킬 수 있다는 점에서 만화는 상당 부분 피사체에 의해 제한받는 사진이나 영화에 비해 자유롭다.

바 만화는 그 안에 일정한 이야기를 포함하고 있는 것이기 때문에 긴 내용을 압축하여 표현할 수 있는 경제성을 지니고 있다. 특히 만화의 이런 경제성은 갈수록 논리적인 면보다는 정서적인 면을 강조하는 방향으로 나아가고 있는 현대 사회에서의 설득 기법의 변화를 염두에 둘 때 더욱 돋보인다. 촌철살인적인 수사의 기법을 중시하는 현대의 설득 기법은 고도의 압축력을 지닌 만화가 가장 효과적인 설득 기법 중의 하나로 사용될 수 있도록 만들어 주었다.

- **국한되지**: 범위가 일정한 부분에 한정되지
- **절묘하게**: 비할 데가 없을 만큼 아주 묘하게
- **약호**: 간단하고 알기 쉽게 나타내어 만든 부호
- **피사체**: 사진을 찍는 대상이 되는 물체
- **촌철살인(寸鐵殺人)**: 한 치의 쇠붙이로도 사람을 죽일 수 있다는 뜻으로, 간단한 말로도 남을 감동하게 하거나 남의 약점을 찌를 수 있음을 이르는 말
- **수사**: 말이나 글을 다듬고 꾸며서 보다 아름답고 정연하게 하는 일. 또는 그런 기술

18 윗글의 서술상 특징을 〈보기〉에서 찾아 바르게 묶은 것은?

보기

ㄱ. 구체적인 사례를 들어 대상의 발생 이유를 설명하고 있다.
ㄴ. 대상의 특성을 병렬적으로 연결하여 핵심 내용을 전달하고 있다.
ㄷ. 화제를 제시하고 다른 대상과의 대비를 통해 설명을 뒷받침하고 있다.
ㄹ. 자주 사용하는 용어에 대한 개념을 정의하여 논의의 출발점으로 삼고 있다.
ㅁ. 예상되는 다른 의견을 비판하면서 글쓴이가 설명하고자 하는 내용을 강조하고 있다.

① ㄱ, ㄴ, ㄹ
② ㄱ, ㄷ, ㅁ
③ ㄴ, ㄷ, ㄹ
④ ㄴ, ㄷ, ㅁ
⑤ ㄷ, ㄹ, ㅁ

19 윗글의 내용을 바탕으로 〈보기〉를 이해한 학생의 반응으로 적절하지 않은 것은?

보기

① 수직이나 수평으로 나 있는 선들을 통해 인물들의 움직임을 파악할 수 있어요.
② 이 장면의 상황을 내용으로 하는 만화 영화를 보아도 나름대로의 감동을 느낄 수 있을 것 같아요.
③ 인물들이 처한 상황을 포착한 뒤, 상황의 생략과 단순화의 과정을 거쳐 표현한 것 같아요.
④ 남녀가 만나고 헤어지게 된 상황과 이후의 정황을 별도의 설명 없이도 이해할 수 있게 압축적으로 표현되어 있어요.
⑤ 그림을 통해서 두 남녀가 헤어진다는 사실을 즉각적으로 확인할 수 있고, 글을 통해서 남자가 어떠한 심정일지를 분명하게 이해할 수 있어요.

20 ㉠~㉤과 바꾸어 쓸 수 있는 어휘가 바르게 짝지어진 것은?

	㉠	㉡	㉢	㉣	㉤
①	똑똑하게	사용	접근할	터전을 잡고	억압
②	뚜렷하게	응용	도착할	바탕을 두고	규범
③	분명하게	유용	이르를	굴레를 쓰고	규칙
④	뚜렷하게	활용	다다를	바탕을 두고	규정
⑤	표저하게	이용	성취할	기틀로 두고	규범

독해 성취도 평가 체크리스트 활용법

❶ 제한 시간 안에 한 회 분량의 독해 성취도 평가를 다 풀고, 풀었던 답을 체크리스트에 표시합니다.

❷ 정답과 해설을 보고 채점 기준에 맞추어 채점을 합니다.

- 채점 기준: 틀린 문제는 ×, 찍어서 맞힌 문제는 △, 맞힌 문제는 ○를 합니다.

1회

지문 영역	문제 영역	번호	문제별 체크리스트					1차 채점	2차 채점
인문	사실적 사고	01	①	②	③	④	⑤		
인문	비판적 사고	02	①	②	③	④	⑤		
인문	어휘·어법	03	①	②	③	④	⑤		
인문	어휘·어법	04	①	②	③	④	⑤		
과학	사실적 사고	05	①	②	③	④	⑤		
과학	추론적 사고	06	①	②	③	④	⑤		
과학	사실적 사고	07	①	②	③	④	⑤		
과학	어휘·어법	08	①	②	③	④	⑤		
사회	사실적 사고	09	①	②	③	④	⑤		
사회	사실적 사고	10	①	②	③	④	⑤		
사회	추론적 사고	11	①	②	③	④	⑤		
사회	어휘·어법	12	①	②	③	④	⑤		
기술	사실적 사고	13	①	②	③	④	⑤		
기술	사실적 사고	14	①	②	③	④	⑤		
기술	추론적 사고	15	①	②	③	④	⑤		
기술	어휘·어법	16	①	②	③	④	⑤		
예술	사실적 사고	17	①	②	③	④	⑤		
예술	사실적 사고	18	①	②	③	④	⑤		
예술	추론적 사고	19	①	②	③	④	⑤		
예술	어휘·어법	20	①	②	③	④	⑤		

❸ 1차 채점 후, 틀렸거나 찍어서 맞힌 문제는 다시 풀어 본 후 채점 기준에 따라 채점을 합니다.

❹ 2차 채점 후, × 문제와 △ 문제는 틀린 이유를 파악해 보고, 해설을 통해 반드시 공부합니다.

지문 영역	문제 영역	번호	문제별 체크리스트					1차 채점	2차 채점
인문	사실적 사고	01	①	②	③	④	⑤		
인문	사실적 사고	02	①	②	③	④	⑤		
인문	추론적 사고	03	①	②	③	④	⑤		
인문	추론적 사고	04	①	②	③	④	⑤		
인문	비판적 사고	05	①	②	③	④	⑤		
사회	사실적 사고	06	①	②	③	④	⑤		
사회	사실적 사고	07	①	②	③	④	⑤		
사회	비판적 사고	08	①	②	③	④	⑤		
과학	사실적 사고	09	①	②	③	④	⑤		
과학	사실적 사고	10	①	②	③	④	⑤		
과학	추론적 사고	11	①	②	③	④	⑤		
과학	비판적 사고	12	①	②	③	④	⑤		
과학	어휘·어법	13	①	②	③	④	⑤		
기술	사실적 사고	14	①	②	③	④	⑤		
기술	사실적 사고	15	①	②	③	④	⑤		
기술	추론적 사고	16	①	②	③	④	⑤		
기술	어휘·어법	17	①	②	③	④	⑤		
예술	사실적 사고	18	①	②	③	④	⑤		
예술	비판적 사고	19	①	②	③	④	⑤		
예술	어휘·어법	20	①	②	③	④	⑤		

정오표			1차 채점		2차 채점	
			맞은 개수	틀린 개수	맞은 개수	틀린 개수
1회	지문 영역	인문				
		사회				
		과학				
		기술				
		예술				
	문제 영역	사실적 사고				
		추론적 사고				
		비판적 사고				
		어휘·어법				
2회	지문 영역	인문				
		사회				
		과학				
		기술				
		예술				
	문제 영역	사실적 사고				
		추론적 사고				
		비판적 사고				
		어휘·어법				

※ 정오표를 통해 지문이나 문제에서 자신이 잘하는 영역이나 취약한 영역을 한눈에 파악할 수 있습니다. 앞으로 자주 틀리는 지문 영역이나 문제 영역을 집중적으로 학습해 보세요.

memo

memo

중등 수능 독해

국어 비문학 독해 1 기본

정답과 해설

visang

중등 수능 독해

정답과 해설

1. 짧은 지문 실전

본문 014~017쪽

인문 01 첫인상은 왜 중요할까?

1 ③　　2 ①　　3 ②

(가) 우리는 처음 만나는 사람에 대해 자기도 모르는 사이에 그 사람은 어떠할 것이라는 평가를 내리게 되는데, 이를 '인상'이라고 한다. 우리 앞에 나타난 사람의 겉모습만 보고 그 사람의 신분, 직업과 더 나아가 그의 성격, 취미, 능력, 감정 등을 파악하려고 하며, 그 결과에 따라 우리의 행동을 결정한다.

(나) 그렇다면 인상의 형성에 관여하는 요소는 무엇일까? 사람을 만났을 때 가장 먼저 눈에 들어오는 것은 옷차림이다. '옷이 날개'라는 말도 있듯이 옷에 따라 사람의 인상이 달라진다. 다음으로 그 사람의 용모, 표정, 몸가짐, 목소리 등도 인상을 형성하는 데 중요한 요소이다. 미국의 한 심리학자는 사람의 인상을 결정하는 데에 외모가 55%, 음성이 38%라는 결과를 내놓았다. 이 둘을 제외한 나머지는 7%밖에 안 된다.

(다) 그러나 외모나 옷차림 등은 아주 제한적이고 단편적인 정보이기 때문에 이렇게 형성된 인상은 그 사람에 대한 정확한 평가가 아닐 확률이 크다. 그런데도 사람들은 왜 인상을 중요하게 여길까? 그 이유는 인상 형성에 영향을 미치는 여러 가지 심리적 작용들에서 찾을 수 있다.

(라) 어떤 사람에 대한 상반되는 정보가 시간 간격을 두고 주어진다면 앞의 정보가 뒤의 정보보다 인상 형성에 더 크게 영향을 미친다. 이를 초두 효과라고 하는데, 우리가 일관성 있게 지각하려고 하는 경향이 강하기 때문에 나타난다. 그래서 진짜 정보가 뒤에 들어오더라도 이미 형성된 인상과 다르면 그 정보는 무시되거나 왜곡된다. (㉠) 첫인상이 매우 중요한 것이다. 한편, '호감이 가는 사람'이라는 인상이 한번 형성되면 그 사람을 매력적이고, 지적이고, 관대한 사람으로 보게 된다. 즉, 하나의 특성이 좋으면 다른 특성도 좋을 것이라고 추측하게 된다. 반대의 경우도 마찬가지다. 하나가 나쁘면 모든 것이 나쁘게 보인다. 이를 후광 효과라고 한다. 그런데 어떤 사람이 좋은 특성과 나쁜 특성을 함께 가지고 있을 때 그 사람에 대한 인상이 중간이 되는 것이 아니라 나쁜 쪽으로 형성이 된다. 가령 착하고 성실하고 성격도 좋은 사람이 가끔 거짓말을 한다고 할 때, 이 사람은 좋은 특성이 더 많음에도 거짓말쟁이라는 인상을 준다. 이것을 마이너스 효과라고 한다. 이는 사람들이 긍정적인 평가보다 부정적인 평가에 더 주의를 기울이기 때문에 나타난다. 이런 요인들 때문에 우리는 인상을 제대로 형성하지 못하지만, 또 인상을 매우 중요하게 생각하는 것이다.

(주석: 인상의 개념 / 핵심어 / 인상에 따라 그 사람을 대하는 태도를 결정함 / △: 인상 형성에 관여하는 요소 / 초두 효과의 개념 / 초두 효과가 나타나는 이유 / 후광 효과의 개념 / 마이너스 효과의 개념 / 마이너스 효과가 나타나는 이유)

독해 체크

■ 이 글의 핵심 화제

(인상) 형성에 영향을 미치는 요소와 심리적 작용

■ 문단별 중심 내용

- 1문단: (인상)의 개념
- 2문단: 인상 형성에 관여하는 요소
- 3문단: 인상은 대상에 대한 정확한 (평가)가 아닐 수 있음
- 4문단: 인상 형성에 영향을 미치는 (심리적) 작용

■ 핵심 내용의 구조화

인상 형성

- 인상 형성에 관여하는 요소
  - (옷차림), 용모, 표정, 몸가짐, 목소리 등
- 인상 형성에 영향을 미치는 심리적 작용
  - (초두) 효과: 어떤 사람에 대한 상반된 정보가 주어질 때, 앞의 정보가 뒤의 정보보다 인상 형성에 더 크게 영향을 미침
  - 후광 효과: 하나의 특성이 좋으면 다른 특성도 좋을 것이라고 추측함
  - (마이너스) 효과: 어떤 사람이 좋은 특성과 나쁜 특성을 함께 가지고 있을 때 그 사람에 대한 인상이 나쁜 쪽으로 형성됨

1 (다)에서 인상 형성에 관여하는 요소들은 제한적이고 단편적인 정보이기 때문에 그 사람에 대한 정확한 평가가 아닐 확률이 크다고 하였다. 따라서 처음 만나는 사람의 인상이 그 사람을 정확하게 평가할 수 있는 도구가 될 수 없다.

오답 풀이 ① (라)에서 우리의 지각은 일관성을 유지하려는 경향이 강하기 때문에 앞의 정보가 뒤의 정보보다 인상 형성에 더 크게 영향을 미친다고 하였다.

② (라)에서 앞의 정보가 뒤의 정보보다 인상 형성에 더 크게 영향을 미친다고 하였다. 이를 초두 효과라고 하는데, 이로 인해 이미 형성된 인상과 다른 정보가 들어오면 그 정보는 무시되거나 왜곡된다고 하였다.

④ (라)에 의하면, 어떤 사람이 좋은 특성과 나쁜 특성을 함께 가지고 있

을 때 그 사람에 대한 인상은 나쁜 쪽으로 형성되는데 이를 마이너스 효과라고 한다. 이러한 현상이 나타나는 이유는 사람들이 긍정적인 평가보다 부정적인 평가에 더 주의를 기울이기 때문이라고 하였다.
❺ (나)에서 인상 형성에 관여하는 요소 중 외모가 55%, 음성이 38%의 영향력을 끼친다고 하였다.

2 후광 효과란 '호감이 가는 사람'이라는 인상이 한번 형성되면 그 사람의 나머지 특성도 좋을 것이라고 추측해서 그사람을 매력적이고 지적이며, 관대한 사람으로 보게 되는 것을 말한다. 대화에서 여학생은 전학 온 친구가 키도 크고 잘생겨서 나머지 다른 특성도 좋을 것이라고 평가하고 있다. 이는 후광 효과가 작용한 것이라고 볼 수 있다.

오답 풀이 ❷ 고정 관념은 '잘 변하지 아니하는, 행동을 주로 결정하는 확고한 의식이나 관념'을 말하는 것으로, 대화 내용과 관련이 없다.
❸ 앞의 정보가 뒤의 정보보다 인상 형성에 더 크게 영향을 미치는 초두 효과는 처음 형성된 인상의 중요성을 설명하는 것으로, 대화 내용과 관련이 없다.
❹ 마이너스 효과는 대상의 인상이 나쁜 쪽으로 형성되는 것을 말하는데, 여학생은 전학 온 친구를 긍정적으로 평가하고 있으므로 관련이 없다.
❺ 사회적 지각은 개인이 타인의 감정, 태도, 욕구, 성격과 같은 사회적 요소를 지각하는 일을 말하는 것으로, 대화 내용과 관련이 없다.

3 ㉠의 앞부분은 초두 효과로 인해 처음에 형성된 인상과 다른 정보는 무시되거나 왜곡된다는 내용이 제시되어 있고, ㉠의 뒤 문장은 결론이 나타나 있으므로 ㉠에 들어갈 말은 인과 관계의 접속어 '따라서'가 가장 적절하다.

오답 풀이 ❶, ❸, ❹ 역접 관계의 접속어이다.
❺ 전환 관계의 접속어이다.

+ 어휘 체크

1 인상 – 상심 – 심리적 – 적성 – 성격 – 격세지감
2 ❶ 일관성 ❷ 성장 ❸ 관여 ❹ 수여

본문 018~021쪽

논증을 생기 있게, 생략 삼단 논법

1 ⑤ 2 ④ 3 ④

가 「삼단 논법은 대개 두 개의 전제와 한 개의 결론으로 이루어지는데, 여기에서 전제의 일부를 생략한 것을 ㉠생략 삼단 논법이라고 한다. ⓐ가령 「'숙제를 다 했으니 게임을 해도 돼.'는 '숙제를 다 해야 게임을 할 수 있다. 너는 숙제를 다 했다. 그러므로 게임을 해도 된다.'에서 '숙제를 다 해야 게임을 할 수 있다.'를 생략한 것이다.」
(「 」: 생략 삼단 논법의 개념 / 삼단 논법의 구성 요소 / 핵심어 / 「 」: 생략 삼단 논법의 예 / 전제 ① / 전제 ② / 결론 / 전제의 일부를 생략함)

나 이러한 전제의 생략은 논증을 약화하지 않는다. ⓑ오히려 상대가 아는 내용을 다시 언급하는 데에서 오는 싫증을 ⓒ덜어 냄으로써 논증을 더 강렬하고 생기 있게 만든다. 하지만 아무 전제나 생략이 가능한 것은 아니다. 전제를 생략할 수 있는 경우는 크게 두 가지이다.
(생략 삼단 논법의 효과)

다 첫째, '확실한 지표'는 생략할 수 있다. 확실한 지표란 누구나 인정할 수 있는 보편타당한 진실을 말한다. '열이 나는 걸 보니 감기에 걸렸나 보다.'는 '감기에 걸리면 열이 난다.'와 같이 누구나 아는 사실을 생략함으로써 논증의 자연스러움을 살린다.
(전제를 생략할 수 있는 경우 ① / 확실한 지표의 개념 / 확실한 지표의 예)

라 둘째, '일반적 통념'도 생략할 수 있다. 예를 들어 '적당한 운동은 건강에 좋다.'와 같이 그 사회가 일반적으로 인정하는 상식이 일반적 통념이다. 이러한 전제들은 확실한 지표처럼 절대적이라고 말할 수는 없지만 아주 ⓓ빈번하게 일어나는 것이기에 생략할 수 있다.
(전제를 생략할 수 있는 경우 ② / 일반적 통념의 예 / 일반적 통념의 개념)

마 이러한 생략 삼단 논법을 사용한 주장이 논증인지 아니면 오류인지를 알아내기 위해서는 우선 숨겨진 전제를 찾아 그것이 생략 가능한지, 즉 보편타당한지를 살펴보아야 한다. 이때 숨겨진 전제가 보편타당하면 논증으로, 그렇지 않으면 단순 주장 내지 오류로 ⓔ취급한다.
(생략 삼단 논법의 타당성 검토 방법 / 생략 삼단 논법의 타당성 검토 결과에 따른 해당 주장의 취급 방식)

+ 독해 체크

■ 이 글의 핵심 화제

(생략 삼단 논법)의 개념과 특징

■ 문단별 중심 내용

- 1문단: 생략 삼단 논법의 (개념)과 그 예
- 2문단: 생략 삼단 논법의 (효과)
- 3~4문단: 생략 삼단 논법에서 (생략) 가능한 전제와 그 예
- 5문단: (생략 삼단 논법)을 사용한 주장의 타당성을 검토하는 방법

■ 핵심 내용의 구조화

생략 삼단 논법

개념	생략 가능한 전제	(주장)의 타당성 검토
삼단 논법에서 전제의 일부를 (생략)한 것	•(확실한 지표): 누구나 인정할 수 있는 보편타당한 진실 • 일반적 통념: 그 사회가 보편적으로 인정하는 상식	숨겨진 전제를 찾아 그것이 보편타당하면 (논증)으로, 그렇지 않으면 단순 주장 내지 오류로 취급함

1 (나)에서 아무 전제나 생략이 가능한 것은 아니며, (다)에서 누구나 아는 사실을 생략함으로써 논증의 자연스러움을 살린다고 설명하고 있다.

오답 풀이 ❶ (가)에서 삼단 논법은 대개 두 개의 전제와 한 개의 결론으로 이루어진다고 설명하고 있다.
❷ (다)에서 누구나 인정할 수 있는 보편타당한 진실인, 확실한 지표는 생략할 수 있다고 설명하고 있다.
❸ (가)에서 삼단 논법에서 전제의 일부를 생략한 것을 '생략 삼단 논법'이라고 한다고 설명하고 있다.
❹ (라)에서 그 사회가 일반적으로 인정하는 상식인, 일반적 통념은 생략할 수 있다고 설명하고 있다.

2 ④는 '건강한 사람은 오래 산다. 너는 건강하다. 그러므로 너는 오래 살 것이다.'라는 두 개의 전제와 한 개의 결론으로 이루어진 논증이다. 전제의 일부가 생략되지 않았으므로 생략 삼단 논법에 해당하지 않는다.

오답 풀이 ❶ '동물은 언젠가는 죽는다.', '사람은 동물이다.', '그러므로 사람은 언젠가는 죽는다.'에서 '동물은 언젠가는 죽는다.'라는 확실한 지표를 생략한 생략 삼단 논법이다.
❷ '포유류는 새끼를 낳아 젖을 먹인다.', '고래는 포유류이다.', '그러므로 고래는 새끼를 낳아 젖을 먹인다.'에서 '포유류는 새끼를 낳아 젖을 먹인다.'라는 확실한 지표를 생략한 생략 삼단 논법이다.
❸ '모든 명작은 가격이 높다.', '이 그림은 명작이다.', '그러므로 이 그림의 가격은 높을 것이다.'에서 '모든 명작은 가격이 높다.'라는 일반적 통념을 생략한 생략 삼단 논법이다.
❺ '물은 1기압이고, 온도가 100℃일 때 끓는다.', '지금은 1기압이고 이 물의 온도는 100℃이다.', '그러므로 지금 물이 끓을 것이다.'에서 '물은 1기압이고 온도가 100℃일 때 끓는다.'라는 확실한 지표를 생략한 생략 삼단 논법이다.

3 ⓓ '빈번하게'는 '번거로울 정도로 도수가 잦게'를 뜻하는데, '간헐적으로'는 '얼마 동안의 시간 간격을 두고 되풀이하여 일어나는 것으로'를 의미한다. 따라서 바꾸어 쓰기에 적절하지 않다.

오답 풀이 ❶ ⓐ '가령'은 '예를 들어'를 의미하므로, '예를 들어'와 바꾸어 쓰기에 적절하다.
❷ ⓑ '오히려'는 '일반적인 기준이나 예상, 짐작, 기대와는 전혀 반대가 되거나 다르게'를 의미하므로, '반대로'와 바꾸어 쓰기에 적절하다.
❸ ⓒ '덜어 냄으로써'는 '그러한 행위나 상태를 적게 함으로써'를 의미하므로, '줄임으로써'와 바꾸어 쓰기에 적절하다.
❺ ⓔ '취급한다'는 '사람이나 사건을 어떤 태도로 대하거나 처리한다.'를 의미하므로, '처리한다'와 바꾸어 쓰기에 적절하다.

+ 어휘 체크

• ⓒ – 취급 ㉠ – 생략 ㉣ – 논증 ㉡ – 상식 ㉤ – 오류

인문 **03** 삼가 전하께 아뢰옵나니

1 ③ 2 ② 3 ⑤

가 임금님께 아뢰옵니다. 슬프고 슬픕니다. 나라를 망치는 도적이 어느 시대에도 있었다지만 이번에 왜와의 조약에 함부로 도장을 찍은 이근택, 이완용, 권중현 같은 도적이 어디 있겠습니까?(을사조약의 체결에 가담한 을사오적(박제순, 이지용 포함)) 당초에 일본 사신이 ㉠을사조약(핵심어)을 만들기 위해 왔을 때 우리 정부에서 알지 못했을 리가 없습니다. 그러나 그들은 온 나라의 백성들에게 이런 사실을 알리지도 않고 한밤중에 몰래 회의를 열었으니, 그들이 한 짓을 본다면 이미 그들에게는 나라를 팔아먹을 의도가 분명히 있었다고 볼 수 있습니다. ㉡폐하까지 그 회의석에 친히 임하셨는데 그들이 비록 협박을 한다 해도 폐하께서는 책상을 치면서 하늘 같은 위엄을 보여야 했습니다.(무능하게 대처한 임금에 대한 비판) 원래 박제순을 비롯한 다른 역적들은 ㉢왜적의 앞잡이로서 나라 팔아먹기를 예사로 하면서 조금도 부끄러운 줄을 모르니 진실로 쳐 죽여도 모자랄 자들입니다.

나 그런데다가 왜놈들은 자기들이 조금 강한 것을 믿고 의기양양하여 이웃 나라를 협박하는 것을 능사로 삼으며 약속을 저버리는 것을 밥 먹듯이 하는 자들로,(일본 사람에 대한 평가 ①) 나라 간에 지켜야 할 올바른 도리도 모르고 오직 남의 나라를 빼앗으려는 욕심만 부리는 자들입니다.(일본 사람에 대한 평가 ②) 또한 그들이 우리나라의 이권을 빼앗으려 할 때에는 으레 좋은 말로 두 나라는 우의를 두텁게 해야 한다고 하는 자들이니,(이토 히로부미가 조선을 차지할 계획을 숨기고 동양 평화를 위해 서로 노력하자고 주장하며 조선의 국민들을 속임) 그들의 속임수는 예측할 수가 없습니다. 그러니 일본이 ㉣조선 황실을 보호해 준다는 조약서의 말은 믿을 게 못 됩니다.

다 다행히 조약서는 폐하의 허락으로 된 것이 아니니,(고종 황제가 재가하지 않았기 때문에 조약이 성립될 수 없음) 저들이 가지고 있는 조약은 역적들이 강제로 만든 헛된 조약에 불과합니다. 그러니 빨리 박제순을 포함한 다섯 역적의 목을 베어(건의 내용 ①) ㉤매국한 죄를 바로잡는 한편 외무부의 관리를 시켜 거짓 조약 문서를 없애도록 하고,(건의 내용 ②) 한편으로는 제 힘만 믿고 약한 나라를 위협하는 일본의 죄를 세계 다른 나라에 알려야 할 것입니다.(건의 내용 ③) 이렇게 해서 폐하의 뜻과 백성의 소원이 세계 여러 나라에 널리 알려져 그들이 우리를 돕는다면, 우리나라는 망하지 않고 죽음에서 살아날 수 있을 것입니다.

라 바라옵건대 폐하께서는 신(臣)의 말을 저버리지 마시고 매국한 이들의 죄를 물으시고, 거짓 조약을 회수해야 한다는(건의 내용 ①~③) 신의 간절한 건의를 빨리 받아들여 나라가 망(글쓴이의 건의 내용을 다시 한번 강조함)

하는 일이 없게 하소서. 신은 통곡하며 죽고 싶은 심정을 견디지 못하여 죽음을 무릅쓰고 아룁니다.

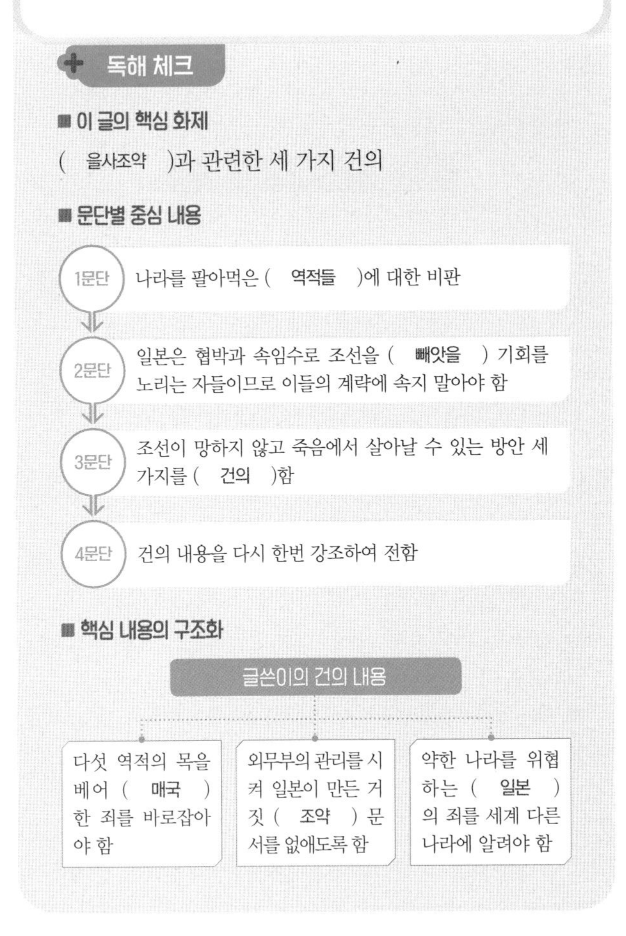

1 실제 역사적 사실은 이토 히로부미가 대신들에게 조약에 대한 찬반 의견을 묻는 방식으로 진행된 회의에서 반대한 사람들은 곧바로 회의장 밖으로 끌려 나갔다. 그러나 이 글을 통해서는 을사조약에 반대하는 대신들이 회의에서 쫓겨났는지는 알 수 없다.

오답 풀이 ❶ (가)에서 '그러나 그들은 온 나라의 백성들에게 이런 사실을 알리지도 않고 한밤중에 몰래 회의를 열었으니'를 통해 알 수 있다.
❷ (가)에서 '폐하까지 그 회의석에 친히 임하셨는데'를 통해 고종 황제도 회의에 참석하였음을 알 수 있다.
❹ (다)에서 '박제순을 포함한 다섯 역적의 목을 베어 매국한 죄'를 물으라고 하였으므로, 다섯 명의 대신이 일본과의 조약에 찬성 의사를 밝혔음을 알 수 있다.
❺ (다)에서 '다행히 조약서는 폐하의 허락으로 된 것이 아니니'를 통해 조약서에 고종 황제의 허가가 빠졌음을 알 수 있다.

2 글쓴이는 이 글에서 매국한 다섯 명의 죄를 묻고, 거짓 조약을 회수하며, 일본의 죄를 세계 다른 나라에 알려야 함을 간절하게 건의하고 있다. 그러나 (라)에서 죽음을 무릅쓰고 아뢴다고 하였을 뿐, 자신의 죽음을 통해 알리고자 한 것은 아니다.

오답 풀이 ❶ (나)의 '왜놈들은 자기들이 조금 강한 것을 믿고 의기양양하여 이웃 나라를 협박하는 것을 능사로 삼으며~그들의 속임수는 예측할 수가 없습니다.'를 통해 일본이 조선을 협박하고 속임수를 써서 국권을 빼앗으려고 하였음을 알 수 있다.
❸ (나)의 '일본이 조선 황실을 보호해 준다는 조약서의 말은 믿을 게 못 됩니다.'를 통해 알 수 있다.
❹ (다)의 '다행히 조약서는 폐하의 허락으로 된 것이 아니니, 저들이 가지고 있는 조약은 역적들이 강제로 만든 헛된 조약에 불과합니다.'를 통해 글쓴이는 을사조약이 비합법적인 조약으로 실효성이 없다고 판단하고 있음을 알 수 있다.
❺ (가)의 '당초에 일본 사신이 을사조약을 만들기 위해 왔을 때 우리 정부에서 알지 못했을 리가 없습니다.'와 이어지는 문장인 '그들에게는 나라를 팔아먹을 의도가 분명히 있었다고 볼 수 있습니다.'를 통해 알 수 있다.

3 ⓜ '매국'은 '사사로운 이익을 위하여 나라의 주권이나 이권을 남의 나라에 팔아먹음'을 의미하는 말로 오늘날에도 쓰이는 말이므로 당시의 시대적 배경을 알 수 있는 말로 볼 수 없다.

오답 풀이 ❶ ㉠ '을사조약'은 대한 제국 광무 9년(1905)에 일본이 한국의 외교권을 빼앗기 위하여 강제적으로 맺은 조약으로 당시의 시대적 배경을 알 수 있는 말이다.
❷ ㉡ '폐하'는 황제나 황후를 부르는 칭호이므로 당시의 시대적 배경을 알 수 있는 말이다.
❸ ㉢ '왜적'은 도둑질하는 일본 사람을 낮잡아 이르는 말이므로 당시의 시대적 배경을 알 수 있는 말이다.
❹ ㉣ '조선'은 을사조약을 맺을 당시의 시대적 배경을 단적으로 알 수 있는 말이다.

어휘 체크

1 (1) 위엄 (2) 예사로 (3) 으레
2 ❶ 능사 ❷ 사회 ❸ 회수 ❹ 건의 ❺ 의기양양 ❻ 우의 ❼ 의도 ❽ 도적

본문 026~029쪽

인문 04 놀이의 네 가지 속성

1 ⑤ 2 ② 3 ④

㉮ 로제 카이와라는 학자는 놀이(핵심어)가 인간의 사회적·제도적 측면에서 네 가지 속성을 가지고 있다고 주장했다.(놀이의 네 가지 속성을 주장함) 첫째, '경쟁'의 속성(놀이의 속성 ①)이다. 아이들은 달리기로 경쟁하여 목표 지점에 먼저 도달하는 놀이를 하거나, 혹은 시간을 정해 놓고 더 많은 점수를 얻으려는 놀이(경쟁의 속성이 포함된 놀이의 예)를 한다. 이 경쟁의 속성은 스포츠나 각종 선발 시험 등에서 순위를 결정하는 원리로 변화(경쟁의 속성이 사회 제도에 활용된 예)되어 사회 제도의 기본 원칙으로 활용되고 있다.

㉯ 둘째, '운'의 속성(놀이의 속성 ②)이다. 아이들은 놀이를 시작할 때, 종종 제비를 뽑아 술래를 결정(운의 속성이 포함된 놀이의 예)하곤 한다. 어른들은 경쟁이 아닌 운을 실험하는 방식으로 내기를 하기도 한다.

예를 들어「복권은 운의 속성을 활용한 대표적인 사회 제도이다. 축구 경기가 경쟁을 통해 승패를 결정하는 행위라면 조 추첨을 통한 부전승」은 실력을 고려하지 않고 운에 영향을 받는 행위여서, 경쟁과 운은 상호 보완적인 속성을 가지고 있다.

「 」: 운의 속성이 사회 제도에 활용된 예

다 셋째, '흉내'의 속성이다. 아이들은 어려서부터 모방하는 행위를 즐긴다. 유년기의 아이들은 주로 아버지와 어머니의 행동을 흉내 내고, 소년기의 학생들은 친구와 교사의 행동을 모방한다. 아리스토텔레스 이후 많은 철학자들이 모방을 예술의 기본 원리로 파악했고, 배우는 이러한 모방을 전문화한 직업인이라고 할 수 있다.

놀이의 속성 ③ / 아이들이 어려서부터 즐기는 모방 행위 / 모방의 속성이 활용됨

라 넷째, 균형의 파괴 혹은 '일탈'의 속성이다. 아이들은 자신의 신체적 균형을 고의로 무너뜨리는 상황에 매혹을 느낀다. 가령「어린아이들은 어른들이 자신들의 몸을 공중에 던져 주면 환호성을 지르며 열광하고, 소년기의 학생들은 아찔한 롤러코스터를 일부러 타면서 신체적 경험이 무너지는 현기증을 체험한다.」일탈의 속성 역시 우리 사회 전반에 스며들어, 사회 제도의 압박감에서 벗어나 개인의 자유로움을 추구하는 행위로 나타나곤 한다.

놀이의 속성 ④ / 「 」: 일탈의 속성이 포함된 놀이의 예 / 사회적으로 일탈의 속성이 나타남

마 (　　ⓐ　　), 경쟁, 운, 흉내, 일탈은 놀이의 속성이면서 동시에 인간이 형성한 문화의 근간이다.「사람들은 때로는 경쟁하고 운의 논리에 자신을 맡기는 사회 제도를 만들었고, 모방을 통해 예술의 기본 원리를 확립했으며, 신체적 균형과 사회 질서에서 벗어나는 유희와 일탈의 속성을 도입하기도 했다」는 것이다. 놀이의 관점으로 인간의 문화를 이해할 때 특정 원리만을 신봉하거나 특정 원리를 배격하지 않아야 한다. 놀이의 네 가지 속성이 상호 작용하여 사회의 각 분야를 형성했고, 각 분야의 역할이 확장된 형태로 어울리면서 각종 예술과 제도가 함께 성숙할 수 있었음을 기억할 필요가 있다.

이 글의 핵심 내용 / 「 」: 놀이의 네 가지 속성은 인간이 형성한 문화의 근간이 됨

독해 체크

■ 이 글의 핵심 화제

(　놀이　)의 네 가지 속성

■ 문단별 중심 내용

1문단 놀이는 경쟁의 속성을 포함하고 있음

2문단 놀이는 (　운　)의 속성을 활용하고 있음

3문단 놀이는 (　흉내　)의 속성을 지니고 있음

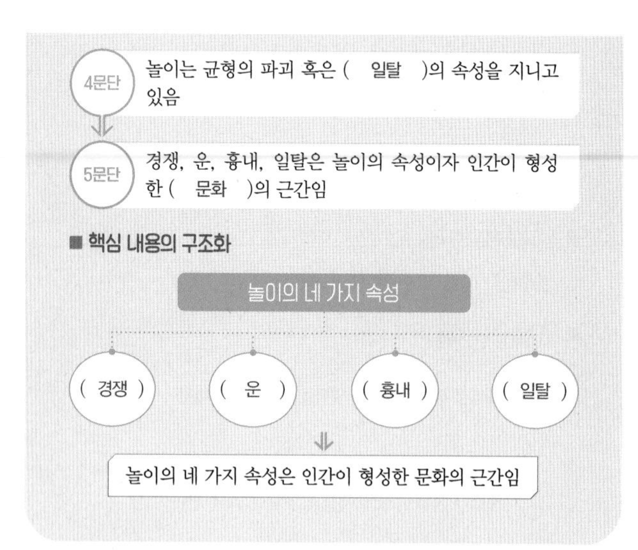

1 (마)에서 경쟁, 운, 흉내, 일탈은 놀이의 속성이면서 동시에 인간이 형성한 문화의 근간이라고 하였다.

오답 풀이 ❶ 놀이의 네 가지 속성 중 어느 것 하나가 가장 중요하다는 내용은 제시되어 있지 않다.
❷ 놀이의 네 가지 속성이 특정 시기에 강조된다는 내용은 제시되어 있지 않다.
❸, ❹ (마)에서 놀이의 관점으로 인간의 문화를 이해할 때 특정 원리만을 신봉하거나 특정 원리를 배격하지 않아야 한다고 하였다.

2 귀족 사회에서 사회 특권 계층의 자제들이 실력에 대한 검증 없이 관직에 나갈 수 있었던 것은 운의 속성이 반영된 것이고, 시험을 통해 관리를 선발하는 제도는 경쟁의 속성이 강화된 것이다. 그리고 현재에 농어촌 지역 출신을 따로 선발하는 대학 입학 제도는 기존의 제도(운과 경쟁)를 보완한 방안에 해당한다.

3 (가)~(라)에서 놀이의 네 가지 속성을 각각 제시하면서 놀이의 속성이 어떤 형태로 인간의 문화를 형성하고 있는지 설명한 후, (마)에서 이를 정리해 주고 있다. 따라서 ⓐ에는 앞에서 설명한 내용을 간추리는 '요약하면'이 들어가는 것이 가장 적절하다.

오답 풀이 ❶ '또한'은 뒤 문장이 앞 문장에 대하여 내용을 강조하거나 보충해 줄 때 사용하는 접속어이다. (마)는 (라)의 원인이 아니라, 앞의 내용들을 정리하고 있다.
❷ '반면'은 앞의 내용과 상반되거나 부정하는 내용을 이어 주는 접속어이다. (라)와 (마)는 상반되거나 대립 관계에 있지 않다.
❸ '예를 들어'는 앞 문장을 구체적으로 설명하기 위하여 예시를 제시하기 위한 접속어이다. (마)에는 예시 문장이 나타나 있지 않고, (가)의 결론이라고 할 수 없다.
❺ '왜냐하면'은 앞 문장의 내용을 원인과 결과로 이어 주는 인과 관계를 나타내는 접속어이다. (마)는 앞 문단의 내용과 인과 관계를 맺고 있지 않다.

어휘 체크

1 모방 – 방부제 – 제비 – 비유 – 유희 – 희로애락
2 ❶ ㉡ ❷ ㉠ ❸ ㉢

보편적인 도덕은 존재할까?

1 ①　　2 ②　　3 ④

가 어떤 사람이 해외를 여행하고 있었다. ㉠첫 번째 나라에서 젊은 사람들이 노인에게 자리를 양보해 주었다. 두 번째 나라에서도 젊은 사람들이 자리를 양보했고, 세 번째 나라에서도 마찬가지였다. 그래서 그는 모든 나라에서 젊은 사람들이 노인에게 자리를 양보해 준다고 생각했다. 그런데 마지막으로 방문한 나라에서는 그런 경우를 찾아볼 수 없었다. 그렇다면 언제 어디서나 옳다고 여기는 도덕은 없는 것일까?
(보편적인 도덕)

나 이에 대해 시대나 장소와 ⓐ무관하게 모든 사람들이 옳다고 여기는 보편적인 도덕이 존재한다는 관점이 있다. 예를 들어 '생명을 존중해야 한다.'나 '자기가 하기 싫은 일은 남에게 시키지 말라.'와 같은 것은 어느 시대, 어느 장소에서나 보편적으로 옳다고 여긴다. 다만 이러한 관점만이 옳다고 생각할 경우 문화에 따라 달라지는 다양한 가치를 ⓑ수용하는 데 소극적인 태도를 갖게 된다.
(보편적인 도덕이 존재한다는 입장 / 핵심어 / 보편적인 도덕의 예 / 보편적인 도덕만 옳다고 여길 경우에 생기는 문제점)

다 이와 달리 언제 어디서나 옳다고 여기는 도덕은 존재하지 않는다고 보는 관점이 있다. 즉, 도덕은 시대나 장소에 따라 달라지기 때문에 상대적이라는 것이다. 도덕을 이러한 관점에서 보는 사람들은 자신이 속한 사회의 도덕이 반드시 모든 사회에 적용되어야 한다고 생각하지 않는다. 그러나「이런 관점을 지나치게 확대 해석할 경우 서로 다른 사회에서 동일한 문제에 대해 각기 다른 도덕적 기준을 ⓒ주장할 때 무엇이 옳은지 ⓓ판단하기가 쉽지 않다.」
(보편적인 도덕은 존재하지 않는다는 입장 / 「 」: 도덕을 상대적 관점으로만 해석할 경우에 생기는 문제점)

라 이처럼 '언제 어디서나 옳다고 여기는 도덕이 존재하는가?'에 대해서 서로 다른 관점이 있다. 그리고 이러한 논의는 지금도 ⓔ계속되고 있다. 세계 각국의 다양한 사회 구성원을 만날 기회가 늘어 가고 있는 지금, 우리는 보편적인 도덕에 대한 인식과 함께 나와 다른 생각을 가진 사람들도 존중할 줄 아는 균형 있는 사고를 할 필요가 있다.
(보편적인 도덕에 대한 글쓴이의 입장)

독해 체크

■ 이 글의 핵심 화제

(보편적)인 도덕에 대한 서로 다른 관점

■ 문단별 중심 내용

(보편적)인 도덕의 존재에 대한 의문 제기

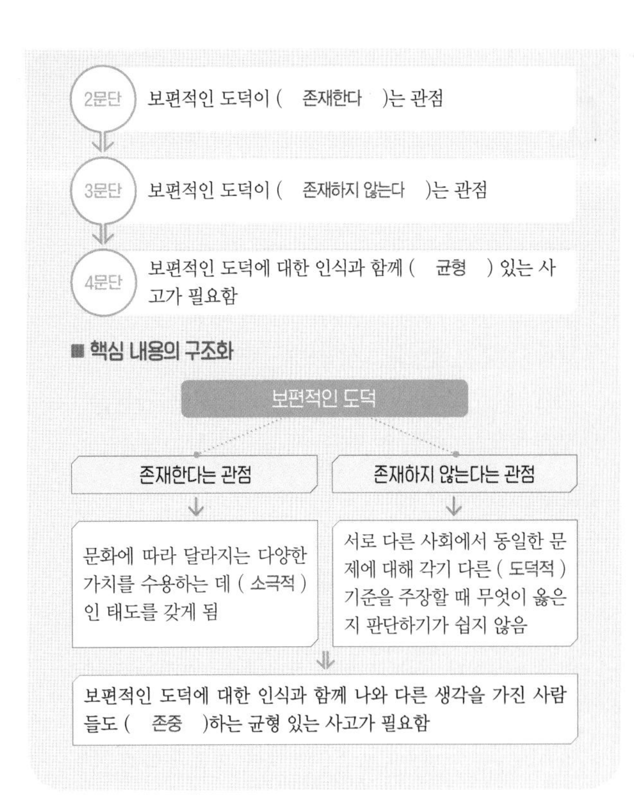

1 (나)는 시대나 장소와 무관하게 모든 사람들이 옳다고 여기는 보편적인 도덕이 존재한다는 관점에 대한 설명이고, (다)는 언제 어디서나 옳다고 여기는 도덕이 존재하지 않는다는 관점에 대한 설명이다. (다)는 도덕은 시대나 장소에 따라 달라지기 때문에 상대적이라는 입장이다.

2 ㉠은 세 번의 개별적 경험을 통해 결론을 이끌어 내고 있다. 이와 같이 개별적인 특수한 사실이나 현상에서 그러한 사례들이 포함되는 일반적인 결론을 이끌어 내는 방식을 귀납 논증이라고 하는데, 이와 유사한 논증 방식이 사용된 것은 ②이다.

오답 풀이 ❶, ❸, ❹, ❺ 일반적인 원리나 법칙을 바탕으로 구체적이고 개별적인 사실을 논증하여 주장을 내세우는 연역 논증 방식이 사용되었다.

3 ⓓ의 '판단하다'는 '사물을 인식하여 논리나 기준 등에 따라 판정을 내리다.'라는 의미이다. ④의 '심사하다'는 '자세하게 조사하여 등급이나 당락 등을 결정하다.'라는 의미이므로 바꾸어 쓰기에 적절하지 않다.

오답 풀이 ❶ ⓐ의 '무관하다'는 '관계나 상관이 없다.'라는 의미이므로, '관계없이' 또는 '상관없이'와 바꾸어 쓸 수 있다.
❷ ⓑ의 '수용하다'는 '어떠한 것을 받아들이다.'라는 의미이므로, '받아들이는'과 바꾸어 쓸 수 있다.
❸ ⓒ의 '주장하다'는 '자기의 의견이나 주의를 굳게 내세우다.'라는 의미이므로 '내세울'과 바꾸어 쓸 수 있다.
❺ ⓔ의 '계속되다'는 '끊이지 않고 이어져 나가다.'라는 의미이므로 '이어지고'와 바꾸어 쓸 수 있다.

어휘 체크

1 (1) 관점 (2) 보편적 (3) 논의
2 ❶ 균형 ❷ 형사 ❸ 사장 ❹ 장소 ❺ 소극적 ❻ 적용

사회 **01** 행동 경제학을 활용한 마케팅 전략

1 ③ 2 ④ 3 ④

가 전통 경제학에서는 사람은 여러 선택지가 있을 때 언제나 가장 이성적인 판단을 한다고(전통 경제학의 기본 전제) 가정하였다. 이와 달리 ㉠행동 경제학(핵심어)은 사람들을 '제한적으로 합리적인 존재' 또는 '때로는 감정적인 존재'(행동 경제학의 기본 전제)로 ⓐ보아, 사람들이 종종 이성적이지 않은 결정을 내리는 경제적, 심리적 이유를 밝혀내고자 한다.(행동 경제학의 연구 내용 - 사람들의 비이성적 선택 기제의 이유 탐색)

나 기업들은 행동 경제학이 밝혀낸 사람들의 비이성적 선택 기제에 관심이 매우 많다. 이를 역으로 활용하면 합리적이지 않아도 자사 상품을 선택하도록 유도할 수 있기 때문(기업들이 비이성적 선택 기제에 관심을 갖는 이유)이다. 실제로 이를 잘 이용한 사례로 꼽히는 곳은 오버더톱 서비스(OTT) 시장이다. 오버더톱 서비스란 인터넷을 기반으로 방송 프로그램, 영화 등의 콘텐츠를 제공하는 서비스(오버더톱 서비스의 개념)로, 화면 구성에서부터 마케팅에 이르기까지 행동 경제학의 논리를 적극 활용하고 있는 분야로 거론된다.

다 대표적인 사례로, 한 오버더톱 서비스(OTT) 기업에서는 소비자에게 한 달간 무료 이용을 제공한 뒤 유료 가입을 권하는 체험 마케팅을 실시한다. 무료 서비스만 이용한 뒤 가입을 하지 않는 소비자도 있을 텐데 기업은 무얼 믿고 이러한 마케팅을 하는 것일까?

라 이는 어떤 대상을 소유하고 나면 소유하기 전보다 그것에 더 큰 가치를 두는(소유 효과의 개념) '소유 효과'를 활용한 마케팅이다. 일단 한 달 동안 오버더톱 서비스 기업의 무료 서비스를 누린 사용자들은 해당 서비스를 내 것으로 여기는 성향이 강해진다(소유 효과로 인해 발생하는 현상). 때문에 이를 해지하면 내 것을 잃는 손실감을 느끼게 돼 유료 가입으로의 유도가 쉬워지는 것(기업이 무료 체험 서비스 마케팅을 하는 이유)이다.

마 이러한 소유 효과는 사람들이 자신의 현재 상태에서 변화하는 것을 회피하고 현재의 상태에 그대로 머물고자 하는(현상 유지 편향의 개념) '현상 유지 편향'을 가지고 있기 때문에 발생한다. 소비자가 한동안 무료 서비스를 맛보면 그게 원래의 상태인 것으로 여겨 해지를 변화로 여기게 되고(현상 유지 편향으로 인해 발생하는 현상), 굳이 그런 변화를 일으켜서 내가 누리던 서비스를 잃고 싶지 않게 되는 것(현상 유지 편향으로 인해 소유 효과가 발생하게 됨)이다.

+ 독해 체크

■ 이 글의 핵심 화제

(행동 경제학)을 활용한 오버더톱 서비스의 마케팅

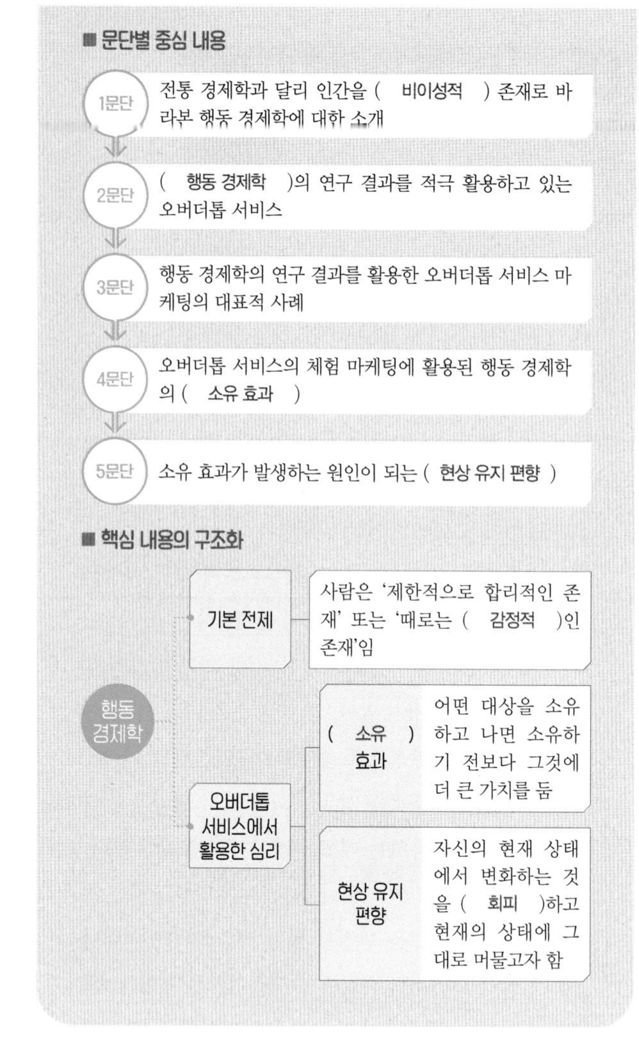

1 (가)에서 행동 경제학은 사람들이 종종 이성적이지 않은 결정을 내리는 경제적·심리적 이유를 밝혀내고자 한다는 내용으로 볼 때, 사람들이 종종 이성적이지 않은 결정을 내리는 데에는 경제적·심리적 요인이 작용함을 알 수 있다. 그러나 사람들이 비합리적인 판단을 하는 데에 경제적인 요인이 가장 크게 작용하는지에 대해서는 나타나 있지 않다.

오답 풀이 ① (가)에서 '전통 경제학에서는 사람은 여러 선택지가 있을 때 언제나 가장 이성적인 판단을 한다고 가정하였다.'라고 하였으므로 전통 경제학은 사람을 이성적이고 합리적인 존재로 보았다는 이해는 적절하다. ② (가)에서 행동 경제학은 사람들이 종종 이성적이지 않은 결정을 내리는 경제적·심리적 이유를 밝혀내고자 한다고 하였으므로 적절한 이해이다. ④ (나)에서 오버더톱 서비스는 화면 구성에서부터 마케팅에 이르기까지 행동 경제학의 논리를 적극 활용하고 있다고 하였으므로 적절한 이해이다. ⑤ (나)에서 기업들은 행동 경제학이 밝혀낸 사람들의 비이성적 선택 기제를 역으로 활용하여 합리적이지 않아도 자사 상품을 선택하도록 유도하고자 한다고 하였으므로 적절한 이해이다.

2 (라), (마)에 의하면, 행동 경제학에서 사람은 '어떤 대상을 소유하고 나면 소유하기 전보다 그것에 더 큰 가치를 두'기 때문에 소유한 대상을 내 것으로 여기는 성향이 강해지고, 내 것을 잃고 싶어 하지 않게 된다는 것을 알 수 있다. 이를 참고할 때 <보기>의 마케팅을 실시할 경우 대부분의 소비자들은 구매한 청소

기를 사용하는 과정에서 이를 내 것으로 여기는 성향이 강해져 반품을 하지 않고 계속해서 사용할 것임을 추론할 수 있다.

오답 풀이 ❶ 청소기를 사용했을 때의 만족 정도에 따라 환불 여부를 결정한다는 것은 이성적이고 합리적인 판단이므로 전통 경제학의 관점이다.

❷, ❸ (라), (마)로 보아, 행동 경제학의 관점에서는 어떤 대상을 소유하고 나면 소유하기 전보다 그것에 더 큰 가치를 두는 '소유 효과'와 사람들이 자신의 현재 상태에서 변화하는 것을 회피하고 현재의 상태에 머물고자 하는 '현상 유지 편향'에 의해 대부분의 소비자들은 청소기를 반품하지 않고 계속해서 사용할 것임을 추론할 수 있으므로 적절하지 않다.

❺ (마)에 의하면, 행동 경제학에서 사람들은 자신의 현재 상태에서 변화하는 것을 회피하고 현재의 상태에 그대로 머물고자 하는 '현상 유지 편향'을 가지고 있다고 하였으므로, 자신의 현재 상태가 변화하는 것에 즐거움을 느껴 청소기를 반품하지 않는다고 한 추론은 적절하지 않다.

3 ⓐ의 '보다'는 '대상을 평가하다.'라는 의미로 쓰였으므로 이와 문맥적 의미가 가장 유사한 것은 ④의 '보다'이다.

오답 풀이 ❶ '보다'는 '상대편의 형편 따위를 헤아리다.'라는 의미로 사용되었다.

❷ '보다'는 '어떤 일을 당하거나 겪거나 얻어 가지다.'라는 의미로 사용되었다.

❸ '보다'는 '기회, 때, 시기 따위를 살피다.'라는 의미로 사용되었다.

❺ '보다'는 '눈으로 대상의 존재나 형태적 특징을 알다.'라는 의미로 사용되었다.

+ 어휘 체크

1 ❶ 소유 ❷ 유도 ❸ 도마 ❹ 마케팅 ❺ 편향 ❻ 향가 ❼ 가독성

2 ❶ ㉡ ❷ ㉠ ❸ ㉢

본문 038~041쪽

사회

02 자발적 결사체의 역할

1 ③　　2 ②　　3 ④

가 민주주의 사회에서 누가 정치에 더 참여하는가의 문제는 매우 중요하다. 이는 「정치에 참여하는 사람들의 요구가 그렇지 않은 사람들의 요구보다 정책에 ㉠반영될 가능성이 높기 때문이다.」 그런데 「정치인이나 정책 결정자들에게 도달하는 시민의 목소리가 소득 수준이 높거나 사회적 지위가 높은 사람들의 것이라면, 모든 사람이 동등하게 대표되어야 한다는 민주주의의 원리는 훼손될 수밖에 없다.」 특히 계층 간 ㉡격차가 지속적으로 커지고 있는 사회에서는 사회 경제적 불평등과 정치적 불평등 간 연결 고리를 제거하는 것이 민주주의의 ㉢성패를 좌우하게 된다.

(「 」: 정책 결정 과정에서 모든 사람의 요구가 동등하게 반영되는 것이 아님 / 「 」: 정치적 불평등은 민주주의의 원리를 훼손시킬 수 있음 / 민주주의를 성공시킬 수 있는 주요 요소)

나 이미 많은 연구들에서 「교육 수준이 높고 부유한 사람일수록 정치적 과정을 이해할 수 있는 지식, 복잡한 정치적 정보를 처리할 수 있는 능력, 그리고 타인과 원활하게 교류할 수 있는 사회적 기술을 지닐 가능성이 크기 때문에 정치 참여도가 높다는 사실」을 밝히고 있다. 나아가 「사회 경제적 자원이 풍부한 사람의 연결망은 보다 광범위하여 정치적 정보 및 기회에 대한 접근이 쉽기 때문에」 이들의 정치적 영향력이 상대적으로 크다는 것도 여러 사회에서 발견되는 공통적 현상이다. 이와 대조적으로 소득 및 교육 수준이 낮은 사람의 연결망은 제한적이고 그만큼 자신의 연결망을 통해 정치적 정보와 기회를 얻을 수 있는 가능성은 낮아진다. 그리고 이는 사회 경제적 자원의 불평등으로 인한 정치적 불평등을 낳게 된다.

(「 」: 사회 경제적 자원이 풍부한 사람이 정치에 더 많이 참여할 수 있는 이유 ① / 「 」: 사회 경제적 자원이 풍부한 사람이 정치에 더 많이 참여할 수 있는 이유 ② / 사회 경제적 자원이 풍부한 사람이 상대적으로 더 큰 정치적 영향력을 발휘함 / 사회 경제적 자원이 부족한 사람의 정치 참여 가능성이 낮은 이유)

다 사회 과학에서는 교육 수준과 소득에 따른 불평등이 자발적 결사체를 통해 완화될 수 있을 것이라는 신념이 견고하게 유지되어 왔다. 자발적 결사체가 참여하지 않는 한 보상도 없다는 믿음을 구성원에게 심어줄 뿐만 아니라, 다양한 시민의 요구를 정치권에 전달하는 통로 역할을 할 수 있기 때문이다. 즉, 자발적 결사체는 교육 수준과 가구 소득이 정치 참여 수준을 결정짓는 정도를 약화시킬 수 있다. 그리고 이는 궁극적으로 사회 경제적 불평등에 따른 정치적 불평등의 심화를 방지하는 역할을 한다. 자발적 결사체는 사회 경제적으로 소외된 사람들의 정치적 요구가 정치권으로 전달되는 통로가 되기도 하고 그러한 요구를 ㉣표출할 수 있는 능동적 시민을 길러내는 민주주의의 학교가 되기도 한다. 이러한 이유 때문에 자발적 결사체가 민주주의의 기본 ㉤골격이라는 신념이 19세기 중반부터 미국과 유럽, 그리고 아시아에서 지속적으로 제기되고 강화되어 온 것이다.

(핵심어 / 정치적 불평등을 완화시킬 수 있는 방안 / 자발적 결사체의 구체적 기능 / 자발적 결사체의 궁극적 역할 / 자발적 결사체의 구체적 역할 ① / 자발적 결사체의 구체적 역할 ②)

+ 독해 체크

■ 이 글의 핵심 화제

정치적 불평등의 심화를 막기 위한 (자발적 결사체)의 기능과 역할

■ 문단별 중심 내용

1문단 (정치적 불평등)이 야기하는 문제점 – 민주주의의 원리 훼손

2문단 정치적 불평등의 원인 – (사회 경제적) 자원의 불평등

3문단 정치적 불평등의 심화를 방지하고 능동적 시민을 길러내는 (자발적 결사체)의 역할

■ 핵심 내용의 구조화

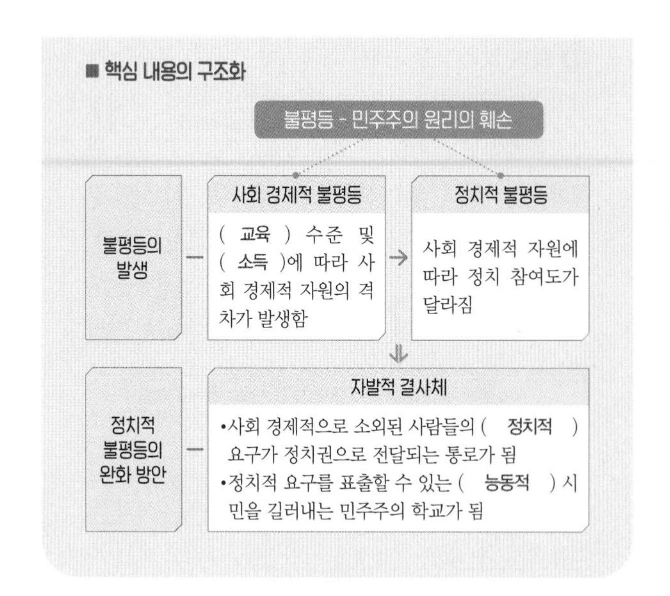

1 (다)에서 자발적 결사체가 사회 경제적 자원의 불평등에 따른 정치적 불평등의 심화를 방지하는 역할을 한다는 것을 확인할 수 있다. 그러나 계층 간 격차의 정도와 자발적 결사체의 역할(영향력) 사이의 상관관계를 언급하고 있지는 않다. 또한 이 글에서는 계층 간 격차가 지속적으로 커지고 있는 사회에서 자발적 결사체가 담당할 수 있는 긍정적 역할을 서술하고 있으므로, 계층 간 격차가 큰 사회일수록 자발적 결사체의 역할이 줄어든다는 설명은 이 글의 내용과 일치하지 않는다.

오답 풀이 ❶ (다)에서 자발적 결사체가 다양한 시민의 요구를 정치권에 전달하는 통로 역할을 할 수 있다고 한 데서 확인할 수 있다.
❷ (나)에서 교육 수준이 높고 부유한 사람일수록 정치 참여도가 높은 반면, 소득 및 교육 수준이 낮은 사람은 정치적 정보와 기회를 얻을 수 있는 가능성이 낮아진다고 하였다. 이는 민주주의 사회에서도 교육 수준과 소득에 따른 불평등이 존재한다는 사실을 전제하고 있음을 알 수 있다.
❹ (나)에서 사회 경제적 자원이 풍부한 사람의 연결망은 보다 광범위하여 정치적 정보 및 기회에 대한 접근이 쉽기 때문에 이들의 정치적 영향력이 상대적으로 크다고 한 데서 확인할 수 있다.
❺ (다)에서 자발적 결사체는 궁극적으로 사회 경제적 불평등에 따른 정치적 불평등의 심화를 방지하는 역할을 한다고 한 데서 확인할 수 있다. 소득 수준과 사회적 지위는 사회 경제적 자원이라고 할 수 있다.

2 (가)에서는 민주주의 사회에서 소득 수준이 높거나 사회적 지위가 높은 사람들의 요구가 정책 결정 과정에 반영될 가능성이 높다는 점을 언급하며, 사회 경제적 불평등과 정치적 불평등 간 연결 고리를 제거하는 것이 민주주의의 성패를 좌우하게 된다고 밝히고 있다. (나)에서는 소득 및 교육 수준이 높은 시민, 즉 사회 경제적 자원이 풍부한 사람이 그렇지 못한 사람에 비해 정치적 영향력이 더 크다는 점을 언급하며 사회 경제적 자원의 불평등으로 인해 정치적 불평등이 발생한다고 밝히고 있다. 즉, (가)와 (나)에서는 정치적 불평등이 발생하는 상황과 그 원인에 대해 설명하고 있다고 볼 수 있다. (다)에서는 자발적 결사체가 궁극적으로 사회 경제적 불평등에 따른 정치적 불평등의 심화를 방지하는 역할을 하고, 사회 경제적으로 소외된 사람들의 정치적 요구가 정치권으로 전달되는 통로가 되기도 한다고 하였으므로, (다)에서는 (자발적 결사체를 통한) 정치적 불평등을 완화시키는 방안을 설명하고 있다고 할 수 있다.

오답 풀이 ❶ 정치적 불평등과 사회적 불평등의 개념을 제시하고 있지 않으며, 두 개념을 대조하고 있지도 않다.
❸ (가)에서 정치적 불평등으로 인해 민주주의의 원리가 훼손될 수밖에 없음을 언급하고 있지만, 민주주의와 관련한 통념을 비판하거나 민주주의에 대한 새로운 개념을 제시하고 있지 않다.
❹ (나)에서 글쓴이는 사회 경제적 불평등으로 인해 정치적 불평등을 낳게 된다고 언급하고 있지만, 이러한 언급은 민주주의의 원리가 훼손될 수도 있다는 위기감에서 나온 것이다. 따라서 민주주의 제도 자체를 비판하고 있다는 진술은 적절하지 않다.
❺ (나)에 제시된 '많은 연구들'은 사회 경제적 자원이 풍부한 사람이 정치에 더 많이 참여한다는 사실을 밝히는 것으로, 사회 경제적 불평등이 정치적 불평등으로 이어질 수 있음을 보여 주고 있다. 그러나 '많은 연구'를 '특정 학자'로 볼 수는 없으며, 또한 그 연구 결과는 정치적 불평등이 민주주의의 발달 과정에 중요한 역할을 한다는 내용이 아니므로 적절하지 않다.

3 ㉣ '표출'의 사전적 의미는 '겉으로 나타냄'이다. ④의 '세차게 쏟아져 나옴'은 '분출'의 사전적 의미이므로 적절하지 않다.

오답 풀이 ❶ ㉠ '반영'은 '다른 것에 영향을 받아 어떤 현상이 나타남. 또는 어떤 현상을 나타냄'을 의미하므로 적절하다.
❷ ㉡ '격차'는 '빈부, 임금, 기술 수준 따위가 서로 벌어져 다른 정도'를 의미하므로 적절하다.
❸ ㉢ '성패'는 '성공과 실패를 아울러 이르는 말'을 의미하므로 적절하다.
❺ ㉤ '골격'은 '어떤 사물이나 일에서 계획의 기본이 되는 틀이나 줄거리'를 의미하므로 적절하다.

더 알아두기 | 자발적 결사체

자발적 결사체는 공통의 목표를 지닌 사람들이 자발적으로 만든 집단을 말한다. 동창회와 같은 친목 집단, 의사회나 변호사회 같은 이익 집단, 환경 단체나 경제 정의 실현 등을 목표로 하는 사회봉사 집단 등이 있다. 자발적 결사체는 사람들의 관심사가 다양해지고 이해관계가 복잡해지면서 다양한 욕구와 관심을 충족시키기 위하여 등장하였다.
자발적 결사체에의 참여는 말 그대로 자발적이다. 구성원들은 자신들의 봉사에 대한 대가를 받지 않으며, 특정한 행위를 위해 형성된 소규모의 집단에서부터 매일매일의 업무 처리를 위해서 유급 직원과 책임자를 갖는 대규모적이고 국제적인 조직(YMCA, 로터리 클럽 등)의 여러 영역에 걸쳐 있다. 미국에서는 성인의 절반 이상이 하나의 자발적 결사체에 능동적으로 참여하고 있으며, 그들은 결사체가 독재를 방지하는 중요한 역할을 한다는 믿음을 가지고 있다고 한다.

어휘 체크

• ㉤ – 능동적 ㉠ – 훼손 ㉡ – 용이하다 ㉢ – 광범위 ㉣ – 견고하다

03 변화무쌍한 경쟁 시장

1 ② 2 ③ 3 ⑤

가 시장이 새롭게 형성되는 초반에는 생산자나 소비자가 많지 않고 그 존재 여부도 잘 알려지지 않아 경쟁자가 거의 없기 마련이다. [경쟁자가 거의 없는 유망한 시장을 블루 오션이라고 함] 이러한 시장을 경제학에서는 평화로운 푸른 바다를 의미하는 '블루 오션(blue ocean)'이라고 한다. [핵심어] 예를 들어 「어느 한 기업이 즉석밥을 최초로 판매하면 즉석밥의 편리함에 반한 소비자들이 몰리면서 큰 시장을 형성하게 되고 이 기업은 독점적으로 많은 이익을 얻게 된다.」 [「 」: 블루 오션의 사례] 이렇게 다른 경쟁자가 거의 없는 시장이 바로 블루 오션이다. [블루 오션의 개념] 「블루 오션에서는 시장의 수요가 경쟁이 아니라 창조에 의해 형성된다. 그리고 시장의 규모가 정해져 있지 않아 높은 수익을 얻을 수 있고 빠르게 성장할 수 있는 기회도 있다.」 [「 」: 블루 오션이 아직 시도된 적이 없는 광범위하고 깊은 잠재력을 가진 시장임을 알 수 있음]

나 그러나 블루 오션은 시간이 흐르면서 더 이상 블루 오션이 아닐 수 있다. 이익을 얻고자 하는 새로운 기업들이 해당 시장에 뛰어들면 경쟁이 발생하기 때문이다. [새로운 경쟁업체가 나타나면 블루 오션이 경쟁이 치열한 레드 오션으로 바뀔 수 있음] 앞서 언급한 즉석밥의 경우, 다른 기업들도 새로운 즉석밥을 시장에 내놓으면서 경쟁업체들은 소비자의 선택을 받기 위해 치열한 경쟁을 하게 된다. 이러한 시장 상황을 바다의 포식자들이 먹이를 낚아채기 위해 서로 경쟁하는 상황에 비유하여 '레드 오션(red ocean)'이라고 한다. [레드 오션의 개념] [핵심어] 즉 레드 오션은 (㉠)

다 레드 오션의 치열한 경쟁 속에서 기업들은 새로운 전략을 고민하기도 한다. 레드 오션이 된 시장에서 눈이 높은 소비자들의 요구를 파악하고 여기에 새로운 아이디어나 기술 등을 적용해 새로운 시장을 형성한다. [퍼플 오션의 개념] 이를 '퍼플 오션(purple ocean)'이라고 한다. [핵심어] 퍼플 오션을 찾기 위한 대표적인 전략은 이미 인기를 얻은 소재를 다른 장르에 적용하여 그 파급 효과를 노리는 것이다. [퍼플 오션의 대표적인 전략] 가령 특정 만화가 인기를 끌면 이것을 드라마나 영화로 만들고 캐릭터 상품을 개발한다. [퍼플 오션의 대표적인 전략의 사례] 이런 전략은 실패할 위험이 적고 제작 비용과 시간을 줄일 수 있다는 장점이 있다.

라 지금까지 언급한 블루 오션, 레드 오션, 퍼플 오션은 상황에 따라 언제든지 바뀔 수 있다. [경쟁업체의 등장, 소비자의 관심과 욕구 변화, 새로운 아이디어나 기술의 적용 등] 블루 오션이나 퍼플 오션이 경쟁이 심한 레드 오션으로 변화하기도 한다. [소비자의 욕구는 항상 변화하기 때문에] [상황의 변화 ① - 경쟁업체의 등장] 그리고 레드 오션에서 새로운 퍼플 오션이 형성되기도 하며 새로운 블루 오션이 갑자기 나타날 수도 있다. [상황의 변화 ② - 소비자의 관심과 욕구 변화, 새로운 아이디어나 기술의 적용 등] 소비자의 관심이 집중된 곳에는 언제나 새로운 생산자들이 유입되지만, 소비자의 욕구는 ㉡항상 변화하기 때문이다.

독해 체크

■ 이 글의 핵심 화제

시장의 형성 – (블루) 오션, (레드) 오션, (퍼플) 오션

■ 문단별 중심 내용

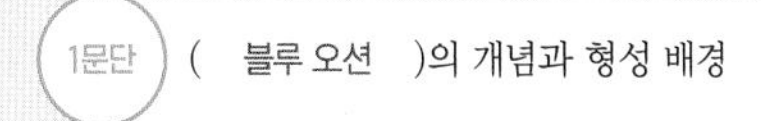
1문단 (블루 오션)의 개념과 형성 배경

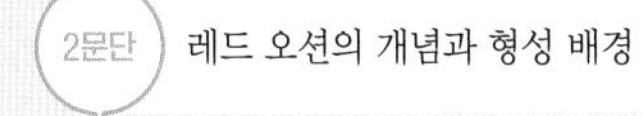
2문단 레드 오션의 개념과 형성 배경

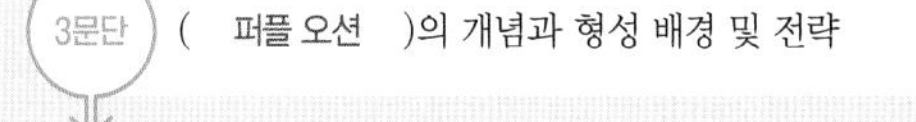
3문단 (퍼플 오션)의 개념과 형성 배경 및 전략

4문단 (상황)에 따라 각 시장의 형태는 언제든지 바뀔 수 있음

■ 핵심 내용의 구조화

시장의 형성

블루 오션	레드 오션	퍼플 오션
알려져 있지 않아 다른 (경쟁자)가 거의 없는 시장	이미 잘 알려져 있어 다른 경쟁업체들이 이익을 얻기 위해 (경쟁)하는 시장	레드 오션이 된 시장에서 소비자들의 (요구)를 파악하고 새로운 아이디어나 (기술) 등을 적용하여 새롭게 형성한 시장

블루 오션, 레드 오션, 퍼플 오션은 상황에 따라 언제든지 바뀔 수 있음

1 (가)로 보아, 다른 경쟁자가 거의 없는 시장을 블루 오션이라고 하는데 한 기업이 기존 시장에 없던 독창적인 상품을 개발하여 판매하는 경우로, 이때 소비자들이 몰리면서 큰 시장이 형성되고 그 기업은 독점적으로 많은 이익을 얻을 수 있게 된다. 따라서 ②의 설명은 레드 오션이 아닌, 블루 오션에 대한 설명이다.

오답 풀이 ❶ (나)에서 '블루 오션은 시간이 흐르면서 더 이상 블루 오션이 아닐 수 있다. 이익을 얻고자 하는 새로운 기업들이 해당 시장에 뛰어들면 경쟁이 발생하기 때문이다.'라고 하였다. 즉, 블루 오션은 다른 경쟁업체들이 생기면 언제든지 레드 오션으로 바뀔 수 있다.

❸, ❹ (가)에서 블루 오션에서는 시장의 수요가 경쟁이 아니라 창조에 의해 형성된다고 하였다. 그리고 시장의 규모가 정해져 있지 않은 미개척 영역이기 때문에 빠르게 성장할 수 있는 기회도 존재한다.

❺ (다)에서 퍼플 오션을 찾기 위한 대표적인 전략은 이미 인기를 얻은 소재를 다른 장르에 적용하여 그 파급 효과를 노리는 것이라고 하였다. 즉, 파생 상품을 개발하는 방법이 퍼플 오션을 형성하는 대표적인 전략에 해당한다. 그리고 새로운 아이디어나 기술 등을 적용하여 새로운 시장을 형성할 수도 있다고 하였다.

2 (나)에서 이익을 얻고자 하는 새로운 기업들이 해당 시장에 뛰어들면 경쟁이 발생하기 때문에 더 이상 블루 오션이 아닐 수 있으며, 경쟁업체들이 소비자의 선택을 받기 위해 치열한 경쟁을 하게 되는 시장 상황을 레드 오션이라고 하였으므로 ㉠에 들어갈 내용으로 ③ '경쟁업체들이 고객을 확보하기 위해 치열한 경쟁을 벌이는 상태를 말한다.'가 가장 적절하다.

오답 풀이 ❶ (다)에서 레드 오션의 치열한 경쟁 속에서 기업들은 눈이 높은 소비자의 요구를 파악하고 여기에 새로운 아이디어나 기술 등을 적용해 새로운 시장을 형성하는데 이를 퍼플 오션이라고 하였다. 따라서 포화 상태의 시장인 레드 오션에서 발상의 전환을 통해 형성한 새로운 시장은 퍼플 오션에 해당하므로 적절하지 않다.

❷ (나)에서 이익을 얻고자 하는 기업들이 소비자의 선택을 받기 위해 서로 치열하게 경쟁하는 시장 상황을 바다의 포식자들이 먹이를 낚아채기 위해 서로 경쟁하는 상황에 비유해 레드 오션이라고 하였다. 따라서 '경쟁에 밀린 업체들이 시장에서 빠져나가 경쟁이 사라진 상태'는 레드 오션이라고 할 수 없으므로 적절하지 않다.

❹ (가)에서 시장이 새롭게 형성되는 초반에는 생산자나 소비자가 많지 않고 그 존재 여부도 잘 알려지지 않아 다른 경쟁자가 거의 없는 시장을 블루 오션이라고 하였다. 따라서 '시장의 규모가 알려지지 않았거나 본격적인 시장의 형태가 갖추어지지 않은 상태'는 레드 오션이라고 할 수 없으므로 적절하지 않다.

❺ (다)에서 퍼플 오션을 찾기 위한 대표적인 전략은 이미 인기를 얻은 소재를 다른 장르에 적용하여 그 파급 효과를 노리는 것이라고 하였다. 따라서 '기존에 인기 있던 제품에 새로운 아이디어를 적용하여 새로운 시장을 형성한 상태'는 퍼플 오션에 해당하므로 적절하지 않다.

3 ㉡ '항상'은 '언제나 변함없이'라는 의미를 지닌 부사로, 부사는 〈보기〉의 설명대로 형태가 변하지 않고 주로 용언(동사, 형용사)을 꾸며 주는 역할을 한다. ⑤의 '바로'는 '시간적인 간격을 두지 아니하고 곧'이라는 의미를 지닌 부사로, ㉡ '항상'과 품사가 같다.

오답 풀이 ❶ '새'는 체언(명사, 대명사, 수사) 앞에 놓여서, 그 체언의 내용을 자세히 꾸며 주는 관형사로, 조사도 붙지 않고 활용도 하지 않는다(형태가 변하지 않는다).

❷ '따뜻한'은 사물의 성질이나 상태를 나타내는 형용사로, 어미 활용을 한다(형태가 변한다).

❸ '놀고'는 사물의 동작이나 작용을 나타내는 동사로, 어미 활용을 한다(형태가 변한다).

❹ '모자'는 사물의 이름을 나타내는 명사로, 활용을 하지 않는다(형태가 변하지 않는다).

+ 어휘 체크

1 포식자 – 자유 – 유입 – 입문 – 문하생 – 생산자

2 ❶ ㉡ ❷ ㉢ ❸ ㉠

본문 046~049쪽

사회 04 소비자의 권리, 청약 철회권

1 ⑤ 2 ④ 3 ①

가 A씨가 인터넷 쇼핑몰에서 옷을 한 벌 샀다. 화면으로 봤을 때는 마음에 들었는데 막상 옷을 받아 보니 색깔이 생각했던 것과 달랐다. 그래서 반품을 하려고 판매자에게 연락을 했으나, 판매자는 반품이 불가능하다고 사전에 공지를 하였으므로 반품이 안 된다고 답변을 하였다. A씨는 정말 그 옷을 반품할 수 없을까?
(인터넷 쇼핑몰 판매자가 반품을 거부한 이유)

나 인터넷 쇼핑으로 구입한 상품을 반품하는 경우, 소비자는 그 상품을 받은 날로부터 7일 이내에 반품할 수 있다. 이는 소비자에게 법이 보장하는 '청약 철회권'이 있기 때문이다. 여기서 ㉠'청약'이란 소비자가 상품이나 서비스를 구입하겠다는 의사 표시를 말하고, '철회'는 다시 거두어들인다는 뜻이다. 즉, 청약 철회권이란 소비자가 법이 정한 기간 안에 청약을 자유로이 철회하고 계약을 없던 것으로 되돌릴 수 있는 권리를 말한다.
(핵심어)
(청약 철회권의 개념)

다 그런데 ㉮소비자가 청약 철회권을 행사할 수 없는 경우가 있다. 상품을 잃어버리거나 훼손하는 등 소비자가 잘못한 경우, 소비자가 상품을 쓰거나 소비하여서 그 상품의 가치가 현저히 감소한 경우에는 청약을 철회할 수 없다. 또한 시간이 지나 상품의 재판매가 곤란한 경우도 있다. ㉡예를 들면 과일이나 야채와 같은 신선 식품류는 시간이 지나면 신선도가 떨어져 재판매를 할 수 없다. 영화 디브이디(DVD)나 게임 시디(CD) 등과 같이 복제가 가능한 상품도 포장이 훼손된 경우에는 청약을 철회할 수 없다.
(소비자가 청약 철회권을 행사할 수 없는 경우 ①)
(소비자가 청약 철회권을 행사할 수 없는 경우 ②)
(소비자가 청약 철회권을 행사할 수 없는 경우 ③)
(시간이 지나 상품의 재판매가 곤란한 경우에 대한 예)
(상품을 훼손하는 등 소비자가 잘못한 경우에 대한 예)

라 이와 달리 판매자가 소비자의 청약 철회를 방해하는 행위가 있다. 먼저 판매자가 거짓된 사실을 알려 소비자를 속이는 경우이다. ㉢예를 들면 '흰색 옷은 반품이 불가합니다', '세일 상품은 반품이 불가합니다', '고객의 단순 변심으로 인한 반품은 불가합니다'와 같은 문구를 판매자가 인터넷 쇼핑몰에 게시하는 행위이다. 다음으로 판매자가 소비자에게 청약 철회를 이유로 반품 배송비 외에 위약금, 취소 수수료 등 추가적인 비용을 요구하는 경우이다. 이렇게 ㉣판매자가 소비자의 청약 철회를 방해하는 행위 때문에 소비자는 반품할 수 있는 상품임에도 반품을 포기할 우려가 있다.
(판매자가 소비자의 청약 철회를 방해하는 행위 ①)
(판매자가 거짓된 사실을 알려 소비자를 속이는 행위에 대한 예)
(판매자가 소비자의 청약 철회를 방해하는 행위 ②)

마 지금까지의 설명을 종합해 보면 ㉤소비자는 청약

철회권을 행사할 수 없는 경우에 유의하여 자신의 권리를 누려야 하며, 판매자는 소비자의 청약 철회권 행사를 방해해서는 안 된다. 이를 통해 소비자가 보호받는 건전한 거래 질서가 확립되기를 기대한다.

(글의 전체 내용에 대한 요약 및 정리) (글쓴이의 주장)

독해 체크

■ 이 글의 핵심 화제

(청약 철회권)의 올바른 행사를 통한 건전한 거래 질서의 확립

■ 문단별 중심 내용

1문단 인터넷 쇼핑몰에서 (반품)이 거부당한 사례 제시

2문단 (청약 철회권)의 개념

3~4문단 (소비자)가 청약 철회권을 행사할 수 없는 경우와 (판매자)가 소비자의 청약 철회를 방해하는 경우

5문단 청약 철회권의 올바른 행사로 소비자가 보호받는 건전한 거래 질서의 확립

■ 핵심 내용의 구조화

청약 철회권

소비자가 법이 정한 기간 안에 (청약)을 자유로이 철회하고 계약을 없던 것으로 되돌릴 수 있는 권리

소비자가 청약 철회권을 행사할 수 없는 경우	판매자가 소비자의 청약 철회를 방해하는 경우
• 상품을 잃어버리거나 훼손하는 등 소비자가 잘못한 경우 • 소비자가 상품을 쓰거나 소비하여 그 상품의 (가치)가 현저히 감소한 경우 • 시간이 지나 상품의 (재판매)가 곤란한 경우	• 판매자가 (거짓)된 사실을 알려 소비자를 속이는 경우 • 판매자가 소비자에게 청약 철회를 이유로 반품 배송비 외에 위약금, 취소 수수료 등 추가적인 (비용)을 요구하는 경우

소비자는 청약 철회권을 행사할 수 없는 경우에 유의하여 자신의 (권리)를 누려야 하며, 판매자는 소비자의 청약 철회권 행사를 (방해)해서는 안 됨

1 ㉤은 글쓴이가 지금까지 설명한 내용을 요약하여 정리한 것으로, 소비자는 청약 철회권을 행사할 수 있는 범위에서 자신의 권리를 누려야 하고, 판매자는 소비자의 청약 철회권 행사를 방해해서는 안 된다고 밝히고 있다. 소비자의 청약 철회권이 인정되는 근거를 부분별로 밝혀 설명한 내용은 제시되어 있지 않다.

오답 풀이 ❶ ㉠에서는 '정의'의 설명 방법을 사용하여 '청약'과 '철회'라는 말의 뜻을 명백히 밝혀 규정하고 있다. 이를 바탕으로 뒤 문장에 나오는 '청약 철회권'을 쉽게 설명할 수 있어 독자의 이해를 돕고 있다.

❷ ㉡은 소비자가 청약 철회권을 행사할 수 없는 경우 중 시간이 지나 상품의 재판매가 곤란한 경우에 해당하는 예를 들고 있다.

❸ ㉢에서는 '흰색 옷은 반품이 불가합니다.', '세일 상품은 반품이 불가합니다.', '고객의 단순 변심으로 인한 반품은 불가합니다.' 등과 같이 판매자가 거짓된 사실을 알려 소비자를 속이는 행위에 대한 예를 나열하고 있다.

❹ ㉣에서는 판매자가 소비자의 청약 철회를 방해하는 행위를 했을 때 소비자는 반품할 수 있는 상품임에도 반품을 포기하는 결과가 일어날 수 있다고 설명하고 있다.

2 1년치 수강권을 구매하였는데 어학원이 부도가 난 경우는 소비자의 변심이 아닌 판매자의 잘못이므로 청약 철회권을 행사할 수 있다. 따라서 ④의 경우는 소비자가 청약 철회권을 행사할 수 없는 경우에 해당하지 않는다.

오답 풀이 ❶ 포장을 뜯지 않아 제품을 사용 또는 복제하지 않은 상태이지만, 구매한 지 한 달이 지난 경우이므로 청약 철회권을 행사할 수 없다. (나)로 보아, 청약 철회권을 행사할 수 있는 경우는 상품을 받은 날로부터 7일 이내이다.

❷ (다)로 보아, 화장품을 구매하여 반쯤 사용한 것은 소비자가 상품을 사용하여 상품의 가치가 현저히 감소한 경우로, 재판매도 불가한 상황이다. 따라서 청약 철회권을 행사할 수 없다.

❸ 김장을 하려고 배추를 구매하였으나 시간이 지난 후 반품을 하고자 하는 상황이다. 그러나 (다)로 보아, 배추와 같은 신선 식품류는 시간이 지나면 신선도가 떨어져 재판매를 할 수 없으므로 청약 철회권을 행사할 수 없다.

❺ (다)로 보아, 바지를 구매한 후 집에 와서 입어 보다가 소비자의 실수로 찢어진 경우는 바로 다음날 반품한다고 하여도 상품을 훼손한 경우에 해당하므로 청약 철회권을 행사할 수 없다.

3 〈보기〉에서 '위약금'의 뜻풀이를 읽어도 쉽게 이해하기 어려운 것은 '위약금'이 법률 용어이기 때문이라고 하였다. 법률 용어나 의학 용어는 특정한 전문 분야에서 주로 사용하는 용어인 전문어로, 전문적인 개념을 표현하기 위해 쓰이므로 쉽게 이해하기 어렵다. 따라서 〈보기〉의 ⓐ에는 전문어에 대한 설명인 ①이 들어가는 것이 가장 적절하다.

오답 풀이 ❷ 두렵거나 불쾌한 느낌을 주어 입 밖에 내기 꺼리는 말은 '금기어'에 해당한다.

❸ 외국어에 뿌리를 두고 있지만 우리말의 일부로 수용된 말은 '외래어'에 해당한다.

❹ 비교적 짧은 시기에 걸쳐 여러 사람의 입에 오르내리는 말은 '유행어'에 해당한다.

❺ 다른 나라에서 들여온 것이 아니라 원래부터 있던 우리말은 '고유어'에 해당한다.

어휘 체크

• ㉡ – 의사 ㉣ – 철회 ㉤ – 위약금 ㉢ – 사전 ㉠ – 변심

과학 01

로봇 시대가 오고 있다

1 ⑤ 2 ② 3 ①

가 로봇(핵심어)이라는 말은 1920년 체코의 극작가 카렐 차페크가 쓴 희곡 『R. U. R.－로줌 유니버설 로봇』에서 처음으로 사용되었다(로봇이라는 말이 처음 쓰인 계기). 차페크는 극 중에 등장하는 인조인간에게 'robot'이라는 이름을 붙였는데, 이는 체코어로 '강제 노동'을 뜻하는 'robota'에서 'a'를 빼고 만든 말이었다(로봇의 어원). (㉠) 이때의 로봇은 극에 등장하는 인물의 이름이자 가상의 존재였다. 우리가 알고 있는 로봇이라는 개념은 '미국 로봇 산업의 선구자'로 불리는 조셉 엥겔버거가 1961년 세계 최초의 산업용 로봇인 '유니메이트'를 만든 것에서 시작되었다.

나 이후 「인간을 대신하여 작업 현장에서 사용되는 산업용 로봇, 청소와 같이 실생활에 도움을 주는 서비스 로봇 등이 만들어졌다. 여기에서 더 발전하여 기초적인 지능을 갖추고 있는 지능형 로봇, 인간의 모습을 닮은 휴머노이드 로봇, 사람의 신체 기관 일부를 기계 전자 부품으로 교체한 사이보그 등이 개발되고 있다. (㉡) 닭의 뼈를 발라내는 로봇, 새끼 돼지에게 어미 대신 젖을 먹이는 로봇 등 다양한 분야에서 로봇이 쓰이고 있다.」(「 」: 다양한 분야에서 개발된 로봇의 사례) 인간의 삶에 로봇이 더 가까워지고 있는 것이다.

다 (㉢) 로봇 시대에 대한 전망은 상반되는 의견이 맞서고 있다. 먼저 로봇 공학과 산업이 발전하면 인간이 여러 가지 노동으로부터 벗어날 수 있다는 점에 주목한 입장이다(로봇에 대한 긍정적 입장). 로봇은 정밀한 작업을 할 수 있을 뿐만 아니라 위험한 환경에서 인간을 대신할 수도 있다(로봇의 긍정적 기능 ①). 게다가 단순하게 반복되는 업무들도 로봇이 대신할 수 있어서 인간은 의미 없는 노동에 시달릴 필요가 없다(로봇의 긍정적 기능 ②).

라 (㉣) 로봇으로 인해 인간이 일자리를 잃고 사회에서 점차 밀려나 결국에는 로봇에게 주도권을 빼앗길 것을 우려하는 입장이다(로봇에 대한 부정적 입장). 세계 경제 포럼이 2016년에 발표한 「일자리의 미래」 보고서에서는 인공 지능과 로봇 등의 발달로 인해 앞으로 5년간 약 500만 개의 일자리가 사라질 것이라고 내다보았다(로봇의 부정적 기능 ①). 또한 SF 영화에서처럼 로봇이 인간에게 위협이 될 수 있는 가능성도 배제할 수 없다(로봇의 부정적 기능 ②). 공격 가능한 로봇을 개발하여 누군가 나쁜 의도로 사용한다면 우리는 지금까지 겪어 보지 못한 위기에 처할 것이다.

마 로봇이 열어 줄 미래에 대한 전망의 입장 차이가 좁혀지지 않았지만, 로봇은 이미 우리 생활에 가까이 와 있으며 앞으로 더 많은 부분에 영향을 미칠 것은 확실하다(로봇 시대에 대한 대비가 필요한 이유). (㉤) 우리는 로봇 시대에 지혜롭게 살아갈 수 있는 삶의 방법과 철학에 대해 고민해야 할 것이다(로봇 시대를 대비하는 바람직한 자세).

독해 체크

■ **이 글의 핵심 화제**

(로봇)의 발전에 대한 전망 및 (로봇 시대)를 맞이하는 바람직한 자세

■ **문단별 중심 내용**

- 1문단: (로봇)이라는 말의 원래 의미와 세계 최초의 산업용 로봇
- 2문단: (다양한) 분야에서 사용되고 있는 로봇
- 3문단: 로봇에 대한 (긍정적)인 전망
- 4문단: 로봇에 대한 (부정적)인 전망
- 5문단: 로봇 시대를 (지혜롭게) 살아갈 수 있는 방법에 대한 모색 필요

■ **핵심 내용의 구조화**

로봇의 발전에 대한 전망

로봇에 대한 긍정적 입장	로봇에 대한 부정적 입장
•(정밀한) 작업이나 위험하고 힘든 일을 로봇이 대신할 수 있음 •단순하게 (반복)되는 업무들을 로봇이 대신하여 인간은 의미 없는 노동에서 벗어날 수 있음	•로봇으로 인해 인간이 (일자리)를 잃게 되고, 사회에서 점차 밀려나 로봇에게 (주도권)을 빼앗기게 됨 •(공격) 가능한 로봇을 나쁜 의도로 사용하면 인간이 위협당할 수도 있음

↓

(로봇 시대)를 지혜롭게 살아갈 수 있는 삶의 방법과 철학을 생각해 보아야 함

1 (라)에서 로봇으로 인해 생길 수 있는 문제점에 대해 설명하고 있지만 이를 해결할 수 있는 방법을 제시하고 있지는 않다. (마)에서도 로봇 시대에 지혜롭게 살아갈 수 있는 삶의 방법에 대해 고민해야 한다고 하였을 뿐, 그 방법을 알려 주고 있지는 않다.

오답 풀이 ❶ (나)에서 산업용 로봇, 서비스 로봇, 지능형 로봇, 휴머노이드 로봇, 사이보그 등 다양한 분야에서 개발된 로봇의 사례들을 나열하고 있다.

❷ (다)와 (라)에서 로봇을 바라보는 긍정적인 입장과 부정적인 입장을 대조하며 설명하고 있다.

❸ (가)에서 조셉 엥겔버거가 1961년 세계 최초의 산업용 로봇인 '유니메이트'를 만들었다고 설명하고 있다.

④ (가)에서 1920년 체코의 극작가 카렐 차페크가 쓴 희곡에 등장하는 인조인간에게 '로봇(robot)'이라는 이름을 붙여 처음 사용하였고, 이 '로봇'은 체코어로 '강제 노동'을 뜻하는 'robota'에서 'a'를 빼고 만든 말임을 설명하고 있다.

2 (마)에서 로봇이 앞으로 더 많은 부분에 영향을 미칠 것이므로 로봇 시대에 지혜롭게 살아갈 수 있는 삶의 방법을 고민해 봐야 한다고 하였지, 로봇의 구조를 잘 알아야 한다는 내용은 제시되어 있지 않다.

오답 풀이 ① (나)에서 많은 종류의 로봇이 우리 생활의 다양한 분야에서 쓰이고 있음이 제시되어 있다.
③ (다)에서 로봇이 위험한 환경에서 인간을 대신해 힘든 일을 할 수도 있고, 단순하게 반복되는 업무들도 로봇이 대신할 수 있다고 하였다.
④ (라)에서 공격 가능한 로봇을 개발하여 누군가 나쁜 의도로 사용한다면 인간에게 위협이 될 수 있다고 하였다.
⑤ (다)에서는 로봇 산업이 발전하면 인간이 여러 가지 노동으로부터 벗어날 수 있다고 하였고, (라)에서는 로봇의 발달로 인해 많은 일자리가 사라질 수 있다고 하였다.

3 ㉠의 앞에서 '로봇'이라는 말이 체코의 극작가 카렐 차페크가 쓴 희곡에 등장하는 인조인간의 이름임을 설명하고 있다. 그리고 ㉠의 뒤에서는 이 희곡에서의 '로봇'은 극에 등장하는 인물의 이름이자 가상의 존재라고 설명하고 있다. 따라서 ㉠에는 '앞에서 말한 일이 뒤에서 말할 일의 원인, 이유, 근거가 됨을 나타내는 접속 부사'인 '따라서'가 들어가는 것이 적절하다.

오답 풀이 ② ㉡의 앞에서 지능형 로봇, 휴머노이드 로봇, 사이보그 등이 개발되고 있음을 설명하고 있고, ㉡의 뒤에서 닭의 뼈를 발라내는 로봇, 새끼 돼지에게 어미 대신 젖을 먹이는 로봇 등 다양한 분야에서 로봇이 쓰이고 있음을 설명하고 있다. 따라서 ㉡에는 '더욱 심하다 못하여 나중에는'이라는 뜻을 지닌 부사인 '심지어'가 들어가는 것이 적절하다.
③ ㉢의 앞에서 인간의 삶에 로봇이 더 가까워지고 있다고 하였고, ㉢의 뒤에서 로봇 시대에 대한 전망은 상반되는 의견이 맞서고 있다고 하였다. 따라서 ㉢에는 '앞의 내용과 뒤의 내용이 상반될 때 쓰는 접속 부사'인 '그러나'가 들어가는 것이 적절하다.
④ ㉣의 앞에서는 로봇 시대에 대한 긍정적인 전망을 제시하였고, ㉣의 뒤에서는 로봇 시대에 대한 부정적인 전망을 제시하고 있다. 따라서 ㉣에는 '뒤에 오는 말이 앞의 내용과 상반되는 말'인 '반면'이 들어가는 것이 적절하다.
⑤ ㉤의 앞에서 로봇 시대에 대한 전망의 입장 차이는 좁혀지지 않았지만, 로봇은 앞으로 우리 생활에 더 많은 영향을 미칠 것이라고 하였다. 그리고 ㉤의 뒤에서는 이러한 로봇 시대에 지혜롭게 살아갈 수 있는 삶의 방법을 고민해야 한다고 하였다. 따라서 ㉤에는 '앞에서 말한 일이 뒤에서 말할 일의 원인, 이유, 근거가 됨을 나타내는 접속 부사'인 '따라서'가 들어가는 것이 적절하다.

+ 어휘 체크

1 선구자 – 자주 – 주도권 – 권력가 – 가상 – 상징
2 (1) 공학 (2) 전망 (3) 정밀

본문 054~057쪽

과학 02 곰팡이는 자연의 분해자

1 ③ 2 ③ 3 ④

가 일반적으로 곰팡이(핵심어)에 대한 사람들의 인식은 음식을 상하게 하고, 지저분한 곳에 숨어 있으며, 때로는 사람의 생명까지 위협하는 꺼림칙한 존재(곰팡이에 대한 일반적인 통념)로 여긴다. 하지만 「곰팡이의 일종인 버섯은 음식의 재료로 ㉠쓰이거나, 병을 낫게 하는 명약의 재료가 되기도 하는 고마운 존재이다.」(「 」: 통념과는 다른 곰팡이의 긍정적인 쓰임의 예)

나 곰팡이 연구가 시작되던 시기에 학자들은 곰팡이를 식물에 포함시켰다. 곰팡이는 식물 세포를 동물 세포와 구분 짓는 커다란 특징인 세포벽을 가지고 있으며(곰팡이의 식물적 특성 ①), 스스로 움직이지 않는다는 점(곰팡이의 식물적 특성 ②)이 식물과 유사했기 때문이다. 하지만 식물로 보기에는 석연치 않은 증거들이 ㉡드러나기 시작했다. 우선 곰팡이는 엽록체를 가지고 있지 않다(곰팡이와 식물의 차이점 ①). 이는 곰팡이가 식물처럼 광합성을 통해 유기물을 만들어 내지 못한다는 것을 의미한다. 또한 곰팡이는 세포벽의 성분이 식물과 다르다. 식물의 세포벽은 셀룰로오스로 되어 있지만 곰팡이 세포벽의 주성분은 키틴질이다(곰팡이와 식물의 차이점 ②). 키틴질은 곤충이나 갑각류와 같은 절지동물의 바깥 골격을 이루는 성분이다. 한 연구에 따르면 곰팡이의 유전자는 식물보다 동물과 더 ㉢비슷하다고 한다.

다 한편, 곰팡이와 박테리아를 혼동하는 경우가 많은데 이는 곰팡이의 학술 용어가 균류라서 사람들이 병원성 미생물을 떠올리기 때문이다(곰팡이와 박테리아를 혼동하는 이유). 그러나 모든 균이 병원성 미생물은 아니다. 된장을 만드는 것은 자낭균에 속하는 누룩곰팡이인데, 배탈을 일으키는 대장균(병원성 미생물의 예 ①)이나 폐렴을 유발하는 폐렴 쌍구균(병원성 미생물의 예 ②)은 박테리아이다. 「곰팡이는 동물이나 식물의 세포처럼 핵막이 유전자를 감싸고 있는 핵을 지닌 진핵생물로, 핵막이 없고 몇 가지 소기관이 ㉣빠진 원핵생물인 박테리아보다 고등 생명체이다.」(「 」: 곰팡이와 박테리아의 차이점)

라 곰팡이는 섭취하는 먹이에 따라서 기생성과 부생성으로 구분된다. 극히 소수인 기생성은 살아 있는 생물에서 영양분을 얻는 종류로 무좀을 비롯한 여러 가지 피부병을 일으키는 곰팡이(기생성 곰팡이의 예)가 여기에 속한다. 곰팡이의 대부분을 차지하는 부생성은 죽은 생물에서 영양분을 얻는 종류로 공기 중이나 토양에 분포해 있는 검은곰팡이(부생성 곰팡이의 예)가 여기에 속한다. 곰팡이는 습기가 적당하다면 낙엽은 물론이고, 동물의 사체나 분비물처럼 생명력을 잃은 유기물질이 있는 곳 어디에서나 자랄 수 있다. 이 과정에서 곰팡이는 생물체를 화학 물질들로 분해시키는데, 식물(생태계를 유지하는 긍정적 기능을 하는 곰팡이)

은 그 물질들을 영양분으로 흡수하여 자라고, 동물은 그러한 식물을 ⓜ먹음으로써 생태계가 유지된다.

독해 체크

■ 이 글의 핵심 화제

(곰팡이)의 특징 및 종류

■ 문단별 중심 내용

- 1문단: 곰팡이의 (긍정적)인 기능
- 2문단: (식물)과 동물의 특성을 모두 지닌 곰팡이
- 3문단: 곰팡이와 박테리아의 (차이점)
- 4문단: 곰팡이의 종류와 (역할)

■ 핵심 내용의 구조화

곰팡이

곰팡이의 특성	곰팡이와 박테리아의 차이점	곰팡이의 종류와 역할
곰팡이는 세포벽이 있고 스스로 움직이지 않는다는 점에서 (식물)과 유사하며, 엽록체가 없고 세포벽의 성분이 다르다는 점에서 (동물)과 유사함	곰팡이는 핵이 있는 진핵생물로, 핵의 구조가 없는 원핵생물인 박테리아보다 (고등) 생명체임	• 곰팡이는 섭취하는 먹이에 따라 기생성과 부생성으로 나뉨 • 곰팡이는 생물체를 화학 물질들로 (분해)시켜 생태계를 유지하게 함

1 유추는 두 개의 사물이 여러 면에서 비슷하다는 것을 근거로 다른 속성도 유사할 것이라고 추론하는 설명 방법인데, (다)에서는 곰팡이와 박테리아의 차이점을 대조하고 있다.

오답 풀이 ❶ (가)에서 곰팡이에 대한 부정적 인식을 제시한 후, 곰팡이가 통념과 달리 긍정적 역할을 수행하기도 한다는 사실을 제시하고 있다.
❷ (나)에서는 동물, 식물과의 비교를 통해 곰팡이가 두 비교 대상의 특징을 각각 지니고 있음을 설명하고 있다.
❹ (라)에서는 섭취하는 먹이를 기준으로 하여 곰팡이의 종류를 기생성과 부생성으로 나누어 설명하고 있다.
❺ (라)에서는 곰팡이의 종류(기생성 곰팡이와 부생성 곰팡이)를 각각 구체적인 예를 들어 설명하고 있다.

2 (라)에서 알 수 있듯이 곰팡이는 생물체를 화학 물질들로 분해시키는데, 식물은 그 물질들을 영양분으로 흡수하여 자라고, 동물은 그러한 식물을 먹음으로써 생태계가 유지된다. 따라서 곰팡이가 유기 물질을 분해함으로써 식물의 영양분 섭취를 가능하게 해 주기 때문에 생태계가 유지된다고 할 수 있다.

오답 풀이 ❶ 곰팡이의 일종인 버섯에 대한 설명일 뿐, <보기>와는 관련이 없다.
❷ 곰팡이의 뛰어난 적응력을 설명하는 근거가 될 뿐, <보기>와는 관련이 없다.
❹ 무성 생식을 하는 곰팡이의 생식적인 특징을 드러낼 뿐, <보기>에서 설명한 생태계 유지와는 관련이 없다.
❺ 기생성 곰팡이는 살아 있는 생물에 붙어 영양분을 얻어 낼 뿐 생물체를 화학 물질로 분해하여 식물의 영양분 섭취에 기여하지 않는다.

3 ㉣ '빠진'은 '원래 있어야 할 것에서 모자란'을 의미하나, '빈약한'은 '형태나 내용이 충실하지 못하고 보잘것없는'을 의미하므로, ㉣과 바꾸어 쓰기에 적절하지 않다. ㉣을 한자어로 바꾸어 쓰면 '결여(缺如)된' 정도가 적절하다.

오답 풀이 ❶ '사용되거나'는 '일정한 목적이나 기능에 맞게 쓰이거나'를 뜻하므로 적절하다.
❷ '제시되기'는 '어떠한 의사가 말이나 글로 나타내어져 보이기'를 뜻하므로 적절하다.
❸ '유사하다고'는 '서로 비슷하다고'를 뜻하므로 적절하다.
❺ '섭취함으로써'는 '생물체가 양분 따위를 몸속에 빨아들임으로써'를 뜻하므로 적절하다.

어휘 체크

1 (1) 명약 (2) 혼동 (3) 석연
2 ❶ 광합성 ❷ 성분 ❸ 사체 ❹ 엽록체

본문 058~061쪽

과학 03

땅콩버터로 다이아몬드를?

1 ⑤ 2 ④ 3 ②

가 『우리 주변에서 흔히 볼 수 있는 땅콩버터로 다이아몬드를 만들어 낼 수 있다는 말을 믿을 사람은 얼마나 될까? 하지만 놀랍게도 이는 사실이다.』 어떻게 이러한 일이 가능한지를 이해하려면, 먼저 다이아몬드가 자연적으로 만들어지는 과정을 ⓐ이해해야 한다.

(『 』: 자문자답의 형식을 사용함 / 핵심어 / 다음 문단에 이어질 내용을 짐작할 수 있음)

나 다이아몬드가 만들어지기 위한 조건은 '열'과 '압력'의 두 가지 요소로 압축할 수 있다. 맨틀에 저장된 탄소 덩어리가 수백만 년 혹은 수십억 년 동안 뜨거운 열과 압력을 받으면 다이아몬드로 변해 때때로 화산이 ⓑ폭발할 때 지표면 밖으로 튀어나오게 되는 것이다. 사실상 다이아몬드는 연필심을 이루는 흑연이나 석탄과 같은 탄소 덩어리일 뿐이며, 탄소 원자들이 서로 ⓒ결합하는 방식이나 배열 상태에서만 차이를 지닐 뿐이다.

(다이아몬드가 만들어지기 위한 두 가지 요소 / 다이아몬드와 흑연·석탄의 공통점 – 같은 종류의 원소(탄소)로 구성되어 있음 / 다이아몬드와 흑연·석탄의 차이점 – 탄소 원자의 결합 방식이나 배열 상태가 다름)

다 흑연을 구성하는 탄소는 탄소 원자 한 개당 세 개의

(흑연의 탄소 원자들이 결합하는 방식 및 구조)

탄소 원자와 결합하며, 네 원자가 모두 같은 2차원 평면 위에 있다. 따라서 층과 층을 연결하는 힘이 매우 약해 조금만 힘을 줘도 층과 층이 미끄러지면서 분리된다. 이러한 탄소 결합은 에너지가 적게 드는 결합이므로 쉽게 만들어진다. 반면 다이아몬드는 한 개의 탄소 원자가 자신이 결합할 수 있는 최대 수인 네 개의 탄소 원자와 결합함으로써 3차원 구조를 만든다. 다이아몬드처럼 탄소들이 흠잡을 데 없는 4면체 구조를 형성해 완벽하게 정렬된 상태로 ⓓ배열되려면 탄소 원자들을 막강한 힘으로 압착하면서 고온을 가해 주어야 한다.

(흑연의 탄소 결합 구조의 특징 ① / 흑연의 탄소 결합 구조의 특징 ② / 다이아몬드의 탄소 원자들이 결합하는 방식 및 구조)

라 ㉠이러한 원리를 이용하여 1954년 과학자 트레이시 홀은 탄소 시료를 10만 기압, 1600℃에서 38분간 처리함으로써 최초의 다이아몬드를 만들어 냈다. 이후 「플라스틱이나 설탕, 나무, 심지어는 땅콩버터 등 탄소가 많이 ⓔ포함된 물질이라면 어떤 물질로도 다이아몬드를 만들 수 있게 되었다.」 하지만 인조 다이아몬드는 오로지 산업용으로만 사용될 뿐, 장식용 보석으로는 사용되지 않는다. 그것을 만들기 위해서는 엄청난 비용이 들기 때문이다.

(고탄소 함유 물질 / 「 」: 탄소 시료로 다이아몬드를 만들어 낸 사례를 통해 땅콩버터로 다이아몬드를 만들어 낼 수 있다는 말이 사실임을 확인할 수 있음)

독해 체크

■ 이 글의 핵심 화제

고탄소 함유 물질을 이용하여 인조 (다이아몬드)를 만드는 원리

■ 문단별 중심 내용

땅콩버터로 (다이아몬드)를 만드는 일이 가능함

다이아몬드가 (자연적)으로 만들어지는 과정

흑연과 다이아몬드의 탄소 원자들의 (결합 방식)과 배열 상태의 차이 및 결합 방식의 변환 원리

(탄소) 시료를 이용해 인조 다이아몬드를 만들어 낸 사례 및 해당 기술의 한계

■ 핵심 내용의 구조화

다이아몬드가 만들어지는 과정

자연적인 과정	인위적인 과정
맨틀에 저장된 탄소 덩어리가 오랜 시간 동안 뜨거운 (열)과 (압력)을 받으면 다이아몬드로 변함	흑연과 같은 고탄소 함유 물질을 막강한 힘으로 압착하면서 고온을 가해 주면 탄소들이 4면체 구조를 형성해 완벽하게 정렬된 상태로 배열되어 (인조 다이아몬드)가 만들어짐

1 (라)에서 탄소 시료를 이용해 인조 다이아몬드를 만들어 낸 기술을 사례를 들어 (가)에서 화제로 제시한 '땅콩버터로 다이아몬드를 만들어 낼 수 있다'는 말이 사실임을 입증하고 있다. 그리고 (라)에서 인조 다이아몬드를 만들기 위해서는 엄청난 비용이 든다고 하면서 이 기술이 지닌 한계를 제시하고 있으나 향후 전망을 밝히고 있지는 않다.

오답 풀이 ❶ (라)에서 탄소가 많이 포함된 물질인 플라스틱, 설탕, 나무, 땅콩버터 등 유사한 성질을 지닌 대상들을 열거하고 있다.
❷ (다)에서 흑연과 다이아몬드라는 두 대상의 탄소 원자들이 결합하는 방식 및 구조의 차이점을 중심으로 설명(대조)하고 있다.
❸ (가)에서 스스로 질문을 던지고 대답을 하는 자문자답의 형식을 사용하여 땅콩버터로 다이아몬드를 만들 수 있다는 글의 화제를 제시하고 있다.
❹ (라)에서 10만 기압, 1600℃, 38분이라는 구체적인 수치를 제시하여 탄소 시료를 사용하여 다이아몬드를 만들어 냈다는 내용의 신뢰도를 높이고 있다.

2 (다)에서 다이아몬드처럼 탄소들이 4면체 구조를 형성해 완벽하게 정렬된 상태로 배열되려면 탄소 원자들을 막강한 힘으로 압착하면서 고온을 가해 주어야 한다고 설명한 뒤, (라)에서 이러한 원리를 이용해 탄소 시료를 가지고 다이아몬드를 만드는 데 성공했음을 밝히고 있다.

오답 풀이 ❶ 탄소 원자의 개수를 증가시킨다는 내용은 이 글에 제시되어 있지 않다.
❷ 맨틀에 저장된 탄소 덩어리가 다이아몬드로 변해 화산이 폭발할 때 지표면 밖으로 튀어나오게 되는 것은 다이아몬드가 자연적으로 만들어지는 과정에 대한 설명이다.
❸ 탄소 원자들을 막강한 힘으로 압착하는 것은 다이아몬드를 만드는 원리로 맞는 설명이지만, (다)에서 다이아몬드의 탄소 원자들은 3차원 구조를 만든다고 하였으므로, 4차원 구조를 형성할 수 있도록 하는 원리라는 설명은 적절하지 않다.
❺ (다)에서 다이아몬드는 한 개의 탄소 원자가 자신이 결합할 수 있는 최대 수인 네 개의 탄소 원자와 결합한다고 하였으므로 이러한 상태로 만든다는 설명은 적절하나, 이를 위해서는 탄소 원자들에 고온을 가함과 동시에 막강한 힘으로의 압착도 필요하다.

3 ⓑ '폭발'은 '불이 일어나며 갑작스럽게 터짐'을 의미하고, ②의 '폭발'은 '속에 쌓여 있던 감정 따위가 일시에 세찬 기세로 나옴'을 의미한다. 두 단어의 의미가 서로 다르므로 ②는 ⓑ '폭발'을 이용하여 만든 문장으로 적절하지 않다.

오답 풀이 ❶ '이해'는 '깨달아 앎. 또는 잘 알아서 받아들임'을 의미한다.
❸ '결합'은 '둘 이상의 사물이나 사람이 서로 관계를 맺어 하나가 됨'을 의미한다.
❹ '배열'은 '일정한 차례나 간격에 따라 벌여 놓음'을 의미한다.
❺ '포함'은 '어떤 사물이나 현상 가운데 함께 들어 있거나 함께 넣음'을 의미한다.

어휘 체크

1 ❶ 삼차원 ❷ 원자 ❸ 자석 ❹ 석탄
2 ❶ ㉢ ❷ ㉡ ❸ ㉠

태양계의 비밀을 풀 열쇠, 운석

본문 062~065쪽

1 ② 2 ④ 3 ②

가 도시에서는 관찰하기 힘들지만 시골의 ㉠밤하늘에서는 가끔 유성(별똥별)이 나타난다. 우주 공간을 떠도는 암석이 유성체라면, 이 암석이 지구 중력에 이끌려서 대기권에 진입하면 유성이 된다. 유성은 대기와의 마찰로 빛을 내며 녹게 되고, 그 남은 덩어리가 땅에 떨어져 운석이 된다.
운석의 형성 - 대기와의 마찰로 녹게 된 유성이 다 녹지 않고 땅에 떨어져 운석이 됨
핵심어

나 운석은 초당 10~20km의 엄청난 속도로 지구에 진입한다. 큰 운석은 지구 표면에 커다란 충돌구를 만들고, 사람을 다치게 하거나 건물을 부수기도 하는데, 이는 운석이 떨어지는 속도 때문이다. 운석이 지구 대기에 진입할 때는 저항을 받는데 이때 운석의 크기에 따라 감속되는 정도가 달라진다. 「크기가 매우 큰 운석은 거의 초기 속도를 유지한 채 지표에 충돌해 거대한 충돌구를 만든다. 크기가 작은 경우에는 속도가 빨리 줄어 지구 표면에 충돌구를 만들지 못한다.」
운석이 지구에 진입할 때의 속도
운석이 지구에 떨어질 때의 속도 때문
「 」: 운석의 크기에 따라 감속되는 정도가 달라짐 - 큰 운석은 속도가 빨라 거대한 충돌구를 만들고, 작은 운석은 속도가 줄어 충돌구를 만들지 못함

다 한편, 운석은 대기에 진입할 때 대기와 마찰을 일으킨다. 이때 발생하는 높은 열 때문에 운석 표면이 녹는다. 지표면에 가까워져 속도가 대폭 감속되면 충분한 열이 형성되지 않아 운석이 더 이상 녹지 않는다. 마지막으로 녹았던 표면이 식어서 검은색 껍질인 용융각이 된다. 사람들은 보통 운석이 녹았다가 식은 것이라고 생각하지만 실제로 용융각을 제외하면 전혀 녹지 않은 물질이다.
운석이 대기에 진입할 때의 마찰로 발생하는 높은 열 때문
지표면에 가까워지면 운석의 속도가 감속되고 마찰열이 줄어 운석은 녹지 않음

라 지구 밖에서 온 운석은 태양계와 지구의 비밀을 풀 수 있는 중요한 자료가 된다. 태양계가 탄생할 때 생겨난 운석에는 태양계가 탄생할 당시에 어떤 일이 있었는지를 알 수 있는 정보가 담겨 있고, 태양계가 생성된 이후의 운석에는 소행성이나 화성과 같은 행성의 초기 진화에 대한 기록이 보전되어 있다. 그리고 소행성의 핵에서 떨어져 나온 철질 운석은 지구의 내부 중심인 핵이 어떤 물질로 구성되어 있는지 연구할 수 있는 소중한 자료가 된다.
운석의 가치
운석의 가치 ① - 태양계의 탄생 당시에 있었던 일을 알 수 있는 정보
운석의 가치 ② - 행성의 초기 진화에 대한 기록의 보전
운석의 가치 ③ - 지구의 내부 중심인 핵의 구성 물질을 연구할 수 있는 자료

마 이런 가치를 지닌 운석을 연구하기 위해서는 많은 운석이 필요하다. 그런데 지구에 떨어지는 운석의 상당수는 남극에서 발견된다. 왜냐하면 특정 장소에 운석이 모이게 되는 남극의 특수한 지형 조건 때문이다. 빙하는 꾸준히 낮은 곳으로 이동하는데, 이동 중에 산맥에 의해 가로막히면 앞부분의 빙하가 밀려서 위로 상승하게 된다. 매년 여름마다 상승한 빙하가 점차 녹으면서 그 속에 있던 운석들이 모이게 되는 것이다. 그래서 세계 각국은 앞다투어 남극을 탐사하며 운석을 찾고 있다.
이유 - 특정 장소에 운석이 모이게 되는 남극의 특수한 지형 조건 때문
남극의 빙하가 산맥에 의해 가로막히는 부분

독해 체크

■ 이 글의 핵심 화제
(운석)에 대한 이해 및 (운석)의 가치

■ 문단별 중심 내용

 1문단 운석의 형성

 2문단 운석이 지구에 진입할 때의 (속도)

 3문단 운석이 대기에 진입할 때 일으키는 (마찰)

4문단 운석의 가치

5문단 (남극)에서 상당수의 운석이 발견되는 이유

■ 핵심 내용의 구조화

운석에 대한 이해

운석의 형성	유성은 대기와의 마찰로 (빛)을 내며 녹게 되고, 그 남은 덩어리가 땅에 떨어져 운석이 됨
운석의 지구 대기의 진입	• 운석은 엄청난 (속도)로 지구에 진입하고, 큰 운석은 진입 속도가 빨라 지구 표면에 거대한 충돌구를 만듦 • 운석이 대기에 진입할 때 대기와 (마찰)을 일으키고, 이때 발생하는 높은 열 때문에 운석 표면이 녹음
운석의 가치	• 태양계의 탄생 당시에 있었던 일을 알 수 있는 정보가 담겨 있음 • 소행성과 화성과 같은 행성의 초기 (진화)에 대한 기록이 보전되어 있음 • (철질 운석)은 지구의 내부 중심인 핵의 구성 물질을 연구하는 자료가 됨

운석 연구를 위해 운석이 많이 발견되는 남극을 탐사하며 운석을 찾고 있음

1 (가)에서 '유성은 대기와의 마찰로 빛을 내며 녹게 되고, 그 남은 덩어리가 땅에 떨어져 운석이 된다'고 하였고, (나)에서 '운석이 지구 대기에 진입할 때 저항을 받는데 이때 운석의 크기에 따라 감속되는 정도가 달라진다. 크기가 매우 큰 운석은 거의 초기 속도를 유지한 채 지표에 충돌해 거대한 충돌구를 만든다. 크기가 작은 경우에는 속도가 빨리 줄어 지구 표면에 충돌구를 만들지 못한다.'라고 하였다. 즉 운석의 크기에 따라 감속

되는 정도가 달라지기 때문에 큰 운석(유성)은 속도가 빨라 거대한 충돌구를 만들지만, 작은 운석(유성)은 속도가 줄어 충돌구를 만들지 못한다고 하였지, 작은 유성이 큰 유성보다 운석이 될 확률이 높다는 내용은 제시되어 있지 않다.

오답 풀이 ❶ (가)에서 '유성은 대기와의 마찰로 빛을 내며 녹게 되고, 그 남은 덩어리가 땅에 떨어져 운석이 된다'고 한 데서 알 수 있다.
❸ (마)에 의하면, '특정 장소에 운석이 모이게 되는 남극의 특수한 지형 조건 때문'에서 '지구에 떨어지는 운석의 상당수는 남극에서 발견'된다는 것을 알 수 있다. 그리고 남극에서 빙하는 낮은 곳으로 이동 중에 '산맥에 의해 가로막히면 앞부분의 빙하가 밀려서 위로 상승'하게 되고, '상승한 빙하가 점차 녹으면서 그 속에 있던 운석들이 모이게 되는 것'이라고 한 데서 운석은 빙하와 산맥이 만나는 곳에 모인다는 것을 알 수 있다.
❹ (가)의 '유성은 대기와의 마찰로 빛을 내며 녹게 되고, 그 남은 덩어리가 땅에 떨어져 운석이 된다.'라고 한 데서 알 수 있다. 즉, 유성이 지구 대기에 진입하면서 대기와의 마찰로 생긴 높은 열에 의해 녹는 경우가 많은데, 지구에 대기가 없다면 녹아 없어지는 유성이 없기 때문에 더 많은 운석이 발견될 것임을 짐작할 수 있다.
❺ (마)에서 '가치를 지닌 운석을 연구하기 위해서는 많은 운석이 필요하다'고 한 데서 알 수 있다.

2 (마)에서는 특정 장소에 운석이 모이게 되는 남극의 특수한 지형 조건 때문에 운석의 상당수는 남극에서 발견된다고 하였다. 따라서 남극이 운석 연구에 중요하다는 설명의 자료로 발견 위치에 따른 운석의 개수(남극에서 16,000여 개의 운석이 발견되었음)를 나타낸 〈A〉를 드는 것은 적절하다.

오답 풀이 ❶ (나)에서 운석이 지구에 진입할 때는 저항을 받는데 이때 운석의 크기에 따라 감속되는 정도가 달라지기 때문에 큰 운석은 초기 속도를 유지한 채 지표에 충돌해 거대한 충돌구를 만들고, 작은 운석은 속도가 빨리 줄어 지구 표면에 충돌구를 만들지 못한다고 하였다. 즉, 크기가 큰 운석이 지구에 진입하는 속도가 빨라 거대한 충돌구가 생긴다는 설명의 자료로 발견 위치에 따른 운석의 개수를 나타낸 〈A〉를 드는 것은 적절하지 않다.
❷ (라)에서는 태양계가 생성된 이후의 운석에는 소행성이나 화성 같은 행성의 초기 진화에 대한 기록이 보전되어 있다고 하였지, 화성 연구용 운석을 구하기 쉽다는 설명은 제시되어 있지 않으며, 그 설명의 자료로 화성에서 발견된 운석의 비율이 1%라는 내용의 〈B〉를 드는 것도 적절하지 않다.
❸ (라)에서 '소행성의 핵에서 떨어져 나온 철질 운석은 지구의 내부 중심인 핵이 어떤 물질로 구성되어 있는지 연구할 수 있는 소중한 자료가 된다'고 하였지, 지구 핵 연구에 필요한 운석의 비율이 낮다는 설명은 제시되어 있지 않으며, 그 설명의 자료로 〈A〉와 〈B〉를 드는 것도 적절하지 않다.
❺ (마)에서는 특정 장소에 운석이 모이게 되는 남극의 특수한 지형 조건 때문에 지구에 떨어지는 운석의 상당수는 남극에서 발견된다고 하였지, 남극 운석 중 상당수가 달에서 온 것이라는 설명은 제시되어 있지 않으며, 그 설명의 자료로 달에서 발견된 운석의 비율이 1%라는 내용의 〈B〉를 드는 것도 적절하지 않다.

3 ㉠ '밤하늘'은 〈보기〉에서 어근 '밤'과 어근 '하늘'이 결합하여 이루어진 합성어로 '밤의 하늘'을 의미한다고 하였다. ② '햇과일'은 '당해에 난'의 뜻을 더하는 접두사 '햇-'과 어근 '과일'이 결합하여 이루어진 파생어로 '당해에 새로 난 과일'을 의미하므로, 합성어인 ㉠ '밤하늘'과 단어의 짜임이 다르다.

오답 풀이 ❶ '밤안개'는 어근 '밤'과 어근 '안개'가 결합하여 이루어진 합성어로 '밤에 끼는 안개'를 의미한다.
❸ '감나무'는 어근 '감'과 어근 '나무'가 결합하여 이루어진 합성어로 '감나뭇과의 낙엽 교목'을 의미한다.
❹ '돌다리'는 어근 '돌'과 어근 '다리'가 결합하여 이루어진 합성어로 '돌로 만든 다리'를 의미한다.
❺ '집안'은 어근 '집'과 어근 '안'이 결합하여 이루어진 합성어로 '가족을 구성원으로 하여 살림을 꾸려 나가는 공동체. 또는 가까운 일가'를 의미한다.

더 알아두기 운석

- **운석의 의미**
  운석은 혜성, 소행성 또는 유성체와 같은 물체에서 떨어져 나온 고체 파편들 중, 대기에서 소멸하지 않고 지구 또는 달 표면에 도달할 때까지 살아남은 물질의 총칭이다. 우주에서 유래한 물질이 지구상에 떨어지는 운동을 하고 있을 때를 유성이라 한다. 즉, 운석은 유성이 대기권을 돌파하면서 소멸하지 않고 지구상으로 떨어져 남은 것을 이른다.
- **구성 물질에 따른 운석의 종류**
  ① **석질 운석**: 주로 규소 광물로 이루어진 운석으로, 전체 운석의 93%를 차지한다.
  ② **철질 운석**: 주로 철과 니켈로 구성된 운석으로, 전체 운석의 5%를 차지한다. 철질 운석은 밀도가 높고 열에 강하여서 지구상에 충돌 시 다른 운석보다 더 큰 피해를 일으킨다.
  ③ **석철질 운석**: 60%의 철과 다른 석질 물질로 이루어진 운석으로 전체 운석 중 1.5%의 비율을 차지한다.
- **운석의 가치**
  운석은 지구와 생명의 기원을 알려 주는 표본이다. 유성은 3분의 2가 바다로 떨어지고, 대부분의 육지에는 사람이 살지 않아 거의 발견되지 않는다. 따라서 떨어지는 유성을 보고 운석을 찾아내기 위해서는 굉장히 넓은 지역을 계속 감시하거나 아주 좁은 범위의 대기를 오랫동안 관찰해야 한다. 그리고 과학자들은 이 운석들을 추적해서 특정한 혜성, 소행성, 행성까지 거슬러 올라가 생명의 기원과 형성을 이해하고자 한다.

어휘 체크

• ㉣ – 소행성 ㉢ – 유성체 ㉠ – 중력 ㉤ – 대기권 ㉡ – 탐사

기술 **01** 우리 몸의 열쇠, 홍채 인식

본문 066~069쪽

1 ⑥ 2 ① 3 ③

가 생체 인식이란 사람의 생체 정보나 행동 특성을 이용해 개인을 식별하는 기술을 말한다.(생체 인식의 개념) 현재 가장 널리 사용 중인 지문 인식은 간편하고 효율적이지만 ⓐ지문이 손상되거나 성장 과정에서 변형될 수 있으며, 3D 프린터로 복제가 가능하다는 문제가 있다.(지문 인식의 장단점)

나 ㉠현재 개발되었거나 연구 중인 생체 인식 방법 중 오류 확률이 가장 낮은 것은 홍채 인식(핵심어)이다. 홍채는 안구의 각막과 수정체 사이에 있는 납작한 도넛 모양의 막이다.(홍채의 위치 및 모양) 빛은 각막을 거쳐 홍채 중앙에 있는 동공을 통해 들어오는데, 홍채가 늘어나거나 줄어들면서 동공의 크기를 조절하여 안구로 들어오는 빛의 양을 결정한다.(홍채의 역할) 이 홍채의 모양과 색, 망막 모세 혈관의 형태소 등을 분석해 사람을 식별하는 기술(홍채 인식의 개념)이 바로 홍채 인식이다.

다 우리가 흔히 사용하는 스마트폰의 홍채 인식 작동 원리를 살펴보자. 먼저 일정한 ⓑ거리에서 홍채 인식기 중앙에 있는 거울에 사용자의 눈이 맞춰지면,(홍채 인식의 작동 원리 ①) 적외선을 이용한 카메라가 줌 렌즈를 통해 초점을 조절한다. 이어 홍채 카메라가 사용자의 눈에 적외선이 ⓒ반사되는 영상을 촬영한 후(홍채 인식의 작동 원리 ②) 촬영된 눈 영상에서 동공과 눈꺼풀, 홍채를 구분해(홍채 인식의 작동 원리 ③) 내고 그 중 홍채 영역만을 남기면 도넛 형태의 이미지가 남는다. 도넛 형태의 홍채 이미지를 잘라 일자로 편 이미지로 변환한(홍채 인식의 작동 원리 ④) 뒤에 홍채 인식 알고리즘이 홍채의 명암 패턴을 영역별로 분석해(홍채 인식의 작동 원리 ⑤) 개인 고유의 디지털 홍채 코드를 생성한다.(홍채 인식의 작동 원리 ⑥) 마지막으로 홍채 코드가 데이터베이스에 등록되는 것과 동시에 이미 등록된 홍채 정보와의 일치 여부를 확인한(홍채 인식의 작동 원리 ⑦) 후 인증 또는 거절한다.

라 홍채의 무늬는 생후 18개월에 완성된 후 평생 변하지 않으며 망막과 눈꺼풀에 의해 보호되기 때문에 손상 가능성이 낮다. 또한 홍채의 무늬가 다른 사람과 같을 확률은 10억분의 1에 불과하며, 왼쪽과 오른쪽이 다르기 때문에 양쪽 눈 사용 시 오류가 생길 확률은 1조분의 1 정도밖에 되지 않는다.(홍채 인식의 장점 ① - 오류가 생길 확률이 낮음) 홍채 인식은 근적외선을 사용하기 때문에 사진, ⓓ의안 등은 인식이 되지 않으며 죽은 사람의 눈은 홍채 ⓔ신경이 끊어져 인식할 수 없다.(홍채 인식의 장점 ② - 복제나 도용의 가능성이 낮음)

마 하지만 눈꺼풀이나 눈썹이 홍채를 가려서 홍채 영역 안에 포함되거나,(홍채 인식에 오류가 발생하는 경우 ①) 조명에 따른 홍채 패턴의 변화가 발생하면(홍채 인식에 오류가 발생하는 경우 ②) 인식하는 사람이 동일인임에도 타인으로 잘못 인식하는 오류를 범할 수 있다는 문제점을 지니고 있다.

독해 체크

■ **이 글의 핵심 화제**

(홍채 인식)의 원리와 장단점

■ **문단별 중심 내용**

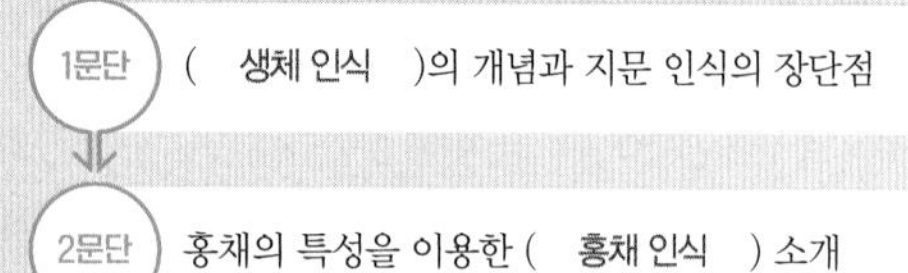

- 1문단: (생체 인식)의 개념과 지문 인식의 장단점
- 2문단: 홍채의 특성을 이용한 (홍채 인식) 소개
- 3문단: 스마트폰의 홍채 인식 (작동 원리)
- 4문단: 홍채 인식의 (장점)
- 5문단: 홍채 인식의 (단점)

■ **핵심 내용의 구조화**

홍채 인식의 원리 및 장단점

원리	장점	단점
홍채의 모양과 색, 망막 모세 혈관의 형태소 등을 분석하여 사람을 식별함	오류가 생길 확률이 낮으며 사진, (의안), 죽은 사람의 눈 등으로는 인식할 수 없음	눈꺼풀이나 눈썹의 방해, 조명에 따른 홍채 패턴의 변화 시 (오류)가 발생함

1 (가)에서 지문 인식의 문제점으로 지문이 손상되거나 성장 과정에서 변형될 수 있으며, 3D 프린터로 복제가 가능하다는 점을 들고 있음을 고려할 때, 생체 인식은 기존에 등록된 생체 정보와 새롭게 등록되는 생체 정보가 일치할 때 동일인으로 인식하는 기술임을 알 수 있다. 따라서 디지털 홍채 코드가 데이터베이스에 등록되어 있던 기존 홍채 정보와 일치하면 인증되고 불일치하면 거절됨을 추측할 수 있다.

오답 풀이 ❶ 먼저 일정한 거리에서 홍채 인식기 중앙에 있는 거울에 사용자의 눈이 맞춰지면, 적외선을 이용한 카메라가 줌 렌즈를 통해 초점을 조절한다.

❷ 이어 홍채 카메라가 사용자의 눈에 적외선이 반사되는 영상을 촬영한 후 촬영된 눈 영상에서 동공과 눈꺼풀, 홍채를 구분해 내고 그 중 홍채 영역만을 남기면 도넛 형태의 이미지가 남는다.

❸ 도넛 형태의 홍채 이미지를 잘라 일자로 편 이미지로 변환한 뒤에 홍채 인식 알고리즘이 홍채의 명암 패턴을 영역별로 분석해 개인 고유의 디지털 홍채 코드를 생성한다.

❹ 디지털 홍채 코드가 데이터베이스에 등록되는 것과 동시에 이미 등록된 홍채 정보와의 일치 여부를 확인한다.

2 (라)에서 홍채의 무늬가 다른 사람과 같을 확률은 10억분의 1에 불과하며, 왼쪽과 오른쪽의 홍채 무늬가 다르기 때문에 양쪽 눈을 모두 사용했을 때 오류가 생길 확률은 1조분의 1 정도밖에 되지 않는다며 홍채 인식의 오류 확률이 매우 낮음을 설명하고 있다.

오답 풀이 ② (마)에서 눈꺼풀이 홍채를 가려 홍채 영역 안에 포함될 경우 오류가 발생할 수 있다고 설명하고 있다.
③ (마)에서 조명에 따른 홍채 패턴의 변화가 발생하면 인식하는 사람이 동일인임에도 타인으로 잘못 인식할 수 있다고 설명하고 있다.
④ (라)에서 홍채는 망막과 눈꺼풀에 의해 보호되기 때문에 손상 가능성이 낮다고 설명하고 있을 뿐, 손상이 되지 않는다고 단정하지는 않았다.
⑤ (라)에서 홍채 무늬는 왼쪽과 오른쪽이 다르다고 설명하고 있다.

3 ⓒ '반사'는 일정한 방향으로 나아가던 파동이 다른 물체의 표면에 부딪쳐서 나아가던 방향을 반대로 바꾸는 현상을 말한다. ③의 문장에 제시된 '반사'도 이와 같은 의미로 쓰였다.

오답 풀이 ① ⓐ에서 '지문'은 '손가락 끝마디 안쪽에 있는 살갗 무늬'의 의미로 쓰였고, ①의 문장에서는 '주어진 내용의 글'을 의미하는 '지문'이 쓰였다.
② ⓑ에서 '거리'는 '두 개의 물건이나 장소 따위가 공간적으로 떨어진 길이'의 의미로 쓰였고, ②의 문장에서는 '사람이나 차가 많이 다니는 길'을 의미하는 '거리'가 쓰였다.
④ ⓓ에서 '의안'은 '만들어 박은 인공적인 눈알'의 의미로 쓰였고, ④의 문장에서는 '회의에서 심의하고 토의할 안건'을 의미하는 '의안'이 쓰였다.
⑤ ⓔ에서 '신경'은 '신경 세포의 돌기가 모여 결합 조직으로 된 막에 싸여 끈처럼 된 구조'의 의미로 쓰였고, ⑤의 문장에서는 '어떤 일에 대한 느낌이나 생각'을 의미하는 '신경'이 쓰였다.

+ 어휘 체크

1 안구 – 구동 – 동공 – 공유 – 유리알 – 알고리즘
2 ❶ ㉠ ❷ ㉢ ❸ ㉡

본문 070~073쪽

기술 02 바다에서 에너지를? 해수 온도 차 발전

1 ④ 2 ⑤ 3 ⑤

가 화서 연료(석유, 석탄, 천연가스 등의 에너지원)이 고갈이 눈앞에 온 시전에서 미래의 대체 에너지원은 재생 에너지이다. 자연의 힘을 활용하는 재생 에너지는 따로 연료비를 들이지 않고도 전기를 얻을 수 있어(재생 에너지의 장점) 주목받고 있다. 특히 태양광이나 풍력(재생 에너지)만큼 연료가 풍부하고 효율적이지만 아직 개발이 덜 이루어진 분야로 해수 온도 차 발전(핵심어)이 있다.

나 해수 온도 차 발전은 바다 속에 있는 열을 에너지로 바꾸는 기술로, 태양광을 받아 온도가 높은 바다의 표층수와 태양광을 받지 못해 온도가 낮은 심해수 간의 온도 차를 이용해 전기를 생산하는 방식(해수 온도 차 발전의 개념)이다. 보통 바다의 표면은 온도가 20~30℃이지만 수심 500m 정도의 깊은 바다인 심해에 이르게 되면 온도가 7~8℃로 내려간다. 『펌프를 이용해 표면의 해수를 끌어들여 액체 프레온을 데워 가스로 만들고, 이 프레온 가스 압력으로 터빈을 돌려 발전을 한다. 터빈을 돌리고 나온 가스를 심해의 차가운 물로 다시 액화시킨다.』(『 』: 해수 온도 차 발전의 원리) 이런 과정을 반복하여 전기를 만들어 내는 것이다.

다 태양광 발전은 낮에만 발전할 수 있고 풍력은 바람의 세기에 따라 발전량이 안정적이지 않은 문제(태양광 발전과 풍력 발전의 단점)가 있는 반면, 해수 온도 차 발전은 낮과 밤 모두 발전할 수 있어 많은 양의 전기를 확보해 둘 수 있으며(해수 온도 차 발전의 장점 ①) 특별한 저장 시설도 필요 없다(해수 온도 차 발전의 장점 ②). 다만, 바다 깊은 곳까지 순환 계통을 건설해야 하고(해수 온도 차 발전의 단점 ①), 발전 설비가 바닷물에 부식되지 않는 재료로 만들어야 하는 만큼 최초 건설에 비용이 많이 드는 것(해수 온도 차 발전의 단점 ②)이 단점이다.

라 현재 해수 온도 차 발전의 기술 개발 및 실용화 연구는 미국과 일본을 ㉠중심으로 세계 각국에서 활발하게 이루어지고 있다. 『우리나라는 2013년 20KW 해수 온도 차 발전의 파일럿 플랜트를 설계·제작하여 실증을 마침으로써 세계에서 10KW급 이상의 발전기 개발에 성공한 네 번째 나라로 이름을 올렸다.』(『 』: 해수 온도 차 발전의 기술 개발 현황) 해수 온도 차 발전소에서 더 많은 무공해 에너지를 공급해 준다면 우리는 기후 위기 극복과 지속 가능한 신재생 에너지를 얻을 수 있게 될 것이다.(해수 온도 차 발전에 대한 전망)

+ 독해 체크

■ 이 글의 핵심 화제
(해수 온도 차) 발전의 원리와 앞으로의 전망

■ 문단별 중심 내용
1문단 해수 온도 차 발전이라는 재생 에너지 소개
2문단 해수 온도 차 발전의 개념과 (원리)
3문단 해수 온도 차 발전의 (장단점)
4문단 해수 온도 차 발전의 현황 및 (전망)

■ 핵심 내용의 구조화

해수 온도 차 발전
- 개념: 바다 속에 있는 (열)을 에너지로 바꾸는 기술임
- 원리: 온도가 높은 표층수와 온도가 낮은 심해수 간의 온도 차를 이용해 전기를 생산함
- 장점: • 낮과 밤 모두 발전할 수 있어 많은 양의 전기를 확보할 수 있음 • 특별한 (저장) 시설이 필요 없음
- 단점: • 바다 깊은 곳에 순환 계통을 건설해야 함 • 최초 (건설) 비용이 많이 발생함
- 전망: 해수 온도 차 발전을 통해 (기후 위기) 극복과 신재생 에너지를 얻을 수 있음

1 (다)에서 해수 온도 차 발전은 특별한 저장 시설이 필요 없지만, 바다 깊은 곳까지 순환 계통을 건설해야 하고 발전 설비가 바닷물에 부식되지 않는 재료로 만들어야 하기 때문에 최초 건설 비용이 많이 드는 단점이 있다고 하였다.

오답 풀이 ❶ (다)에서 해수 온도 차 발전은 낮과 밤 모두 발전할 수 있어 많은 양의 전기를 확보해 둘 수 있다고 하였다.
❷ (가)에서 화석 연료의 고갈이 눈앞에 온 시점이라고 하였으므로 석탄, 석유, 천연가스 등의 화석 연료는 그 양이 한정되어 있음을 알 수 있다.
❸ (라)에서 해수 온도 차 발전의 기술 개발 및 실용화 연구가 미국과 일본을 중심으로 여러 나라에서 활발히 이루어지고 있다는 점, 우리나라가 시험용 발전기 제작에 성공한 네 번째 나라라는 점을 통해 확인할 수 있다.
❺ (다)에서 태양광 발전은 낮에만 발전할 수 있고 풍력은 바람의 세기에 따라 발전량이 안정적이지 않은 문제가 있다고 하였다.

2 (라)에서 해수 온도 차 발전을 통해 우리는 지속 가능한 신재생 에너지를 얻을 수 있다고 하였다. 〈보기〉는 현재 인류가 의존하고 있는 에너지원인 화석 연료가 고갈되어 간다는 내용이므로 이 글을 읽은 독자는 ⑤와 같은 반응을 보이는 것이 적절하다.

오답 풀이 ❶, ❸, ❹ 이 글의 내용과 상관없이 〈보기〉의 자료에만 한정하여 나타낸 반응이므로 적절하지 않다.
❷ (라)의 '해수 온도 차 발전소에서 더 많은 무공해 에너지를 공급해 준다면 우리는 기후 위기 극복과 지속 가능한 신재생 에너지를 얻을 수 있게 될 것이다.'에서 해수 온도 차 발전소를 통해 기후 위기도 극복할 수 있다고 하였으므로, 공해가 발생한다는 반응은 적절하지 않다.

3 ㉠의 '으로'는 어떤 일의 방법이나 방식을 나타내는 격 조사로, 물건을 판매하는 방법을 나타내는 '소량으로'의 '으로'와 쓰임이 같다.

오답 풀이 ❶ '집으로'의 '으로'는 철수가 움직이는 방향을 나타내는 격 조사로 쓰였다.
❷ '콩으로'의 '으로'는 메주의 원료를 나타내는 격 조사로 쓰였다.
❸ '표정으로'의 '으로'는 소통의 수단을 나타내는 격 조사로 쓰였다.
❹ '암으로'의 '으로'는 죽음의 원인을 나타내는 격 조사로 쓰였다.

+ 어휘 체크

• ㉤ – 액화 ㉣ – 고갈 ㉢ – 부식 ㉠ – 실증 ㉡ – 확보

본문 074~077쪽

기술 03 유망한 미래 식량, 식용 곤충

1 ② 2 ① 3 ③

(가) 전문가들에 따르면 2050년에 전 세계 인구는 90억 명을 넘을 것이며 그에 따라 식량 생산량도 늘려야 한다고 한다. 하지만 공산물의 생산량을 늘리듯 식량 생산량을 대폭 늘릴 수는 없다. 곡물이나 가축을 더 키우기 위한 땅과 물이 충분치 않고(식량 생산량을 대폭 늘릴 수 없는 이유 ①), 가축 생산량을 마구 늘렸을 때 온실 가스 등이 발생하기(식량 생산량을 대폭 늘릴 수 없는 이유 ②) 때문이다. 이런 상황을 고려할 때 유엔 식량 농업 기구에서 ⓐ곤충을 유망한 미래 식량으로 꼽은 것은 주목할 만하다(중심 문장). 사람들이 보통 '작고 징그럽게 생긴 동물'로 인식하는 곤충이 식량으로서는 여러 가지 장점을 갖고 있기 때문이다.

(나) 우선 식용 곤충(핵심어)은 매우 경제적인 식재료이다(식용 곤충의 장점 ①). ㉠「누에는 태어난 지 20일 만에 몸무게가 1,000배나 늘어나고, 큰메뚜기는 하루 만에 몸집이 2배 이상 커질 수 있다. 이처럼 곤충은 성장 속도가 놀랍도록 빠르다.」(「」: 식용 곤충의 경제성 ① - 성장 속도가 빠름) 또한 식용 곤충을 키우는 데 필요한 토지는 가축 사육에 비해 상대적으로 훨씬 적으며(식용 곤충의 경제성 ② - 사육 시 토지 면적이 적음) 필요한 노동력과 사료도 크게 절감된다(식용 곤충의 경제성 ③).

(다) 식용 곤충의 또 다른 장점은 영양이 매우 풍부하다는 것이다(식용 곤충의 장점 ②). 식용 곤충의 단백질 비율은 쇠고기, 생선과 유사하고 오메가-3의 비율은 쇠고기, 돼지고기보다 높다. 게다가 식용 곤충은 리놀레산, 키토산을 비롯하여 각종 미네랄과 비타민까지 함유하고 있다.

(라) 또한 식용 곤충 사육은 가축 사육보다 친환경적이다(식용 곤충의 장점 ③). 소, 돼지 등을 기를 때 비료나 분뇨 등에서 발생하는 온실 가스는 지구 전체 온실 가스 발생량의 18% 이상을 차지한다. 반면 ⓑ갈색거저리 애벌레, 귀뚜라미 등의 곤충을 기를 때 발생하는 온실 가스는 소나 돼지의 경우보다 약 100배 정도 적다(곤충 사육 시 가축 사육보다 온실 가스 발생이 적음).

(마) 이처럼 식용 곤충은 경제적이면서도, 영양이 풍부하고, 친환경적이기 때문에 자원의 고갈과 환경 파괴의 위기 속에서 살아가야 하는 인류에게 더할 나위 없이 좋은 미래 식량이다(이 글의 핵심 내용을 요약·정리함). 따라서 식용 곤충과 관련한 산업을 활성화하고(미래의 식량 확보를 위한 노력 ①), 요리 방법을 다양하게 개발하며(미래의 식량 확보를 위한 노력 ②), 곤충에 대한 사람들의 부정적인 인식을 변화시키려는(미래의 식량 확보를 위한 노력 ③) 노력을 적극적으로 해야 한다.

독해 체크

■ 이 글의 핵심 화제

미래 식량으로서 유망한 (식용 곤충)

■ 문단별 중심 내용

- 1문단: 유엔 식량 농업 기구에서 곤충을 유망한 (미래 식량)으로 꼽음
- 2문단: 식용 곤충의 장점 ① – (경제적)인 식재료임
- 3문단: 식용 곤충의 장점 ② – (영양)이 풍부함
- 4문단: 식용 곤충의 장점 ③ – (친환경적)임
- 5문단: 미래 식량으로 유망한 (식용 곤충)과 관련하여 다방면의 노력이 필요함

■ 핵심 내용의 구조화

식용 곤충의 장점

- 곤충은 성장 속도는 빠른데, 사육하는 데에 필요한 토지와 노동력, 사료가 다른 가축 사육에 비해 적게 들어 (경제적)임
- 식용 곤충의 단백질 비율은 쇠고기·생선과 유사하고, 오메가-3의 비율은 쇠고기·돼지고기보다 높으며, 각종 미네랄과 비타민 등을 함유하고 있어 (영양)이 매우 풍부함
- 곤충을 사육할 때 발생하는 온실 가스가 소나 돼지를 사육할 때보다 적어 (친환경적)임

1 누에와 큰메뚜기의 성장 속도가 빠르다는 개별적 사실을 바탕으로 곤충은 성장 속도가 매우 빠르다는 일반적인 결론을 도출하고 있다.

2 이 글의 글쓴이는 미래 식량으로 곤충이 매우 가치가 있다는 주장을 하고 있다. 그러나 ㄱ은 육식보다는 채식 중심의 식습관을 가진 사람이 더 건강하여 장수할 확률이 높다는 연구의 논문이다. 따라서 글쓴이의 주장과 논문 내용은 거리가 멀기 때문에 이 글의 주장을 뒷받침할 내용으로 적절하지 않다.

오답 풀이 ❷ ㄴ은 다른 가축을 사육할 때보다 곤충을 사육할 때 물의 양이 적게 든다는 보고서이므로, (나)의 식용 곤충이 매우 경제적인 식재료라는 주장을 뒷받침할 수 있는 근거로 사용할 수 있다.

❸ ㄷ은 가축 사육 확대는 환경 파괴를 유발한다는 내용이므로, (가)에서 가축 생산량을 늘렸을 때 온실가스 등이 발생한다는 근거로 사용할 수 있다. 또한 (라)에서 곤충 사육은 가축 사육보다 친환경적이라는 주장에 활용할 수 있다.

❹ ㄹ은 곤충이 다른 가축에 비해 적은 양의 사료로 많은 양의 단백질을 만들어 낸다는 논문이므로, 식용 곤충이 매우 경제적인 식재료라고 주장하는 (나)에 대한 근거, 또는 식용 곤충의 영양이 풍부하다고 주장하는 (다)에 대한 근거로 활용할 수 있다.

❺ ㅁ은 지구에는 경작지가 더 이상 충분하지 않다는 내용의 보고서이므로, 곡물이나 가축을 더 키우기 위한 땅과 물이 충분치 않다고 언급한 (가)에서 활용할 수 있다.

3 ⓐ '곤충'은 ⓑ '갈색거저리 애벌레'를 의미상 포함하고 있기 때문에 ⓐ는 상의어, ⓑ는 하의어이다. 즉 ⓐ와 ⓑ는 상하 관계에 있는 단어들이다. 이와 같은 관계에 있는 단어는 ③ '동물 – 고양이'이다.

오답 풀이 ❶, ❹ '생각 – 사고', '예쁘다 – 아름답다'는 뜻이 서로 비슷한 말인 유의 관계에 있는 단어들이다.

❷, ❺ '즐거움 – 슬픔', '합격 – 불합격'은 뜻이 서로 정반대되는 말인 반의 관계에 있는 단어들이다.

어휘 체크

1 고갈 – 갈색거저리 – 리베로 – 로마자 – 자유 – 유망하다

2 ❶ ㉡ ❷ ㉢ ❸ ㉠

본문 078~081쪽

기출 04 초콜릿도 인쇄가 된다고?

1 ③ 2 ④ 3 ②

가 요즘 3차원 프린터(핵심어)가 주목받고 있다. 약 30년 전에 이 프린터가 처음 등장했을 때에는 가격이 비싸 전문가들이 산업용으로만 사용해 왔다. 그러나 3차원 프린터의 가격이 떨어지고 생산량이 증가하면서(3차원 프린터를 일반 가정에서도 접할 수 있게 된 이유) 일반 가정에서도 접할 수 있게 되었다.

나 3차원 프린터는 일반 프린터와 작동 방식과 결과물에 차이가 있다. 일반 프린터는 잉크를 종이 표면에 분사하여 인쇄하는 방식(일반 프린터의 작동 방식)이기 때문에 2차원의 이미지 제작(일반 프린터의 결과물)만 가능하다. 그러나 3차원 프린터는 특수 물질이나 금속 가루 등 다양한 재료를 쏘아 층층이 쌓아 올리는 방식(3차원 프린터의 작동 방식)이기 때문에 자동차 모형, 스마트폰 케이스뿐만 아니라, 초콜릿, 케이크 등과 같은 실물도 만들 수 있다(3차원 프린터의 결과물).

다 3차원 프린터의 장점은 시제품 제작과 같이 소규모로 제품을 생산해야 하는 상황(빠른 시간 안에 적은 비용으로 제품을 생산하는 3차원 프린터의 장점이 효과를 드러내는 상황)에서 ㉠빛을 발한다. 3차원 프린터와 입체 도면만 있으면 빠른 시간 안에 적은 비용으로 시제품을 만들 수 있기 때문이다(3차원 프린터의 장점 ①). 또한 3차원 프린터를 사용하면 제품을 쉽게 수정할 수 있다(3차원 프린터의 장점 ②). 제품 디자인을 변경하거나 생산한 제품에서 오류를 발견하였(3차원 프린터를 사용하여 제품을 수정하게 되는 상황)

을 경우, 컴퓨터로 도면만 수정하면 바로 제품을 다시 만들 수 있다. 이렇게 제작 과정이 간단할 뿐 아니라 비용과 시간을 대폭 절약할 수 있기 때문에 여러 회사들이 3차원 프린터를 이용하여 다양한 시제품과 모형을 생산하고 있다.

(여러 회사들이 3차원 프린터를 이용하는 이유)

라 이러한 3차원 프린터는 여러 분야에 다양하게 활용될 수 있다. 의료 분야에서는 3차원 프린터를 활용하여 인공 턱, 인공 귀, 의족 등과 같이 인간의 신체에 이식할 수 있는 복잡하고 정교한 인공물을 생산한다. 우주 항공 분야에서도 국제 우주 정거장에서 필요한 실험 장비나 건축물 등을 3차원 프린터를 활용하여 제작할 계획이다. 지구에서 힘들게 물건을 운반할 필요 없이 3차원 데이터를 전송하면 바로 우주에서 제작이 가능하기 때문이다.

(3차원 프린터의 활용 ①) (3차원 프린터의 활용 ②)

마 3차원 프린터의 적용 분야는 앞으로의 기술 발전에 따라 무한히 확대될 수 있을 것이다. 지금도 3차원 프린터는 자동차, 패션, 영화, 건축, 로봇 등 그 적용 분야를 넓혀 가고 있다.

(3차원 프린터에 대한 긍정적 전망) (확대되고 있는 3차원 프린터의 적용 분야)

독해 체크

■ 이 글의 핵심 화제

(3차원 프린터)의 장점 및 활용

■ 문단별 중심 내용

- 1문단: 3차원 프린터가 주목받고 있음
- 2문단: 일반 프린터와 3차원 프린터의 (차이점)
- 3문단: 3차원 프린터의 (장점)
- 4문단: 여러 분야에 활용되고 있는 3차원 프린터
- 5문단: 3차원 프린터의 전망

■ 핵심 내용의 구조화

3차원 프린터

3차원 프린터의 작동 방식	특수 물질이나 금속 가루 등 다양한 (재료)를 쏘아 층층이 쌓아 올리는 방식
3차원 프린터의 장점	• 빠른 시간 안에 적은 비용으로 제품을 만들 수 있음 • 제품을 쉽게 (수정)할 수 있음
3차원 프린터의 활용 분야	• 의료 분야: 인공 턱, 인공 귀, 의족 등 인체에 (이식)할 인공물을 생산함 • (우주 항공) 분야: 필요한 물건을 지구에서 힘들게 운반하지 않고 3차원 데이터만 전송하여 우주 정거장에서 제작할 계획임

1 (가)에서 3차원 프린터가 약 30년 전에 처음 등장했다는 내용만 제시되어 있을 뿐, 3차원 프린터의 발달 과정에 대한 설명은 제시되어 있지 않다.

오답 풀이 ① (가)에서 3차원 프린터가 30년 전에 처음 등장하였고, 현재 주목받고 있는 상황임을 제시하고 있다.
② (라)에서 3차원 프린터는 여러 분야에 다양하게 활용될 수 있는데, 그 중 의료 분야와 우주 항공 분야에 적용되는 상황을 설명하고 있다.
④ (나)에서 일반 프린터와 3차원 프린터의 작동 방식과 결과물의 차이에 대해 설명하고 있다.
⑤ (다)에서 3차원 프린터는 제작 과정이 간단하고 비용과 시간을 절약할 수 있기 때문에 여러 회사들이 3차원 프린터를 이용하여 다양한 시제품과 모형을 생산하고 있다고 하였다.

2 (다)에서 제작 과정이 간단하고 비용과 시간을 절약할 수 있어서 여러 회사들이 3차원 프린터를 이용하여 다양한 시제품을 생산하고 있다고 하였으며, (마)에서 3차원 프린터의 적용 분야는 앞으로 기술 발전에 따라 무한히 확대될 것이라고 하였으므로 ④가 가장 적절하다.

오답 풀이 ① (가)에서 3차원 프린터의 가격이 떨어지고 생산량이 증가하면서 일반 가정에서도 접할 수 있게 되었다는 언급이 있기는 하지만, 이 글 전체에서는 3차원 프린터가 산업 관련 분야에서 적극적으로 사용되고 있는 상황을 설명하고 있다.
② (나)에서 일반 프린터와 3차원 프린터의 작동 방식의 차이를 설명하고 있으나, 시장 규모와의 관련성은 제시되어 있지 않다.
③ (라)에서 의료 분야에서 3차원 프린터를 활용하여 인간의 신체에 이식할 수 있는 복잡하고 정교한 인공물을 생산한다고 하였다.
⑤ (다)에서 3차원 프린터는 제품의 오류를 발견하여도 컴퓨터로 도면만 수정하면 바로 제품을 다시 만들 수 있다고 하였다.

3 ㉠의 '빛을 발하다'는 '제 능력이나 값어치를 드러내다.'를 의미하는 관용구이다. ②의 '두드러지다'는 '겉으로 드러나서 뚜렷하다.'의 의미이므로 문맥적 의미로 가장 적절하다.

오답 풀이 ① '다양하다'는 '모양, 빛깔, 형태, 양식 따위가 여러 가지로 많다.'를 뜻하므로 ㉠의 문맥적 의미로 적절하지 않다.
③ '복잡하다'는 '일이나 감정 따위가 갈피를 잡기 어려울 만큼 여러 가지가 얽혀 있다.'를 뜻하므로 ㉠의 문맥적 의미로 적절하지 않다.
④ '새롭다'는 '지금까지 있은 적이 없다.'를 뜻하므로 ㉠의 문맥적 의미로 적절하지 않다.
⑤ '정확하다'는 '바르고 확실하다.'를 뜻하므로 ㉠의 문맥적 의미로 적절하지 않다.

어휘 체크

1 (1) 분사 (2) 인공물 (3) 도면
2 ❶ 적용 ❷ 용무 ❸ 무한 ❹ 항공 ❺ 공장 ❻ 장비

본문 082~085쪽

01 고요하고 장엄한 신전, 종묘

1 ③　　2 ⑤　　3 ②

가 서울시 종로구 훈정동에 위치한 종묘는 조선 시대에 역대 임금과 왕비의 신위를 모시던 왕실의 사당으로, 조선 왕조를 대표하는 문화유산이다. 조선은 유교를 통치 이념으로 삼아 건국된 왕조였기에, 한양 천도를 결정한 태조 이성계가 궁궐을 짓는 일보다도 먼저 한 일이 바로 좌묘우사(左廟右社)의 원칙에 따라 종묘와 ㉠사직(社稷)을 짓는 일이었다. 태조 3년(1394)에 착공하여 정전(正殿)을 짓고, 세종 3년(1421)에 영녕전(永寧殿)을 세웠으나, 임진왜란 때 모두 소실되어 광해군 때에 중건되었다. 이후에는 필요에 따라 ㉡증축을 반복하며 현재의 모습을 갖추었다.

핵심어 (종묘) / 조선 제대 왕 (태조 이성계) / 종묘의 중심 건물로, 영녕전과 구분하여 태묘라 부르기도 함 (정전)

나 지금의 종묘는 정전과 영녕전을 일컫지만, 태조 당시의 종묘는 정전만을 일컬었으며, 세종 때 건립된 영녕전은 정전에 모실 수 없는 왕과 왕비의 신위를 모신 별묘이다. 부속 건물로 어숙실, 공민왕 신당, 향대청, 망묘루, 전사청, 악공청, 칠사당 등이 있다.

다 역대 임금과 왕비의 신위를 모시던 공간인 종묘는 조선 왕조의 ㉢신전(神殿)이라고 할 수 있다. 세계적 건축물로서의 신전을 떠올리면 그리스의 파르테논이나 로마의 판테온을 생각하겠지만, 종묘는 이들과 견주어도 ㉣손색이 없는 우리 문화유산이다.

유교 국가로서 조선 왕조의 역대 임금과 왕비의 신위를 모신 성지이므로 신전의 일종이라 할 수 있음 / 그리스 아테네의 아크로폴리스에 있는 신전 (파르테논) / 동아시아의 유교적 왕실 제례 건축으로서도 공간 계획 방식이 매우 독특하며 장엄한 건축물임

라 종묘의 중심 건물은 정전이다. 종묘 정전은 동시대 단일 목조 건축물 중 연건평 규모가 가장 크지만, 장식적이지 않고 유교의 검소함과 엄숙함이 깃든 건축물이다. 본래 7칸이었지만 왕조의 역사가 쌓이면서 19칸으로 증축된 정전은 매우 긴 정면과 수평성이 강조된 건물로, 가로 109미터 세로 69미터의 월대 위로 폭 101미터의 전각이 일체를 이루며 길게 서 있어, 세계에서도 유래를 찾기 힘든 예외적인 건축물로 꼽힌다. 또한 유교 문화의 오랜 정신적 전통인 조상 숭배 사상과 제사 의례를 바탕으로 왕실의 주도하에 엄격한 형식에 따라 지어졌으며, 현재에도 조선 시대의 원형을 유지하고 있다.

우리나라에서 단일 목조 건축으로는 가장 긴 건축물임 / 장엄하고 웅장한 건축물이면서 동시에 수수함과 엄숙함을 지니고 있음 / 서쪽에서 동쪽으로 길이를 늘려 증축했기에 건물의 중심축이 옮겨지며 모든 것이 중심축을 따라 이동했음에도, 증축의 흔적을 찾기 어려울 정도로 정교함 / 신주가 늘어남에 따라 계속 증축되어 길어진 것으로, 건축물의 조성 방법 중에는 상당히 특이한 것임 / 보존 상태가 매우 우수함

마 종묘 정문인 신문(神門)에 들어서면 깊고 장엄한 맞배지붕이 보는 이를 압도한다. 또한 거친 ㉤박석이 불규칙하면서도 단정하게 깔린 월대는 보는 이의 가슴 높이에서 펼쳐지며, 종묘 정전의 영역을 고요한 침묵의 공간이자 영혼의 공간으로 만들어 준다.

맞배지붕의 3칸 문으로, 중앙의 문은 신로와 연결되는데 신로는 혼령만이 다닐 수 있는 길임

바 종묘는 사적 제125호, 정전은 국보 227호이며, 1995년에는 유네스코 세계 문화유산으로 지정되었다. 또한 2001년에는 종묘 제례 및 종묘 제례악이 국내 최초로 유네스코 「인류 구전 및 무형 유산 걸작」에 등재되어, 건축물로서의 종묘뿐만 아니라 문화로서의 종묘 제례까지 모두 세계로부터 인정받게 된 것이다.

종묘와 종묘 제례의 가치

독해 체크

■ **이 글의 핵심 화제**

(종묘)의 건축적 특징과 가치

■ **문단별 중심 내용**

- 1문단: (종묘)의 뜻과 역사
- 2문단: 종묘의 (중심) 건물과 부속 건물에 대한 소개
- 3문단: 우리 문화유산인 종묘의 (세계적) 위상
- 4~5문단: 문화유산이자 건축물로서의 종묘 (정전)의 가치와 아름다움
- 6문단: (유네스코)에 유형 및 무형의 유산으로 등재된 종묘 및 종묘 제례(악)

■ **핵심 내용의 구조화**

종묘(종묘 정전)

종묘 및 정전 - 유형	종묘 제례 및 종묘 제례악 - 무형
종묘는 사적 제125호, 정전은 국보 227호로서, 1995년에 유네스코 (세계 문화유산)으로 지정됨	국내 최초로 유네스코 「인류 구전 및 무형 유산 걸작」에 등재됨

↓

종묘의 가치

종묘는 조선 시대에 역대 임금과 왕비의 (신위)를 모시던 왕실의 사당으로, 유교 문화의 오랜 정신적 전통인 조상 숭배 사상과 제사 의례를 바탕으로 왕실의 주도하에 엄격한 형식에 따라 지어진 검소함과 (엄숙함)이 깃든 건축물임

1 (나)에서 '지금의 종묘는 정전과 영녕전을 일컫지만, 태조 당시의 종묘는 정전만을 일컬었'다고 하였으므로, 태조가 건립할 당시의 종묘는 정전만을 일컬었음을 알 수 있다.

오답 풀이 ① (가)에서 '종묘는 조선 시대에 역대 임금과 왕비의 신위를 모시던 왕실의 사당으로, 조선 왕조를 대표하는 문화유산이다.'라고 한 데서 알 수 있다.
② (가)에서 종묘는 태조 때 정전을 짓고 세종 때 영녕전을 세웠으나, 임진왜란 때 모두 소실되어 광해군 때에 중건되었다고 한 데서 알 수 있다.
④ (바)에서 종묘는 사적 제125호이며, 1995년에는 유네스코 세계 문화유산으로 지정되었고, 2001년에는 종묘 제례 및 종묘 제례악이 국내 최초로 유네스코 「인류 구전 및 무형 유산 걸작」에 등재되어, 건축물로서의

종묘뿐만 아니라 문화로서의 종묘 제례까지 모두 세계로부터 인정받게 되었다고 한 데서 알 수 있다.

❺ (가)에서 조선은 유교를 통치 이념으로 삼아 건국한 왕조였기에 태조 이성계가 궁궐을 짓는 일보다도 먼저 한 일이 종묘와 사직을 짓는 일이었다고 하였으므로, 유교가 근본이념인 조선 왕조에서 종묘는 사직과 더불어 가장 중요한 건축물이었음을 알 수 있다.

2 이 글로 보아, 유교를 통치 이념으로 삼아 건국된 조선 왕조에서 종묘는 다른 어떤 건축물보다도 중요하고 상징적인 공간이었으며, 종묘 제례는 그런 공간에서 행해지는 왕실의 중요하고 엄숙한 행사였음을 짐작할 수 있다. 또한 (라)로 보아, 종묘 정전은 동시대 단일 목조 건축물 중 연건평 규모는 가장 크지만, 장식적이지 않고 유교의 검소함과 엄숙함이 깃든 건축물이며, 본래 7칸이었지만 왕조의 역사가 쌓이면서 19칸으로 증축되었으므로 ⑤는 적절하지 않다.

오답 풀이 ❶ (가)에서 '종묘는 조선 시대에 역대 임금과 왕비의 신위를 모시던 왕실의 사당으로, 조선 왕조를 대표하는 문화유산'이라고 하였으므로 종묘와 종묘 제례는 조선 왕조의 문화를 대표하는 가장 중요한 공간이자, 의식이었음을 짐작할 수 있다.

❷ (가)에서 '한양 천도를 결정한 태조 이성계가 궁궐을 짓는 일보다도 먼저 한 일이 바로 좌묘우사(左廟右社)의 원칙에 따라 종묘와 사직을 짓는 일이었다.'라고 한 데서, 종묘와 종묘 제례가 조선 왕조에서 매우 중요한 의미를 가졌음을 짐작할 수 있다.

❸ (바)에서 종묘는 1995년에는 유네스코 세계 문화유산으로 지정되었고, 2001년에는 종묘 제례 및 종묘 제례악이 국내 최초로 유네스코 「인류 구전 및 무형 유산 걸작」에 등재되어, 건축물로서의 종묘뿐만 아니라 문화로서의 종묘 제례까지 모두 세계로부터 인정받게 되었다고 하였다. 유형의 종묘와, 무형의 종묘 제례 및 종묘 제례악이 모두 유네스코 세계 문화유산으로 등재된 것에서 그 가치를 짐작할 수 있다.

❹ (가)에서 '종묘는 조선 시대에 역대 임금과 왕비의 신위를 모시던 왕실의 사당'이라고 하였으므로 종묘는 죽음과 영혼을 위한 공간이라고 할 수 있다. 특히 (라)에서 종묘의 중심 건물인 '정전은 동시대 단일 목조 건축물 중 연건평 규모가 가장 크지만, 장식적이지 않고 유교의 검소함과 엄숙함이 깃든 건축물'이라고 하였으므로, 종묘는 죽음과 영혼을 위한 장엄하고 엄숙한 공간이라고 할 수 있다.

3 ㉡ '증축'의 사전적 의미는 '이미 지어져 있는 건축물에 덧붙여 더 늘리어 지음'이다. ②의 '절이나 왕궁 따위를 보수하거나 고쳐 지음'을 뜻하는 단어는 '중건'이므로 적절하지 않다.

오답 풀이 ❶ ㉠ '사직(社稷)'은 '조선 시대에 임금이 백성을 위하여 토신과 곡신을 제사하던 제단'이라는 뜻이므로 적절하다.

❸ ㉢ '신전(神殿)'은 '신령을 모신 전각(殿閣)'이라는 뜻이므로 적절하다.

❹ ㉣ '손색'은 '다른 것과 견주어 보아 못한 점'이라는 뜻이므로 적절하다.

❺ ㉤ '박석'은 '얇고 넓적한 돌'이라는 뜻이므로 적절하다.

+ 어휘 체크

• ㉢ – 종묘 ㉣ – 신위 ㉠ – 사당 ㉤ – 유교 ㉡ – 전각

본문 086~089쪽

예술 02 만화의 매력은 무엇일까?

1 ② 2 ④ 3 ②

가 남녀노소를 ㉠불문하고 만화는 많은 사람들에게 사랑받는 매체이다. 그렇다면 만화의 어떤 특성이 사람들을 끌어당기는 것일까?

핵심어

나 사람들이 만화를 즐겨 보는 이유는 우선 재미있기 때문이다. '한 번 손에 쥐면 먹고 자는 일도 귀찮아지는 책'이 만화이다. 만화에는 사람을 푹 빠지게 하는 그 무엇이 있다. 그를 통해 만화는 우리의 기억 속에 오래 ㉡남는다. 「칸, 페이지, 이야기」의 저자 베노와 페터즈에 따르면 누구나 자기 기억 속에 한 개 이상 '잊을 수 없는 만화의 칸' 혹은 '잊을 수 없는 장면'을 갖고 있다고 한다. 그 그림은 실제와 똑같은 것이 아니라, 자신의 기억이 만들어 내거나 변형한 그림인 경우가 많다고 한다. 이는 만화의 이미지가 어떻게 우리의 기억 속에 갈무리되는지를 말해 주는 흥미로운 사례이다.

만화를 좋아하는 이유 ① / 먹고 자는 일도 귀찮아질 정도로 만화가 재미있다는 의미임 / 재미있는 만화에 푹 빠지게 되면 만화의 내용이나 장면이 오래 기억에 남음

다 또한, 사람들이 만화를 ㉢좋아하는 이유는 가볍기 때문이다. 무거운 만화도 있으나 대체로 만화는 낙서같이 자유롭다. 이러한 자유는 만화의 중요한 요소이다. 독자들은 만화를 읽으면서 주류 문화의 권위나 엄숙성을 뛰어넘어 즐거움과 해방감을 느낀다. 유머와 상상은 저항과 전복의 주요한 수단이다. 환상적이고 현실 도피적인 것, 기상천외하고 극단적인 것에 대한 추구는 극화 만화의 일반적인 경향이다. 이것도 본질적으로는 이성의 해방이자, 일탈과 저항의 기능을 갖는다.

만화를 좋아하는 이유 ② / 만화의 자유로움이 주는 효과 / 극화 만화의 일반적인 경향 - 환상적이고 현실 도피적, 기상천외하고 극단적

라 위에서 말한 만화의 특성은 사실 만화를 보고 즐기는 방식의 특징이지, 만화 그 자체의 매력으로 보기는 어렵다. 그러면 만화의 근원적인 매력은 무엇일까? 그것은 만화가 갖고 있는 '칸과 칸 사이의 관계'와 '만화 작가의 독특한 회화적 표현'이다. 만화 독자는 대개 각 칸을 따라 시선을 이동하지만, 사실 「만화에 의해 촉발된 독자의 상상력이 작용하는 공간은 칸과 칸 사이의 여백이다. 독자는 하나의 칸과 다음 칸 사이의 틈에서 등장인물의 행동이나 장면의 상호 관련성을 통해 생략된 내용을 ㉣잡아내고 음미하면서 사건이나 이미지를 형성한다. 또한 만화는 한 쪽이나 양쪽 전체를 한눈에 볼 수 있는 팬옵티콘(panopticon)과 같은 시각 장치를 가진 형식이다.」 만화 작가마다 혹은 작품마다 다르게 나타나는 개성은 작품에 담긴 그래픽이나 회화적 표현과 ㉤떼어 놓고 생각할 수 없는 것이다.

만화를 보고 즐기는 방식의 특징 - ① 재미있고 기억 속에 오래 남음, ② 가볍고 자유로움 / 만화 매체로서의 본질적 특성 / 「 」: 만화의 칸과 칸 사이에서 상상력이 작용하게 하고, 전체를 한눈에 시각적으로 볼 수 있음 / 독자의 상상력이 작용하는 공간 / 만화의 생략된 내용을 생각해 내면서 사건이나 이미지를 형성하게 하는 요소

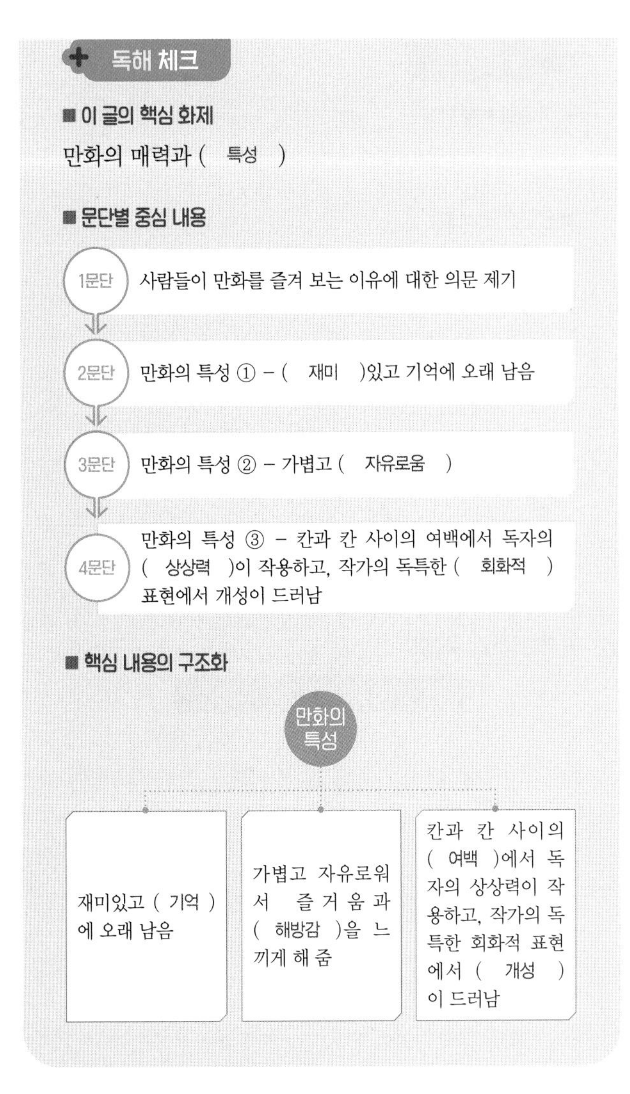

1 이 글은 사람들이 만화를 즐겨 보는 이유를 만화의 특성을 중심으로 설명하고 있다. 만화는 재미있고 오래 기억에 남는다는 점, 가볍고 자유롭다는 점, 칸과 칸 사이의 여백에서 독자의 상상력이 작용한다는 점, 전체를 한눈에 볼 수 있다는 점, 작가의 독특한 회화적 표현에서 개성이 드러난다는 점을 그 특성으로 제시하고 있다. 따라서 글쓴이가 이 글을 쓴 의도는 만화의 특성에 대해 설명하기 위해서이다.

오답 풀이 ❶ 이 글에서 글쓴이는 만화의 특성을 설명하고 있지, 자신이 그린 만화를 홍보하고 있지 않다.

❸ 이 글에는 만화가와 독자의 올바른 관계 형성에 대한 내용은 제시되어 있지 않다.

❹ 이 글은 많은 사람들에게 사랑받는 만화의 매력과 특성에 대해 설명하고 있지, 사람들이 만화에 대해 가지고 있는 편견에 대한 내용은 제시되어 있지 않다.

❺ 이 글에서 만화는 많은 사람들에게 사랑받는 매체이고, 사람들을 끌어당기는 만화의 특성(매력)에 대해 설명하고 있으므로, 시장되어 가는 만화에 대한 관심을 촉구하기 위해 글을 썼다는 진술은 적절하지 않다.

2 (라)에서 '만화 독자는 대개 각 칸을 따라 시선을 이동하지만, 사실 만화에 의해 촉발된 독자의 상상력이 작용하는 공간은 칸과 칸 사이의 여백'이라고 하였고, '독자는 하나의 칸과 다음 칸 사이의 틈에서 등장인물의 행동이나 장면의 상호 관련성을 통해 생략된 내용을 잡아내고 음미하면서 사건이나 이미지를 형성한다'고 하였으므로 만화에 의해 촉발된 독자의 상상력이 작용하는 공간은 칸과 칸 사이의 여백임을 알 수 있다. 따라서 칸과 칸 사이의 여백에서 독자의 상상력이 작용한다는 만화의 특성을 고려할 때, 두 칸만으로 이루어져 있어 독자의 상상력이 배제되고 있다는 ④의 반응은 적절하지 않다.

오답 풀이 ❶, ❸ (다)에서 만화는 가볍고 낙서같이 자유롭다고 하였고, 독자들은 이러한 만화를 읽으면서 즐거움과 해방감을 느낀다고 하였으므로 적절한 반응이다.

❷ (라)에서 '만화는 한 쪽이나 양쪽 전체를 한눈에 볼 수 있는 팬옵티콘(panopticon)과 같은 시각 장치를 가진 형식이다.'라고 하였으므로 적절한 반응이다.

❺ (라)에서 작품에 담긴 그래픽이나 회화적 표현에서 만화 작가마다 혹은 작품마다 개성이 다르게 나타난다고 하였다. 〈보기〉에서 놀라고 당황하는 모습을 표현하기 위해 '뜨허, 헐'과 같은 문자에 나타난 그래픽 요소도 의미를 전달하는 데 중요한 역할을 하므로 적절한 반응이다.

3 ㉡의 '남다'는 '잊히지 않거나 뒤에까지 전하다.'의 의미이므로 '깨달아 알게 되다.'를 뜻하는 '각성되다'와 바꾸어 쓰는 것은 적절하지 않다. '머릿속에 새겨 넣듯 깊이 기억되다.'를 뜻하는 '각인되다'와 바꾸어 쓸 수 있다.

오답 풀이 ❶ ㉠의 '불문하다'는 '가리지 아니하다.'의 의미이므로 '가리지 않고'와 바꾸어 쓰기에 적절하다.

❸ ㉢의 '좋아하다'는 '어떤 일이나 사물 따위에 대하여 좋은 느낌을 가지다.'의 의미이므로, '여럿 가운데서 특별히 가려서 좋아하다.'를 뜻하는 '선호하다'와 바꾸어 쓸 수 있다.

❹ ㉣의 '잡아내다'는 '숨겨져 있는 사람이나 물건 따위를 들추어서 찾아내다.'의 의미이므로, '미처 찾아내지 못하였거나 아직 알려지지 아니한 사물이나 현상, 사실 따위를 찾아내다.'를 뜻하는 '발견하다'와 바꾸어 쓸 수 있다.

❺ ㉤의 '떼어 놓다'는 '붙어 있거나 잇닿은 것을 떨어지게 해 놓다.'는 의미이므로, '서로 나누어 떨어지게 하다.'를 뜻하는 '분리하다'와 바꾸어 쓸 수 있다.

더 알아두기 팬옵티콘(panopticon)

팬옵티콘의 어원은 그리스어로 '모두'를 뜻하는 'pan'과 '본다'를 뜻하는 'opticon'을 합성한 것이다. 영국의 철학자이자 법학자인 제러미 벤담이 소수의 감시자가 자신을 드러내지 않고 모든 수용자를 감시할 수 있는 형태의 감옥을 제안하면서 이 말이 만들어졌다. 이 감옥은 중앙의 원형 공간에 높은 감시탑을 세우고, 중앙 감시탑 바깥의 원 둘레를 따라 죄수들의 방을 만들도록 설계되어 죄수들의 상황을 한눈에 파악할 수 있다. 벤담은 자신의 제안서에서 이 감옥의 장점을 드러낼 수 있도록 '진행되는 모든 것을 한눈에 파악할 수 있는 능력'을 의미하는 '팬옵티콘'이라고 부를 것이라고 하였다.

어휘 체크

1 남녀노소 – 소음 – 음미 – 미상불 – 불문 – 문답식
2 (1) 전복 (2) 주류 (3) 기상천외

본문 090~093쪽

예술 03 브람스가 만든 음악적 옷

1 ④   2 ③   3 ⑤

가 악기를 사용하여 연주하는 음악 중에서 문학, 극, 미술 등 다른 예술과는 어떤 관련도 갖지 않고 오직 음의 순수한 예술성만을 추구하는 음악(절대 음악의 뜻)을 '절대 음악'이라고 한다. 절대 음악은 「음악의 제목에도 음악 자체에 대한 정보만을 나타낼 뿐, ⓐ무엇인가를 그려 내거나 자세하게 보여 주는 내용은 담지 않는다.」(「 」: 절대 음악의 특징) 반면에 '표제 음악'은 어떤 이야기나 내용을 표현한 음악으로, 음악을 통해 ⓑ현실 세계의 모습을(표제 음악의 뜻) 나타낸 것이다. 표제 음악은 제목에도 어떤 대상을 묘사하는 내용을 담고 있다.(표제 음악의 특징 / 제목에서 곡의 내용을 알 수 있음)

나 요하네스 브람스(Johanes Brahms)는 절대 음악을 대표하는 독일 작곡가이다. 브람스는 음악의 진정한 의미란 ⓒ음악 이외의 것들에서(문학, 글, 미술 등 다른 예술과 관련된 것들) 오는 것이 아니라 음악 자체에서(음의 순수한 예술성만을 추구하는 음악) 생긴다고 생각하였다. 이런 면에서 브람스는 오늘날 위대한 작곡가로 존경받고 있지만, 브람스가 살아 있을 때에는 좋은 평가만을 받았던 것은 아니다. 차이콥스키 같은 위대한 음악가들도 브람스의 음악(핵심어)을 '메마른 음악, 무기력한 음악, 창의성이 없는 음악'(브람스가 살아 있을 때 받았던 혹평들)이라고 혹평하였다.

다 브람스 음악에 대한 부정적 평가 중 가장 대표적인 내용은 독창성이 없다는 것이다(이유 - 표제 음악의 특성을 지니지 않으므로). 그래서 오스트리아의 작곡가인 볼프(Hugo Wolf)는 브람스의 음악에 대해 '브람스는 없는 것에서 있는 것을 만들어 내는 하느님 같은 재주를 가졌다.'(이유 - 특별한 이야기나 내용을 담고 있지 않으므로)라고 비꼬기도 하였다. 물론 브람스의 음악은 ⓓ특별한 이야기나 내용을 담고 있지 않다는 점에서 의미가 없는 음악처럼 보일 수도 있다. ㉠다만 '없는 것'이라는 말은 볼프의 눈에 보이는 어떤 것이 없었다는 그만의 생각일 뿐이다.(브람스 음악이 독창성이 없다는 부정적 평가에 대한 반박)

라 브람스의 입장에서 볼 때 자신의 눈으로만 볼 수 있는 음들이 있었다. 그는 그 음들을 옷감으로 삼아 하나하나 엮어 가며 자신만의 음악적 옷을 만들고 있었다.(브람스 음악이 지닌 특징을 디자이너가 옷감들을 엮어 하나의 옷을 만드는 과정에 비유함) 옷이 다 만들어지기 전에 각각의 옷감에서 옷 전체의 모습을 찾을 수는 없다. 그러나 그 옷감들이 모여 하나의 옷이 만들어지면 그 결과는 달라진다. 즉, 「음 하나하나 자체로서는 별 의미가 없는 것 같지만, 음악을 전체적으로 보면 서로 대조되는 악장이 ⓔ하나의 전체로 '발전'해 나가는 것이다.」(「 」: 브람스의 음악이 지닌 특징) 결국 옷감이 디자이너의 생각대로 배열되고 엮어져 하나의 옷이 만들어지는 것과 같이, 브람스는 의미 없어 보이는 하나하나의 음을 통해 음악적 주제를 발전시키고 이를 하나의 새로운 음악으로 탄생시킨 것이라 할 수 있다.(브람스의 음악이 독창적인 이유)

독해 체크

■ 이 글의 핵심 화제

(브람스)의 음악이 지닌 특징과 그 의미

■ 문단별 중심 내용

- 1문단: (절대 음악)과 (표제 음악)의 차이
- 2문단: 음악에 대한 (브람스)의 생각과 브람스 음악에 대한 평가
- 3문단: 브람스 음악에 대한 (부정적) 평가 내용
- 4문단: 브람스 음악의 특징과 그 (의미)

■ 핵심 내용의 구조화

표제 음악과 절대 음악의 차이

표제 음악		절대 음악, (브람스)의 음악
• 어떤 (이야기)나 내용을 표현함 • 음악을 통해 (현실 세계)의 모습을 나타낸 것임 • 제목에 어떤 대상을 (묘사)하는 내용을 담고 있음	↔	• 오직 음의 순수한 (예술성)만을 추구함 • 음악의 (제목)에 음악 자체에 대한 정보만을 나타냄 • 음악의 진정한 (의미)란 음악 자체에서 생긴다고 생각함 • 의미 없어 보이는 하나하나의 음을 통해 음악적 주제를 (발전)시키고 하나의 새로운 음악으로 탄생시킴

1 이 글에서는 표제 음악과 절대 음악의 특징 및 브람스 음악의 특징을 설명하고 있기는 하지만, 이러한 특징을 설명하기 위해 구체적인 예를 들고 있지는 않다.

오답 풀이 ① (가)에서는 서로 대립되는 이론인 절대 음악과 표제 음악의 차이점을 설명하고 있다.
② (나)를 보면, 브람스는 오늘날 위대한 작곡가로 존경받고 있지만, 브람스가 살아 있을 때에는 좋은 평가만을 받았던 것은 아니라고 하였다.
③ (다)에서 브람스 음악에 대한 부정적 평가 중 가장 대표적인 내용은 독창성이 없다는 것이라고 하였고, 그래서 오스트리아의 작곡가인 볼프가 브람스 음악에 대해 비판 발을 인용하여 브람스 음악에 대한 그의 생각을 드러내고 있다.
⑤ (라)에서 옷감이 디자이너의 생각대로 배열되고 엮어져 하나의 옷이 만들어지는 것과 같이, 브람스의 음악은 의미 없어 보이는 음들을 옷감으로 삼아 하나하나 엮어 가며 음악적 주제를 발전시키고 새로운 음악으로 탄생시킨 것이라고 하면서 브람스 음악의 특징을 옷이 만들어지는 과정에 빗대어 이해하기 쉽게 설명하고 있다.

2 ㉠은 브람스의 음악에 대해 독창성이 없다고 비판한 오스트리아의 작곡가 '볼프'의 주장을 반박한 내용이다. 따라서 ㉠의 근

거를 찾기 위해서는 이어지는 내용에서 브람스의 음악이 독창적이라는 근거를 찾아야 한다. (라)을 보면, '브람스는 의미 없어 보이는 하나하나의 음을 통해 음악적 주제를 발전시키고 이를 하나의 새로운 음악으로 탄생'시켰다는 내용을 확인할 수 있다. 즉 브람스가 새로운 음악을 만들어 냈다는 점에서 '볼프'의 주장과 달리 브람스의 음악이 독창성이 있다는 것이다.

오답 풀이 ❶ (라)를 보면, 브람스는 의미 없어 보이는 하나하나의 음들을 엮어 새로운 음악으로 탄생시켰기 때문에 독창성이 있다는 것이다. '다른 사람의 음악을 따라한 것이 아니므로 브람스의 음악이 독창적'이라는 내용은 이 글에 제시되어 있지 않다.
❷ (나)를 보면, 브람스는 '절대 음악을 대표하는 독일 작곡가'로, '음악의 진정한 의미란 음악 이외의 것들에서 오는 것이 아니라 음악 자체에서 생긴다'고 생각하였다. 따라서 브람스의 음악이 현실 세계의 모습을 그려 낸 것이라는 설명은 적절하지 않다. 음악을 통해 현실 세계의 모습을 나타낸 것은 표제 음악의 특징이다.
❹ ㉠은 브람스의 음악이 독창성이 없다는 '볼프'의 부정적 평가를 반박하는 내용이다. 따라서 브람스의 음악이 독창성이 있다는 근거를 찾아야 하는데 브람스 음악은 음악 자체에 대한 정보만을 담고 있다는 내용만으로 브람스의 음악이 독창적이라고 할 수는 없다. 또한 (가)를 보면, 음악 자체에 대한 정보만을 담고 있는 것은 절대 음악의 제목이 지닌 특징이다.
❺ 독창적이란 '다른 것을 모방함이 없이 새로운 것을 처음 만들어 내거나 생각해 내는 것'을 말한다. 따라서 브람스가 살아 있을 때와 달리 오늘날 긍정적인 평가를 받는다고 해서 독창적이라고 할 수는 없다.

3 (라)에서 '음 하나하나 자체로서는 별 의미가 없는 것 같지만, 음악을 전체적으로 보면 서로 대조되는 악장이 하나의 전체로 발전해 가는 것'이라고 하면서 브람스 음악이 지닌 특징에 대해 설명하고 있다. 따라서 ⓔ '하나의 전체로 발전'해 나가는 것은 절대 음악을 대표하는 브람스 음악의 특징과 관련되고 ⓐ, ⓑ, ⓒ, ⓓ는 표제 음악의 특징과 관련된다.

오답 풀이 ❶ (가)에서 절대 음악은 음악의 제목에도 음악 자체에 대한 정보만을 나타낼 뿐, 무엇인가를 그려 내거나 자세하게 보여 주는 내용은 담지 않는다고 하였으므로 ⓐ는 표제 음악의 특징과 관련된다.
❷ (가)에서 표제 음악은 어떤 이야기나 내용을 표현한 음악으로, 음악을 통해 현실 세계의 모습을 나타낸 것이라고 하였으므로 ⓑ는 표제 음악의 특징과 관련된다.
❸ (가)에 의하면, 절대 음악은 문학, 극, 미술 등 다른 예술과는 어떤 관련도 갖지 않고 오직 음의 순수한 예술성만을 추구하는 음악으로, (나)에서 절대 음악을 대표하는 브람스는 음악의 진정한 의미란 음악 이외의 것들에서 오는 것이 아니라 음악 자체에서 생긴다고 생각하였으므로 ⓒ는 표제 음악의 특징과 관련된다.
❹ (가)에 의하면, 표제 음악은 어떤 이야기나 내용을 표현한 음악으로, (다)에서 브람스의 음악은 특별한 이야기나 내용을 담고 있지 않다는 점에서 의미가 없는 음악처럼 보일 수도 있다고 하였으므로 ⓓ는 표제 음악의 특징과 관련된다.

+ 어휘 체크

• ㉡ – 무기력 ㉤ – 악장 ㉣ – 독창성 ㉢ – 묘사 ㉠ – 혹평

예술 04 초상화를 그리는 방법

1 ③ 2 ④ 3 ②

가 미술에서 '프로파일(profile)'은 사람의 측면을 묘사함으로써 인물의 핵심적인 특징을 ⓐ뽑아낸 그림을 가리킨다. 서양에서는 중세 말에서 르네상스 무렵에 이런 프로파일 초상화가 많이 그려졌다. 그에 비해 우리나라를 비롯한 동양에서는 프로파일 초상화가 거의 발달하지 않았다. 동양, 특히 중국에서는 오히려 정면 상이 발달하였다. 대상의 인품과 특징을 압축적으로 나타내기에 정면 상이 더 적합하다고 여겼기 때문이다. 서양에서도 정면 상을 그렸지만 그 빈도가 동양보다 낮다.
(미술에서의 '프로파일'의 뜻 / 핵심어)

나 측면과 정면 중 인물의 특징을 더 잘 나타내는 것은 어느 쪽일까? 우선 동물들의 이미지를 떠올려 보자. 『동물들을 그릴 때 정면, 측면, 윗면 가운데 어느 면이 제일 먼저 떠오르는가? 먼저 말을 그려 보자. 말은 일반적으로 옆에서 본 이미지가 가장 먼저 떠오른다. 물고기는 어떤가? 그것도 옆에서 본 이미지이다. 도마뱀을 그려 본다면? 위에서 본 이미지가 제일 먼저 떠오를 것이다.』 이런 것들이 우리의 머릿속에 각인된 전형적인 이미지 면이다.
(『 』: 질문을 제시하여 독자의 관심을 유발하고, 우리의 머릿속에 각인된 전형적인 이미지 면을 통해 / 질문에 대한 답을 제시함 / 이유 – 말을 떠올릴 때 우리의 머릿속에 각인된 전형적인 이미지 면이 측면이기 때문)

다 그렇다면 사람은 어떤가? 사람은 다른 동물과 달리 두 개의 경쟁적인 이미지 면을 동시에 갖고 있다. 고대 이집트의 벽화가 이를 잘 보여 준다. 이집트 벽화 중에 귀족 '네바문'을 그린 그림이 있다. 얼굴과 다리는 측면에서 본 모습이고, 가슴과 눈은 정면에서 본 모습을 그린 것이다. 해부학적으로 불가능한 구성 혹은 자세이지만, 이 그림뿐 아니라 ㉠고대 이집트 벽화 대부분이 이런 식으로 그려졌다. 이 혼합 형식으로부터 우리가 확인할 수 있는 것은, 인간이 신체 부위에 따라 정면이 먼저 떠오르기도 하고 측면이 먼저 떠오르기도 하는 존재라는 사실이다.
(하나의 전형적인 이미지 면을 갖고 있는 동물과 두 개의 경쟁적인 이미지 면을 갖고 있는 사람을 대조 / 두 개의 경쟁적인 이미지 면을 동시에 갖고 있는 사람의 모습을 잘 보여 주는 그림의 예 / 두 개의 경쟁적인 이미지 면(정면과 측면)을 동시에 갖고 있는 사람의 모습을 그린 혼합 형식임 / '사람은 어떤가?'(사람을 그릴 때 정면, 측면, 윗면 가운데 어느 면이 제일 먼저 떠오르는가?)에 대한 답을 제시함)

라 이렇듯 인간이 두 개의 이미지 면을 동시에 갖고 있기 때문에 동서양 모두 두 이미지 면을 한꺼번에 나타내는 '부분 측면 상'을 발달시켰다. 부분 측면 상은 사람을 완전히 옆에서 보는 것이 아니라 비스듬히 옆에서 보는 것이다. 그러면 『정면과 측면의 특징을 동시에 드러낼 수 있다. 그에 비해 고대 이집트 벽화는 인간의 두 이미지 면을 동시에 나타내기 위해 정면과 측면을 신체 부위에 따라 편의적으로 봉합하는 혼합 형식을 이용했다는 점』이 흥미롭다.
(동서양 모두 두 이미지 면을 한꺼번에 나타내는 '부분 측면 상'이 발달한 이유 / '부분 측면 상'은 정면과 측면의 특징을 동시에 드러낼 수 있음 / 『 』: 정면과 측면의 특징을 동시에 드러내는 '부분 측면 상'과 정면과 측면을 신체 부위에 따라 편의적으로 봉합하는 혼합 형식을 이용한 '고대 이집트 벽화'를 대조함)

독해 체크

■ 이 글의 핵심 화제

동양과 서양에서 (초상화)를 그리는 방법

■ 문단별 중심 내용

- 1문단: 서양에서는 측면 상이, 동양에서는 (정면 상)이 발달함
- 2문단: 동물들은 하나의 (전형적)인 이미지 면을 갖고 있음
- 3문단: (사람)은 정면과 측면이라는 두 개의 전형적인 이미지 면을 동시에 갖고 있음
- 4문단: 동서양 모두 두 이미지 면을 한꺼번에 나타내는 (부분 측면 상)이 발달함

■ 핵심 내용의 구조화

서양은 측면 상을, 동양은 정면 상을 많이 그림

↓

측면과 정면 중 인물의 특징을 더 잘 나타내는 것은 어느 쪽일까?

↓

사람은 측면과 정면이라는 두 개의 (전형적)인 이미지 면을 동시에 가짐

↓

동서양 모두 두 이미지를 한꺼번에 나타내는 (부분 측면 상)이 발달함

1 (가)에서 사람의 측면을 묘사한 '프로파일' 초상화가 서양에서는 많이 그려졌고, 동양에서는 정면 상이 발달하였다고 밝히고 있다. 그러면서 (나)에서 '측면과 정면 중 인물의 특징을 더 잘 나타내는 것은 어느 쪽일까?', '동물들을 그릴 때 정면, 측면, 윗면 가운데 어느 면이 제일 먼저 떠오르는가?', '물고기는 어떤가?, 도마뱀을 그려 본다면?', (다)에서 '그렇다면 사람은 어떤가?' 등의 질문을 제시하여 독자의 관심과 참여를 유도하고 있으며, 질문에 대한 답을 동물들과 사람이 갖고 있는 전형적인 이미지 면을 들어 제시하고 있다.

오답 풀이 ❶ (가)에서는 사람의 측면을 묘사함으로써 인물의 핵심적인 특징을 뽑아낸 그림인 '프로파일' 초상화가 서양에서 많이 그려졌고, 동양에서는 거의 발달하지 않았다고 하면서 '프로파일' 초상화에 대한 동서양이 서로 다른 상황에 대해 제시하고 있지, 글쓴이가 실제로 해 보거나 겪어 본 일에 대한 이야기를 제시하고 있지는 않다.
❷ 동서양의 초상화를 그리는 방식(측면 상, 정면 상, 부분 측면 상)에 대해 설명하면서 권위 있는 자료나 전문가의 말을 인용하고 있지는 않다.
❹ (나)에서 '측면과 정면 중 인물의 특징을 더 잘 나타내는 것은 어느 쪽일까?', '동물들을 그릴 때 정면, 측면, 윗면 가운데 어느 면이 제일 먼저 떠오르는가?', (다)에서 '그렇다면 사람은 어떤가?' 등의 질문에 대한 답을 동물들과 사람이 갖고 있는 전형적인 이미지 면을 예로 들어 제시하였고, (라)에서 인간이 두 개의 이미지 면을 동시에 갖고 있기 때문에 동서양 모두 두 이미지 면을 한꺼번에 나타내는 '부분 측면 상'을 발달시켰다는 사실을 제시하고 있다. 따라서 널리 퍼져 있는 잘못된 인식은 나타나 있지 않으며, 이를 논리적으로 반박하며 자신의 견해를 밝히고 있지도 않다.
❺ 전반부인 (가)에서는 사람의 측면을 묘사함으로써 인물의 핵심적인 특징을 뽑아낸 그림인 '프로파일' 초상화가 서양에서 많이 그려졌고, 동양에서는 거의 발달하지 않았다고 하면서 대조의 방법을 사용하여 동서양에서 '프로파일' 초상화를 그리는 것에 대한 차이점을 드러내고 있다. 후반부인 (라)에서는 인간이 두 개의 이미지 면을 동시에 갖고 있기 때문에 동서양 모두 두 이미지 면을 한꺼번에 나타내는 '부분 측면 상'을 발달시켰다고 하면서 비교의 방법을 사용하여 공통점을 드러내고 있다. 또한 '부분 측면 상'이 정면과 측면의 특징을 동시에 드러내는 데 비해, '고대 이집트 벽화'에서는 정면과 측면을 신체 부위에 따라 편의적으로 봉합하는 혼합 형식을 이용했다고 하면서 대조의 방법을 통해 차이점을 드러내고 있다. 따라서 전반부인 (가)에서는 대조의 방법을 사용하여 차이점을 드러내고 있고, 후반부인 (라)에서는 비교·대조의 방법을 사용하여 공통점과 차이점을 드러내고 있다.

2 (다)에서 사람은 다른 동물과 달리 두 개의 경쟁적인 이미지 면을 동시에 갖고 있는데 고대 이집트 벽화가 이를 잘 보여 준다고 하면서 이집트 벽화 중에 귀족 '네바문'을 그린 그림을 예로 들고 있다. 이 그림은 얼굴과 다리는 측면에서 본 모습이고, 가슴과 눈은 정면에서 본 모습을 그린 것이라고 하였으므로 ④가 가장 적절하다.

오답 풀이 ❶ 얼굴과 눈은 정면에서 본 모습이고, 가슴과 다리는 측면에서 본 모습을 그린 것이므로 적절하지 않다.
❷ 다리는 정면에서 본 모습이고, 얼굴과 눈과 가슴은 측면에서 본 모습을 그린 것이므로 적절하지 않다.
❸ 얼굴과 눈과 가슴과 다리 모두 정면에서 본 모습을 그린 것이므로 적절하지 않다.
❺ 얼굴과 가슴과 눈과 다리 모두 측면에서 본 모습을 그린 것이므로 적절하지 않다.

3 ⓐ의 '뽑아내다'는 '여럿 가운데서 어떤 것을 가려서 뽑다.'의 의미로 쓰였으며, 이와 문맥적 의미가 가장 유사한 것은 ②의 '뽑아내다'이다.

오답 풀이 ❶ '박힌 것을 잡아당기어 밖으로 뽑다.'의 의미로 쓰였다.
❸ '소리를 길게 밖으로 내다.'의 의미로 쓰였다.
❹ '무엇에 들인 돈이나 밑천 따위를 그 양만큼 거두어들이다.'의 의미로 쓰였다.
❺ '힘이나 능력, 기운 따위를 드러나게 하다.'의 의미로 쓰였다.

어휘 체크

1 (1) 빈도 (2) 압축적 (3) 전형적
2 ❶ 이미지 ❷ 지각 ❸ 각인 ❹ 벽화 ❺ 화해 ❻ 해부학

2. 긴 지문 실전

인문 **01** 철학, 삶을 만나다

본문 100~103쪽

1 ③ 2 ② 3 ④

가 우리는 늘 누군가를 사랑하기에 앞서 그 누군가가 누구인지를 알아야만 한다. 철학적으로 말한다면, 타자(他者)란 '나'와 다른 삶의 규칙을 가진 존재를 의미한다. 이런 이유 때문에 우리는 타자를 사랑하게 될 수도, 혹은 미워하게 될 수도 있다. 그러나 만약 어떤 사람의 삶의 규칙이 '나'와 완전히 동일하다면 우리는 그를 사랑하거나 미워할 수 없을지도 모른다. 사랑의 힘이란 바로 '차이'의 힘에서 나오기 때문이다. 따라서 '나'와 타자와의 바람직한 관계 형성을 위해 '나'와 다른 타자의 삶에 대해 어떤 인식과 태도를 지녀야 하는지 살펴볼 필요가 있다.

(핵심어 / 타자의 철학적 개념 / 나와 다른 삶의 규칙을 가졌기 때문임)

나 프랑스의 철학자 레비나스는 서양 철학이 타자의 문제를 제대로 다루지 못했다고 지적한다. 즉, 타자를 '나'와 동일한 삶의 규칙을 가진 존재로 보는 잘못을 범했다는 것이다. 이는 결국 '자신이 가지고 있는 삶의 규칙이 보편적인 동시에 유일한 삶의 규칙'이라는 믿음으로 확산되었고, 이로 말미암아 자신만의 삶의 규칙을 타자에게 일방적으로 강요하게 되어 결과적으로 폭력과 억압을 낳음으로써 타자와의 관계를 왜곡해 왔다고 비판한다. 레비나스의 이러한 지적은 곧 '나'와 타자와의 차이를 인식하는 일이 타자와의 관계 형성을 위한 출발점임을 분명히 밝혀 주고 있다.

(서양 철학의 관점에서 본 '나'와 타자의 관계 / 철학자의 견해를 근거로 '나'와 타자와의 관계 형성을 위해 서로의 차이를 인식해야 한다는 것을 주장함)

다 우리는 어느 순간 타자와 만나 사랑에 빠진다. 이 순간 우리는 그가 무엇을 생각하고 무엇을 원하는지 전혀 알 ㉠길이 없다. 그러나 놀랍게도 얼마 후에 우리는 그 사람이 무엇을 생각하고 무엇을 원하는지 어느 정도 알 수 있게 된다. 도대체 어떻게 이런 일이 가능해지는 것일까? 이 질문에 대답하기 위해서 하나의 비유를 들어 보겠다. '내'가 수영을 배우기 시작해서 엄청난 노력 끝에 수영을 능숙하게 할 수 있게 되었다고 가정해 보자. 그러면 이제 '나'는 물에 대해 어느 정도 알 수 있게 되었을 것이다. 물에 대해 조금이나마 알게 된 이유는 '내'가 물의 흐름에 '나' 자신을 맞출 수 있었기 때문이다. 타자와 사랑에 빠진다는 것은 물에 들어가 허우적거리는 것과 마찬가지다. 어느 순간 물에 자신을 맞출 수만 있다면 우리는 물에 뜰 수 있게 될 것이다. 마찬가지로 우리는 타자를 알 수 있게 될 때까지 타자의 삶에 자신을 맞추려는 노력을 게을리해서는 안 된다.

(묻고 답하는 방식을 통해 논의를 전개함 / '타자'의 비유 / 타자와의 관계 형성의 조건 / 타자와의 관계 형성의 가능성 / 타자가 지닌 삶의 규칙을 존중해야 하며 자신을 타자에게 맞춰 가야 함)

라 처음엔 누구나 "당신이 지금 무슨 생각을 하는지 나는 전혀 모르겠다."라고 말할 수밖에 없다. 그러나 시간이 흐른 뒤 우리는 얼굴만 보아도 어느 정도 상대방의 기분을 알 수 있게 된다. 그렇다면 불편함과 낯섦의 경험이 이처럼 편안함과 친숙함의 경험으로 변화되는 과정은 어떤 의미를 갖는 것일까? 타자와 만나서 사랑을 나눔으로써 '나'는 전혀 다른 나로 변하게 된다. 타자와 만나기 이전의 '나'는 타자와 만나 그에게 자신을 맞춤으로써 질적으로 전혀 다른 '내'가 되기 때문이다. 따라서 이러한 과정을 통해 우리는 자신만의 삶의 규칙을 강요하지 않고, 타자가 지닌 고유한 삶의 규칙을 존중함으로써 타자와의 사랑을 완성해 갈 수 있다는 사실을 깨달아야만 할 것이다.

(타자와의 바람직한 관계 형성을 위한 태도)

독해 체크

■ 이 글의 핵심 화제

(타자)와의 바람직한 관계 형성을 위한 태도

■ 문단별 중심 내용

- 1문단: 타자와의 바람직한 (관계 형성)을 위한 인식과 태도
- 2문단: 타자와의 관계 형성은 '나'와 타자와의 (차이)를 인식하는 데서 출발함
- 3문단: 자신을 (타자)의 삶에 맞추려 노력한다면 관계 형성이 가능해짐
- 4문단: '나'와 다른 타자의 삶의 규칙을 (존중)하는 태도를 가져야 함

■ 핵심 내용의 구조화

타자의 개념	타자와의 (관계 형성)의 출발점	타자와의 관계 형성을 위한 태도
타자란 ('나')와 다른 삶의 규칙을 가진 존재임	'나'와 다른 삶의 규칙을 가진 타자와의 (차이)를 인식해야 함	자신을 (타자)의 삶에 맞춰 가며, 타자가 가진 고유한 삶의 규칙을 존중해야 함

1 (가)에서는 철학적 용어로서의 '타자'의 개념을 설명하고, 이를 바탕으로 화제를 이끌어 내고 있다(ㄴ). (다)에서는 물의 흐름에 '나' 자신을 맞춤으로써 물에 대해 알 수 있게 되는 것처럼

타자의 삶에 자신을 맞춤으로써 타자를 알 수 있게 된다고 말하고 있다. 이는 유추를 이용하여 상세하게 설명함으로써 독자의 이해를 돕고 있는 것이다(ㄷ).

오답 풀이 ㄱ. 분류란 일정한 기준에 따라 나누는 것을 말하는데, 이 글에서는 타자와의 바람직한 관계 형성에 대해 분류하여 논의를 전개하고 있지는 않다.

ㄹ. (나)에서 서양 철학이 타자의 문제를 제대로 다루지 못했다는 레비나스의 비판이 제시되어 있기는 하지만, 서로 상반되는 주장을 절충하여 그 해결 방안을 제시하고 있지는 않다.

2 〈보기〉에서 노나라 임금은 (나)의 레비나스가 지적한 대로 타자를 '나'와 다른 삶의 규칙을 가진 존재로 보지 않고, 자신만의 삶의 규칙을 새(타자)에게 일방적으로 강요하여 결국 새를 죽음에 이르게 하는 잘못을 범하였다. 따라서 타자와의 바람직한 관계 형성을 위해 서로 다른 삶의 규칙(문화)을 지닌 '나'와 타자와의 차이를 분명히 인식해야 한다는 ②의 반응이 가장 적절하다.

오답 풀이 ❶ 타자와의 바람직한 관계 형성을 위해 '나'와 타자와의 차이를 인식하고, 타자의 삶에 자신을 맞추며, 타자가 지닌 고유한 삶의 규칙을 존중하는 태도를 지녀야 하지만, '나'보다 타자의 삶을 더 우선시해야 한다는 내용은 이 글에 제시되어 있지 않다.

❸ (다)에서 타자를 알 수 있을 때까지 타자의 삶에 자신을 맞추려는 노력을 해야 한다고 하였으므로, 타자와의 바람직한 관계 형성을 위해서는 타자의 삶에 관심을 가지고 자신을 타자에게 맞추려는 태도가 필요하다. 따라서 타자의 삶에 지나친 관심을 버려야 한다는 반응은 적절하지 않다.

❹ (나)에서 레비나스의 말을 인용하여 서양 철학이 '나'와 타자를 동일한 삶의 규칙을 가진 존재로 보는 잘못을 범했다고 지적하고 있다. 즉, '나'와 타자의 보편적인 삶의 규칙이 존재하기 힘들고, 오히려 서로의 차이를 인정해야 한다는 것이 이 글의 주된 내용이다.

❺ (다), (라)에서 타자의 삶에 자신을 맞추는 노력을 하고, 타자가 지닌 고유한 삶의 규칙을 존중함으로써 타자와의 사랑을 완성해 갈 수 있다고 하였으므로, '나'를 향한 타자의 사랑을 유도하는 방법을 고민해 본다는 반응은 적절하지 않다.

3 ㉠ '길'은 '방법이나 수단'이라는 문맥적 의미를 지니고 있는데, ④ 역시 문맥상 유사한 의미를 지닌다.

오답 풀이 ❶ '걷거나 탈것을 타고 어느 곳으로 가는 노정(路程)'을 의미한다.

❷ '어떤 행동이 끝나자마자 즉시'를 의미한다.

❸ '어떤 일을 하는 도중이나 기회'를 의미한다.

❺ '어떠한 자격이나 신분으로서 주어진 도리나 임무'를 의미한다.

+ 어휘 체크

• ⓔ – 보편적 ⓛ – 타자 ㉠ – 인식 ㉣ – 왜곡 ㉤ – 억압

인문 **02** **향신료를 차지하라**

본문 104~107쪽

1 ① 2 ⑤ 3 ③

가 향신료(香辛料)는 향료의 일종으로 음식에 맵거나 향기로운 맛을 더하는 조미료를 말하며, 영어로는 '스파이스(spice)'라고 한다. 향신료는 식물의 열매나 씨앗, 꽃, 뿌리, 나무껍질 등에서 얻는데, 후추, 겨자, 바닐라, 사프란, 생강, 계피, 정향, 육두구 등 그 종류가 다양하다. 우리 식탁에서 흔히 볼 수 있는 고추, 마늘, 대파도 향신료이며, 넓은 의미에서 간장, 된장, 고추장 등의 장류와 설탕, 소금도 향신료에 포함된다. 향신료는 음식의 맛과 향을 돋우고, 색을 입혀 식욕을 증진시킨다. 또한 고기의 누린내나 생선의 비린내를 ㉠잡아 주고, 소화를 돕기도 한다.

(핵심어 / 향신료의 의미 / 향신료로 쓰이는 재료들 / 다양한 향신료의 종류 / 향신료의 기능 ① / 향신료의 기능 ② / 향신료의 기능 ③ / 향신료의 기능 ④)

나 국제 무역과 교통이 발달한 오늘날 세계 곳곳의 가정에서는 다채로운 향신료를 쉽고 저렴하게 구입하여 사용하지만, 옛날에는 향신료를 얻는 일이 쉽지 않았다. 특히 중세 유럽의 귀족 사회에서 인기가 높던 동방의 향신료들은 무역을 통한 수입에 전적으로 의존했으며, 중간상이던 아랍 상인들이 생산지를 비밀로 하거나 갖가지 이유를 들어 가격을 올렸다. 이 때문에 가난한 사람들은 향신료를 맛볼 수조차 없었으며, 「한 줌의 향신료와 노예들을 바꾸거나, 여성들의 결혼 지참금으로 쓰일 정도로 향신료는 매우 귀한 식재료였다. 따라서 후추나 정향, 육두구처럼 귀한 향신료들이 무사히 배에 실려 오면 금이나 보석처럼 비싸게 팔려 나갔다.」

(현대의 가정에서는 다양한 향신료를 쉽고 저렴하게 구입함 / 옛날에는 향신료가 귀했음 / 유럽 역사에서 5세기부터 15세기까지의 시기 / 향신료가 귀했던 이유 ① - 동방의 향신료를 구하려면 위험한 해상 무역을 통해 수입해야 했음 / 향신료가 귀했던 이유 ② - 향신료 무역을 독점하던 아랍 상인들이 여러 이유로 가격을 올렸음 / 향신료는 귀족들이나 부자들의 전유물이었음 / 「 」: 중세 이후 유럽에서 향신료가 귀했음을 알 수 있는 사례)

다 그런데 유럽의 귀족들은 이렇게 귀하고 비싼 향신료를 왜 무리해서 구입했을까? 몇 가지 이유가 존재했지만 가장 큰 이유는 당시 유럽의 음식들이 맛이 없었기 때문이다. 교통이 불편하고 냉장 시설이 없던 시대였기 때문에 소금에 절인 저장육이 ㉡주식이었고, 그 외에는 북해에서 잡은 생선을 절여 건조시킨 것 정도였기 때문에 향신료를 사용해서라도 음식의 풍미를 돋우지 않으면 먹기 어려운 ㉢지경이었다.

(무리해서 향신료를 구입한 이유 / 시대적 상황 ① / 시대적 상황 ②)

라 그리하여 유럽 열강들이 마침내 스스로 향신료를 찾아 나서기에 이르렀으니, 유럽의 나라들이 앞다투어 신항로를 개척하고 신대륙을 발견하던 이른바 '대항해 시대'가 ㉣열린 것이다. 포르투갈은 16세기 초 신항로 개척과 더불어 유럽 국가들 중 가장 먼저 동남아시아로 진출하여 향신료 무역을 독점하였고, 17세기 초부터는 네덜란드가 동인도 회사를 앞세워 자카르타를 거점으로 향신료 무역을 장악하였다. 그러나 거래를 독점한 탓에

(이유 - 비싸고 귀한 향신료를 산지에서 직접 구하기 위해서 / 향신료와 차, 도자기 등을 얻고 부를 축적하기 위해 시작된 대항해 시대는 결국 아시아, 아메리카, 아프리카의 식민지화로 이어짐 / 17세기에 유럽 각국이 인도 및 동남아시아와 무역하기 위해 동인도에 세운 무역 독점 회사)

유럽의 향신료 가격은 ⓜ내려가지 않았고, 향신료 무역의 전성기를 누리던 네덜란드는 육두구를 차지하기 위해 몰루카 제도에서 영국과 분쟁을 벌이기도 했다. 영국, 프랑스 등도 17세기 초반부터 동인도 회사를 설립하여 아시아 지역의 무역을 독점하고자 대립하였고, 이는 마침내 유럽 열강의 세계 식민지화에까지 연결된다.

마 그러나 향신료 무역 전쟁은 17세기 중반부터 경쟁이 완화되었는데, 아메리카 대륙에서 고추, 바닐라, 올스파이스(열매가 후추알과 비슷하고 계피, 정향, 육두구의 향이 모두 난다 해서 올스파이스라고 부름) 같은 새로운 향신료가 발견되었기 때문이다. 이후 유럽의 기존 향신료 가격이 점차 떨어졌고 그 사용도 더욱 확산되었다. 이처럼 향신료를 차지하기 위한 유럽 국가들의 욕망은 세계사와 세계의 음식 문화를 크게 바꾸었다.

독해 체크

■ 이 글의 핵심 화제

(향신료)의 역사

■ 문단별 중심 내용

1문단 향신료의 종류와 (기능)

2문단 중세 유럽에서 향신료의 (가치)

3문단 중세 유럽의 (귀족)들이 향신료를 무리해서 구하려고 한 이유

4문단 향신료 (무역)을 독점하기 위한 유럽 열강들의 경쟁

5문단 향신료 경쟁으로 인한 (결과)

■ 핵심 내용의 구조화

향신료	항목	내용
향신료	향신료의 기능	• 음식의 맛과 향을 돋움 • 색을 입혀 (식욕)을 증진시킴 • 고기의 누린내나 생선의 비린내를 잡아 줌 • 소화를 도움
	중세 유럽에서 향신료의 가치	• 가난한 사람들은 맛볼 수 없었음 • 향신료와 (노예들)을 바꾸거나, 여성들의 결혼 지참금으로 쓰임 • 금이나 보석처럼 비싸게 팔림
	유럽 국가들의 경쟁	• 16세기 초, 포르투갈이 동남아시아로 진출하여 향신료 무역을 독점함 • 17세기 초, (네덜란드)가 동인도 회사를 앞세워 향신료 무역을 독점함
	향신료 경쟁의 결과	(세계사)와 세계의 음식 문화를 크게 바꿈

1 (가)에서 향신료는 음식에 맵거나 향기로운 맛을 더하는 조미료로서, 고추, 후추, 대파, 마늘, 생강, 겨자, 바닐라, 계피, 정향, 육두구 등 종류가 매우 다양하다고 하였다. 이들 향신료의 색은 백색만 있는 것이 아니므로, ①은 이 글의 내용과 일치하지 않는다.

오답 풀이 ② (나)에서 중세 유럽의 귀족 사회에서 인기가 높던 동방의 향신료들을 얻는 일은 쉽지 않았다고 하였다.
③ (가)에서 향신료는 식물의 열매나 씨앗, 꽃, 뿌리, 나무껍질 등에서 얻는다고 하였다.
④ (나)에서는 중세 유럽의 귀족 사회에서 인기가 높던 동방의 향신료들은 구하기가 어려워 매우 귀했는데, 특히 후추나 정향, 육두구처럼 귀한 향신료들은 금이나 보석처럼 비싸게 팔렸다고 하였다.
⑤ (라)로 보아 유럽의 나라들이 앞다투어 신항로를 개척하고 신대륙을 발견하던 '대항해 시대'가 열린 이유는 바로 유럽 열강들이 향신료를 차지하기 위해서 움직였기 때문이다.

2 네덜란드가 향신료의 무역을 장악했을 때도 거래를 독점한 탓에 향신료의 가격은 내려가지 않았다(라). 17세기 중반, 아메리카 대륙에서 새로운 향신료가 발견되면서부터 향신료의 가격이 떨어지고 사용이 확산되었다(마).

오답 풀이 ① (나)에서 중세 유럽에서 향신료는 당시 재산으로 취급했던 노예들과 바꾸기도 하였고, 여성들의 결혼 지참금으로 쓰였다는 것으로 보아, 화폐와 같은 기능을 하였다고 볼 수 있다.
② (라)에서 향신료로 인해 유럽 국가들이 동인도 회사를 설립하여 아시아 지역의 무역을 독점하고자 대립하였고, 이는 유럽 열강의 세계 식민지화에까지 연결된다고 하였다.
③ (가)에서 향신료의 기능을 설명하고 있고, (다)에서 중세 유럽의 귀족들이 향신료를 무리해서 구입하려 했던 이유가 제시되어 있다.
④ (라)에서 유럽 국가들이 향신료 무역을 독점하기 위해 치열하게 경쟁하였음이 나타나 있다.

3 ⓒ '지경'은 음식이 너무 맛이 없어 먹기 어려운 '정도'나 '형편'을 나타내고 있다. ③의 '지경'도 병세가 악화되어 더 이상 손을 쓸 수 없는 '정도'나 '형편'이 되었음을 의미하므로 문맥적 의미가 유사하다고 볼 수 있다.

오답 풀이 ① '잡다'가 ㉠에서는 '기세를 누그러뜨리다.'의 의미로 쓰였다. '할아버지는 돼지를 잡아 잔치를 베푸셨다.'에서는 '짐승을 죽이다.'의 의미로 쓰였다.
② '주식'이 ㉡에서는 '밥이나 빵과 같이 끼니에 주로 먹는 음식'의 의미로 쓰였다. '아버지는 주식에 투자하여 이윤을 보았다.'에서는 '주식회사의 자본을 구성하는 단위'를 나타내는 말로 쓰였다.
④ '열리다'가 ㉣에서는 '새로운 기틀이 마련되다.'의 의미로 쓰였다. '둔탁한 소리를 내면서 울 밖 문 자물통이 열리고 나졸이 들어섰다.'에서는 '닫히거나 잠긴 것이 트이거나 벗겨지다.'의 의미로 쓰였다.
⑤ '내려가다'가 ㉤에서는 '값이나 통계 수치, 온도, 물가 따위가 낮아지거나 떨어지다.'의 의미로 쓰였다. '그는 집안이 기울자 가족들을 데리고 서울을 떠나 부모님 집에 내려가 살았다.'에서는 '지방으로 가다.'의 의미로 쓰였다.

더 알아두기 | 향신료로 인해 시작된 세계 식민지화

- **유럽인들의 신항로 개척**

  유럽인들은 향신료를 찾기 위해 신항로를 개척하였다. 콜럼버스의 아메리카 대륙 발견, 바스쿠 다가마가 아프리카 남단의 희망봉을 돌아 인도까지의 항로를 개척한 일, 마젤란의 세계 일주 등의 주된 목적은 향신료를 구하기 위한 것이었다. 그리고 이것을 계기로 유럽인들의 세계 식민지화가 시작된 것이다.

- **향신료와 동인도 회사**

  16세기 초, 포르투갈은 인도를 향해 항해하는 뱃길 무역을 독점적으로 운영하였고 인도와 동남아시아 일대에서 수입한 후추로 막대한 수익을 올렸다. 이에 영국과 네덜란드는 인도로 향하는 해상 무역에 직접 나서게 되었는데, 네덜란드가 아시아와 상업적인 거래를 통해 대대적인 성공을 거두었다. 이후 네덜란드가 동인도 회사를 설립하여 무역에 나서자, 영국, 프랑스 등 유럽 열강들이 앞다투어 동인도 회사를 설립하여 해상 무역에 진출하였다. 이들 동인도 회사는 동인도의 여러 섬을 정복하고 직접 지배 또는 그 지역의 지배 세력을 통한 간접 지배를 행하였다. 이를 통해 특산품을 강제로 재배하게 하여 향신료 무역을 독점하였다.

어휘 체크

1 (1) 풍미 (2) 열강 (3) 이른바
2 ❶ 정향 ❷ 향료 ❸ 육두구 ❹ 구비

인문 **03** **인간의 얼굴을 관찰하다**

본문 108~111쪽

1 ② 2 ⑤ 3 ①

가 머리와 얼굴 구조 연구 분야에서 권위 있는 학자로 알려진 도널드 엔로는 인간의 얼굴(핵심어)을 두고 ㉠『"일반적인 포유류의 기준에서 인간의 이목구비는 이례적이고, 전문화되었으며, 어떻게 보면 기이하기까지 하다."』(『 』: 전문가의 말을 인용함)라고 설명하였다. 일반적으로 ㉡'얼굴'이란 '입, 코, 눈이 있는, 동물의 머리 앞쪽 면'(얼굴의 의미)을 의미한다. 페나 팔다리, 꼬리 등은 척추동물에 따라 사라지기도 하였으나 얼굴만큼은 모든 척추동물이 가지고 있다. 그렇다면 인간의 얼굴은 과연 어떤 특징을 가지고 있을까?

나 인간의 얼굴 생김새가 갖는 특징은 다음 그림을 통해 찾아볼 수 있다. 먼저 여우의 얼굴과 인간의 얼굴을 비교해 보자. 여우는 긴 주둥이와 머리덮개뼈 쪽으로 부드러운 경사를 이루는 안면 윤곽을 가지고 있다.(여우의 얼굴 특징) 이는 대부분의 포유류에서 보이는 얼굴의 특징이다. 반면에 인간의 얼굴은 주둥이가 줄어들어 돌출된 흔적만 남아 있고 두개골 앞면에 둥글납작하며 수직으로 솟은 이마가 있다.(인간의 얼굴 특징) 또한 ㉢『여우의 얼굴은 털로 덮여 있고 대다수의 포유류처럼 촉촉한 코를 가지고 있지만, 인간의 얼굴은 피부가 그대로 노출되어 있고 마른 코를 가지고 있다.』(『 』: 여우와 인간의 얼굴의 차이점을 제시함) 한편 침팬지의 얼굴은 여우와 인간, 두 종의 특징이 혼합되어 있으면서도 여우보다는 인간의 얼굴에 더 가깝다.(침팬지의 얼굴 특징)

다 인간의 얼굴은 생김새뿐만 아니라 표현력 면에서도 다른 포유류와 구별된다. 인간, 침팬지, 여우가 동료들과 소통하는 모습을 관찰해 보면 세 동물 모두에서 얼굴의 표정 변화가 나타나지만 인간의 얼굴 표정이 훨씬 다양하고 섬세함(인간의 얼굴 표현력이 풍부함)을 알 수 있다. 여우나 침팬지와는 달리, 대화를 나눌 때 인간은 표정을 순식간에 만들어 말의 의미를 보강한다. ㉣예를 들면『실눈을 뜨면서 이마를 살짝 찌푸리는 표정은 이해하지 못해 혼란한 상태임을 의미하기도 하고, 여기에 더해 입꼬리를 살짝 내린다면 회의적임을 나타내기도 한다. 입술이 벌어진 상태에서 입꼬리가 살짝 위로 올라간 모습은 행복함이나 즐거움의 신호인 반면, 꽉 다문 입술은 불신을 의미』(『 』: 인간이 얼굴 표정으로 말의 의미를 보강하는 예)하기도 한다. 이렇게 ㉤다양한 얼굴 표정은『말을 주고받는 행위의 뒤에서 그림자처럼 따라다니며 대화 내용의 이면에 담긴 중요한 감정 상태를 전달한다.』(『 』: 인간의 다양한 얼굴 표정이 하는 역할) 인간의 얼굴 표정은 매우 정교하고 민감한 의사소통 도구인 것이다.

라 지금까지 살펴본 것처럼 인간의 얼굴은 생김새 면에서 여타의 포유류가 갖고 있는 얼굴과 뚜렷이 구별되는 특징들(다른 포유류와 구별되는 인간의 얼굴 특징)을 갖고 있다. 또한 다양하고 섬세한 표정을 지을 수 있어 의사소통 과정에서 중요한 역할(인간의 얼굴 표현력의 역할)을 하기도 한다. 이러한 점들을 생각하면서 우리 주변의 다양한 '얼굴'을 관찰하는 것은 꽤나 흥미로운 일이 될 것이다.

독해 체크

■ **이 글의 핵심 화제**

인간 (얼굴)의 특징

■ **문단별 중심 내용**

- 1문단: 인간의 얼굴 특징에 대한 (의문) 제기
- 2문단: 여우·침팬지와 인간의 얼굴 (생김새)의 비교
- 3문단: 인간의 다양한 얼굴 (표정)과 그 역할
- 4문단: 일반적인 (포유류)와 구별되는 인간의 얼굴 특징

■ 핵심 내용의 구조화

인간의 얼굴 특징

인간의 얼굴 생김새	인간의 얼굴 (표현력)
• 긴 주둥이를 가진 여우와 달리 주둥이가 줄어들어 돌출된 흔적만 남아 있음 • 두개골 앞면에 둥글납작하며 수직으로 솟은 (이마)가 있음 • (피부)가 그대로 노출되어 있고 마른 코를 가지고 있음	• 여우나 침팬지보다 인간의 얼굴 표정이 훨씬 다양하고 섬세함 • 말의 의미를 보강하는 인간의 다양한 얼굴 표정은 매우 정교하고 민감한 (의사소통) 도구임

1 (나)에서 여우는 긴 주둥이와 머리덮개뼈 쪽으로 부드러운 경사를 이루는 안면 윤곽을 가지고 있다고 하였다. 반면에 인간의 얼굴은 주둥이가 줄어들어 돌출된 흔적만 남아 있고 두개골 앞면에 둥글납작하며 수직으로 솟은 이마가 있다고 하였다. 따라서 Ⓑ는 여우의 얼굴 생김새에 대한 설명이다.

2 ㉤은 인간의 얼굴 표정이 의사소통의 중요한 도구임을 설명하고 있지만, 사례를 나열하고 있지는 않다.

오답 풀이 ❶ 머리와 얼굴 구조 연구 분야에서 권위 있는 학자인 도널드 엔로의 말을 인용하여 인간의 얼굴을 설명하고 있다.
❷ 얼굴의 의미를 알려 주고 있어 얼굴이 어느 부위를 가리키는 것인지 알 수 있다.
❸ 여우의 얼굴과 인간의 얼굴의 차이점을 제시하고 있다.
❹ 여우나 침팬지와는 달리, 대화를 나눌 때 인간은 표정을 순식간에 만들어 말의 의미를 보강하는데 ㉣은 구체적인 예에 해당한다.

3 이 글의 '그림자'는 '어떤 사람이나 대상에 밀접한 관계를 가지고 항상 따라다니는 것을 비유적으로 이르는 말'로 사용되었다. 이와 같은 의미로 쓰인 것은 ① '그 배우는 경호원이 늘 그림자처럼 따라다녔다.'이다.

오답 풀이 ❷ '얼굴에 나타나는 불행·우울·근심 따위의 괴로운 감정 상태'의 의미로 쓰였다.
❸ '물에 비쳐 나타나는 물체의 모습'의 의미로 쓰였다.
❹ '사람의 자취'의 의미로 쓰였다.
❺ '물체가 빛을 가려서 그 물체의 뒷면에 드리워지는 검은 그늘'의 의미로 쓰였다.

✚ 어휘 체크

1 이목구비 – 비정 – 정교한 – 한가로이 – 이례적 – 적강
2 ❶ ㉠ ❷ ㉢ ❸ ㉡

본문 112~115쪽

사회 **01** '트리즈적 사고'란 무엇일까?

1 ③ 2 ③ 3 ③

가 루이스 캐럴의 「거울 나라의 앨리스」라는 소설을 보면, 앨리스가 레드 퀸에게 열심히 뛰는데 왜 앞으로 나아가지 못하느냐고 묻는 장면이 있다. (소설의 내용으로 시작하여 독자의 흥미를 유발함) 이 질문에 레드 퀸은 "같은 곳에 머물지 않으려면 온 힘을 다해 뛰어야 해."라고 대답한다. 그런데 레드 퀸이 아무리 열심히 달려도 바깥 환경 또한 그만큼 빨리 달라지기 때문에 레드 퀸은 늘 같은 자리에 머물 수밖에 없는 것이다. (아무리 열심히 달려도 늘 같은 자리에 머물게 됨 – 경영의 세계에서도 똑같은 현상이 나타남)

나 이 같은 현상은 (열심히 달려도 늘 같은 자리에 머무는 현상) 경영의 세계에서도 똑같이 나타난다. 뒤늦게 사업에 뛰어든 기업들은 먼저 사업을 시작한 기업을 따라잡기 위해 끊임없이 노력하지만 그 차이는 좀처럼 좁혀지지 않는다. 앞선 기업들 또한 뒤늦게 시작한 기업을 기다려 주지 않고 여러 가지 노력을 하기 때문이다. (앞선 기업과의 격차를 좁히기 어려운 이유) 이때 기업들의 순위를 뒤집을 수 있는 방법은 앞선 기업과 다른 ⓐ새로운 상품으로 승부를 거는 것이다. 그런데 앞선 기업들 역시 불황을 출발점으로 하여 경쟁 구도가 바뀔 가능성이 높다고 생각하여 똑같은 고민을 하게 된다. (새로운 상품에 대한 고민을 함 – 앞선 기업과의 격차를 좁히기 어려운 이유)

다 이로 인해 요즘 기업들은 '트리즈(TRIZ)'(핵심어)라는 경영 이론에 관심을 두고 있다. '트리즈'는 러시아의 과학자인 겐리히 알츠슐러가 17년 동안 전 세계의 창의적인 특허 20여 만 건을 조사한 후에 만들어 낸 ('트리즈'가 만들어진 배경) 40가지의 ⓑ문제 해결 공식이다. '트리즈'는 '창의적 문제 해결을 위한 체계적 방법론'('트리즈'의 뜻)이라는 뜻으로, 러시아어의 이론(Teoriya), 해결(Resheniya), 발명(Izobretatelskikh), 문제(Zadatch)의 머리글자를 따 온 것이다. 이 이론은 제품을 개발하는 과정에서 발생하는 문제점 중에서 가장 바탕이 되는 것을 찾아낸 다음, 시스템을 통해 이를 통째로 해결한다는 경영 이론이다. ('트리즈'라는 경영 이론의 의미) 이 '트리즈'라는 이론은 제품 개발뿐 아니라 기업을 경영하는 상황에서도 널리 쓰이고 있다. ('트리즈'라는 경영 이론이 쓰이는 범위가 확대됨)

라 대표적인 사례로 일본의 한 기업은 '트리즈' 이론을 적용하여 경영에 대한 보통 사람들의 생각을 바꾸기도 했다. (경영에 대한 사람들의 고정된 생각에서 벗어난 방법을 써서 문제 상황을 해결한 사례) 이 기업은 1980년대 초반, 중국의 오토바이 시장에 나아가 1년 만에 현지 시장의 20%를 차지했는데, 중국의 한 현지 회사가 ⓒ'짝퉁 제품'을 만들어 시장에 3

분의 1의 가격으로 내놓았고, 이로 인해 일본 기업은 위기에 부딪혔다. [싼 가격의 '짝퉁 제품' 때문에 오토바이 판매량이 줄어듦] 중국 시장에서 선호하는 싼 가격의 오토바이를 만들어야 했지만, [오토바이 판매량이 줄어드는 위기를 극복하기 위해 필요한 방법] 생산 가격을 낮추는 데 어려움이 있었던 것이다. 일본 기업은 오랜 고민 끝에 중국 짝퉁 업체를 반대로 이용하기로 했는데, 복제한 오토바이 부품을 만드는 중국 현지 회사와 5대 5 합작 회사를 만든 것이다. [경영에 대한 고정 관념을 깨고 '트리즈' 이론을 적용한 사례] 결국 합작 회사가 개발한 ⓓ싼 가격의 소형 오토바이는 1년 동안 117만 대가 팔려 나가는 기록을 달성했다. ['트리즈' 이론을 적용하여 위기를 극복하고 좋은 성과를 거둠] 이때 일본 기업이 사용한 '트리즈' 공식은 '포개기(중국 현지 짝퉁 회사의 생산 시설 이용하기)', '역방향(짝퉁을 공격하거나 막기보다 협력을 선택하기)', '분리(대형과 소형 오토바이 사업을 나누어 진행하기)' 등이었다. [일본 기업이 사용한 '트리즈' 공식 - '포개기', '역방향', '분리']

마 '트리즈'를 연구하는 사이먼 리트빈 박사가 강연에서 '트리즈적 사고'를 면도기 산업에 빗대어 설명하였는데, 이 강연이야말로 '트리즈적 사고'가 무엇인지 잘 말해 준다. "잘 깎이고 안전하다는 것을 강조해 봐야 시장은 꿈쩍도 하지 않는다. [면도기 판매에 대한 보통 사람들의 고정된 생각] 슈퍼마켓에 나와 있는 모든 제품이 이 두 기준을 만족한다. [① 잘 깎인다, ② 안전하다] 시장을 휘어잡으려면 매일 면도를 해야 한다는 고정 관념에 도전해야 한다. [매일 면도를 해야 한다는 고정 관념에서 벗어나 '트리즈적 사고'를 해야 하는 상황] 피부속 수염을 잡아당겨 깎는 방법으로 면도를 이틀이나 일주일에 한 번 할 수 있는 제품이 나온다면 소비자들은 지갑을 열 것이다." ['트리즈적 사고'가 반영된 제품] 결국 '트리즈적 사고'란 (　㉠　) 상황에 따라 ⓔ창의적으로 생각하는 방법을 말하는 것이다. ['트리즈적 사고'의 의미]

독해 체크

■ **이 글의 핵심 화제**

(트리즈적 사고)의 의미와 이를 기업 경영에 적용한 구체적인 사례

■ **문단별 중심 내용**

글의 화두 제시 – 소설 「거울 나라의 앨리스」에서 레드 퀸이 늘 (같은 자리)에 머무는 이유

경영의 세계에서 기업들의 (순위)가 잘 바뀌지 않는 이유

(트리즈)라는 경영 이론에 대한 기업들의 관심과 (트리즈) 이론을 기업 경영에 적용한 사례

사이먼 리트빈 박사의 (강연)을 통해 알 수 있는 '트리즈적 사고'의 의미

■ **핵심 내용의 구조화**

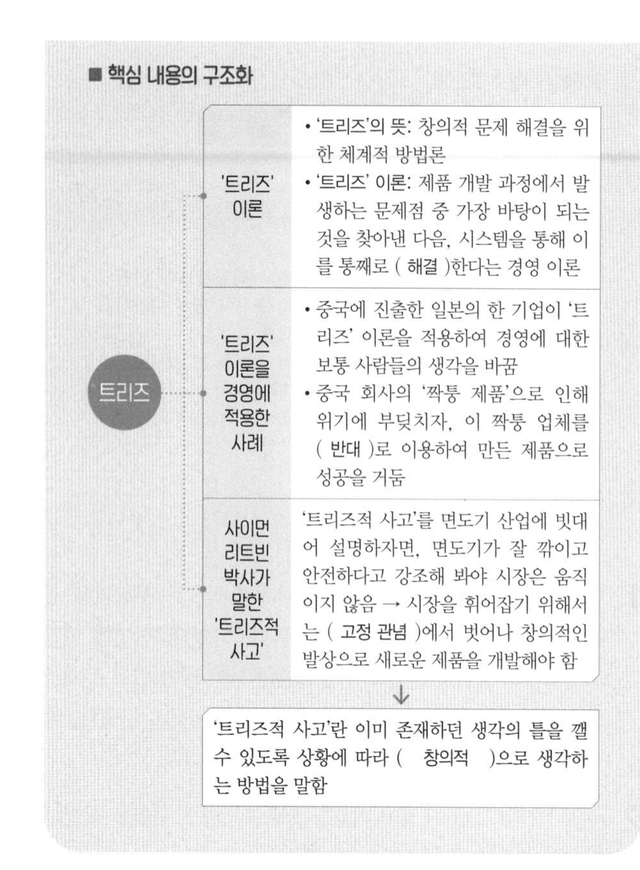

1 (라)를 보면, '트리즈' 이론을 경영에 실제로 적용한 일본의 한 기업이 사례로 제시된다. 그 기업은 중국 현지 회사의 '짝퉁 제품'으로 인해 위기에 부딪혔고, 이를 해결하기 위해 오랜 고민 끝에 중국 짝퉁 업체를 반대로 이용했다는 내용이 제시되어 있다. 하지만 이 과정에서 중국의 현지 회사와 오랜 기간 갈등을 겪었다는 내용은 나타나 있지 않다.

오답 풀이 ① (다)를 보면, '트리즈'는 러시아의 과학자인 겐리히 알츠슐러가 17년 동안 전 세계의 창의적인 특허 20여 만 건을 조사한 후에 만들어 낸 40가지의 문제 해결 공식이라고 하였다.
② (가)를 보면, 루이스 캐럴의 「거울 나라의 앨리스」라는 소설 속 인물인 레드 퀸이 아무리 열심히 달려도 바깥 환경 또한 그만큼 빨리 달라지기 때문에 레드 퀸은 늘 같은 자리에 머물 수밖에 없다고 하였다.
④ (다)를 보면, '트리즈' 이론은 제품을 개발하는 과정에서 발생하는 문제점 중에서 가장 바탕이 되는 것을 찾아낸 다음, 시스템을 통해 통째로 해결한다는 경영 이론인데, 이 '트리즈' 이론은 제품 개발뿐 아니라 기업을 경영하는 상황에서도 널리 쓰이고 있다고 하였다.
⑤ (나)를 보면, 기업들의 순위를 뒤집을 수 있는 방법은 앞선 기업과 다른 새로운 상품으로 승부를 거는 것이라고 하였다.

2 (마)를 보면, '트리즈적 사고'를 면도기 산업에 빗대어 설명한 사이먼 리트빈 박사의 강연 내용에서 '트리즈적 사고'가 잘 드러난다고 하였다. 사이먼 리트빈 박사의 강연 내용을 보면, 시장을 휘어잡기 위해서는 고정 관념에서 벗어나 창의적 발상으로 새로운 제품을 만들어야 함을 알 수 있다. 즉, 고정되어 있는 생각에서 벗어나 이전과는 다른, 새로운 생각을 하는 것이 '트리즈적 사고'인 것이다.

오답 풀이 ①, ② 사이먼 리트빈 박사의 강연 내용에 시간과 돈을 절약해

야 한다는 내용과 다른 사람들과 조화를 이루어야 한다는 내용은 나타나 있지 않다.

❹ 사이먼 리트빈 박사의 강연 내용에 '면도를 이틀이나 일주일에 한 번 할 수 있는 제품이 나온다면 소비자들은 지갑을 열 것이다.'라는 내용이 제시되어 있지만, 이는 매일 면도를 해야 한다는 고정 관념에서 벗어나야 함을 말하기 위한 것이지, 많은 사람들에게 편리함을 제공할 수 있어야 함을 말하기 위한 것이 아니다.

❺ 사이먼 리트빈 박사의 강연에서 '슈퍼마켓에 나와 있는 모든 제품이 이 두 기준(잘 깎이고 안전하다는 것)을 만족한다.'라는 내용이 제시되어 있다. 이로 보아, 물건을 사려는 사람들이 원하는 조건을 모두 만족하는 제품을 만드는 것은 창의적으로 생각하는 방법이라고 보기 어렵다.

3 '트리즈'는 '창의적 문제 해결을 위한 체계적 방법론'이라는 뜻이며, '트리즈' 이론은 고정된 생각에서 벗어나 창의적인 방법으로 문제를 해결하는 경영 이론을 말한다. ⓒ '짝퉁 제품'은 중국의 현지 회사가 일본 기업의 오토바이를 복제한 제품이므로 '트리즈' 이론과 관련이 없다.

오답 풀이 ❶ ⓐ '새로운 상품'은 기업들이 순위를 뒤집기 위해 이미 존재하던 상품과 다르게 창의적인 생각으로 만들어야 하므로, 고정 관념에 도전해 창의적인 방법으로 문제를 해결하는 '트리즈' 이론과 관련이 있다.

❷ '트리즈'는 러시아의 과학자가 17년 동안 전 세계의 창의적인 특허 20여 만 건을 조사한 후에 만들어 낸 40가지의 '문제 해결 공식'이라고 하였으므로 ⓑ '문제 해결 공식'은 '트리즈' 이론과 관련이 있다.

❹ ⓓ '싼 가격의 소형 오토바이'는 중국에 진출한 일본의 한 기업이 3분의 1 가격의 중국 '짝퉁 제품'으로 인해 위기에 부딪치자, 이 짝퉁 업체를 반대로 이용하기로 하고 5대 5 합작 회사를 만든 후 개발한 제품이다. 이는 '트리즈' 이론을 적용하여 경영에 대한 보통 사람들의 생각을 바꾼 대표적인 사례이다.

❺ '트리즈적 사고'는 고정된 생각의 틀에서 벗어나 상황에 따라 '창의적으로 생각하는 방법'을 말하는 것이라고 하였으므로, ⓔ '창의적으로 생각하는 방법'은 '트리즈' 이론과 관련이 있다.

더 알아두기 트리즈(TRIZ)

1940년대 옛 소련의 과학자 겐리히 알츠슐러 박사가 구 소련 해군에서 특허 심사 업무를 할 당시에 발명에는 어떤 공통의 법칙과 패턴이 있음을 발견하면서 탄생했다. 겐리히는 "세상을 바꾼 창의적인 아이디어들에는 일정한 패턴이 있다."라는 가설을 세우고, 1946년부터 17년 동안 20여 만 건에 이르는 전 세계의 창의적인 특허를 뽑아 분석한 결과, 다양한 분야에서 개발된 기술의 밑바탕에 있는 아이디어 패턴이 수십 가지에 불과했음을 발견하였다. 그는 가장 많이 활용된 아이디어 패턴 40개를 뽑아 '트리즈(TRIZ)'라는 이론을 정립하였다. 새로운 사물이나 프로젝트를 대할 때 40가지 원칙을 떠올리면 경쟁자들이 미처 생각해 내지 못한 새로운 아이디어를 떠올릴 수 있을 것이라는 것이 그의 주장이다.

어휘 체크

1 (1) 강연 (2) 복제 (3) 합작 (4) 불황

2 ❶ ㉠ ❷ ㉢ ❸ ㉡

본문 116~119쪽

사회 **02** 우리 모두의 신문 언어

1 ③　2 ②　3 ③

가 정보 전달을 목적으로 하는 신문은 독자와의 원활한 소통과 객관성을 중시한다. 이 두 가지는 신문 기사가 갖춰야 할 기본적인 덕목이고, 신문이 신뢰를 얻는 바탕이기도 하다. 그러나 신문이 바람직하지 않은 언어를 사용함으로써 독자와의 소통을 가로막고 기사의 객관성을 위협하는 경우가 종종 있다.

(신문 기사를 쓰는 목적 / 신문 기사가 갖추어야 할 기본적인 덕목 / 바람직하지 않은 신문 언어 사용에 대한 문제 제기)

나 '최첨단, 사상 최대, 최정상급, 초대형, 초박빙' 등과 같은 최상급 표현은 요즘 신문에서 쉽게 찾을 수 있는 표현이다. '첨단'이 모자라 '최첨단'이 되고, '박빙'이 성에 안 차 '초박빙'을 내세운다. 사실 신문에 날 정도의 사항이면 평범한 일은 아니지만 그렇다고 '최'나 '초' 자가 들어갈 만큼의 사건이나 상황은 아니다.

(바람직하지 않은 신문 언어 표현 ① - 최상급 표현 / '어떤 범위를 넘어선' 또는 '정도가 심한'의 뜻을 더하는 접두사 / '가장, 제일'의 뜻을 더하는 접두사)

다 '살인적인 무더위'라든가 '살인적인 물가 상승', '살인적인 업무 시간' 등의 극단적인 표현도 ⓐ서슴없이 사용한다. 그리고 신문 기사에서 운동선수들은 대부분 한 번쯤 '전사'가 되고 '비밀 병기'란 용어를 통해 '무기'가 된다. 이러한 표현들은 비유적으로 사용한 것이지만 경기의 과정보다는 승패에 집착하는 신문의 ⓑ편협성과 과격성을 반영한 것으로 볼 수 있다.

(바람직하지 않은 신문 언어 표현 ② - 극단적인 표현 / 바람직하지 않은 신문 언어 표현 ③ - 신문의 편협성과 과격성을 반영한 표현)

라 '가장'은 '여럿 가운데 어느 것보다 더', '여럿 가운데 으뜸으로'라는 뜻이다. 「또한 '으뜸'은 '많은 것 가운데 가장 뛰어난 것' 또는 '첫째가는 것'을 뜻하므로 당연히 으뜸은 하나다. 따라서 ㉠'가장 존경받는 지도자 중 한 명으로'라는 식의 표현은 말이 되지 않을뿐더러,」 기사의 사실성에 대한 독자의 회의를 초래해 신뢰감을 떨어뜨린다. '가장 높은 산', '가장 빠르다'가 일상적이고 올바른 표현이듯 '가장 존경받는 지도자로 평가받는다'라고 하거나 '가장'을 빼는 게 적절하다. 그럼에도 이런 표현이 자주 보이는 것은 사실을 과장해서 더 드러나 보이게 하려는 심리가 한몫하기 때문이다.

(「 」: 가장 뛰어난 것인 '으뜸'은 한 명이어야 하므로 '가장 존경받는 지도자 중 한 명'은 말이 되지 않는, 즉 올바르지 않은 표현임 / 바람직하지 않은 신문 언어 표현 ④ - 올바르지 않고 과장적인 표현 / 기사에 올바르지 않고 과장적인 표현을 사용했을 때의 부정적인 영향)

마 신문에서 이러한 과장적인 표현과 극단적인 표현을 자주 사용하다 보면 자칫 최하와 최상의 말들만이 경쟁력 있는 것처럼 느끼게 해 독자의 사고를 ⓒ왜곡시킬 수 있다. 그리고 중간 지대에 있는 다양한 말들이 사라져 우리말의 풍부한 표현력이 ⓓ사장될 수 있다. 나아가 현상에 대한 ⓔ이분법적 사고가 굳어져 세상을 바라보는 독자의 눈을 흐리게 할 수도 있다.

(바람직하지 않은 신문 언어의 사용으로 인한 문제점 ① / 바람직하지 않은 신문 언어의 사용으로 인한 문제점 ② / 바람직하지 않은 신문 언어의 사용으로 인한 문제점 ③)

바 신문 언어는 기사에 대한 독자의 관심을 유도하는

(핵심어)

방법을 사용할 수 있다. 그러나 그것이 객관성을 왜곡하거나 독자와의 소통을 방해하는 언어 표현으로까지 이어지면 안 된다. 언어가 발전한다는 것은 더 섬세한 표현을 하게 된다는 의미이기도 하다. 따라서 『신문 언어는 언어 표현에 신중해야 하고, 국민들의 일상 언어생활에 끼치는 부정적 영향을 수시로 짚어 보아야 한다. 이를 위해 신문사 내부에 자체적인 감시 장치를 마련하거나 독자들의 불만이나 의견 등을 접수하여 처리하는 옴부즈맨 제도와 같은 체계적인 시스템을 강화할 필요가 있다.』

신문 기사가 갖추어야 할 기본적인 덕목인 '독자와의 원활한 소통'과 '객관성'을 지켜야 함

신문 언어가 나아갈 올바른 방향

『 』: 신문 언어의 올바른 사용을 위한 방안

독해 체크

■ 이 글의 핵심 화제

바람직하지 않은 (신문 언어) 사용의 문제점과 해결 방안

■ 문단별 중심 내용

- 1문단: 바람직하지 않은 신문 언어 사용에 대한 (문제) 제기
- 2~4문단: 바람직하지 않은 (신문 언어)의 현황

- 5문단: 바람직하지 않은 신문 언어의 사용이 초래할 (문제점)

- 6문단: 신문 언어의 올바른 사용을 위한 방안

■ 핵심 내용의 구조화

신문 언어 사용에 대한 문제 제기	신문 기사에 바람직하지 않은 언어를 사용하여 독자와의 소통을 가로막고 기사의 (객관성)을 위협함
바람직하지 않은 신문 언어의 현황	• 최상급 표현을 남용함 • (극단적)이고 편협성과 과격성을 반영한 표현을 사용함 • 의미가 올바르지 않고 과장된 표현을 사용함
바람직하지 않은 신문 언어 사용의 문제점	• 독자의 사고를 (왜곡)시킬 수 있음 • 우리말의 풍부한 표현력이 사장될 수 있음 • 현상에 대한 이분법적 사고가 굳어져 세상을 바라보는 독자의 눈을 흐리게 할 수 있음
신문 언어의 올바른 사용을 위한 방안	• 신문 언어는 언어 표현에 (신중)해야 함 • 신문 언어는 국민들의 일상 언어생활에 끼치는 부정적 영향을 수시로 짚어 보아야 함 → 신문사의 자체적인 감시 장치 마련, 옴부즈맨 제도와 같은 체계적인 시스템 강화 등

1 이 글은 (가)에서 바람직하지 않은 신문 언어의 사용에 대해 문제를 제기하고, (나)~(라)에서 그 현황을 제시한 후, (마)에서 바람직하지 않은 신문 언어의 사용이 초래할 문제점을 제시하고 있다. 그리고 (바)에서는 바람직하지 않은 신문 언어의 사용을 바로잡을 수 있는 해결 방안을 제시하고 있다.

2 (라)에서 ㉠ '가장 존경받는 지도자 중 한 명으로'라는 식의 표현은 말이 되지 않을뿐더러 기사의 사실성에 대한 독자의 회의를 초래해 신뢰감을 떨어뜨린다고 하였고, 그럼에도 이런 표현이 자주 보이는 것은 사실을 과장해서 더 드러나 보이게 하려는 심리가 한몫하기 때문이라고 하였다. 따라서 말이 되지 않으면서 독자의 신뢰를 떨어뜨리는 과장된 표현임에도 신문에서 자주 사용하는 이유는 신문 기사에 대한 독자의 관심도를 높이기 위한 의도 때문임을 알 수 있다.

오답 풀이 ❶, ❺ ㉠은 말이 되지 않을뿐더러 독자의 신뢰를 떨어뜨리는 과장된 표현이다. 따라서 독자의 기호를 충족시키거나, 독자의 욕구를 반영하여 기사에 대해 좋은 감정이나 태도를 갖게 하기 위해 사용한 것으로 볼 수 없다.
❸ ㉠은 기사의 사실성에 대한 독자의 회의를 초래해 신뢰감을 떨어뜨린다고 하였으므로, 바람직하지 않은 신문 언어가 독자의 회의적 반응을 방지하는 것이 아니라 오히려 유발하여 기사의 신뢰도를 떨어뜨리는 것이라 할 수 있다.
❹ ㉠은 사실을 과장해서 더 드러나 보이게 하려는 심리가 반영된 표현이므로, 기사의 사실성에 대한 독자의 회의를 초래해 신뢰감을 떨어뜨린다. 따라서 기사의 객관성을 인정하게 하는 것이 아니라 더욱 떨어진다고 할 수 있다.

3 ⓒ '왜곡시킬'은 '사실과 다르게 해석하게 하거나 그릇되게 할'을 의미한다. ③의 '(어떤 상황이나 현상이) 굳어져 변하지 아니하게 될'은 '고착될'의 의미이다.

오답 풀이 ❶ ⓐ '서슴없이'의 사전적 의미는 '말이나 행동에 망설임이나 거침이 없이'이다.
❷ ⓑ '편협성'의 사전적 의미는 '한쪽에 치우쳐 도량이 좁고 너그럽지 못한 성질이나 특성'이다.
❹ ⓓ의 '사장될'의 사전적 의미는 '사물 따위가 필요한 곳에 활용되지 않고 썩을'이다.
❺ ⓔ '이분법적 사고'의 사전적 의미는 '여러 가지 가능성이 있음에도 불구하고 두 가지의 가능성에 한정하여 사고하는 오류'이다.

어휘 체크

• ㉣ – 승패 ㉤ – 덕목 ㉠ – 한몫 ㉡ – 회의적 ㉢ – 으뜸

03 만 나이와 세는나이

본문 120~123쪽

1 ④　2 ②　3 ③

가 우리나라에서는 새해가 되면 전 국민이 한 살씩 나이를 더 먹는다. 이렇게 나이를 세는 방식을 '세는나이' 또는 '한국식 나이'라고 한다. 그런데 우리나라에서는 '세는나이' 외에 '만 나이'(핵심어)도 쓰인다. '만 나이'는 0세부터 시작해서 출생일에 나이를 더하는 나이 셈법이다.('만 나이'의 의미)

나 나이를 계산하는 방식이 두 가지이다 보니 생활에서 혼란을 겪는 경우가 많다.(나이를 계산하는 방식이 두 가지인 것에 대한 문제 제기) 가령 극장에서 영화를 볼 수 있는지, 선거 날 투표를 할 수 있는지와 같은 고민부터 '만 나이'를 기재해야 하는 공문서에 '세는나이'로 잘못 기재하는 일까지(나이를 계산하는 방식이 두 가지여서 혼란을 겪는 사례) 혼란스러운 일이 비일비재하다. 이러한 혼란을 줄일 수 있는 방법은 '만 나이'로 나이 셈법을 통일하는 것이다.(나이를 계산하는 방식이 두 가지여서 겪는 혼란을 줄일 수 있는 방법 제시) 그 이유는 다음과 같다.

다 첫째, '만 나이'를 사용하는 것이 법의 규정에 부합한다.('만 나이'로 나이 셈법을 통일해야 하는 이유 ① - 법의 규정에 부합함) 우리 민법은 1962년부터 '만 나이'를 사용할 것을 명시하고 있다. 그래서 공문서나 법조문, 보험 문서에서는 공식적으로 '만 나이'를 사용한다. 2013년 개정된 민법을 보면, '만 20세'로 표기했던 성년의 나이를 '만' 자를 뺀 '19세'로 바꾸었다.(이유 ①에 대한 근거 - 법률적으로 나이를 셀 때는 '만 나이'로 계산함) 이 개정안은 법률적으로 나이를 셀 때에는 '만 나이'로 계산해야 한다는 것을 상징적으로 보여 주는 것이다.

라 둘째, '만 나이'는 '세는나이'에 비해 계산 방식이 더 합리적이다.('만 나이'로 나이 셈법을 통일해야 하는 이유 ② - 계산 방식이 합리적임) 아래 그림에서 2014년 12월 26일에 태어난 아이를 통해 '만 나이'와 '세는나이'의 차이를 살펴보자. 「'세는나이' 셈법으로 이 아이는 태어난 순간 1살이 되고, 며칠 뒤 2015년 1월 1일이 되면 바로 2살이 된다. 출생 후 1살을 더하기까지의 기간이 출생일에 따라 모두 다르다. 반면 '만 나이' 셈법으로 이 아이는 2015년 12월 26일이 되었을 때 1살을 더하게 된다. 누구나 출생일에서 1살을 더하기까지의 기간이 동일한 것이다.」(「 」: 이유 ②에 대한 근거 - '세는나이' 셈법은 출생 후 1살을 더하기까지의 기간이 출생일에 따라 모두 다르지만, '만 나이' 셈법은 기간이 누구나 동일함)

마 셋째, '만 나이'의 사용은 국제 사회의 흐름에도 부합한다.('만 나이'로 나이 셈법을 통일해야 하는 이유 ③ - 국제 사회의 흐름에 부합함) 사실 '세는나이'는 우리나라에서만 쓰이는 나이 셈법이다 ㉠근대 이전에는 동아시아의 여러 국가가 '세는나이'를 사용하였다. 그러나 중국, 일본, 베트남 등의 국가는 근대화를 거치면서 '세는나이'의 방법을 버리고 '만 나이'만을 사용하고 있다.(이유 ③에 대한 근거 - 근대 이후 동아시아 여러 국가에서는 '만 나이'만을 사용함) 대부분의 국가에서 종교와 관계없이 서력기원을 쓰고 있듯, 우리도 '만 나이'를 사용하는 문화를 정착시켜야 한다.

바 우리나라의 나이 셈법을 '만 나이'로 통일하면 일상생활에서 겪는 여러 가지 혼란을 피할 수 있다.(나이 셈법을 '만 나이'로 통일했을 때의 효과 ① - 일상생활의 혼란을 피함) 또한 '만 나이'로 통일하면 공공 기관, 기업, 병원 등에서 '세는나이'를 '만 나이'로 환산해서 적용하는 데 따르는 사회적 비용도 줄일 수 있다.(나이 셈법을 '만 나이'로 통일했을 때의 효과 ② - 사회적 비용을 줄임) 사회 관습과 사회 인식을 개선해야 하므로 시간이 다소 걸릴 수 있겠지만 '만 나이'로 통일해야 하는 이유는 충분해 보인다.

독해 체크

■ 이 글의 핵심 화제

우리나라의 나이 셈법을 (만 나이)로 통일해야 하는 이유

■ 문단별 중심 내용

- 1문단: 우리나라에서 (나이)를 계산하는 두 가지 방식
- 2문단: 나이를 계산하는 방식이 두 가지여서 겪는 (혼란)
- 3~5문단: '만 나이'로 나이 셈법을 통일해야 하는 이유 세 가지
- 6문단: '만 나이'로 나이 셈법을 (통일)해야 하는 이유 강조

■ 핵심 내용의 구조화

우리나라의 나이 셈법 - '만 나이'와 '세는나이'

나이 셈법의 혼용으로 인한 혼란을 줄이는 방법	'만 나이'로 나이 셈법을 통일해야 하는 이유
• 우리나라에서 나이를 세는 방식은 '세는나이'와 '만 나이'가 혼용됨 • 나이를 계산하는 방식이 두 가지여서 생활에서 혼란을 겪음 → 혼란을 줄이기 위한 방법은 (만 나이)로 나이 셈법을 통일하는 것임	• '만 나이'를 사용하는 것이 (법 규정)에 부합함 • '만 나이'는 '세는나이'에 비해 계산 방식이 더 (합리적)임 • '만 나이'의 사용은 (국제 사회)의 흐름에 부합함

↓

우리나라의 나이 셈법을 '만 나이'로 통일하면 일상생활의 혼란을 피할 수 있고, 사회적 비용을 줄일 수 있음

1 [A]는 2014년 12월 26일에 태어난 아이의 '만 나이'와 '세는나이'의 차이를 보여 주는 그림이다. '세는나이' 셈법은 출생 후 1살을 더하기까지의 기간이 출생일에 따라 모두 다르지만, '만 나이' 셈법은 누구나 출생일에서 1살을 더하기까지의 기간이 동일함을 알 수 있다. 즉, [A]는 '만 나이'와 '세는나이'의 계산 방식의 차이를 시각적으로 드러내는 자료이다.

오답 풀이 ❶ (라)를 보면, "아래 그림에서 2014년 12월 26일에 태어난 아이를 통해 '만 나이'와 '세는나이'의 차이를 살펴보자."라고 하면서 글에

제시되어 있는 내용을 이해하는 데 도움을 주는 그림을 추가하고 있다.

❷ 이 글에서는 '만 나이'로 나이 셈법을 통일해야 하는 이유 세 가지를 제시하고 있는데, 세 가지 이유 중 [A]는 '만 나이'가 '세는나이'에 비해 계산 방식이 더 합리적이라는 주장에 대한 근거라고 할 수 있지만, 글의 모든 근거를 종합하여 보여 주는 것은 아니다.

❸, ❺ (나)에서 나이를 계산하는 방식이 두 가지이다 보니 생활에서 혼란을 겪는 경우가 많다면서 이미 문제를 제기하고 있다. (라)에서는 이러한 혼란을 줄이기 위한 방법인 '만 나이'로 나이 셈법을 통일해야 하는 두 번째 이유('만 나이'는 '세는나이'에 비해 계산 방식이 더 합리적이다.)를 제시하고 있으므로 [A]가 앞으로 제기할 문제를 압축적으로 제시하거나, 제기한 문제 상황에 대한 해결 방안을 제시한다고 볼 수 없다.

2 이 글에서 글쓴이는 '만 나이'로 나이 셈법을 통일해야 하는 이유 세 가지를 제시하고 있는데, 그 이유는 '만 나이'가 법의 규정에 부합하고, 계산 방식이 '세는나이'에 비해 더 합리적이며, 국제 사회의 흐름에 부합한다는 것이다.

오답 풀이 ❶ 〈보기〉의 빈칸에는 글의 흐름에 따라 '만 나이'로 나이 셈법을 통일해야 하는 이유가 들어가야 한다. 현재의 나이 셈법에 대한 문제 제기를 하는 것은 〈보기〉의 빈칸에 들어갈 말로 적절하지 않다.

❸, ❺ '만 나이'로 나이 셈법을 통일해야 하는 첫 번째 이유, 즉 '만 나이'를 사용하는 것이 법의 규정에 부합한다는 이유를 뒷받침하는 근거이므로 〈보기〉의 빈칸에 들어갈 말로 적절하지 않다. 민법 개정안은 법률적으로 나이를 셀 때에는 '만 나이'로 계산해야 한다는 것을 상징적으로 보여 주는 것이다.

❹ (바)에서 우리나라의 나이 셈법을 '만 나이'로 통일하려면 사회 관습과 사회 인식을 개선해야 하므로 시간이 걸릴 수 있다고 하면서 '만 나이'로 나이 셈법을 통일해야 함을 다시 한번 강조하고 있다. 〈보기〉의 빈칸에는 '만 나이'로 나이 셈법을 통일해야 하는 이유가 들어가야 하므로 적절하지 않다.

3 ㉠은 주어와 서술어의 관계가 한 번만 나타나는 홑문장이고, ③은 '주어(벼락이)+서술어(치다)', '주어(비가)+서술어(내린다)'와 같이 주어와 서술어의 관계가 두 번 나타나는 겹문장이므로 문장의 구성 방식이 ㉠과 같지 않다.

오답 풀이 ❶ '주어(선미는)+서술어(보았다)'와 같이 주어와 서술어의 관계가 한 번만 나타나는 홑문장이다.

❷ '주어(낙엽이)+서술어(떨어진다)'와 같이 주어와 서술어의 관계가 한 번만 나타나는 홑문장이다.

❹ '주어(비밀이)+서술어(드러났다)'와 같이 주어와 서술어의 관계가 한 번만 나타나는 홑문장이다.

❺ '주어(형이)+서술어(듣는다)'와 같이 주어와 서술어의 관계가 한 번만 나타나는 홑문장이다.

+ 어휘 체크

1 (1) 관습 (2) 인식 (3) 개선
2 ❶ 공문서 ❷ 서력기원 ❸ 비일비재 ❹ 비수기

본문 124~127쪽

과학 01 아스피린의 역사

1 ④ 2 ③ 3 ④

가 아스피린(핵심어)은 두통약의 대명사로 통용될 만큼 전 세계에 알려진 의약품이다(아스피린은 두통약을 대표하는 약임). 아스피린에 함유된 아세틸살리실산의 기원은 고대 그리스 시대까지 올라간다. 「기원전 4세기 히포크라테스는 조팝나무 껍질에서 추출한 물질이 통증을 완화시킨다는 사실을 발견하였다.」(「」: 아스피린의 기원인 살리신의 발견) 그래서 중세에는 조팝나무 껍질을 삶아서 얻은 즙을 진통제와 해열제로 이용하였다.

나 1828년 뮌헨의 약학 교수 부흐너는 조팝나무 껍질에서 쓴맛이 나는 노란 결정을 얻었다(부흐너가 살리신을 추출함). 그는 이 물질에 조팝나무의 라틴어 표현인 '살릭스(salix)'를 따서 '살리신(salicin)'이라는 이름을 붙였다. 10년 뒤 프랑스 화학자들은 살리신에서 살리실산을 만들어 내는 데 성공했고(프랑스 화학자들이 살리실산을 만들어 냄), 그 후 1870년 독일의 화학자 헤르만 콜베는 살리실산의 구조를 밝혀내, 합성 살리실산을 제조할 수 있는 공정을 개발했다(헤르만 콜베가 합성 살리실산 제조 공정을 개발함). 살리실산은 통증을 줄이는 데에는 효과적이었지만, 쓴맛 때문에 복용하기가 힘들었으며 환자들의 위장 점막을 손상시키기도 하였다(살리실산의 문제점). 이런 문제를 해결하기 위해 아이헨그륀과 호프만 등은 살리실산의 분자를 다양하게 변환시키는 연구를 하였고, 마침내 살리실산을 아세트산으로 변환시키는 과정에서 아세틸살리실산, 즉 아스피린을 만들어 냈다(아이헨그륀과 호프만이 아스피린을 만들어 냄). 그것은 살리실산과 동일한 효능을 지녔으면서도 복용하기에는 훨씬 편했다.

다 아스피린은 1899년에 베를린 제국 의회의 상표 심사를 통과하여 처음 의약품으로 판매되기 시작했으며, 1900년에는 미국 특허청에 그 제조와 이용에 관한 특허가 등록되었다. 그러나 이후 70여 년 동안 아스피린이 몸속에서 어떻게 작용하는지 제대로 파악되지 못한 상태에서 처방되었다. 이는 오늘날의 기준으로 보면 상상하기 힘든 일이다.

라 아스피린의 작용 원리는 1971년에 이르러서야 영국의 약학자 존 베인에 의해 밝혀졌다. 사람이 상처를 입으면 세포들이 손상되면서 세포막에서 다중불포화지방산이 분비된다. 이것은 세포벽을 부드럽게 만드는 지방산이다. 이때 효소인 사이클로옥시게나제의 작용으로 다중불포화지방산은 프로스타글란딘이라는 물질로 변환된다(통증을 유발하는 물질). 체내에 발생한 프로스타글란딘은 혈관의 확장과 수축, 즉 혈소판의 활동을 제어하는 동시에 체내의 열, 통증, 염증에 관여하는데, 그 중 통증은 이 물질이 통증 수용체가 자리하고 있는 신경 섬유를 자극함으로써 생겨나는 것이다. 그리고 아세틸살리실산은 사이클로옥시게나제를 차단함으로써 프로스타글란딘의 합성을 막는 것이다. (아스피린은 다중불포화지방산이 프로스타글란딘으로 변환되는 것을 막음) 이러한 사실을 밝혀낸 존 베인은 1982년 노벨 의학상을 받았다.

마 훗날「아스피린이 혈소판의 응고를 방지하고 혈전을 예방할 수 있다는 사실이 ㉠밝혀지면서 그 적용 범위가 확대되었다. 소량의 아스피린만으로도 갑작스러운 심장 발작을 예방하고, 엄마 뱃속에 있는 태아의 혈액 공급을 개선하는 데 효과가 있기 때문이다.」(「 」: 아스피린의 혈전 예방 효능이 심장 발작을 예방할 수 있는 요인임) 현재 아스피린은 연구가 가장 많이 된 의약품 중 하나이며, 지금도 다양한 효능에 관한 연구 결과들이 계속해서 발표되고 있다.

독해 체크

■ 이 글의 핵심 화제

(아스피린)의 역사

■ 문단별 중심 내용

- 1문단: (조팝나무 껍질) 추출 물질에서 기원한 아스피린
- 2문단: 아스피린이 약으로 발전되기까지의 과정
- 3문단: 작용 원리가 제대로 파악되지 못한 상태에서 처방된 (아스피린)
- 4문단: 1971년에 밝혀진 아스피린의 (작용 원리)
- 5문단: 아스피린의 다양한 (효능)과 계속 발표되는 효능에 관한 연구 결과

■ 핵심 내용의 구조화

아스피린의 기원	기원전 4세기, 히포크라테스가 조팝나무 껍질에서 통증을 완화시키는 물질인 (살리신)을 발견함

↓

(아세틸살리실산)이 약으로 발전되기까지의 과정

↓

(살리신)에서 살리실산을 만들어 내고, 합성 살리실산의 제소 공정을 개발함 →	살리실산의 분자를 (변환) 시키는 과정에서 아세틸살리실산을 만들어 냄 →	아세틸살리실산의 (작용 원리)가 밝혀지지 않은 채로 70여 년 동안 처방됨 →	아세틸살리실산이 체내에서 (통증)을 완화시킨다는 작용 원리를 밝혀 냄

↓

아스피린의 효능과 전망	• 아스피린의 새로운 효능이 밝혀지면서 적용 범위가 확대됨 • 아스피린의 다양한 효능에 관한 연구 결과들이 계속 발표됨

1 (다)에서 아스피린은 1899년에 상표 심사를 통과하면서 처음 의약품으로 판매되기 시작하였는데, 그 이후 70년 동안 아스피린의 작용 원리가 제대로 파악되지 못한 상태에서 처방되었고, 이는 오늘날의 기준으로 보면 상상하기 힘든 일이라고 하였다.

오답 풀이 ❶ (가)에서 기원전 4세기에 히포크라테스가 조팝나무 껍질에서 통증을 완화시키는 물질을 발견하였다고 하였고, (나)에서 1828년 부흐너가 조팝나무 껍질에서 쓴맛이 나는 노란 결정을 얻어 '살리신'이라고 명명하였다고 하였다. 이로 보아 히포크라테스가 발견한 물질은 아세틸살리실산의 기원이 되는 물질인 '살리신'이라는 것을 알 수 있다.
❷ (마)에 의하면 아스피린이 혈소판의 응고를 방지하고 혈전을 예방할 수 있다는 사실이 밝혀지면서 그 적용 범위가 확대되었고, 그래서 소량의 아스피린만으로도 갑작스러운 심장 발작을 예방하는 데 효과가 있다고 하였다. 따라서 심장 발작을 예방할 수 있는 것은 통증을 완화시키는 효능 때문이 아니라, 혈소판의 응고를 방지하고 혈전을 예방할 수 있기 때문이다.
❸ (다)에서 아스피린이 베를린 제국 의회의 상표 심사를 통과하여 처음 의약품으로 판매되었다고 하였으나, 그 이전에는 어떠했는지 설명하고 있지 않다.
❺ (나)에서 알 수 있듯이 살리실산의 분자를 변환하는 과정에서 만들어진 물질은 아세틸살리실산에 해당한다. 쓴맛 때문에 복용하기 어려운 물질은 살리실산이다.

2 (라)로 보아 사람에게 상처가 생기면 손상된 세포에서 분비된 다중불포화지방산이 프로스타글란딘으로 변환된다. 이때 변화 과정에서 작용하는 것이 사이클로옥시게나제이다. 프로스타글란딘은 통증을 발생시키므로 프로스타글란딘이 만들어지지 않으면 통증을 느끼지 않을 수 있다. 아스피린의 성분인 아세틸살리실산이 사이클로옥시게나제를 차단함으로써 프로스타글란딘의 합성을 막는다고 하였으므로, 아스피린이 작용하는 지점은 사이클로옥시게나제가 작용하는 단계(ⓒ)에 해당한다.

3 아스피린의 효능이 밝혀진 것이므로 ㉠의 '밝혀지다'의 문맥적 의미는 '드러나지 않거나 알려지지 않은 사실, 내용, 생각 따위가 드러나 알려지다.'이다. 이와 바꾸어 쓸 수 있는 말은 '어떤 사실이 자세히 따져져 바로 밝혀지다.'의 의미인 '규명되다'이다.

오답 풀이 ❶ '상기되다'는 '지난 일이 돌이켜져 생각나다.'의 의미이다. ㉠의 목적이 되는 대상은 아스피린의 새로운 효능에 해당하므로 지난 일을 돌이키는 것이 아니다.
❷ '추정되다'는 '미루어져 생각되어 판정되다.'의 의미이다. 아스피린의 효능은 추측으로 밝혀진 것이 아니라 연구를 통해 밝혀진 것이다.
❸ '전달되다'는 '지시, 명령, 물품 따위를 다른 사람이나 기관에 전하여져 이르게 되다.'의 의미이다. 아스피린의 효능이 사람이나 기관으로부터 전달된 것은 아니다.
❺ '구현되다'는 '어떤 내용이 구체적인 사실로 나타나다.'의 의미이다. 아스피린의 효능이 구체적으로 나타난 것이 아니라, 새로운 효능이 밝혀진 것이므로 바꾸어 쓰기에 적절하지 않다.

어휘 체크

1 기원전 – 전의 – 의약품 – 품행 – 행진 – 진통제
2 ❶ ㉠ ❷ ㉡ ❸ ㉢

번개는 어떻게 만들어질까?

1 ④ 2 ④ 3 ④

가 사람들에게 번개(핵심어) ㉠치는 장면을 그려 보라고 하면 구름에서 지상까지 직선으로 ㉡하강하는 모습을 그리는 것이 아니라, 나뭇가지 모양이나 지그재그로 내려오는 모습을 그린다. 왜 그럴까? 빛의 성질 중에는 굴절이라는 현상이 있는데, 굴절은 파동이 하나의 매질에서 다른 매질로 진입하는 경계면에서 속도 차이로 인해 나아가는 방향이 바뀌는 현상(굴절의 정의)이다. 이러한 현상은 빛이 진행할 때는 최단 거리 경로가 아닌 최소 시간 경로로 이동하며, 매질에 따라 빛의 속력이 다르기 때문에(굴절 현상의 원인) 나타난다. 번개는 엄청난 에너지를 지닌 채 지상에 내려오므로 그 주변의 ㉢대기 상태가 매우 불안정하다. 번개는 이런 불안한 상태의 대기를 지나면서 최대한 빨리 내려오기 위해 가장 빠른 길을 찾아 요리조리 왔다 갔다 하다 보니 지그재그 형태를 ㉣그리며 내려오는 것이다.(번개가 지그재그 형태로 내려오는 이유)

나 이러한 번개가 만들어지기 위해서는 우선 여름철에 내리쬐는 강한 태양 광선이 지표의 공기를 가열시키고, 가열되어 가벼워진 공기는 위로 올라가 상승 기류를 형성해야 한다. 상승 기류는 여러 가지 구름을 만드는데, 그중에서 바닥은 평평하면서 웅장한 산봉우리 모양으로 하늘 높이 솟아오르는 구름을 적란운(소나기구름)(번개의 형성 조건)이라 한다.

다 적란운 속에 있던 많은 양의 작은 물방울과 얼음 입자가 더욱 상승하여 온도가 −20℃보다 훨씬 낮은 상태(뇌운이 되기 위한 조건)가 되면, 뇌운(번개 구름)이 된다. 모든 전기 현상을 일으키는 것은 전하인데, 기상학자들에 의하면, 『적란운에서 상승하는 작은 물방울과 얼음 입자가 적란운의 바닥으로 하강하는 얼음 입자 혹은 우박과 충돌하면서 전하의 분리가 나타난다고 한다.』(『 』: 번개가 치기 전에 뇌운 속에서 일어나는 현상) 상승하는 입자들은 양전하를 띠지만, 하강하는 입자들은 음전하를 띠기 때문에 구름의 윗부분은 강한 양전하를, 구름의 바닥 부분은 강한 음전하를 가진다. 뇌운 속에서 분리되어 쌓인 위쪽의 양전하와 바닥 쪽의 음전하가 충돌하면서 번개가 발생하는 것이다.(번개가 발생하는 원리) 또는 뇌운이 지표면 위를 지나가면서 뇌운의 바닥 쪽에 강한 음전하가 마치 그림자를 드리우는 듯 지표면의 양전하를 유도해 끌고 다닐 때에도 번개가 발생할 수 있다. 이때 뇌운과 지표면의 전하가 충돌하면서 발생하는 스파크(전기 불꽃)가 번개다.

라 한편, 번개가 치는 것을 대개 구름에서 지상으로 내려오는 것처럼 표현하는데 사실 전류가 흐르는 현상 자체는 지상에서 구름을 향해 일어난다. 구름의 바닥 부분 밑으로 스텝 리더(음전하로 대전된 보이지 않는 공기 기둥)가 생기고 이 공기 기둥은 순식간에 지상에 있는 물체, 이를테면 높은 나무나 빌딩 근처까지 가지를 ㉤치듯 형성된다.(높은 물체에 공기 기둥이 형성됨) 그때 지상에 있는 물체에서 발생한 스파크가 갑자기 켜져 순식간에 위쪽으로 올라가 스텝 리더를 만난다. 그 즉시 스텝 리더는 도선의 역할을 하며 음전하들이 구름의 밑부분으로 다시 돌아가는 경로가 되어 찬란하고 밝은 빛으로 보인다. 실제로 우리가 보는 번개는 이렇게 음전하들이 구름 쪽으로 되돌아 흘러서 발생하는 빛인 것이다.

독해 체크

■ 이 글의 핵심 화제

번개의 특성과 (형성) 과정

■ 문단별 중심 내용

- 1문단: (번개)가 지그재그 형태를 그리며 내려오는 이유
- 2문단: 번개 형성의 조건 – (적란운)의 형성
- 3문단: 번개 형성의 과정 – (양전하)와 음전하의 분리 및 충돌
- 4문단: 번개의 실제 (이동) 방향

■ 핵심 내용의 구조화

번개	
번개의 모양	불안한 상태의 대기를 지나면서 가장 빠른 길을 찾다 보니 (지그재그) 형태가 됨
번개의 형성 조건	상승 기류를 형성하여 (적란운)이 생겨야 함
번개의 형성 과정	적란운 속에서 양전하와 음전하가 (분리)되고 (충돌)함
번개의 이동 방향	번개는 지상에서 (구름)을 향해 발생하는 빛임

(라)를 통해 적란운의 스텝 리더가 높은 나무나 빌딩 근처까지 형성되면 번개가 치기 쉽다는 내용을 짐작할 수는 있으나, 적란운의 이동이 번개에 어떠한 영향을 끼치는지는 제시되어 있지 않다.

오답 풀이 ❶ (나)를 보면 번개가 생성되기 위해서는 태양 광선에 가열되어 가벼워진 공기가 위로 올라가 상승 기류를 형성해 적란운을 만들어야 함을 알 수 있다.

❷ (가)를 통해 번개는 불안한 상태의 대기를 지나면서 가장 빠른 길을 찾아 왔다 갔다 하기 때문에 빛의 굴절 현상으로 인해 지그재그 형태를

형성한다는 것을 알 수 있다.
❸ (라)를 통해 지상에 있는 물체에서 발생한 스파크와 만난 스텝 리더의 음전하들이 구름 밑부분으로 다시 돌아가면서 밝은 빛을 띠는 번개가 발생한다는 것을 알 수 있다. 따라서 번개가 발생하는 순간, 전하의 이동과 방향은 공기 중에서 구름 속으로 이동한다고 할 수 있다.
❺ (다)를 보면 적란운에서 상승하는 물방울과 얼음 입자가 적란운의 바닥으로 하강하는 얼음 입자나 우박과 충돌하면서 전하의 분리가 나타나고, 뇌운 속에서 분리되어 쌓인 위쪽의 양전하와 바닥 쪽의 음전하가 충돌하면서 번개가 발생한다고 하였다. 즉 번개가 치기 전에 뇌운 속에서는 전하의 분리가 일어난다는 것을 알 수 있다.

2 (라)를 보면 스텝 리더는 구름의 바닥 부분 밑에 생성된 음전하 기둥으로, 높은 나무나 빌딩 근처까지 형성됨을 알 수 있다. 이때 지상에 있는 물체에서 발생한 스파크가 갑자기 커져 순식간에 위쪽으로 올라가 스텝 리더를 만난다고 하였다. 따라서 구름에서 스파크가 발생한다는 설명은 적절하지 않다.

오답 풀이 ❶ (다)를 통해 번개가 생성되기 위해서는 적란운이 형성되고, 적란운 속 낮은 온도 상태가 된 뇌운 안에서 상승하는 입자들은 양전하를 띠고 하강하는 입자들은 음전하를 띠며 뇌운 속에서 분리된 양전하와 음전하가 충돌해야 함을 알 수 있다.
❷ (라)를 보면 나무가 평지보다 높은 위치에 있어 구름과 가깝기 때문에 스텝 리더의 음전하가 나무에 양전하를 유도한 것이라고 볼 수 있다.
❸ (라)에서 스텝 리더는 구름의 바닥 부분 밑으로 생성된, 음전하로 대전된 보이지 않는 공기 기둥이라고 하였으므로 적절한 설명이다.
❺ (라)에서 지상에 있는 물체에서 발생한 스파크가 갑자기 커져 위쪽으로 올라가 스텝 리더와 만나게 되면 음전하들이 구름의 밑부분으로 다시 돌아간다고 하였다. 따라서 음전하는 구름 밑으로 되돌아오고 나무에서 올라간 양전하만 대기 중에 남은 상황이 된다.

3 ㉣의 '그리다'는 '어떤 모양을 일정하게 나타내거나 어떤 표정을 짓다.'의 의미인데, ④의 '그리다'는 '사랑하는 마음으로 간절히 생각하다.'의 의미로 쓰였다.

오답 풀이 ❶ '치다'가 둘 다 '천둥이나 번개 따위가 큰 소리나 빛을 내면서 일어나다.'의 의미로 사용되었다.
❷ '하강'이 둘 다 '높은 곳에서 아래로 향하여 내려옴'의 의미로 사용되었다.
❸ '대기'가 둘 다 '공기'를 달리 이르는 말로 사용되었다.
❺ '치다'가 둘 다 '식물이 가지나 뿌리를 밖으로 돋아 나오게 하다.'의 의미로 사용되었다.

+ 어휘 체크
• ㉡ – 뇌운 ㉣ – 굴절 ㉢ – 기류 ㉠ – 전하 ㉤ – 적란운

본문 132~135쪽

과학 03 지렁이의 유용성

1 ② 2 ② 3 ④

가 예전에는 땅 위를 소리 없이 기어 다니는 지렁이를 흔하게 볼 수 있었지만, 요즘은 아스팔트로 포장된 도로가 많아 지렁이를 보는 일이 어려워졌다. 어쩌다 지렁이를 보게 되더라도 생긴 모양이 징그럽다고 지렁이를 피해 다니거나 혐오의 대상으로 취급하는 사람들이 많다. 그러나 지렁이를 이와 같이 무시하는 것은 옳지 못하다. 우리나라에서 지렁이는 소나 돼지처럼 법으로 정한 엄연한 가축이기 때문이다. 가축이란 인간 생활에 유용하게 사용하기 위해 기르는 동물(가축의 개념)이다. 그렇다면 지렁이는 어떤 이유에서 가축이 되었을까?

나 첫째, 농업을 위해 지렁이가 쓰인다.(지렁이가 가축인 이유 ①) 지렁이는 소화 과정에서 해로운 미생물을 제거하고 식물 생장에 필수적인 질소, 칼슘, 마그네슘, 인, 칼륨 등이 포함된 분변토를 ⓐ배출한다. 이 분변토를 사용하면 화학 비료를 적게 쓸 수 있어서 땅의 산성화를 ⓑ막는 데에 도움이 된다.(지렁이가 농업에 끼치는 긍정적 영향 ①) 또한 지렁이는 표면과 땅속을 오가면서 지표면의 물질과 땅속의 흙을 순환시킨다. 농사를 지을 때 쟁기로 밭을 가는 행위를 지렁이는 평생토록 하는 셈이다. 지렁이가 많이 사는 토양은 지렁이의 이러한 행위로 인해 땅속에 수많은 미세한 굴들이 상하좌우로 형성되어 흙이 폭신하고 부드러워지며 공극이 많아진다.(지렁이의 활동으로 흙이 순환됨) 공극은 식물의 뿌리가 성장하는 데에 도움을 준다.(지렁이가 농업에 끼치는 긍정적 영향 ②) 아울러 비가 오면 공극에 빗물이 스며들게 되어 식물에게 필요한 수분을 저장할 뿐만 아니라 지하수를 확보하는 데에 도움이 된다.(지렁이가 농업에 끼치는 긍정적 영향 ③) 이같은 지렁이의 특성 때문에 농사가 잘되는 비옥한 토양에는 지렁이가 많다.

다 둘째, 환경을 위해 지렁이가 쓰인다.(지렁이가 가축인 이유 ②) 우리나라에서는 하루 1만 7,000톤 정도의 음식물 쓰레기가 발생하고 이로 인해 한 해 동안 25조 원 정도의 비용이 낭비되고 있다. 또한 음식물 쓰레기가 버려지면 썩어서 토양과 물이 오염된다. 이를 제대로 처리하기 위해서는 많은 돈과 노력을 들여 대규모의 시설을 지어야 하고, 그 시설로 인해 지역 주민들과 갈등을 빚기도 한다. 그러나 음식물 쓰레기를 지렁이가 먹으면 이런 문제를 해결하는 데에 도움이 된다.(음식물 쓰레기 처리에 지렁이를 활용함) [㉠]

라 아직 우리나라에서는 지렁이를 농업과 음식물 쓰레기 처리에 대규모로 이용하는 경우가 많지 않다. 「지렁이의 먹이는 염분 농도가 낮아야 하기 때문에 국이나 찌개

「 」: 우리나라에서 지렁이를 가축으로 이용하기 어려운 이유

를 많이 먹는 우리 음식 문화에서는 소금기를 낮추는 ⓒ별도의 처리가 필요하다. 또한 살아 있는 생명인 지렁이는 ⓓ적합한 환경이 아니면 살 수 없다. 온도는 늘 15~25도로, 흙의 수분은 20%로 유지해야 하는 관리의 어려움이 있다.」

마 「20세기 들어 전 세계적으로 지렁이의 분변토를 이용한 비료나 지렁이를 농경지에 인공적으로 서식하게 하는 지렁이 농법의 사용이 ⓔ늘어나고 있다. 최근에는 유기물을 섭취해 안정된 물질로 전환시켜 배설하는 특성을 이용해 음식물 쓰레기와 가축 폐기물, 하수 시설의 슬러지 및 분뇨 처리에 활용하는 방안도 모색하고 있다.」 지렁이를 이용하는 것이 쉽지 않지만, 지렁이의 유용성을 생각한다면 지렁이를 활용할 수 있는 방안을 적극적으로 연구해야 할 필요가 있다.

「 」: 지렁이를 활용하고자 하는 노력
글쓴이의 주장

독해 체크

■ 이 글의 핵심 화제

가축으로서 (지렁이)의 쓰임

■ 문단별 중심 내용

1문단	가축의 의미와 지렁이가 (가축)인 이유에 대한 의문 제기
2문단	지렁이가 가축인 이유 ① - (농업)에 지렁이가 유용하게 쓰임
3문단	지렁이가 가축인 이유 ② - (환경)을 위해 지렁이가 유용하게 쓰임
4문단	(우리나라)에서 지렁이를 이용하기 어려웠던 이유
5문단	(지렁이)의 활용 방안을 적극적으로 연구해야 할 필요성

■ 핵심 내용의 구조화

지렁이의 쓰임

농업	환경
지렁이의 (분변토)를 농업에 사용하면 화학 비료를 적게 쓸 수 있고 지렁이가 만드는 땅속의 (공극)은 식물 성장과 지하수 확보에 도움이 됨	(음식물 쓰레기)를 지렁이의 먹이로 활용하면 (음식물 쓰레기)의 처리 비용을 줄이고 토양과 물의 오염도 막을 수 있음

1 (나)로 보아, 땅속의 작은 구멍이나 빈틈인 공극이 많아져야 공극에 빗물이 스며들어 지하수를 많이 확보할 수 있다.

오답 풀이 ❶ (다)에서 음식물 쓰레기를 제대로 처리하려면 많은 돈과 노력을 들여 대규모의 시설을 지어야 하고, 그 시설로 인해 지역 주민들과의 갈등이 발생할 수 있는 문제점들이 존재한다고 하였다.

❸ (라)에서 지렁이를 이용하기 위해서는 지렁이의 먹이 염도, 사는 곳의 온도, 흙의 수분 등을 고려해야 한다고 하였다.

❹ (마)에서 지렁이의 특성을 이용해 음식물 쓰레기와 가축 폐기물, 하수 시설의 슬러지 및 분뇨 처리에 활용하는 방안을 모색하고 있다고 하였다.

❺ (나)에서 지렁이는 소화 과정에서 분변토를 배출하는데, 이 분변토는 땅의 산성화를 막는 데 도움이 된다고 하였다.

2 (다)에서 음식물 쓰레기를 처리하기 위해서는 여러 가지 문제가 존재하는데, 음식물 쓰레기를 지렁이가 먹으면 이런 문제를 해결하는 데 도움이 된다고 하였다. 따라서 ㉠에는 지렁이가 음식물 쓰레기를 줄이는 데에 큰 역할을 한다는 내용의 ②가 들어가는 것이 가장 적절하다.

오답 풀이 ❶ 이 글에서 지역 주민들의 집단 이기주의는 논의의 대상이 아니다.

❸ 표면과 땅속을 오가는 지렁이의 움직임으로 흙의 순환을 도와 흙을 폭신하고 부드럽게 만들어 농사가 잘되는 비옥한 토양이 된다는 내용은 (나)에 제시되어 있다.

❹ (다)에서 대규모의 시설을 지어야 한다는 것은 음식물 쓰레기를 처리할 시설을 의미하는데, ㉠에는 음식물 쓰레기 처리에 지렁이가 도움이 된다는 내용이 들어가야 한다.

❺ ㉠ 뒤에 이어지는 문단 (라)를 보면 아직 우리나라에서는 지렁이를 농업과 음식물 쓰레기 처리에 대규모로 이용하는 경우가 많지 않다는 내용이 제시되어 있다. 따라서 현재 지렁이가 음식물 쓰레기를 상당량 처리하고 있다는 내용은 적절하지 않다.

3 ⓓ '적합한'은 '일이나 조건 따위에 꼭 알맞은'을 의미한다. ④의 '특수한'은 '특별히 뛰어난'을 의미하므로, 지렁이가 살기에 알맞은 환경을 말하는 것이지 특별하게 뛰어난 환경을 의미하는 것이 아니므로 ⓓ와 바꾸어 쓰기에 적절하지 않다.

오답 풀이 ❶ ⓐ '배출한다'는 '안에서 밖으로 밀어 내보낸다.'는 의미이므로, '밖으로 나가게 한다.'의 의미인 '내보낸다'와 바꾸어 쓰기에 적절하다.

❷ ⓑ '막는'은 '어떤 현상이 일어나지 못하게 하는'의 의미이므로, '어떤 일이나 현상이 일어나지 못하게 막는'의 의미인 '방지하는'과 바꾸어 쓰기에 적절하다.

❸ ⓒ '별도의'는 '원래의 것에 덧붙여서 추가한 것의'라는 의미이므로, '나중에 더 보태는'의 의미인 '추가적인'과 바꾸어 쓰기에 적절하다.

❺ ⓔ '늘어나고'는 '부피나 분량 따위가 본디보다 커지거나 길어지거나 많아지고'의 의미이므로, '양이나 수치가 늘고'를 의미하는 '증가하고'와 바꾸어 쓰기에 적절하다.

어휘 체크

1 (1) 배출 (2) 미생물 (3) 혐오

2 ❶ 분변토 ❷ 토양 ❸ 양산 ❹ 산성화 ❺ 공극 ❻ 극성 ❼ 성장

기술 **01** 쿼티 자판과 드보락 자판

본문 136~139쪽

1 ② 2 ④ 3 ⑤

㉮ 지금 우리가 쓰는 컴퓨터의 영문 자판인 '쿼티(QWERTY)' 자판은 컴퓨터가 보편화되기 이전인 타자기 시대부터 표준 자판의 자리를 지켜 왔다. ㉠이 자판이 현재까지 독보적인 지위를 누릴 수 있었던 까닭은 무엇일까?

핵심어 / 왼쪽 상단의 영문자가 'QWERTY' 순으로 배열된 데서 유래함 / 답이 (마)에 제시됨 - 쿼티 자판의 단점을 보완한 드보락 자판이 기술적인 합리성에도 시장에서 사라졌기 때문

㉯ 최초의 실용적 타자기는 크리스토퍼 라삼 숄즈가 발명한 '숄즈와 글리든 타자기'였다. 숄즈가 처음에 이 타자기를 개발하였을 때 타자기의 철자 막대는 알파벳 순서에 따라 두 줄로 배열되었다. 그런데 타자기 작동 실험에서 자판을 조금만 빨리 쳐도 철자 막대들이 서로 뒤엉키는 문제점이 드러났다. 이에 숄즈는 T나 H처럼 함께 자주 쓰이는 철자들을 서로 띄어 놓으면 뒤엉킴이 덜할 것이라고 판단하여 이런 철자 쌍을 가능한 서로 떨어지도록 배치한 결과, ㉡총 4열로 된 자판을 완성하였다.

1870년대 신문 발행인이었던 크리스토퍼 라삼 숄즈가 고안함 / '숄즈와 글리든 타자기'의 개발 당시의 철자 배열 - 2열로 된 자판 / '숄즈와 글리든 타자기'의 철자 두 줄 배열의 문제점 - 함께 자주 쓰이는 철자 막대들이 서로 뒤엉킴 / 철자 두 줄 배열의 문제점(철자 막대들의 뒤엉킴)을 해결한 방법 → 총 4열로 된 쿼티 자판의 완성

㉰ 숄즈의 해결책으로 철자 막대의 엉킴은 확실히 줄었지만 엉킴을 막기 위해 자판을 배열하다 보니 상대적으로 약한 손가락들로 가장 많이 쓰이는 철자들을 쳐야 하는 상황이 벌어졌다. 이런 인체공학적 결점은 타자 속도에도 영향을 주었다. 그러나 「비합리적이라는 비판을 받으면서도 레밍턴 타자기의 대량 보급으로 인해 숄즈의 자판은 널리 퍼져 나갔고, 1895년 이후로는 ㉢보편적인 표준 자판으로까지 자리 잡게 되었다.」

철자 쌍을 서로 떨어지게 배치한 후 나타난 문제점 - 타자 속도가 느림 / 「 」: 비합리적이라는 비판에도 숄즈의 자판(쿼티 자판)은 보편적인 표준 자판으로 자리 잡음 / 쿼티(QWERTY) 방식의 자판 배열과 대소문자를 구분하는 'Shift' 키 등 지금 키보드의 모습이 정립됨

㉱ 하지만 숄즈 자판의 단점을 보완하기 위한 노력은 계속되었는데, 그중의 하나가 드보락(Dvorak) 자판이었다. 드보락 자판은 중앙에 5개 모음(A, O, E, U, I)과 가장 많이 쓰이는 자음(D, H, T, N, S)을 배치하였다. 이는 「가능한 한 양손의 움직임을 줄이고 손가락만을 움직여 자주 쓰는 철자들을 칠 수 있도록 한 것이다. 반면 약한 손가락이 놓이는 곳에는 잘 쓰지 않는 철자들을 배치하였다. 이로써 드보락 자판에서는 양손을 고루 쓸 수 있어 타자를 치는 리듬이 고르게 유지됐다.」 그럼에도 불구하고 드보락 자판은 먼저 보급된 ㉣쿼티 자판에 밀려 폭넓은 상용화에는 실패하였다.

쿼티 자판보다 효율성이 높은 자판 배열을 개발하려고 시도함 / 핵심어 / 숄즈 자판의 단점(느린 타자 속도)을 개선한 자판으로 평가됨 / 드보락 자판의 철자 배치 / 「 」: 드보락 자판의 철자 배치의 장점 - 기술적 합리성, 양손을 고루 쓸 수 있어 타자를 치는 리듬을 고르게 유지함

㉲ 드보락 자판이 실패한 결정적인 이유는 이용자들이 드보락 자판을 외면했기 때문이다. 사람들은 드보락 자판에 대해 이를 능숙하게 다룰 수 있는 새로운 습관을 익히는 수고를 감수할 만큼의 매력을 느끼지 못했던 것이다. 경영자 입장에서도 기존의 자판을 드보락 자판으로 교체하는 데 드는 비용이 부담스럽고 ㉤새 자판을 다루기 위해 타자수들을 새로 훈련시키는 일이 번거로웠던 것이다. 결국 드보락 자판은 기술적인 합리성에도 불구하고 시장에서 사라지고 말았다.

드보락 자판이 실패한 결정적인 이유 / 드보락 자판이 상용화에 실패한 이유 ① - 쿼티 자판에 익숙해진 사용자들이 드보락 자판을 외면함 / 드보락 자판이 상용화에 실패한 이유 ② - 경영자 입장인 타자기 제조업체도 드보락 자판을 외면함 / 드보락 자판을 이용하는 사람들의 외면으로 드보락 자판은 사라지고 쿼티 자판이 시장을 석권하게 됨

독해 체크

■ 이 글의 핵심 화제

독보적인 지위를 누리는 쿼티 자판과 시장에서 사라진 (드보락 자판)

■ 문단별 중심 내용

- 1문단: 표준 자판의 자리를 지켜 온 (쿼티 자판)
- 2~3문단: '숄즈와 글리든 타자기'의 문제점을 해결한 숄즈의 자판이 보급화됨
- 4문단: 숄즈 자판의 단점을 보완한 (드보락 자판)
- 5문단: 드보락 자판이 (상용화)에 실패한 이유

■ 핵심 내용의 구조화

표준 자판의 자리를 지켜 온 쿼티 자판

숄즈와 글리든 타자기	철자 두 줄 배열로 인해, 철자 막대들이 서로 뒤엉키는 문제점이 드러남 → 철자 쌍을 서로 떨어지게 배치한 (숄즈) 자판의 등장
숄즈의 자판(쿼티 자판)	• 두 줄 배열의 문제점 해결을 위해 철자 쌍을 서로 떨어지게 배치하여 총 (4열)로 된 자판을 완성함 → 약한 손가락들로 많이 쓰이는 철자들을 치다 보니 타자 속도가 느림 • (비합리적)이라는 비판에도 표준적인 자판으로 자리 잡음
드보락 자판	숄즈 자판의 단점을 (보완)하여 개발된 자판으로, 양손의 움직임을 줄이고 손가락만 움직여 자주 쓰는 철자들을 치도록 한 반면, 약한 손가락에는 잘 쓰지 않는 철자들을 배치함 → 양손을 고루 써서 타자 치는 리듬을 고르게 유지함

(드보락 자판)은 기술적인 합리성에도 불구하고 이용자들의 외면으로 폭넓은 상용화에 실패하였고, (쿼티 자판)이 독보적인 지위를 누림

1 (가)에서 컴퓨터가 보편화되기 이전인 타자기 시대부터 표준 자판의 자리를 지켜 온 '쿼티(QWERTY)' 자판이 현재까지 독보적인 지위를 누릴 수 있었던 까닭은 무엇일까에 대한 질문으로 글을 시작하여, (마)에서 기술적인 합리성에도 불구하고 드보락 자판이 먼저 보급된 쿼티 자판에 밀려 폭넓은 상용화에 실패한 이유를 중심으로 서술하고 있다.

오답 풀이 ❶ (마)에서 드보락 자판의 기술적인 합리성에 대해 언급하고 있지만, 이 글의 글쓴이는 드보락 자판이 기술적인 합리성에도 불구하고 폭넓은 상용화에 실패하여 쿼티 자판이 독보적 지위를 누릴 수 있었음을 말하고 있는 것이다.
❸ (나)로 보아, '숄즈와 글리든 타자기'의 철자 막대의 엉킴을 해결하기 위해 자주 쓰이는 철자 쌍을 서로 떨어지게 배치한 것이 숄즈의 자판(쿼티 자판)이고, (라)에서 드보락 자판의 배열은 사용하기 편하게 되어 있음을 설명하고 있으므로 드보락 자판이 철자 막대를 어렵게 배치했다는 진술은 적절하지 않다. 또한 이 글의 글쓴이는 드보락 자판이 폭넓은 상용화에 실패하여 쿼티 자판이 독보적 지위를 누릴 수 있었음을 말하고 있다.
❹ 이 글의 글쓴이는 드보락 자판이 시장에서 외면당한 이유를 네트워크 효과로 설명하는 것에 중점을 둔 것이 아니라, 기술적인 합리성에도 불구하고 드보락 자판이 먼저 보급된 쿼티 자판에 밀려 폭넓은 상용화에 실패한 이유에 중점을 두고 있다.
❺ (가)에서 '쿼티(QWERTY)' 자판은 타자기 시대부터 표준 자판의 자리를 지켜 왔다고 제시하고 있지만, 이 글의 글쓴이는 드보락 자판이 먼저 보급된 쿼티 자판에 밀려 폭넓은 상용화에 실패하였기 때문에 '쿼티(QWERTY)' 자판이 현재까지 독보적인 지위를 누릴 수 있었음에 중점을 두어 설명하고 있다.

2 (라)의 '드보락 자판은 중앙에 5개 모음(A, O, E, U, I)과 가장 많이 쓰이는 자음(D, H, T, N, S)을 배치하였다'는 내용과 (라)에 제시된 그림 자료인 '드보락(Dvorak) 자판'을 통해, 키보드 왼쪽에 모음(A, O, E, U, I)이, 오른쪽에 자음(D, H, T, N, S)이 배치되었음을 알 수 있다. 따라서 드보락 자판은 왼손은 모음을, 오른손은 자음을 쉽게 칠 수 있도록 설계되었다고 짐작할 수 있으므로 ④는 적절하지 않다.

오답 풀이 ❶, ❺ (다)에서 숄즈의 자판은 '엉킴을 막기 위해 자판을 배열하다 보니 상대적으로 약한 손가락들로 가장 많이 쓰이는 철자를 쳐야 하는 상황이 벌어졌다. 이런 인체공학적 결점은 타자 속도에 영향을 주었다.'라고 제시되어 있다. 이를 통해 상대적으로 약한 손가락들로 가장 많이 쓰이는 철자를 쳐야 하는 인체공학적 결점이 있는 숄즈의 자판(쿼티 자판)이 양손을 고루 쓸 수 있는 드보락 자판에 비해 타자 속도가 느리고 철자를 입력하는 데 불편함이 있었음을 짐작할 수 있다.
❷ (라)에서 '숄즈 자판의 단점을 보완하기 위한 노력이 계속되었는데, 그 중의 하나가 드보락(Dvorak) 자판이었다.'라고 한 것으로 보아, 드보락 자판은 쿼티 자판의 단점을 보완하기 위해 만들어졌음을 알 수 있다.
❸ (나)에 제시된 그림 자료인 '쿼티(QWERTY) 자판'을 통해 자판의 왼쪽 상단에 배열된 'Q, W, E, R, T, Y' 여섯 글자에서 쿼티(QWERTY) 자판의 명칭이 유래되었음을 알 수 있다.

3 (라), (마)에 의하면, 이용자들의 외면으로 드보락 자판은 먼저 보급된 쿼티 자판에 밀려 폭넓은 상용화에는 실패하였고, 새 자판인 드보락 자판을 다루기 위해 타자수들을 새로 훈련시키는 일에 번거로움을 느낀 경영자들이 외면하였다는 내용이 제시되어 있다. 따라서 ㉤ '새 자판'은 '드보락(Dvorak) 자판'을 가리키고, ㉠~㉣은 숄즈의 '쿼티(QWERTY) 자판'을 가리킨다.

오답 풀이 ❶ ㉠ '이 자판'은 컴퓨터가 보편화되기 이전인 타자기 시대부터 표준 자판의 자리를 지켜 온 '쿼티(QWERTY) 자판'을 가리킨다.
❷ (나)에서 '숄즈와 글리든 타자기'의 철자 두 줄 배열의 문제점(함께 자주 쓰이는 철자 막대들이 서로 뒤엉킴)을 해결하기 위해 함께 자주 쓰이는 철자 쌍을 서로 떨어지게 배치하여 '총 4열로 된 자판'을 완성하였다고 하였다. 따라서 ㉡ '총 4열로 된 자판'은 숄즈의 '쿼티(QWERTY) 자판'을 가리킨다.
❸ (다)에 의하면, '비합리적이라는 비판을 받으면서도 레밍턴 타자기의 대량 보급으로 인해 숄즈의 자판은 널리 퍼져 나갔고, 1895년 이후로는 보편적인 표준 자판으로까지 자리 잡게 되었다.'라고 제시되어 있다. 따라서 ㉢ '보편적인 표준 자판'은 숄즈의 '쿼티(QWERTY) 자판'을 가리킨다.
❹ (라)에 의하면, 숄즈 자판의 단점을 보완하기 위한 노력 중 하나가 '드보락(Dvorak) 자판'이었고, 드보락 자판은 먼저 보급된 쿼티 자판에 밀려 폭넓은 상용화에 실패하였다고 제시되어 있다. 따라서 ㉣ '쿼티 자판'은 숄즈의 '쿼티(QWERTY) 자판'을 가리킨다.

+ 어휘 체크

• ㉢ – 보편 ㉡ – 결점 ㉤ – 배치 ㉣ – 보완 ㉠ – 배열

본문 140~143쪽

기술 02 환경친화적인 물 에어컨

1 ① 2 ③ 3 ⑤

㉮ 『사막에서 얼음을 만들 수 있을까? 중동 지방에 전해 오는 문헌에 따르면, 공기가 통하는 토기와 물만 있으면 가능하다고 한다.』 토기에 물을 넣고 바람이 잘 통하는 서늘한 곳에 둔다. 이때 물이 토기를 통해 조금씩 스며 나와 증발이 일어나고, 토기 안의 물은 차가워지다가 결국 얼게 된다. 그 이유는 무엇일까? 물이 수증기로 바뀌는 증발 과정에서 주변의 열을 빼앗기 때문이다. 숨이 턱턱 막히는 더운 여름, 햇볕을 받아 뜨거워진 마당에 물을 뿌리면 한결 시원해지는 것도 같은 원리이다.

『 』: 자문자답의 형식으로 글을 시작함으로써 독자의 관심과 흥미를 유발함
주변 공기를 차게 만드는 원리(물 에어컨의 냉방 원리)

㉯ 이와 같은 원리에 (㉠)하여 한국과학기술연구원 연구팀은 건조한 사막과 달리 고온 다습한 우리나라 실정에 맞는 물 에어컨 개발에 착수하였다. 먼저 연구팀은 지름이 약 8cm인 유리병에 물을 약간 채우고 병 안을 진공으로 만들었다. 그리고 병 입구를 습기 제거제가 든 용기로 막고 온도 변화를 측정하였다. 그랬더니 처음에는 22℃였던 유리병 안의 온도가 놀랍게도 10초도 안 되어 0℃로 떨어졌다. 연구팀은 이를 응용해서 습기 제거 장치와 물만 있으면 냉방이 가능한 신개념의 에어컨을 만들었다. 이것이 물 에어컨이다.

이와 같은 원리: 물이 수증기로 바뀌는 증발 과정에서 주변의 열을 빼앗아 주변 공기를 차게 만드는 원리
물 에어컨: 핵심어
습기 제거제로 인해 물이 증발하면서 주변의 열을 빼앗아 유리병 안의 온도가 차가워짐
'물 에어컨'의 개념

다 물 에어컨의 원리는 물이 증발함으로써 주변 공기를 차게 만드는 것이다.(물 에어컨의 원리) 「축축하고 더운 실내 공기가 에어컨 안으로 들어오면 습기 제거 장치를 거치면서 건조해진다. 그러나 온도는 높은 상태이다. 이 덥고 건조한 공기가 물이 뿌려진 그물망을 통과하면서 그물망의 물이 증발하게 되고 증발되는 그물망의 물이 공기 중의 열을 빼앗아 온도를 낮춰 준다. 이렇게 차갑고 건조한 상태의 공기를 에어컨 밖으로 배출해 실내에 공급함으로써 냉방을 하는 것이다.」(「」: 물 에어컨의 냉방 과정)

라 기존 에어컨은 냉매, 증발기, 압축기, 응축기(실외기) 등으로 구성된다.(기존 에어컨의 구조) 냉매는 증발기에서 기화하면서 주변의 열을 빼앗고,(냉매의 기능) 압축기는 기체 냉매에 압력을 높이며,(압축기의 기능) 응축기는 기체 냉매를 액화시켜 열을 방출한다.(응축기의 기능) 이처럼 냉매가 액화와 기화를 반복하면서 차가운 공기를 만들어 내는 것이다.(기존 에어컨의 냉방 방식 - 냉매의 액화와 기화의 반복) 이 작용을 위해 기존 에어컨은 실내기와 실외기로 구분된다. 이에 비해 물 에어컨은 실내기와 실외기의 구분이 없는 일체형이다.(기존 에어컨과 물 에어컨의 구조를 대조함) 또한 연구팀은 '기존 에어컨이 사용하는 전력의 5분의 1 정도면 충분히 물 에어컨을 가동할 수 있다.'고 강조하였다. 프레온 가스를 회수하기 위한 실외기를 설치하지 않아도 되며,(물 에어컨의 특징(장점) ① - 실외기를 설치하지 않음) 또 에어컨의 전기 소비의 주범인 압축기도 필요 없어 전기 사용량을 줄일 수 있는 것이다.(물 에어컨의 특징(장점) ② - 전기 사용량을 줄임) 그리고 오존층을 파괴하는 프레온 같은 냉매도 사용하지 않으므로 환경친화적이다.(물 에어컨의 특징(장점) ③ - 냉매를 사용하지 않아 환경친화적임) 물 에어컨의 습기 제거 장치를 말릴 때는 산업 폐열이나 여름철 사용량이 적어 비용이 저렴한 지역 난방 등을 사용할 수도 있다.(습기 제거 장치를 말릴 때 산업 폐열과 지역난방의 사용 - 남는 에너지 자원의 재활용) 남는 에너지 자원을 냉방에 재활용하는 셈이다.

독해 체크

■ 이 글의 핵심 화제

(물 에어컨)의 원리와 냉방 과정 및 특징

■ 문단별 중심 내용

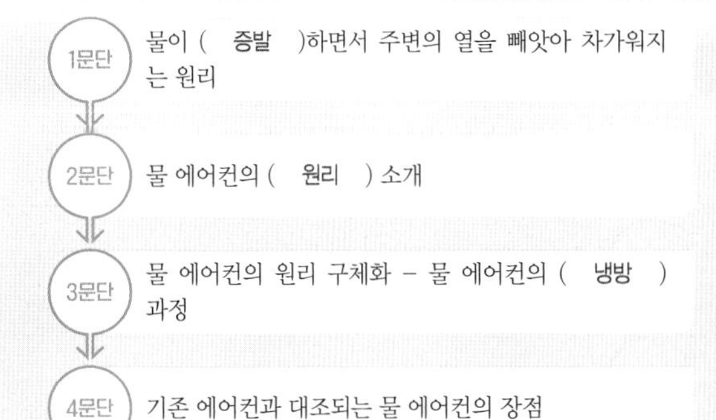

■ 핵심 내용의 구조화

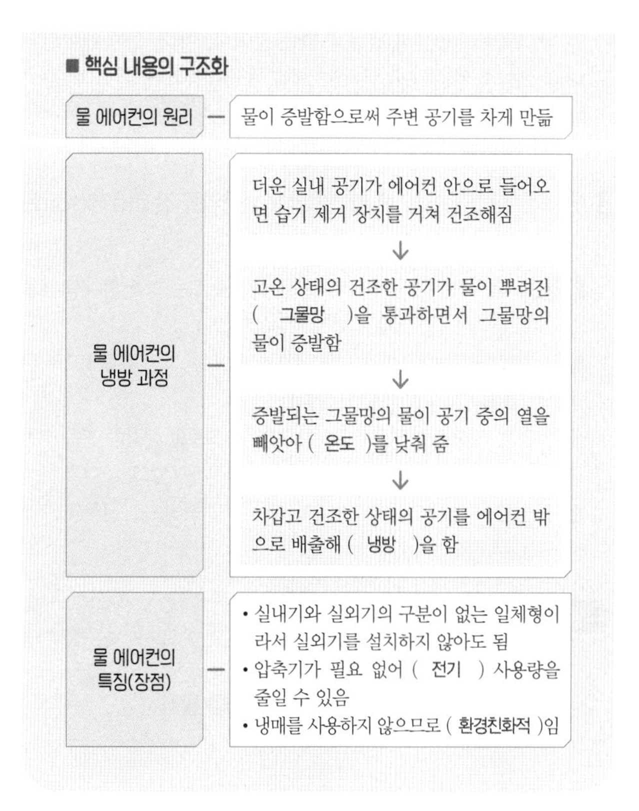

1 (라)에 의하면, 냉매가 액화와 기화를 반복하면서 차가운 공기를 만들어 내는데, 이 작용을 위해 기존 에어컨은 실내기와 실외기로 구분된다고 하였다. 따라서 기존 에어컨의 냉방 방식이 기화와 액화이므로 물 에어컨의 냉방 방식이 기화와 액화라고 한 ①은 적절하지 않다.

오답 풀이 ❷ (라)에서 기존 에어컨의 냉매는 증발기에서 기화하면서 주변의 열을 빼앗는다고 하였으므로 기화열이 온도를 낮춰 준다고 할 수 있다. (다)에서 물 에어컨의 원리는 물이 증발함으로써 주변 공기를 차게 만드는 것이라고 하였다.

❸ (라)에서 냉매가 액화와 기화를 반복하면서 차가운 공기를 만들어 내는데, 이 작용을 위해 기존의 에어컨은 실내기와 실외기로 구분된다고 하였다. 이에 비해 물 에어컨은 실내기와 실외기의 구분이 없는 일체형이라고 하였다.

❹ (라)에서 물 에어컨은 오존층을 파괴하는 프레온 같은 냉매도 사용하지 않는다고 하였고, (다)에서 물 에어컨의 원리는 물이 증발함으로써 주변 공기를 차게 만드는 것이라고 하였다. 따라서 기존 에어컨의 냉매는 프레온 가스이고, 물 에어컨의 냉매는 물임을 알 수 있다.

❺ (라)에서 '기존 에어컨이 사용하는 전력의 5분의 1 정도면 충분히 물 에어컨을 가동할 수 있다.'라고 하였고, 물 에어컨은 '오존층을 파괴하는 프레온 같은 냉매도 사용하지 않으므로 환경친화적이다.'라고 하였다. 따라서 기존의 에어컨은 전력 소모가 많고 환경을 파괴하지만, 물 에어컨은 전력 소모가 적고 환경친화적임을 알 수 있다.

2 (다)로 보아, 물 에어컨은 먼저 축축하고 더운 실내 공기가 에어컨 안으로 들어오면(㉠) 습기 제거 장치를 거치면서 건조해지나 이때 온도는 높은 상태(㉤)이다. 이 덥고 건조한 공기가 물이 뿌려진 그물망을 통과하면서(㉣) 그물망의 물이 증발하게 되고(㉡) 증발되는 그물망의 물이 공기 중의 열을 빼앗아 온도를 낮춰 주는데(㉥), 이렇게 차갑고 건조한 상태의 공기를 에어

컨 밖으로 배출(㉢)해 냉방을 하는 것이다. 따라서 물 에어컨의 냉방 과정은 '㉠ → ㉤ → ㉣ → ㉡ → ㉥ → ㉢'의 순서로 이루어진다.

3 ㉠에는 '어떤 문제를 해결하기 위한 실마리를 잡음'을 의미하는 '착안'이 들어가는 것이 가장 적절하다.

오답 풀이 ❶ '제안'은 '안이나 의견으로 내놓음. 또는 그 안이나 의견'을 뜻하므로 문맥상 ㉠에 들어갈 말로 적절하지 않다.

❷ '고안'은 '연구하여 새로운 안을 생각해 냄. 또는 그 안'을 뜻하므로 문맥상 ㉠에 들어갈 말로 적절하지 않다.

❸ '복안'은 '겉으로 드러내지 아니하고 마음속으로만 생각함. 또는 그런 생각'을 뜻하므로 문맥상 ㉠에 들어갈 말로 적절하지 않다.

❹ '혜안'은 '사물을 꿰뚫어 보는 안목과 식견'을 뜻하므로 문맥상 ㉠에 들어갈 말로 적절하지 않다.

+ 어휘 체크

1 (1) 액화 (2) 진공 (3) 냉매
2 ❶ 회수 ❷ 수증기 ❸ 증발 ❹ 기화 ❺ 발화

본문 144~147쪽

기술 03 콘서트홀의 잔향 시간

1 ③ 2 ② 3 ④

가 콘서트홀에서 감미로운 노래와 웅장한 오케스트라 연주에 휩싸이는 경험은 정말 매력적이다. 하지만 모든 콘서트홀이 늘 최고의 소리를 들려주는 것은 아니다. 어떤 콘서트홀에서 공연을 관람하느냐에 따라서 공연의 만족도가 달라질 수 있다. 왜냐하면 오케스트라와 가수 외에도 콘서트홀의 다양한 요소들이 공연의 질에 영향을 미치기 때문이다.
(콘서트홀의 여러 요소들이 공연의 질에 영향을 미치므로 어떤 콘서트홀이냐에 따라 공연의 만족도가 달라짐)

나 공연의 질을 좌우하는 중요한 요소 중 하나는 음이 지속되는 잔향 시간(핵심어)이다. 잔향 시간은 음 에너지가 최대인 상태에서 일백만 분의 일만큼의 에너지로 감소하는 데 걸리는 시간을 말한다. 콘서트홀 종류마다 알맞은 잔향 시간이 다르니. 「오케스트라 전용 콘서트홀은 청중들이 풍성하고 웅장한 감동을 느낄 수 있도록 잔향 시간을 1.6~2.2초로 길게 설계하고, 오페라 전용 콘서트홀은 이보다는 소리가 덜 울려야 청중들이 대사를 잘 들을 수 있기 때문에 잔향 시간을 1.3~1.8초로 짧게 만든다.」 예술의 전당에서, 주로 오케스트라가 공연하는 콘서트홀은 잔향 시간이 2.1초에 달하고, 오페라를 공연하는 콘서트홀은 잔향 시간이 1.3~1.5초이다. 그러면 콘서트홀의 잔향 시간을 조절하는 방법을 살펴보자.
(공연의 질을 좌우하는 중요한 요소 중 하나 / 잔향 시간의 개념 / 오케스트라 전용 콘서트홀 vs 오페라 전용 콘서트홀 / 「 」: 대조 - 오케스트라 전용 콘서트홀은 웅장한 감동을 위해 잔향 시간을 길게, 오페라 전용 콘서트홀은 대사를 잘 듣도록 잔향 시간을 짧게 설계함 / 콘서트홀의 종류에 따라 알맞은 잔향 시간이 다르다는 것을 사례를 들어 설명함)

다 잔향 시간을 조절하는 방법에는 콘서트홀의 크기를 고려하는 방법이 있다. 잔향 시간은 콘서트홀의 크기에 따라 달라지기 때문이다. 「작은 콘서트홀에서는 무대에서 나가는 소리가 벽에 부딪히기까지의 시간이 짧다. 따라서 소리가 벽에 부딪히는 횟수가 많아지므로 소리 에너지가 빨리 줄어들어 잔향 시간이 짧아진다.」「큰 콘서트홀은 작은 콘서트홀에 비해 무대에서 나가는 소리가 벽에 부딪히기까지의 시간이 길다. 따라서 소리가 벽에 부딪히는 횟수가 적으므로 소리 에너지가 천천히 줄어들어 잔향 시간이 길어진다.」
(콘서트홀의 잔향 시간을 조절하는 방법 ① / 「 」: 작은 콘서트홀은 소리가 벽에 부딪히는 횟수가 많아지므로 소리가 빨리 줄어들어 잔향 시간이 짧아짐 / 「 」: 큰 콘서트홀은 소리가 벽에 부딪히는 횟수가 적으므로 소리가 천천히 줄어들어 잔향 시간이 길어짐)

라 콘서트홀의 재료를 고려하여 잔향 시간을 조절하는 방법도 있다. 콘서트홀의 벽면과 바닥, 객석 등에 쓰이는 재료가 잔향 시간에 영향을 미치기 때문이다. 밀도가 낮고 통기성이 좋은 합성 섬유와 같은 푹신한 재료는 소리를 잘 흡수하므로 ㉠흡음재로 쓰인다. 반면 돌이나 두꺼운 합판은 소리를 거의 흡수하지 않고 튕겨 내기 때문에 ㉡반사재로 쓰인다. 흡음재와 반사재를 적절히 조합하면 원하는 잔향 시간을 만들 수 있다. 무대 바닥이나 벽은 반사재를 붙여 반사의 정도를 조절한다. 객석과 주변의 벽은 흡음재를 사용하여 소리를 잘 흡수할 수 있도록 한다.
(콘서트홀의 잔향 시간을 조절하는 방법 ② / 소리를 잘 흡수하는 흡음재로 쓰여 잔향 시간이 짧아짐 / 소리를 튕겨 내는 반사재로 쓰여 잔향 시간이 길어짐 / 소리를 흡수하는 흡음재와 소리를 튕겨 내는 반사재를 적절히 조합해 원하는 잔향 시간을 만들 수 있음)

마 또 다른 방법으로 음향 장치를 활용하기도 한다. 공연이 열릴 때 반사판을 더하면 잔향 시간을 조절할 수 있다. 피아노 독주처럼 작은 소리를 울리게 해야 할 때 피아노 뒤편 무대에 음향 반사판을 병풍처럼 세운다. 그리고 이런 방법으로 잔향 시간을 많이 늘리기 어려울 때에는 최첨단 전기 음향 시스템을 활용하기도 한다. 곳곳에 숨겨진 마이크가 음을 받아 목적에 맞는 잔향 시간만큼 늘린 뒤 다시 스피커로 들려주는 것이다.
(콘서트홀의 잔향 시간을 조절하는 방법 ③ / 소리를 흡수하지 않고 튕겨 내는 음향 반사판을 사용하여 잔향 시간을 늘릴 수 있음 / 음향 반사판보다 잔향 시간을 많이 늘릴 수 있음)

+ 독해 체크

■ **이 글의 핵심 화제**

공연의 질을 좌우하는 콘서트홀의 (잔향 시간)

■ **문단별 중심 내용**

1문단 공연의 질에 영향을 미치는 콘서트홀의 다양한 요소들

2문단 공연의 질을 좌우하는 요소인 (잔향 시간)

콘서트홀의 잔향 시간을 조절하는 방법 ① – 콘서트홀의 (크기)

콘서트홀의 잔향 시간을 조절하는 방법 ② – 콘서트홀의 (재료)

5문단 콘서트홀의 잔향 시간을 조절하는 방법 ③ – (음향 장치)의 활용

■ 핵심 내용의 구조화

공연의 질을 좌우하는 요소인 잔향 시간

콘서트홀의 종류에 따른 잔향 시간의 차이	콘서트홀의 잔향 시간을 조절하는 방법
• 오케스트라 전용 콘서트홀: 청중들의 풍성하고 (웅장) 한 감동을 느낄 수 있게 잔향 시간을 1.6~2.2초로 길게 설계함 • 오페라 전용 콘서트홀: 소리가 덜 울려 청중들이 (대사) 를 잘 들을 수 있게 잔향 시간을 1.3~1.8초로 짧게 설계함	• 콘서트홀의 크기를 고려하는 방법: (작은) 콘서트홀은 소리가 벽에 부딪히는 횟수가 많아 잔향 시간이 짧아지고, (큰) 콘서트홀은 소리가 벽에 부딪히는 횟수가 적어 잔향 시간이 길어짐 • 콘서트홀의 재료를 고려하는 방법: 흡음재와 (반사재) 를 적절히 조합하여 원하는 잔향 시간을 만듦 • 음향 장치를 활용하는 방법: 음향 (반사판), 최첨단 전기 음향 시스템을 활용하여 잔향 시간을 조절함

1 (나)에서 '잔향 시간은 음 에너지가 최대인 상태에서 일백만 분의 일만큼의 에너지로 감소하는 데 걸리는 시간을 말한다.'라고 하여 생소한 개념인 잔향 시간의 의미를 설명하고 있다. 또한 '예술의 전당에서, 주로 오케스트라가 공연하는 콘서트홀은 잔향 시간이 2.1초에 달하고, 오페라를 공연하는 콘서트홀은 잔향 시간이 1.3~1.5초이다.'라고 하여 콘서트홀의 종류마다 알맞은 잔향 시간이 다르다는 것을 오케스트라 전용 콘서트홀, 오페라 전용 콘서트홀 등 관련 사례를 제시하여 이해를 돕고 있다.

오답 풀이 ❶ (나)에서는 공연의 질을 좌우하는 중요한 요소 중 하나인 잔향 시간의 개념을 설명하고 있으며, 콘서트홀의 종류마다 알맞은 잔향 시간이 다르다는 것을 관련 사례를 들어 제시하고 있다. 구성 요소를 분석하고 그 속성을 나열하고 있지 않다.

❷ (나)에서는 잔향 시간의 개념과 콘서트홀의 종류마다 알맞은 잔향 시간이 다르다는 것을 관련 사례를 들어 설명하고 있지, 문제의 원인을 분석하고 그 결과를 서술하고 있지 않다.

❹ (나)에서 콘서트홀의 종류마다 알맞은 잔향 시간이 다르다는 것은 서술하고 있지만, 현상이 변화 과정은 제시되어 있지 않다.

❺ 콘서트홀의 종류마다 알맞은 잔향 시간이 다르다는 것을 사례를 들어 서술하고 있지, 어느 과정을 시간 순으로 나열하고 있지도 않으며, 그 과정을 분류하고 있지도 않다.

2 (가)에서는 오케스트라와 가수 외에도 콘서트홀의 다양한 요소들이 공연의 질에 영향을 미치기 때문에 어떤 콘서트홀에서 공연을 관람하느냐에 따라서 공연의 만족도가 달라질 수 있다고 하면서 콘서트홀의 요소에 따른 공연의 질(만족도)의 관계에 대해 설명하고 있다. (나)에서는 공연의 질을 좌우하는 요소 중 하나인 잔향 시간의 개념과 콘서트홀의 종류마다 알맞은 잔향 시간이 다르다는 것을 관련 사례를 들어 제시하고 있다. 그리고 (다)~(마)에서는 콘서트홀의 잔향 시간을 조절하는 방법 세 가지(콘서트홀의 크기, 콘서트홀의 재료, 음향 장치의 활용)를 대등하게 제시하고 있다.

3 ㉠ '흡음재'는 소리를 잘 흡수하는 재료이고, ㉡ '반사재'는 일정한 방향으로 나아가던 파동의 방향을 반대로 바꾸는 재료이므로, ㉠과 ㉡은 단어의 뜻이 서로 정반대되는 반의 관계이다. ④의 '처음'은 '시간적으로나 순서상으로 맨 앞'을 뜻하고, '끝'은 '순서의 마지막'을 뜻하므로 반의 관계이다.

오답 풀이 ❶ 앞의 '차'는 '바퀴가 굴러서 나아가게 되어 있는, 사람이나 짐을 실어 옮기는 기관'을 뜻하고, 뒤의 '차'는 '식물의 잎이나 뿌리, 과실 따위를 달이거나 우리거나 하여 만든 마실 것을 통틀어 이르는 말'로 두 단어는 소리는 같으나 의미가 서로 다른 동음이의 관계이다.

❷ '과일' 안에 '사과'가 포함되므로 한 단어의 의미가 다른 단어의 의미를 포함하는 상하 관계이다.

❸ '아름다운'은 '보이는 대상이나 음향, 목소리 따위가 균형과 조화를 이루어 눈과 귀에 즐거움과 만족을 줄 만한'을 뜻하고, '고운'은 '모양, 생김새, 행동거지 따위가 산뜻하고 아름다운'을 뜻하므로 두 단어의 뜻이 서로 비슷한 유의 관계이다.

❺ 앞의 '머리'는 '머리에 난 털'을 뜻하고, 뒤의 '머리'는 '사람이나 동물의 목 위의 부분'을 뜻하므로 두 가지 이상의 뜻을 지닌 단어는 다의 관계라고 할 수 있다.

더 알아두기 공간에서 발생하는 음

공간에서 생기는 음에는 직접음, 반사음, 잔향이 있다. 직접음은 음원으로부터 소리를 듣는 사람에게 반사되지 않고 가장 먼저 도달하는 음을 의미한다. 반사음은 직접음이 벽이나 어떤 물체에 부딪히고 반사되어 생성되는 소리를 의미하며, 이 반사된 소리는 또 다른 벽이나 물체에 반사된다.

각각의 반사음들이 전체 소리에 미치는 영향은 반사음이 사람의 귀에 도달하는 시간과 방향, 직접음과 잔향음에 대한 상대적인 세기에 의해 결정된다. 처음의 반사음은 공간감을 느끼게 하고 소리의 방향에 영향을 주며, 직접음의 음색을 변화시킬 수 있다. 처음의 반사음은 직접음과 반사 각도가 같으면 반사음을 거의 느낄 수 없지만, 각도가 커지면 그만큼 크게 느껴진다. 잔향은 처음에 발생한 반사음들이 계속 반사되어 특정 반사음을 구분해 낼 수 없는 경우에 생성된다.

실내에서 음원을 발생시킨 후 갑자기 멈췄을 때 소리는 점차 줄어들어 사라지는데, 최고의 음압 레벨에서 60dB(100만분의 1 크기) 아래로 음압이 떨어질 때까지 걸리는 시간을 잔향 시간(RT60)이라고 한다. 잔향음은 소리를 풍성하게 만드는 성질이 있으나, 잔향 시간이 너무 길면 소리의 명료도가 떨어지기 때문에 공간에 따라서 적절한 잔향 시간이 필요하다.

어휘 체크

1 오케스트라 – 라디오 – 오페라 – 라이선스 – 스피커 – 커튼콜
2 ❶ ㉡ ❷ ㉢ ❸ ㉠

예술

01 변기? 작품이 되다

본문 148~151쪽

1 ② 2 ② 3 ①

가 예술 작품이란 무엇일까? 간단히 정의하면 예술적 가치가 있는 작품을 말한다. 이와 같은 예술 작품 중에서 그림이나 조각, 건축물, 공예품과 같이 미술 분야에 속하는 예술 작품을 미술 작품이라고 한다.

(예술 작품의 개념 / 미술 작품의 개념 / 핵심어)

나 우리가 생각하는 미술 작품에는 어떤 것들이 있는지 떠올려 보자. 「19세기 인상주의 화가인 빈센트 반 고흐의 「별이 빛나는 밤」이나 르네상스 시대의 천재 화가이자 과학자였던 레오나르도 다빈치의 「모나리자」가 떠오르는가? 아니면 20세기 미술의 거장 파블로 피카소의 「아비뇽의 아가씨들」, 그것도 아니라면 조선 후기 겸재 정선의 산수화나 단원 김홍도의 풍속화를 떠올렸을 수도 있다.」 어떤 작품이라도 좋다. 각자가 생각하는 미술 작품을 자유롭게 떠올려 보자.

(「 」: 대중적, 역사적으로 널리 알려진 미술 작품의 예시)

다 앞서 우리는 미술 작품이 무엇인지, 그리고 미술 작품에는 어떤 것들이 있는지 생각해 보았다. 자, 이제 다음 사진을 보자. 사진 속에 보이는 것은 무엇인가? 여러분의 눈에 보이는 것은 탁자 위에 놓인 낡은 소변기인가, 아니면 작가의 서명이 담긴 미술 작품인가. 만약 사진 속의 변기가 미술 작품일 수 있다면, 어떤 대상이든 작가의 의도가 담긴 것이라면 작품으로 인정받을 수 있다는 말인가? 이에 대한 논쟁은 이미 20세기 초반에 이루어졌다.

(대상에 대한 두 가지 관점 / 작가가 선택하고 의미를 부여한 것 / 미술 작품의 범주에 포함될 수 있다)

라 사진 속의 작품은 20세기 프랑스의 화가이자 다다이즘의 중심인물이었던 마르셀 뒤샹(1887~1968)이 1917년 뉴욕의 독립미술가협회가 주최하는 전시회에 「샘(Fountain)」이라는 이름을 붙여 출품했던 작품의 복제품이다. 당시 전시회의 전시 위원이기도 했던 뒤샹은 뉴욕의 어느 철공소에서 변기를 하나 구입한 뒤 자신의 이름을 딴 게, 소변기의 제조 회사의 이름을 조금 바꾼 '리처드 머트(R. Mutt)'라는 이름으로 변기에 서명한 후 전시회에 출품하였다. 이 전시회는 참가비를 낸 작가라면 누구나 작품을 출품하여 심사 없이 전시할 수 있었지만, 뒤샹의 작품은 전시되자마자 곧바로 전시장의 칸막이 뒤로 치워졌다. 당시 독립미술가협회 회장은 「샘」은 원래 있어야 할 자리에서는 매우 유용한 물건일지 모르지만, 미술 전시장은 그에 알맞은 자리가 아니며 일반적인 규정에 따르면 그것은 예술 작품이 아니라는 의견을 ⓐ밝혔다. 그들의 눈에 뒤샹의 「샘」은 단지 대량 생산품으로서의 흔한 소변기일 뿐이었다.

(작품의 원본은 전시회 이후 분실되어 사진으로만 남아 있고, 1960년대에 몇 개의 복제품을 제작함 / 이유 - 당시로서는 기성품이자 소변기인 대상을 미술 작품으로 인정할 수 없었기 때문임 / 소변기로서의 본래의 목적에 합당한 대상임 / 작가의 영감과 창조성을 바탕으로 만들어진 작품이 아니라 기성품으로서의 소변기일 뿐임)

마 이에 대해 뒤샹은 '머트 씨'가 자신의 손으로 이 작품을 만들었는가의 여부는 중요한 문제가 아니라고 반박했다. 중요한 점은 작가가 이것을 '선택'하여 이 일상적인 생활용품에 새로운 명칭을 부여하고, 원래의 실용적 가치를 제거하여 환경을 바꿈으로써 이 물체에 새로운 의미를 부여한 것이라고 주장했다.

(예술가가 직접 자신의 손으로 창조한 대상인가 / 뒤샹이 생각하는 미술 작품의 개념 / 레디메이드, 기성품 / 샘(Fountain) / 「샘」이 미술 작품이 될 수 있는 이유)

바 이처럼 기성 제품도 작가의 선택에 의해 특정 주제와 의식을 담아내는 독립된 작품이 될 수 있다는 ㉠뒤샹의 혁명적 제안은 현대 미술의 영역을 '레디메이드(ready-made)'로 확장시켰으며, 이후 현대 미술에 커다란 영향을 끼쳤다.

(마르셀 뒤샹이 창조해 낸 미술 용어로서의 '레디메이드'의 개념)

독해 체크

■ 이 글의 핵심 화제

미술 작품에 대한 (마르셀 뒤샹)의 주장

■ 문단별 중심 내용

- 1문단: 예술 작품과 (미술 작품)의 개념
- 2~3문단: 일반적인 미술 작품의 범주와 미술 작품의 개념에 대한 (문제 제기)
- 4문단: 전시회에 출품한 마르셀 뒤샹의 「샘」은 미술 작품으로 인정을 받지 못함
- 5문단: 「샘」이 미술 작품임을 주장하는 마르셀 뒤샹
- 6문단: 현대 미술의 영역을 (레디메이드)로 확장시킴으로써 현대 미술에 커다란 영향을 끼친 마르셀 뒤샹

■ 핵심 내용의 구조화

'변기'도 미술 작품이 될 수 있는가?

전시회 측의 입장	마르셀 뒤샹의 입장
「샘」은 단지 기성품일 뿐이며, 본래의 목적에 맞게 쓰일 때 의미가 있는 것이지, 미술 전시장에 어울리는 (예술 작품)은 아니다.	「샘」을 작가가 자신의 손으로 만들었는가는 중요하지 않으며, 기성품이라도 작가가 그것을 (선택)하고 새로운 (의미)를 부여했다면 작품으로 인정되어야 한다.

이후의 변화

뒤샹의 혁명적 제안은 현대 미술의 영역을 (레디메이드)로 확장시켰으며, 이후 현대 미술에 커다란 영향을 끼침

1 (라)로 보아, 뒤샹은 상점에서 구입한 남자 소변기에 자신의 이을 감춘 채 '리처드 머트(R. Mutt)'라는 가명으로 서명한 뒤 「샘」이라는 제목으로 독립미술가협회의 전시에 출품하였지만, 곧 전시를 거부당하였다.

오답 풀이 ❶, ❹ (라)에서 뒤샹은 어느 철공소에서 변기를 구입하여 전시회에 작품으로 출품했으나, 전시되자마자 곧바로 전시장의 칸막이 뒤로 치워졌다고 하였다. 또한 당시 독립미술가협회 회장은 마르셀 뒤샹의 작품인「샘」은 예술 작품이 아니라는 의견을 밝혔다고 하였다.
❸ (라)에서 20세기 프랑스의 화가이자 다다이즘의 중심인물이라며 마르셀 뒤샹을 설명하고 있다.
❺ (다)에서 어떤 대상을 미술 작품으로 인정할 수 있을지, 없을지에 대한 논쟁, 즉 미술 작품의 범주에 대한 논쟁이 20세기 초반에 이루어졌다고 밝히고 있다.

2 (마), (바)에서 마르셀 뒤샹은 작가가 자신의 손으로 작품을 만들었는가의 여부는 중요한 것이 아니고, 대상을 작가가 선택하여 특정 주제와 의식을 담아낸다면 독립된 작품이 될 수 있다고 하였다. 따라서 작가의 손에서 만들어 낸 예술성을 중요시하는 것은 기존의 예술적 견해라고 볼 수 있다.

오답 풀이 ❶ (라)로 보아, 당시의 예술관으로는 마르셀 뒤샹의 혁명적 제안은 받아들이기 힘들었을 것으로 추측할 수 있다.
❸ (마)에서 마르셀 뒤샹은 작가가 자신의 손으로 작품을 만들었는가의 여부가 중요한 것이 아니라, 작가가 대상을 선택했다는 것이 중요하다고 하였다. 따라서 미술의 영역을 '창조'에서 '선택'의 개념으로 확장하였음을 알 수 있다.
❹ (바)에서 마르셀 뒤샹의 혁명적 제안은 현대 미술의 영역을 '레디메이드'로 확장시켰다고 하였다.
❺ (바)에 의하면, 기성 제품도 작가의 선택에 의해 특정 주제와 의식을 담아내는 독립적 작품이 될 수 있다는 것이 ㉠의 내용이다.

3 ⓐ의 '밝히다'는 '드러나지 않거나 알려지지 않은 사실, 내용, 생각 따위를 드러내 알리다.'의 의미로 이와 유사하게 쓰인 것은 ①이다.

오답 풀이 ❷ '드러나게 좋아하다.'의 의미로 쓰였다.
❸ '('밤'을 목적어로 하여) 자지 않고 지내다.'의 의미로 쓰였다.
❹ '불빛 따위로 어두운 곳을 환하게 하다.'의 의미로 쓰였다.
❺ '빛을 내는 물건에 불을 켜다.'의 의미로 쓰였다.

+ 어휘 체크

1 (1) 서명 (2) 산수화 (3) 풍속화
2 ❶ 전시회 ❷ 회기 ❸ 기성품 ❹ 복제품 ❺ 가명
❻ 명인 ❼ 인상주의

본문 152~155쪽

예술 

우리 춤이 지닌 멋

1 ③　　2 ②　　3 ①

가 옛날에는 공방에서 만들어진 접시가 10개면 10개 모두 다르고 조금씩 흠이 있었다. 그러나 그 접시의 흠은 흠이 아니고 도리어 그 각각의 다른 점에서 아름다움을 지닌다. 신의 창조물이 어느 것 하나 똑같지 않은 듯 말이다. "사람은 있되 내가 없으면 이는 꼭두각시이지 산 사람이 아니다."(자기만의 개성이 중요함)라는 말이 있는데, 이 말을 춤(핵심어)에 적용시켜 보면 타인의 춤을 그대로 모방하는 것이 아니라 자신의 춤을 추어야 한다(핵심 문장)는 진리가 담겨 있다 하겠다.

나 요즘은 우리나라 춤에 '누구누구의 유파'라는 말이 있지만, 우리나라 춤에는 본래 유파가 없었다. 일본의 고전 예술은 이른바 이에모토[家元] 제도가 있어서 각 유파의 제자들은 자기 선생의 성까지 넣어서 이름을 바꿀 정도로 세습적인 체제로 교육을 받았다. 일본에는 선생의 춤을 그대로 답습하는 것을 미덕으로 여겨 수백 년 동안 변함없이 이어지는 것(일본 춤의 특징)이 보통이다. 그러나 우리나라의 판소리나 춤은 몇 달 또는 한두 해 동안만 선생에게 기초를 배우고 그 이후에는 혼자서 연습했다. 우리나라 사람들은 다른 사람의 춤을 그대로 모방하거나 그 춤을 반복하며 전수하는 것을 싫어했으며, 변화와 다양성과 개성을 지닌 춤을 중시(일본 춤과는 다른 우리나라 춤의 특징)했기 때문이다.

다 우리의 춤은 자기표현성이 강하다.(우리 춤의 특징) 나름대로의 원형적 동작이나 형식적 틀이 있지만 이 틀은 시대에 따라 또는 춤추는 사람에 따라 새롭게 꾸며진 형식이며, 춤 동작은 그때마다 달라진다. 우리 춤의 본질은 어떠한 춤을 그대로 추는 것을 자랑하는 것이 아니라, 그 춤 자체가 가진 예술성이 어떠하냐에 따라 평가된다. 따라서 우리 춤은 자손 대대로 옛 춤의 형식이나 동작 하나하나를 그대로 이어 가면서 추는(배운 것을 익히며 이어 감) (㉠)의 개념이 아니라 자기 멋이 들어간 (㉡)의 개념이라 할 수 있다. 즉, 우리 춤은 원칙적으로 선생에게 배워야 하는 춤이라기보다 춤판에서 보고 듣고 하는 가운데 저절로 추게 되는 춤인 것이다.

라 우리 춤은 자기표현성이 강하기 때문에 창작성과 자율성이 내재(우리 춤의 특징)되어 있다. 이러한 자기표현의 특성이 가장 잘 나타난 것은 농민들의 춤이다. 농민들은 항상 몸을 땅을 향해 구부리고 일을 하기 때문에 농민들의 춤을 보면 허리가 조금씩 굽어 있는 것을 알 수 있다. 이들은 춤을 정식으로 배운 적이 없음에도 농사일을 마치고 악기 소리에 맞추어 춤을 추는 날이면 어디서 그런 신명이 나오는지 당당하고 멋들어지게 춤을 춘다.

마 농민들의 춤은 마치 벼 이삭이 익어 고개를 숙인 듯 한 동시에 막대기처럼 무뚝뚝하면서도 거칠고 역동적인 멋을 지니기도 한다. (농무를 벼 이삭의 모습과 막대기의 속성에 비유함) 이렇게 자기표현이 자연스럽게 이루어지는 과정에서 형상화된 춤이야말로 우리 춤의 특성을 잘 보여 준다고 하겠다. (자기표현성, 창작성, 자율성을 지님) 우리 춤의 진정한 멋은 누구에게서 배워서 나온 것이 아니라 멋을 가진 우리나라 사람이기에 나온 것이다. (글쓴이의 주장)

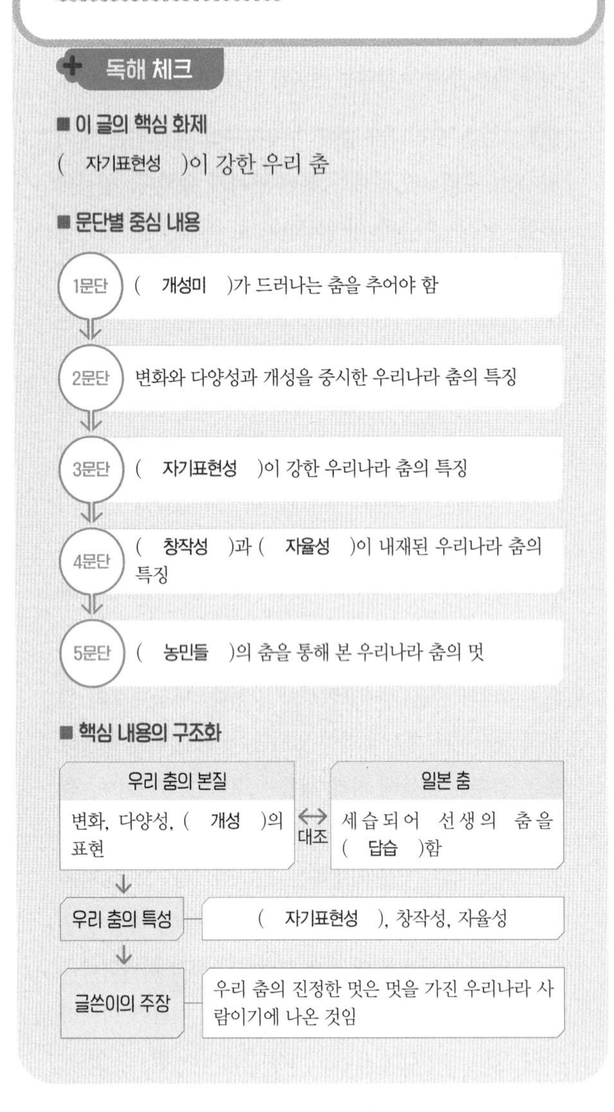

독해 체크

■ 이 글의 핵심 화제

(자기표현성)이 강한 우리 춤

■ 문단별 중심 내용

- 1문단: (개성미)가 드러나는 춤을 추어야 함
- 2문단: 변화와 다양성과 개성을 중시한 우리나라 춤의 특징
- 3문단: (자기표현성)이 강한 우리나라 춤의 특징
- 4문단: (창작성)과 (자율성)이 내재된 우리나라 춤의 특징
- 5문단: (농민들)의 춤을 통해 본 우리나라 춤의 멋

■ 핵심 내용의 구조화

우리 춤의 본질	↔ 대조	일본 춤
변화, 다양성, (개성)의 표현		세습되어 선생의 춤을 (답습)함

↓

우리 춤의 특성: (자기표현성), 창작성, 자율성

↓

글쓴이의 주장: 우리 춤의 진정한 멋은 멋을 가진 우리나라 사람이기에 나온 것임

1 이 글은 우리 춤이 자기표현성이 강한 춤이라는 점을 언급한 후 그것을 구체적으로 설명하고 있다. 우리 춤의 개념이 정해진 과정을 시간의 흐름에 따라 전개하고 있지는 않으므로 ③의 설명은 적절하지 않다.

오답 풀이 ❶ 비유는 어떤 현상이나 사물을 직접 설명하지 아니하고 다른 비슷한 현상이나 사물에 빗대어서 설명하는 것을 말한다. (마)에서 글쓴이는 농민들의 춤을 벼 이삭의 모습과 막대기의 속성에 비유하여 고개를 숙인 듯한 동시에 무뚝뚝하면서도 거칠고 역동적인 멋을 지녔음을 설명하고 있다.

❷ 대조는 둘 이상의 대상의 차이점을 들어 설명하는 것을 말한다. (나)에서 글쓴이는 스승의 춤을 그대로 답습하는 일본 춤과 선생에게 춤의 기초를 배우고 그 이후에는 혼자서 연습하는 우리 춤을 대조하여 자기표현성이 강한 우리 춤의 특징을 드러내고 있다.

❹ (라)에서 글쓴이는 자기표현성이 강하여 창작성과 자율성이 내재된 우리 춤의 특성을 가장 잘 드러내는 대표적 사례로 농민들의 춤을 제시하고 있다.

❺ 유추는 같은 종류의 것 또는 비슷한 것에 기초하여 다른 사물을 미루어 추측하는 일을 말한다. (가)에서 글쓴이는 다양성과 개성에 대해 말하기 위해 공방에서 만든 접시를 언급하여 이를 우리 춤에 적용하고 있다. 따라서 유추의 방법을 사용하여 자신만의 개성이 중요하다는 관점을 드러내고 있음을 알 수 있다.

2 (나), (다)에서 우리 춤은 춤의 기초를 선생에게 배운 후 스스로 익혀 자신만의 개성을 표현하는 것을 중시한다고 하였다. 따라서 선생에게 배워야 하는 춤이라기보다 춤판에서 보고 듣고 하는 가운데 저절로 추게 되는 춤이라고 하였으므로 ②와 같은 반응은 적절하지 않다.

오답 풀이 ❶ (다)로 보아, 옛 춤의 형식이나 동작 하나하나를 그대로 이어 가면서 추는 것이 전수의 개념인데 (나)에서 일본의 경우 선생의 춤을 그대로 답습하는 것을 미덕으로 여겨 수백 년 동안 변함없이 이어지고 있다고 하였으므로 일본 춤은 전수의 개념으로 이어져 오고 있음을 알 수 있다.

❸ (나)에서 우리 춤은 다른 사람의 춤을 그대로 모방하는 것이 아닌, 변화와 다양성과 개성을 지닌 춤이라고 하였고, (라)에서 우리 춤은 자기표현이 자연스럽게 이루어지는 과정에서 형상화된 춤이라고 하였으므로 춤을 추는 사람의 개성이 자연스럽게 표현되는 것을 중시했음을 알 수 있다.

❹ 자율성과 창작성이 내재돼 있는 우리 춤은 정식으로 춤을 배운 적이 없는 농민들도 농사일을 마치고 악기 소리에 맞추어 춤을 추고(라), 춤추는 사람에 따라 춤 동작이 달라지므로(다), 즉흥성을 가진다고 볼 수 있다.

❺ (다)에서 우리 춤은 나름대로의 원형적 동작이나 형식적 틀은 있지만 이 틀은 시대에 따라 또는 춤추는 사람에 따라 새롭게 꾸며진 형식이며 춤 동작은 그때마다 달라진다고 하였다.

3 ㉠은 옛 춤의 형식이나 동작을 답습하는 것이니 그대로 전하여 받는 '전수(傳受)'가 적절하며, ㉡은 '자기 멋이 들어간', 정신적인 것을 포함하고 있으므로 이어받아서 계승한다는 의미를 지닌 '전승(傳承)'이 적절하다.

어휘 체크

1 답습 – 습지대 – 대창 – 창작성 – 성자 – 자기표현

2 ❶ ㉢ ❷ ㉣ ❸ ㉠ ❹ ㉡

본문 156~159쪽

예술 03 일상을 바꾸는 공공 디자인

1 ②   2 ②   3 ①

가 공공 디자인(핵심어)은 우리 주변의 공공 시설물을 디자인하는 행위나 그 결과물을 의미한다(공공 디자인의 개념). 우리를 둘러싼 수많은 공공 디자인은 다양한 방식으로 우리 삶에 관여하기 때문에 공공 디자인에 대한 사람들의 관심이 점차 높아지고 있다. 그러나 최근 조사에 따르면 공공 디자인에 대해 만족하지 않는다는 응답이 만족한다는 응답의 두 배가 넘는 것으로 나타났다. 이는 급속한 경제 발전 과정에서 공공 디자인의 미적 기능을 소홀히 여긴 결과로(이유) 볼 수 있다. 보다 나은 공공 디자인을 위해 실용적 기능이나 미적 기능의 균형을 생각해 볼 때이다(공공 디자인의 개선이 필요함을 제시함).

나 공원이나 정류장에서 흔히 볼 수 있는 벤치를 예로 들어 보자. 모양이나 색, 재료 등이 비슷한 경우가 많다(우리나라의 일률적인 공공의 벤치). 하지만 덴마크의 디자이너 예페 하인은 이러한 벤치를 다양한 모양으로 디자인하여 사람들이 각양각색의 자세로 쉴 수 있도록 하였다(실용적 기능과 미적 기능이 균형을 이룬 예 ①). 실용적 기능에 창의적 상상력이 더해져 사람들에게 재미와 즐거움까지 주게 된 좋은 예이다(실용적 기능과 상상력이 조화를 이룸).

다 실용적 기능과 미적 기능이 균형을 이룬 예는 영국에서도 찾아볼 수 있다. 영국의 산업 디자이너 로스 러브그로브가 디자인한 '솔라 트리'가 그것이다(실용적 기능과 미적 기능이 균형을 이룬 예 ②). 솔라 트리는 태양광 패널이 달린 나무 모양의 가로등으로(솔라 트리의 뜻), 주변을 밝히는 가로등의 실용적 기능에 자연의 아름다움을 더해 사람들에게 만족감과 편안함을 주고 있다(실용적 기능과 미적 기능이 조화를 이룸).

라 우리나라에도 좋은 예가 있다. 전주에는 남원과의 경계를 알리는 '전주 연돌 탑'이 있다(실용적 기능과 미적 기능이 균형을 이룬 예 ③). 「이 탑의 굴뚝에서는 밥 짓는 때에 맞춰 하루 세 번 연기가 나는데, 이는 사랑이 담긴 '엄마의 밥상'을 상징적으로 표현한 것이라고 한다.」(「」: 실용적 기능에 인간미를 더함) 이처럼 공공 디자인에 인간미를 더하면 사람들에게 깊은 인상을 줄 수 있다.

마 이와 같이 공공 디자인은 실용적 기능과 미적 기능이 균형을 이룰 때 공공 디자인으로서의 효과가 더욱 크게 발휘될 수 있다(이 글의 중심 문장). 주변을 둘러보자. 집 앞 놀이터의 바닥 분수, 알록달록한 안내 표지판, 보행자 우선 도로의 ㉠작은 타일에 이르기까지 공공 디자인은 우리의 일상생활에 밀접하게 관련되어 있다. 보다 많은 사회 구성원들이 만족할 수 있도록 실용적 기능과 미적 기능이 조화된 공공 디자인이 우리 주변에 더욱 많아져야 한다(글쓴이의 주장).

독해 체크

■ 이 글의 핵심 화제

(실용적) 기능과 (미적) 기능이 균형을 이룬 공공 디자인

■ 문단별 중심 내용

1문단: 공공 디자인의 (미적 기능)을 재고해야 함

2~4문단: 실용적 기능과 미적 기능이 균형을 이룬 (공공 디자인)의 사례들을 제시함

5문단: 실용적 기능과 미적 기능이 균형을 이룬 공공 디자인이 많아져야 함

■ 핵심 내용의 구조화

실용적 기능과 미적 기능이 균형을 이룬 공공 디자인

다양한 모양으로 디자인한 예페 하인의 벤치	로스 러브그로브의 가로등 '솔라 트리'	엄마의 밥상을 상징적으로 표현한 '전주 연돌 탑'
(실용적) 기능에 창의적 상상력이 더해져 사람들에게 즐거움을 줌	실용적 기능에 (자연)의 아름다움을 더해 사람들에게 만족감과 편안함을 줌	공공 디자인에 (인간미)를 더해 사람들에게 깊은 인상을 줌

실용적 기능과 미적 기능이 균형을 이룰 때 (공공 디자인)으로서의 효과가 증대됨

1 (나)는 예페 하인의 벤치를 그림과 함께 제시하여 실용적 기능에 창의적 상상력이 더해져 사람들에게 재미와 즐거움까지 주게 된 공공 디자인의 예를 들고 있다. 예페 하인의 벤치들이 실용적 기능이 없다는 설명은 적절하지 않다.

오답 풀이 ① (가)에서는 공공 디자인에 대해 만족하지 않는다는 응답(47%)이 만족한다는 응답(19%)의 두 배가 넘는 결과가 나타난 공공 디자인 만족도 조사 자료를 근거로 공공 디자인 개선의 필요성을 주장하고 있다.
③ (다)에서는 주변을 밝히는 가로등의 실용적 기능에 자연의 아름다움을 더해 사람들에게 만족감과 편안함을 준 예로 로스 러브그로브가 디자인한 '솔라 트리'를 제시하고 있다.
④ (라)에서는 사랑이 담긴 엄마의 밥상을 상징적으로 표현한 우리나라의 '전주 연돌 탑'을 제시하여 공공 디자인에 인간미를 더한 예를 보여 주고 있다.
⑤ (마)에서는 실용적 기능과 미적 기능이 조화를 이룬 공공 디자인이 많아져야 한다는 글쓴이의 주장이 제시되어 있다.

2 〈자료 2〉는 예페 하인이 다양한 모양으로 디자인한 벤치들을 보여 주고 있다. 이 벤치들은 실용적 기능에 창의적 상상력이 더해져 사람들에게 재미와 즐거움까지 주게 된 좋은 예로 제시하고 있다. 시간의 흐름에 따른 벤치 디자인의 변화를 보여 주는 것이 아니다.

오답 풀이 ❶ 〈자료 1〉은 공공 디자인의 만족도를 조사한 자료로, 공공 디자인에 대해 만족하지 않는다(매우 불만족, 불만족)는 응답이 47%, 만족한다(만족, 매우 만족)는 응답이 19%로 나타난 결과를 수치화하여 보여 주고 있다.
❸ 〈자료 2〉는 예페 하인이 다양한 모양으로 디자인한 벤치들의 모습을 보여 주고 있다.
❹ 〈자료 3〉은 솔라 트리가 설치된 모습을 주변 경관과 함께 보여 주어, 주변을 밝히는 가로등의 실용적 기능에 자연의 아름다움을 더한 공공 디자인의 예를 제시하고 있다.
❺ 〈자료 4〉는 밥 짓는 때에 맞춰 탑의 굴뚝에서 연기가 나는 '전주 연돌탑'의 실제 모습을 제시하여 글의 설명을 보완해 주고 있다.

3 ㉠의 문장 성분은 체언 앞에서 체언의 뜻을 꾸며 주는 구실을 하는 관형어이다. 이와 다른 것은 ①의 '꽤'로, 문장에서 부사어의 역할을 한다.

오답 풀이 ❷ '헌'은 문장에서 체언인 '옷'을 꾸며 주는 구실을 하는 관형어이다.
❸ '즐거운'은 문장에서 체언인 '시간'을 꾸며 주는 구실을 하는 관형어이다.
❹ '모든'은 문장에서 체언인 '소망'을 꾸며 주는 구실을 하는 관형어이다.
❺ '소중한'은 문장에서 체언인 '추억'을 꾸며 주는 구실을 하는 관형어이다.

+ 어휘 체크

• ㉢ – 실용적 ㉣ – 미적 ㉤ – 관여 ㉠ – 조화 ㉡ – 인간미

3. 독해 성취도 평가

1회

본문 162~169쪽

01 ④	02 ②	03 ④	04 ②	05 ③
06 ①	07 ⑤	08 ①	09 ②	10 ②
11 ①	12 ④	13 ④	14 ④	15 ②
16 ①	17 ④	18 ⑤	19 ④	20 ②

[01~04] 인문
올바른 비판 문화의 형성

| 해제 |
이 글은 갈등이나 문제를 해결하기 위해서는 올바른 비판 문화가 필요함을 말하고 있다. 글쓴이는 비판과 비난의 차이를 예를 들어 설명하면서 비난과 구별해야 할 비판의 의미를 제시하고 있다. 또한 올바른 비판 문화를 만들어 가기 위한 방법을 알려 주면서, 비판의 의미를 제대로 이해하고 올바른 비판 문화를 만들어 가야 한다고 당부하고 있다.

| 주제 |
올바른 비판 문화를 형성하자.

01 사실적 사고
글쓴이는 비난과 비판을 혼동하지 말고, 비판의 의미를 제대로 이해하여 올바른 비판 문화를 만들어 가야 건강한 사회를 만들 수 있다고 말하고 있다.

오답 풀이
❶ 이 글의 글쓴이는 올바른 비판을 통해 갈등이나 문제를 해결하여 건강한 사회를 만들 수 있다고 하였으므로, 비판과 비난을 모두 삼가야 하는 것은 아니다.
❷ (다)로 보아, 비판을 들을 때 상대방의 말을 경청해야 하는 것은 맞지만, 자신의 생각과 비교하며 받아들여야 하지 무조건 수용하는 것은 적절한 태도가 아니다.
❸ (나)에서 비난은 상대방을 이유 없이 헐뜯는 것이라고 하였으므로, 상대방에게 도움이 되는 것은 비난이 아니라 비판이다.
❺ (다)에서 비판을 할 때에는 문제를 해결할 수 있는 대안을 함께 제시해야 한다고 하였다.

02 비판적 사고
(나)에서 비난은 감정만 앞세워 상대방을 이유 없이 헐뜯는 것이라고 하였으므로 상대방의 문제를 흠잡는 태도는 비난에 해당한다. 또한 '인사치레'는 '성의 없이 겉으로만 하는 인사'라는 뜻이므로 상대방의 말에 감사의 뜻을 표하는 태도라고 볼 수 없다. 따라서 비판을 들을 때에 상대방의 말을 경청하고 감사의 뜻을 표하라는 것은 올바른 내용이지만, 나의 문제를 흠잡더라도 인사치레는 해야 한다는 내용은 적절하지 않다.

03 어휘·어법
㉠의 두 문장은 역접 관계의 접속어 '반면'을 사용하여 앞과 뒤의 문장이 서로 상반되는 내용으로 연결되어 있다. ④의 두 문장 또한 '이와 달리'를 사용하여 앞의 내용과 상반되는 내용으로 연결되어 있다.

오답 풀이
❶ 어떤 일반적인 개념이나 사실을 이해시키기 위해 구체적으로 예를 들고 있는 예시의 방식이 사용되었다.
❷ 원인과 결과를 중심으로 설명하는 인과의 방식이 사용되었다.
❸ 대상을 그 구성 요소나 부분으로 나누어 설명하는 분석의 방식을 사용하였다.
❺ 대상 전체를 일정한 기준에 따라 몇 개로 나누어 설명하는 구분의 방식을 사용하였다.

04 어휘·어법
㉡의 '가지다'는 '생각, 태도, 사상 따위를 마음에 품다.'의 의미로 쓰였다. 이와 쓰임이 가장 유사한 것은 ②이다.

오답 풀이
❶ '자기 것으로 하다.'의 의미로 쓰였다.
❸ 앞말이 뜻하는 행동의 결과나 상태가 그대로 유지되거나, 또는 그럼으로써 뒷말의 행동이나 상태가 유발되거나 가능하게 됨을 나타내는 말이다.
❹ '모임을 치르다.'의 의미로 쓰였다.
❺ 앞에 오는 말이 대상이 됨을 강조하여 나타낸 것이다.

[05~08] 과학
마음의 감기, 우울증

| 해제 |
이 글은 우울증의 원인이 신경과 관련된 여러 가지 호르몬의 기능 문제와 뇌의 기능 손상 등으로 발생하는 질병임을 밝히고 있다. 글쓴이는 많은 사람들이 우울한 감정과 우울증을 같은 것으로 보고 질병으로 인지하지 않는 문제를 지적하고 있다. 그리고 우울증의 원인으로 세로토닌, 멜라토닌 등의 호르몬을 제시하며 이것들이 부족했을 때 발생하는 결과를 제시하여 우울증이 기분의 문제가 아닌 질병임을 명시하고 있다. 또한 해부학적 증명을 통해 뇌의 기능 문제가 우울증의 또 하나의 원인임을 알려 주고 있다.

| 주제 |
우울증은 호르몬의 기능 문제 및 몸의 기능 손상으로 발생하는 질병이다.

05 사실적 사고

글쓴이는 (가)에서 '이런 반응은 우울한 감정과 우울증을 같은 것으로 보기 때문이다.'라고 하면서 많은 사람들이 우울한 감정과 우울증을 같은 것으로 보고 질병으로 인지하지 않는 문제를 지적하고 있다. 특히 (마)에서 우울증은 질병임이 분명하며 기분의 문제가 아니고 생리적인 문제라고 밝히고 있다.

오답 풀이

❶ (마)에서 '우울증은 호르몬 분비 체계가 제대로 기능하지 못하거나 몸의 기능이 손상되어 나타나는 질병'이라고 하였으므로 치료가 필요함을 알 수 있다.

❷ (가)에서 마음의 감기로 불리는 우울증은 누구나 쉽게 걸릴 수 있다고 하였다.

❹ (나)와 (다)에서 세로토닌과 멜라토닌 등의 호르몬이 우울증의 원인 중 하나임을 알 수 있다.

❺ (다)에서 우울증과 관련이 있고, 몸의 생체 시계 역할을 하는 호르몬인 멜라토닌은 잠과 연관되어 있어 부족할 경우 불면증에 시달리게 된다고 하였다.

06 추론적 사고

〈보기〉는 '그러나'로 시작하는 문장이므로 〈보기〉 앞의 내용은 〈보기〉와 상반되는 내용이 제시되어야 한다. 따라서 〈보기〉는 (가)와 상반되는 내용이므로 (가)의 뒤에 들어가는 것이 적절하다.

07 사실적 사고

(라)에서 전문가인 미국 워싱턴 대학 이베트 셸린 교수의 발표 내용을 인용하여 우울증이 명백한 질환이라는 글쓴이의 주장을 뒷받침하고 있다.

08 어휘·어법

㉠의 '밝히다'는 '드러나지 않거나 알려지지 않은 사실, 내용, 생각 따위를 드러내 알리다.'의 의미로 쓰였다. 이와 쓰임이 가장 유사한 것은 ①이다.

오답 풀이

❷ '밝히다'가 '드러나게 좋아하다.'의 의미로 쓰였다.

❸ '밝히다'가 '자지 않고 지내다.'의 의미로 쓰였다.

❹ '밝히다'가 '불빛 따위로 어두운 곳을 환하게 하다.'의 의미로 쓰였다.

❺ '밝히다'가 '눈, 신경, 두뇌 따위의 작용을 날카롭게 하다.'의 의미로 쓰였다.

더 알아두기 우울증의 주요 증상

우울증에 걸리면 이전에 스트레스를 극복할 때 사용하던 방법들도 소용이 없기 때문에 우울증을 극복할 수 없을 것 같고, 우울증으로 인한 괴로움이 영원히 지속될 것처럼 느껴지게 된다. 그러나 우울증은 전문적인 치료를 요하며 완치가 가능한 의학적 질환이다. 따라서 다음과 같은 증상이 나타나면 우울증을 의심해 보고 치료를 받아야 한다. 우울증의 주요 증상에는 지속적인 우울감, 의욕과 흥미 저하, 불면증, 주의 집중력 저하, 지나친 죄책감이나 무가치함 등 부정적 사고, 자살에 대한 반복적인 생각 및 시도, 학업 능력 저하, 식욕 저하 또는 식욕 증가와 관련된 체중 변화 등이 있다. 이러한 우울증의 증상이 2주 이상 지속이 되어 일상생활에 지장을 줄 경우에는 정신과 전문의와 상의하는 것이 좋다.

[09~12] 사회
제6의 대멸종

| 해제 |

이 글은 현재에도 빠르게 진행 중인 생물들의 멸종을 막기 위해 노력해야 함을 주장하고 있다. 글쓴이는 인간도 먹이 사슬을 이루고 있는 생태계의 한 구성원이므로 생태계가 파괴된다면 그 피해를 피해 갈 수 없다는 사실을 지적하고 있다. 따라서 멸종 위기의 생물들을 보호하고 이미 멸종된 생물들은 복원하기 위해 노력해야 함을 강조하고 있다.

| 주제 |

멸종 위기의 생물들을 보호하고, 멸종된 생물들은 복원하기 위해 노력하자.

09 사실적 사고

(가)는 빠른 속도로 멸종이 진행되고 있는 생물들을 그냥 지켜보고 있어도 되는 것인지에 대한 질문을 던지며, 글을 쓴 동기와 문제를 제기하는 '처음' 부분에 해당한다. (나)~(라)는 여러 가지 근거를 들어 멸종을 막기 위한 노력과 멸종된 생물들을 복원하기 위한 노력이 필요하다는 의견을 제시하는 '중간' 부분에 해당한다. (마)는 멸종 위기의 생물들을 보호하고 복원하는 일에 힘쓰자며 주장한 바를 정리하고 요약하는 '끝' 부분에 해당한다.

10 사실적 사고

이 글에서는 멸종으로 인해 생태계가 파괴된다면 결국 생태계의 일부인 인간도 그 피해를 피해 갈 수 없을 것이라고 하면서, 멸종 위기의 생물들을 보호하고 복원하는 일에 힘쓰자는 주장을 최종적으로 펼치고 있다.

오답 풀이

❶ 이 글에서 인간이 생태계를 지배하려는 사고를 가지고 있다는 내용은 제시되어 있지 않다.

❸ (다)에서 동물들의 멸종을 막기 위해서 사냥하지 말 것을 당부하고 있을 뿐, 그것이 비인간적인 행위라고 말하지는 않았다.

❹ (라)에서 꾸준한 복원 사업을 통해 멸종 위기에 처한 생물들의 개체 수가 늘어나고 있다고 하였으나 이것을 이 글 전체의 주제로 볼 수는 없다.

❺ (마)에서 생태계가 파괴된다면 생태계의 일부인 사람도 그 피해를 피해 갈 수 없다는 내용이 제시되어 있기는 하나, 이것이 이 글 전체의 내용을 포괄한다고 할 수는 없다.

11 추론적 사고

(나)의 두 번째 문장에서 초식 동물인 토끼와 쥐는 늑대의 먹이가 된다고 하였다. 그러므로 늑대가 멸종된다면 토끼와 쥐를 잡아먹는 생물이 없으므로, 토끼와 쥐의 수는 갑자기 늘어날(㉠) 것이다. 이와 같이 토끼와 쥐의 수가 늘어난다면, 이들이 먹이로 삼는 식물의 개체 수는 반대로 점점 줄어들(㉡) 것이다.

12 어휘·어법

ⓓ '복원'은 '원래대로 회복함'이라는 의미이므로, 경기장인 '링'과 같은 장소에 쓰는 것은 적절하지 않다. ④에서는 '복원'이 아니라, '본디의 자리나 상태로 되돌아감'이라는 뜻의 '복귀'가 들어가야 적절하다.

오답 풀이

❶ '멸종'은 '생물의 한 종류가 아주 없어짐'을 의미하는 것으로 적절하게 사용된 문장이다.
❷ '개체'는 '하나의 독립된 생물체'를 의미하는 것으로 적절하게 사용된 문장이다.
❸ '생존'은 '살아 있음. 또는 살아남음'을 의미하는 것으로 적절하게 사용된 문장이다.
❺ '지배'는 '외부의 요인이 사람의 생각이나 행동에 적극적으로 영향을 미침'을 의미하는 것으로 적절하게 사용된 문장이다.

[13~16] 기술
폐기물에서 에너지를 확보하다

| 해제 |
이 글은 폐기물을 이용한 리사이클링 기술을 소개하고 있다. 오늘날 환경 파괴를 일으키고 매장량에 한도가 있는 화석 에너지를 대체할 에너지로 대두되고 있는 리사이클링 기술을 제시하며, 도시에서 배출된 폐기물을 에너지로 전환하여 유용한 에너지원으로 사용한다는 것을 밝히고 있다. 또한 리사이클링 설비인 생화학적 전환 공장, 가스화 플랜트, 열분해 플랜트, 매립지 등 각 설비에서 여러 가지 폐기물을 에너지로 전환하는 과정과 생산되는 에너지의 종류 등을 구체적으로 설명하고 있다.

| 주제 |
폐기물을 이용한 리사이클링 기술

13 사실적 사고

이 글은 지금까지 자연환경을 희생시켜 생산해 온 화석 에너지를 대신해서 새로운 에너지 생산 기술로 주목받는 리사이클링 기술을 소개하고 리사이클링 기술의 다양한 시설을 설명하고 있다. 리사이클링 기술을 활용하여 그동안 쓸모가 없다고 생각하여 버려지던 폐기물을 유용한 에너지 자원으로 활용하는 방법을 설명하고 있으므로 이런 내용을 포괄할 수 있는 제목인 ④가 적절하다.

오답 풀이

❶ 리사이클링 기술에 대해 설명하고 있으나, 폐기물을 분류하는 과정이나 분류한 종류에 대한 설명보다는 분류된 폐기물을 이용한 리사이클링 설비에 대한 설명이 주가 되고 있으므로 제목으로 적절하지 않다.
❷ 환경과 에너지의 상생, 지구 온난화 문제는 현대에 리사이클링 기술이 부각된 원인이므로 이 글의 전체 내용을 드러낸다고 볼 수 없다.
❸ 에너지 전환 시스템에 대해 설명하고는 있으나 고분자 폐기물뿐 아니라 여러 가지 폐기물을 재활용하여 에너지를 생산하는 방법에 대해 서술하고 있으므로 제목으로 적절하지 않다.
❺ 폐기물을 활용한 에너지 생성 기술을 설명하고 있으므로 표제는 적절하지만, 부제가 매립을 통한 에너지 리사이클링으로만 한정되어 있어 글 전체의 내용을 포괄하고 있지는 않다.

14 사실적 사고

(가)에서는 환경 파괴를 일으키는 화석 에너지 대신 리사이클링 기술을 이용한 에너지 생산을 대안으로 제시한 뒤, (나)에서는 리사이클링 기술에 쓰이는 폐기물을 소개하고, (다)~(사)에서는 이러한 리사이클링 기술을 활용한 다양한 설비의 특징과 생산되는 에너지에 대해 병렬식으로 나열하여 설명하고 있다.

오답 풀이

❶ 화석 연료의 사용으로 인한 지구 온난화와 환경 파괴를 문제 상황으로 제시하고 이에 대한 대안으로 리사이클링 기술을 설명하고 있으나, 리사이클링 기술에 대한 객관적인 연구 자료를 제시하고 있지는 않다.
❷ 환경 파괴나 리사이클링 기술에 대한 연구 현황이나 미래 과제에 대한 내용은 제시되어 있지 않다.
❸ 리사이클링 기술의 설비와 생산되는 에너지 등에 대해 설명하고 있으나, 그 기술의 단점은 제시되어 있지 않다.
❺ 화석 에너지에 대한 대안으로 리사이클링 기술을 제시하고 있으나, 어떠한 문제점에 대한 서로 반대되는 관점은 제시되어 있지 않다.

15 추론적 사고

(라)에 의하면, 가스화 플랜트에서 폐기물을 가스로 만들려면 완전 연소에 필요한 양보다 적은 양의 산소를 공급해 폐기물의 부분 산화를 일으켜야 한다고 했으므로 완전 연소를 한다는 Ⓑ의 정리는 적절하지 않다.

오답 풀이

❶ (다)에서 옥수수와 사탕수수, 목재 같은 탄수화물 구성체가 발효 과정을 거쳐 바이오에탄올을 생산하는 데 쓰인다고 설명하고 있다.
❸ (마)에서 유기성 고분자 폐기물에 열을 가하여 가스, 오일, 차(char) 등을 생산한다고 설명하고 있다.
❹ (바)에서 폐목재와 같은 바이오매스를 급속하게 열분해하면 바이오 연료를 생산할 수 있다고 설명하고 있다.
❺ (사)에서 더 이상 활용할 수 없는 폐기물은 매립지에서 혐기성 미생물의 분해 과정을 통해 메탄 가스와 이산화 탄소가 반씩 포함된 가스를 생산하고 이 가스를 정제하여 '매립지 가스'를 얻는다고 설명하고 있다.

16 어휘·어법

㉠ '셈'은 '어떤 형편이나 결과를 나타내는 말'로 의존 명사이다. 이와 같은 의미로 쓰인 것은 ①이다.

오답 풀이

❷ '셈'은 '주고받을 돈이나 물건 따위를 서로 따져 밝히는 일. 또는 그 돈이나 물건'을 의미하는 말로 명사이다.
❸ '셈'은 '어떻게 하겠다는 생각을 나타내는 말'로 의존 명사이다.
❹ '셈'은 '수를 세는 일'을 의미하는 말로 명사이다.
❺ '셈'은 '미루어 가정함을 나타내는 말'로 의존 명사이다.

[17~20] 예술
분청사기에 담긴 미의식

| 해제 |
이 글은 조선 전기의 분청사기에 담긴 자유분방한 미의식과 자유분방한 미의식이 생겨난 원인을 탐구하고 있다. 글쓴이는 분청사기의 장식 문양과 병의 형태를 통해 분청사기의 자유분방한 미의식을 설명한 후, 그러한 미의식이 생겨난 원인을 유교 규범의 미확립과 사회적 혼란으로 인한 관요의 기능 마비(도공들의 자유로운 제작)에서 찾고 있다.

| 주제 |
분청사기에 나타난 미의식

17 사실적 사고

(가)에서 조선 시대의 대표작으로 한국적 미를 갖춘 예술품이 분청사기라고 하면서 글의 화제를 제시하고 있다. 이어 (나)~(다)에서는 분청사기에 나타난 미의식을 각각 선각 문양과 물고기 문양을 중심으로 설명하고 있다. 그리고 (라)~(마)에서 분청사기의 자유분방한 미의식이 생겨난 원인을 당시의 사회 현실을 바탕으로 설명하고 있다. 그러므로 이 글은 분청사기에 담긴 미의식의 특징과 그 형성 배경을 탐구하고 있다고 할 수 있다.

오답 풀이
❶ 이 글의 중심 내용이 분청사기와 백자를 비교한 것은 아니므로 적절하지 않다.
❷ 이 글의 중심 내용이 사회 현실에 대한 비판은 아니므로 적절하지 않다.
❸ 조선 시대의 미의식이 전기와 후기에 어떻게 변화되었는지의 과정을 탐구한 글이 아니므로 적절하지 않다.
❺ 이 글의 중심 화제는 '조선의 자기'가 아닌 '분청사기'이므로 적절하지 않다.

18 사실적 사고

이 글에서는 조선 초에 정치적 불안, 신분층의 변화, 지배 세력의 성장 등의 사회적 혼란 때문에 관요의 기술자들이 전국적으로 흩어져 분청사기가 자유롭게 제작되었다는 내용만 제시되어 있을 뿐, 분청사기에 담겨 있는 정치적 의도에 대한 내용은 제시되어 있지 않다.

오답 풀이
❶ (가)에서 분청사기는 조선 전기에 모습을 드러냈다고 하였다.
❷ (마)에서 분청사기를 만든 사람들이 관요의 도공이라고 설명되어 있다.
❸ (가)에서 조선 시대의 대표작으로 분청사기와 백자를 꼽는다고 하였으므로 조선 시대 도자기의 종류를 알 수 있다.
❹ (나)에서 분청사기의 겉면에 장식된 문양이 불가사의하다며 대표적인 것으로 선각 문양과 물고기 문양을 꼽고 있다. 또한 (다)에서 병의 모습이 정형화되지 않았다고 하면서 편병, 원통형 등 분청사기의 형태를 제시하고 있다.

19 추론적 사고

이 글에서 설명한 분청사기는 물고기 문양과 선각 문양이 새겨져 있고 정형화되지 않은 병의 모양이 그 특징이라고 하였다. 그런데 ④는 '청화백자(매죽문호)'로, 매화와 대나무를 몸통 전체에 사실적으로 표현해 놓았으며 매우 정교하고 세밀하다. 자유분방함이 특징인 분청사기와는 관련이 없다.

오답 풀이
❶ 선각의 문양이 투박하면서도 대범한 특징을 보이는 '분청사기편호'이다.
❷ 일반 도자기와 형태가 다른, 긴 타원형과 '분청사기박지모란문장군'이다.
❸ 두 마리의 물고기를 생동감 넘치게 표현한 '분청사기음각어문편병'이다.
❺ 위로 향한 두 마리의 물고기 문양이 생동감이 넘치고 자유로운 '분청사기조화음각편병'이다.

20 어휘·어법

문맥상 ⓑ '드러낸다'는 보이지 않던 대상이 모습을 보인다는 의미이다. ②의 '표현한다'는 '생각이나 느낌 따위를 언어나 몸짓 따위의 형상으로 드러내어 나타낸다.'의 의미로, ⓑ와 바꾸어 쓸 수 없다.

오답 풀이
❶ ⓐ '간직하고'는 '가지고 있거나 간직하고 있고'를 의미하는 '보유하고'와 바꾸어 쓸 수 있다.
❸ ⓒ '생각 없이'는 '무엇을 하고자 생각하거나 계획이 없고'를 의미하는 '의도하지 않고'와 바꾸어 쓸 수 있다.
❹ ⓓ '가미해서'는 '이미 있는 것에 덧붙이거나 보태어'를 의미하는 '첨가하여'와 바꾸어 쓸 수 있다.
❺ ⓔ '눈에 띈다'는 '어떤 사물이 특징지어져 두드러지게 된다.'를 의미하는 '부각된다'와 바꾸어 쓸 수 있다.

2회

본문 170~179쪽

01 ③	02 ①	03 ③	04 ③	05 ①
06 ④	07 ②	08 ③	09 ①	10 ②
11 ⑤	12 ④	13 ⑤	14 ④	15 ③
16 ⑤	17 ①	18 ③	19 ①	20 ④

[01~05] 인문
말실수는 과연 실수이기만 할까?

| 해제 |
이 글은 심리학적 용어인 실착 행위의 개념과 발생 원인을 화제로 삼고 있다. 글쓴이는 심리학자인 프로이트의 견해를 빌려 인간의 모든 행동에는 심리적 원인이나 동기가 선행한다고 밝히며, 사람들의 사소한 실수로 보이는 행동에 숨은 의미를 구체적인 사례를 통해 설명하고 있다.

| 주제 |
실착 행위에 숨겨진 의미의 파악

01 사실적 사고

(다)에서 실착 행위는 어떤 의식적인 의도가 그에 대립하는 무의식적인 의도의 방해를 받아 억압당할 때 쉽게 발생한다고 하였다.

오답 풀이

❶ (다)로 보아, 실착 행위의 발생은 서로 반대되는 성향이 있는 의식적 의도와 무의식적 의도 사이의 반응이다.

❷ (나)에서 실착 행위는 엉겁결에 잘못 말을 하거나 깜빡 잊는 등의 사소한 실수에 대해 프로이트가 붙인 이름이라고 하였다.

❹ (다)에서 친구와 만나기로 한 약속을 깜빡 잊은 것은 잊고 싶다는 열망이 잠재해 있다가 발현된 것으로, 실제로는 별로 만나고 싶지 않은 마음이 작용한 것이라고 하였다.

❺ (나)에서 프로이트는 잘못 말을 하거나 깜빡 잊는 등의 사소한 실수를 포함한 인간의 다양한 행동에는 심리적인 원인이나 동기가 선행된다고 지적하였다.

02 사실적 사고

이 글의 글쓴이는 실착 행위는 무의식의 작용이라는 프로이트의 견해를 인용하여 논지를 강화하고 있다. 글쓴이의 견해와 다른 의견을 예상하여 비판하는 전개 방식은 드러나지 않는다.

오답 풀이

❷ (라)에서 프로이트의 견해를 다시 한번 정리함으로써 실착 행위에 숨겨진 의미를 파악해야 한다는 글의 주제를 선명하게 드러내고 있다.

❸ (나)와 (라)에서 실착 행위에 대한 프로이트의 견해를 인용하며 논의를 전개하고 있다.

❹ 주변에서 흔히 볼 수 있는 건망증과 말실수 등의 현상을 제시한 뒤 그것들을 실착 행위라는 용어로 정리하고 있다.

❺ 오랜만에 만난 동창이 약속을 잊어버린 일화로 글을 시작하여 독자의 관심을 끌고 있다.

03 추론적 사고

이 글에서 다루고 있는 실착 행위는 평소 자신의 본심을 숨기고 있다가 어느 순간 자신도 모르게 무의식적으로 나오는 실수 등을 이르는 말로, 이런 행동들이 평소에 잘 드러나지 않는 이유는 자신의 본심 등을 표현하지 않으려는 무의식적인 노력 때문이다. 따라서 이것은 제시된 방어 기제 중 억압과 관련된다.

오답 풀이

❶ 실착 행위를 하는 사람들은 자신의 행동을 실수라고 받아들인다. 따라서 타인에게 전가시킴으로써 자신을 방어한다는 설명은 적절하지 않다.

❷ 실착 행위는 무의식적으로 나오는 행동이다. 따라서 공상을 통한 현실 도피 의지는 드러나지 않는다.

❹ 실착 행위는 잠재의식 속에 감춰진 본심이 실체를 드러내는 것으로 충동의 형태가 변화되어 나타나지 않는다.

❺ 실착 행위는 자신의 본심이 무의식적으로 나오는 행동이므로, 발달의 초기 단계로 돌아가거나 부기력한 방식으로 갈등에 내처하는 성향과는 관련이 없다.

04 추론적 사고

〈보기〉는 이성계가 왕이 되기 전 꾼 꿈에 대한 한 스님의 해석이다. 이 글에서 실착 행위는 말실수, 건망증, 꿈을 통해 무의식적 동기가 드러난다고 한 설명과 연관 지어 볼 때, 왕이 된다는 암시가 담겨 있는 꿈을 사흘 연달아 꾸었다는 것은 이성계의 무의식에 있던 왕이 되고자 하는 욕망이 꿈으로 표출된 것이라고 볼 수 있다.

오답 풀이

❶ 스님은 이성계의 꿈에 숨겨진 의미를 해석하여 있는 그대로 설명하고 있다.

❷ 스님은 이성계의 꿈을 쉽게 넘겨 버리지 않고 그 속에 숨은 의미를 해석하고 있다.

❹ 이성계가 꾼 꿈은 이성계 본인도 느끼지 못한 무의식이 작용한 것이다.

❺ 이성계가 꿈을 꾼 것을 실수라고 보기 어렵다. 또한 〈보기〉의 내용만으로 이성계가 왕이 되고 싶은 자신의 의지를 표명한다고 이해하기 어렵다.

05 비판적 사고

윤주가 미리에게서 받은 펜을 자꾸만 잃어버리는 것은 평소 미리에 대한 윤주의 반감이 작용하여 실수 행위로 나타나는 것으로 볼 수 있다. 따라서 ㉠을 뒷받침하는 사례로 적절하다.

오답 풀이

❷ 경험을 통해 불은 위험한 것이라는 지식을 터득한 후, 위험한 것을 가까이 하지 않으려는 의식적인 의도가 작용된 행동에 해당한다.

❸ 부모의 지시를 받아 온 오랜 습관에서 나온 행동으로, 의식을 제약한 무의식의 작용으로 보기 어렵다.

❹ 현재는 연락을 하지 않지만 친했던 친구를 기억하고 싶다는 무의식이 작용한 행동에 해당한다.

❺ 실수를 하지 않으려는 의식적인 의도가 작용한 행동에 해당한다.

더 알아두기 | 무의식

일반적으로 무의식은 자신의 행위에 대하여 자각이 없는 상태를 말한다. 프로이트는 우리의 의식상에 떠오르지 않는 무의식의 부분이 자신도 인식하지 못하는 중요한 의미를 지니고 있다는 사실을 발견했다. 프로이트에 따르면 무의식은 최면이나 자유 연상 등이 아니면 의식의 표면에 떠오르지 않는 것으로, 그 본질을 의식할 수 없도록 억눌린 마음의 영역을 말한다. 그는 일상에서의 꿈이나 말실수, 건망증 등의 실착 행위 안에 무의식적인 것이 형태를 바꾸어 나타난다고 여겨 이에 대해 분석하였고 이것이 프로이트의 정신 분석의 기본이 되었다. 이와 같이 무의식은 프로이트에게 중요할 뿐만 아니라, 정신 분석학의 근본적 전제를 구성하는 것이다.

[06~08] 사회
프리터족

| 해제 |

프리터족을 통해 우리 사회의 노동 시장을 살펴본 글이다. 글쓴이는 프리터족을 고도 성장 자본주의의 희생자로 볼 수도 있지만, 진정한 의미의 프리터족은 자유 시간을 더 많이 확보하기 위해 정규직 고용을 자발적으로 포기한 사람들이라며 그들에 대한 올바른 이해가 필요함을 역설하고 있다.

| 주제 |

프리터족에 대한 올바른 이해

06 사실적 사고

이 글에서는 프리터족이 자본주의 사회의 불안정한 고용 구조라는 사회적 여건에서 출발했지만 궁극적으로는 일하는 시간을 스스로 조절함으로써 문화적 시간을 최대한 즐기려는 욕망에서 비롯된 것이라고 하였다. 따라서 이를 적절하게 반영한 것은 표제 '프리터족을 바라보는 새로운 시각'과 부제 '노동에 구애받지 않으려는 자율적 주체를 중심으로'를 제시한 ④이다.

오답 풀이

❶ 이 글의 글쓴이는 프리터족이 궁극적으로는 일하는 시간을 조절함으로써 문화적 시간을 최대한 즐기는 삶을 추구한다고 하여 그들의 본질을 자율적 주체로 보고 있으므로 적절하지 않다.
❷ 이 글에서 프리터족이 세대 간의 벽을 허무는 도전 의식을 갖고 있다는 내용은 제시되어 있지 않으므로 적절하지 않다.
❸ 이 글은 프리터족의 의미를 해석하는 글로 프리터족의 미래 모습이나 사회에 미친 영향을 예측하였다는 내용은 적절하지 않다.
❺ 이 글의 글쓴이가 프리터족을 통해 능동적인 일자리를 찾자는 취지를 전하고 있는 것은 아니므로 적절하지 않다.

07 사실적 사고

〈보기〉에 따르면, 본론 1의 (ㄱ)에서는 프리터족의 형성 배경을 '개인적 원인'에서 찾아야 하는데, ②에 제시된 노동 시장의 불균형 구조는 개인적 원인이 아니라 사회적 원인에 해당하므로 적절하지 않다.

오답 풀이

❶ (가)에서는 프리터족이라는 말이 자유롭다는 의미의 형용사 'free'와 임시직을 의미하는 'arbeiter'가 합성된 말이라고 그 어원을 소개하며, 글의 화제를 제시하고 있으므로 서론에 해당하는 내용으로 적절하다.
❸ (다)에서 불안정한 고용 구조로 인하여 출현한 프리터족이 사회 문제로 대두된 것과 관련하여 일본의 사례를 소개하고 있는데, 이는 프리터족이 형성되게 된 배경 중 사회적 원인과 관련된 내용이므로 본론 1의 (ㄴ)에 해당하는 내용으로 적절하다.
❹ (나)에서 프리터족은 노동 시간을 스스로 선택하고 조절하는 자율적 주체라고 볼 수 있다며, 긍정적 해석을 제시하고 있으므로 본론 2의 (ㄱ)에 해당하는 내용으로 적절하다.
❺ (다)에서 프리터족은 기업의 장기 불황에 따른 불안정한 고용 구조에서 비롯된 고도 성장 자본주의의 희생자로 해석할 수도 있다며 부정적 해석을 제시하고 있으므로 본론 2의 (ㄴ)에 해당하는 내용으로 적절하다.

08 비판적 사고

㉠은 놀기 위해 최소한의 일만 하는 것, 즉 자유 시간을 위해 완전 고용이 아닌 아르바이트를 하면서 자유롭게 문화 활동을 즐기는 사람을 의미한다. 그러므로 ③에서 아르바이트를 하며 자유 시간에 창조적 소비 활동, 즉 스키를 타는 김 씨의 이야기가 '엄밀한 의미에서의 프리터족'의 사례로 가장 적절하다.

오답 풀이

❶ 강 씨는 회사를 다니고 있기 때문에 정규 일자리 외에 추가적인 아르바이트로 새벽에 신문을 배달하는 것이다. 따라서 프리터족의 사례로는 적절하지 않다.
❷ 장 씨는 회사를 다니는 것보다 과외를 하는 것이 수입이 더 좋기 때문에 과외를 선택한 것이다. 이것은 경제적 요인으로 아르바이트를 택한 것으로 볼 수 있으므로 놀기 위해 최소한의 일만 하는 프리터족의 의미와는 거리가 멀다.
❹ 이 씨는 배우는 것에도, 일을 하는 것에도 관심을 두고 있지 않으므로 프리터족보다는 니트족에 해당한다고 볼 수 있다.
❺ 박 씨는 정규직 취업을 위한 준비 과정에서 아르바이트를 하는 것이므로 프리터족의 의미와는 거리가 멀다.

[09~13] 과학
몸의 위험을 알려 주는 경고등, 통증

| 해제 |
이 글은 일반적으로 부정적으로만 인식되는 통증의 중요성을 설명하고, 이에 대한 적극적인 대처의 필요성을 밝히고 있다. 통증을 느끼지 못해 어린 나이에 세상을 떠난 '사라'라는 아이의 사례를 통해 생명체의 위기를 알리는 것이 통증의 중요한 기능임을 밝히고, 대처의 필요성을 화재 상황에 비유하여 서술하고 있다.

| 주제 |
생명체에서의 통증의 기능

09 사실적 사고

이 글은 통증을 부정적으로만 여겨 이를 피하려고 하는 일반적인 통념을 제시한 후, '사라'라는 아이의 사례를 통해 통증은 우리의 생명 유지를 위하여 꼭 필요한 장치임을 알려 주고 그것에 대한 올바른 대처 방법을 설명하고 있다.

오답 풀이

❷ 통증을 적절히 활용하여 위해가 될 만한 사항에 대처해야 한다는 것은 주로 마지막 문단에서 언급된 부분적인 내용이므로 중심 내용으로 적절하지 않다.
❸, ❹ 통증에 대한 일반적인 인식과 통점에 대한 설명은 (가)에만 언급된 부분적인 내용이다.
❺ (마)에서 생명체에게 위해가 되는 통증의 원인을 제거해야 한다고 했지, 통증 자체가 위험하다는 것은 글의 내용과 어긋난다.

10 사실적 사고

이 글은 통증의 개념을 소개한 후 '통증을 느끼는 감각은 왜 그렇게 발달한 것일까?'라고 문제를 제기하였다. 이어서 '사라'라는 아이의 예를 들어 통증이 생명 유지와 관련해서 얼마나 중요한 것인지를 설명하고(ㄱ), 통증을 '내부 경고등'에, 통증을 느끼는 현상을 '화재 경보'에 비유하며 통증에 대한 올바른 대처 방법을 제시하고 있다(ㄹ).

오답 풀이

ㄴ. '통증'이라는 한 가지 대상에 대해서만 서술하고 있다.
ㄷ. 통증을 중요하게 생각하는 한 가지 관점으로 전개되고 있다.
ㅁ. 시간의 흐름에 따른 '통증'의 변화에 대한 언급은 나타나지 않는다.

11 추론적 사고

글의 흐름으로 보아 '통증'은 경고를 해 주는 장치이므로 ㉠과 ㉡에 들어갈 말로는 경고등이나 알람을 생각할 수 있다. 그런데 글쓴이는 계속되는 통증은 경고의 의미로 볼 수 없다고 하였으므로 계속되는 통증을 의미하는 것으로는 '계속 울리는 사이렌'이 가장 적절하다.

오답 풀이

❶ 수동식 점멸등은 자동으로 켜지는 것이 아니라 누군가가 켜야 작동을 한다는 점에서 적절하지 않다.
❷ 먹통이라는 것은 제대로 작동을 하지 못하는 경우이므로 적절하지 않다.
❸ 통증은 실제로 일어나는 것이므로 가짜 감시 카메라는 적절하지 않다.
❹ 만성적인 통증은 일회적이 아닌 지속적인 것이다.

12 비판적 사고

〈보기〉에서 다윈 의학은 일상생활에서의 질병을 적응에 의해 진화된 우리 몸의 방어 체계라고 본다고 하였다. 이는 이 글의 글쓴이가 '통증'을 진화에 의한 프로그램으로 바라보는 것과 유사하다. 그런데 이 글의 글쓴이는 이러한 방어 체계가 경고의 기능만 할 뿐 조치나 해결의 기능을 할 수 없으므로, 통증의 원인을 찾아 해결해야 한다고 하였으므로 '두통'에 대해서도 원인을 밝혀내어 적절한 조치를 취해야 한다고 생각할 것이다.

오답 풀이

❶ 두통약은 진통제이므로 임시적인 처방일 뿐이다. 이 글의 글쓴이는 통증의 원인을 찾아 해결해야 한다고 하였다.
❷ 글쓴이는 통증에 대한 적절한 대처의 중요성을 말하고 있으므로, 두통을 가만히 내버려 둔다는 반응은 적절하지 않다.
❸ 글쓴이는 고통의 원인을 찾아야 한다고 했지, 강하지 않은 신체가 고통의 원인이라고 하지는 않았다.
❺ 이 글에서는 고통을 몸의 위협을 알리는 신호로 보고 있으므로, 두통이 좋은 증상일지 나쁜 증상일지에 대해 파악해야 한다는 반응은 적절하지 않다.

13 어휘·어법

ⓐ는 '끄다 1'의 의미로 쓰였음을 알 수 있고 이 경우 ㉮에 들어갈 반의어로는 '피우다, 지르다' 정도가 적절하다. ⓑ는 '끄다 2'의 의미로 쓰였고 ㉯에 들어갈 반의어는 '켜다'이다.

[14~17] 기술
집 짓기

| 해제 |
이 글은 우리나라의 전통 가옥인 한옥을 짓는 과정을 순차적으로 설명하고 있다. 한옥은 잘 수련된 대목을 구하여 짓게 되는데, 글쓴이는 각 과정마다의 특성을 구체적으로 제시하여 독자들에게 한옥의 아름다움과 장점을 설명하고 있다.

| 주제 |
전통적인 한옥 짓기의 과정

14 사실적 사고

(라)를 보면 상량을 어떻게 하느냐가 아니라 서까래를 거는 솜씨에 따라 한옥의 아름다움을 판가름한다는 것을 알 수 있다. 그래서 이 서까래를 얼마나 아름답게 만드느냐에 따라 대목의 기술이 평가된다고 하였다.

오답 풀이

❶ (가)의 '대목이 누가 되느냐에 따라 그 집이 잘 지은 집이냐 아니냐가 판가름 난다.'와 (다)의 기둥 세우기, (라)의 서까래 걸기에서 대목의 역할이 중요함을 알 수 있다.
❷ (나)의 '기단은 빗물이 집 쪽으로 튀어 오르는 것을 막고, 바닥에 고인 물이 집 안으로 스며들지 못하게 하는 역할을 한다.'라는 내용으로 보아, 집 안으로 스며드는 물을 막기 위해 기단의 높이를 조절함을 알 수 있다.
❸ (다)의 '기둥이 수직으로 서지 않으면 집 전체가 기울어지게 되므로'를 통해 알 수 있다.
❺ (라)의 '지붕 위에 흙을 덮으면 빗물이 스며들지 않으며 열의 전도를 차단하는 역할을 한다.'를 통해 알 수 있다.

15 사실적 사고

이 글은 우리나라의 전통 가옥인 한옥을 짓는 과정을 순서대로 설명하고 있다. 집을 짓기 전의 준비 과정과 집을 짓는 과정을 단계별로 세부적으로 나누어 자세하게 설명하고 있다.

오답 풀이

❶ 집 짓기를 설명하는 과정에서 한옥의 구성 요소를 알 수 있지만 이 글의 목적은 집을 짓는 과정 자체를 설명하는 것이지 이를 통해 한옥의 과학성을 밝히기 위한 것은 아니다.
❷ 한옥에 대한 전문가의 견해가 드러나고 있는 부분은 없다. 이 글의 목적이 한옥의 소중함을 일깨우려는 것 또한 아니다.
❹ '대목', '그랭이질', '도리', '상량' 등 전문 용어가 등장하기는 하지만 용어의 어원을 설명하고 있지는 않다.
❺ 한옥이 전통 가옥이기는 하지만 이 글은 전통 문화 자체에 대해 논하고 있지 않으며 시대에 따른 한옥의 변모 양상과 의의도 나타나 있지 않다.

16 추론적 사고

이 글에 나타난 건물은 전통 한옥으로 글쓴이는 한옥을 짓는 과정과 함께 각각의 기능과 아름다움에 대해서도 설명하고 있다. 하지만 주변 경관과의 조화에 대한 내용은 이 글에서 찾을 수 없다.

오답 풀이

❶ (가)의 '집주인이 살기 좋은 집터를 정하고'를 통해 집(한옥)은 사람이 살기 위한 곳임을 알 수 있다.
❷ 주춧돌, 흙벽과 구들, 마루 등을 만드는 방법에서 내구성과 실용성을 엿볼 수 있다.
❸ 기둥 세우는 과정에서 건물의 튼튼한 구조를 알 수 있다.
❹ 처마를 곡선으로 만든 것은 예술성을 표현한 사례이다.

17 어휘·어법

㉠ '집터'는 '집이 있거나 있었거나, 집을 지을 자리'를 뜻하는 단어로 일반적으로 쓰는 말인 일반어에 해당한다. 건축과 관련된 전문어로 볼 수 없다.

오답 풀이

❷ ㉡ '기단'은 '건축물의 터를 반듯하게 다듬은 다음에 터보다 한 층 높게

쌓은 단'을 의미하는 전문어이다.
③ ㉢ '도리'는 '서까래를 받치기 위하여 기둥 위에 건너지르는 나무'를 의미하는 전문어이다.
④ ㉣ '상량'은 '기둥에 보를 얹고 그 위에 처마 도리와 중도리를 걸고 마지막으로 마룻대를 올림. 또는 그 일'을 의미하는 전문어이다.
⑤ ㉤ '산자'는 '지붕 서까래 위나 고미 위에 흙을 받쳐 기와를 이기 위하여 가는 나무오리나 싸리나무 따위로 엮은 것. 또는 그런 재료'를 의미하는 전문어이다.

[18~20] 예술
매체로서의 만화

| 해제 |
이 글은 매체로서의 만화가 가지는 특징에 대해 설명하고 있다. 만화는 일정한 형식에 국한되지 않는 융통성을 지니고, 글과 그림의 조화로 결합되어 있다. 또한 약호를 사용하고, 사실성으로부터 자유롭게 대상의 특징을 포착한다. 그리고 긴 내용을 압축하여 표현하는 경제성을 지니고 있다.

| 주제 |
매체로서 만화가 가진 다양한 특징들

18 사실적 사고

이 글은 매체로서 만화가 지니고 있는 호소력의 근원을 여러 가지 차원에서 밝히고 있다. 먼저, 매체라는 용어에 대한 개념을 정의하며 설명을 시작하고 있다(ㄹ). 이어서 매체로서의 만화의 특징인 융통성, 글과 그림의 조화, 약호의 사용, 자유스러움, 경제성을 병렬적으로 전달하고 있다(ㄴ). 그리고 사실성을 추구하는 회화나 사진 등의 매체와 만화를 대비하여 만화가 사실성으로부터 자유로우며, 이러한 특징들이 호소력 있는 매체의 근원이라는 설명을 뒷받침하고 있다(ㄷ).

오답 풀이
ㄱ. '날아라 슈퍼 보드'와 같은 구체적인 사례를 들고 있기는 하지만, 만화 매체의 발생 이유가 드러나 있지는 않다.
ㅁ. 이 글에는 만화의 특징에 대한 설명과 글쓴이의 의견이 드러나 있다. 그러나 예상되는 다른 의견이 제시되어 있지는 않다.

19 비판적 사고

(라)로 보아, 만화의 내부에는 일정한 약호가 존재하는데 만화를 보는 독자들은 그 약호에 익숙해져 있어 생략과 변형, 과장과 같은 만화의 자유스러운 표현을 쉽게 수용할 수 있다. 등장인물의 움직임을 수직이나 수평으로 몇 개씩 나 있는 선들로 표현하는 것도 만화의 약호에 해당한다. 그러나 〈보기〉의 만화에서는 이러한 만화의 약호가 나타나 있지 않다.

오답 풀이
② (나)에서 실제 만화 영화의 예를 들면서 만화는 특정한 매체 형식에 국한되지 않고, 다양하게 적용될 수 있다고 설명하고 있다.
③ 등장인물인 남녀가 헤어지고 여자가 기차를 타고 떠난다는 상황을 포착하여 기차표를 든 인물의 손을 강조하여 표현하고 있다. 또한 상황을 생략하여 압축하는 등 만화적 기법을 사용하고 있다.
④ 남녀가 헤어졌다 다시 만나기까지의 상황을 자세하게 진술하지 않고, '떠나가는 사람, 그리고 이제야 다시 시작되는 사랑……'이라는 짧은 문구를 통해 비록 헤어졌지만 오랫동안 그리워하게 될 것임을 압축적으로 표현하고 있다.
⑤ 기차역에서 남자가 눈물을 흘리고, 기차표를 손에 든 여자 옆에 기차가 있는 등의 그림을 통해 남녀가 헤어지는 상황임을 즉각적으로 확인할 수 있다. 그리고 '잘 가.'라는 대사와 맨 마지막의 짧은 문구를 통해 헤어짐을 슬퍼하는 남자의 심정을 파악할 수 있다.

20 어휘·어법

㉠ '현저하게'는 뚜렷이 '드러나게'의 의미이기 때문에 '뚜렷하게'로 바꾸어 쓸 수 있다. ㉡ '적용'은 '알맞게 이용하거나 맞추어 씀'의 의미이기 때문에 '활용'으로 바꾸어 쓸 수 있다. ㉢ '도달할'은 '목적한 곳이나 수준에 다다름'의 의미이기 때문에 '다다를'으로 바꾸어 쓸 수 있다. ㉣ '기반'은 '기초가 되는 바탕. 또는 사물의 토대'의 의미이기 때문에 '바탕을 두고'로 바꾸어 쓸 수 있다. ㉤ '규제'는 '규칙이나 규정에 의하여 일정한 한도를 정하거나 정한 한도를 넘지 못하게 막음'의 의미이기 때문에 '규정'으로 바꾸어 쓸 수 있다.

오답 풀이
① ㉤과 바꾸어 쓴 '억압'은 '자기의 뜻대로 자유로이 행동하지 못하도록 억지로 억누름'의 의미이다. 규칙이나 규정에 의해 막는 것이 아닌 억지로 억누르는 것이기 때문에 '규제'와 바꾸어 쓸 수 없다.
② ㉤과 바꾸어 쓴 '규범'은 '마땅히 따르고 지켜야 할 본보기'의 의미이다. 따라서 '넘지 못하게 막음'의 의미가 없기 때문에 '규제'를 대신할 수 없다.
③ ㉣과 바꾸어 쓴 '굴레. 또는 굴레를 씌움'이라는 의미를 뜻하는 말은 '기반(羈絆)'이다. 이 글에서는 '기초가 되는 바탕. 또는 사물의 토대'를 뜻하는 '기반(基盤)'의 의미로 쓰였다.
⑤ ㉠과 바꾸어 쓴 '표저하게'는 '뚜렷이 드러나게'라는 의미로, '현저하게'와 같은 뜻의 단어이다. 그러나 다른 단어에서 약간의 의미 차이가 난다.

memo

memo